AUTEURS ET DIRECTEURS DES COLLECTIONS
Dominique AUZIAS & Jean-Paul LABOURDETTE

DIRECTEUR DES EDITIONS VOYAGE
Stéphan SZEREMETA

RESPONSABLES EDITORIAUX VOYAGE
Patrick MARINGE et Morgane VESLIN

EDITION ✆ 01 72 69 08 00
Maïssa BENMILOUD, Julien BERNARD,
Audrey BOURSET, Sophie CUCHEVAL, Nadine
LUCAS, Caroline MICHELOT, Charlotte MONNIER,
Antoine RICHARD et Pierre-Yves SOUCHET

ENQUETE ET REDACTION
Marie YOUAKIM et Nicolas LHULLIER

MAQUETTE & MONTAGE
Sophie LECHERTIER, Delphine PAGANO,
Julie BORDES, Élodie CLAVIER, Élodie CARY,
Évelyne AMRI, Sandrine MECKING, Emilie PICARD,
Laurie PILLOIS, Marie BOUGEOIS,
Antoine JACQUIN et Marie AZIDROU

CARTOGRAPHIE
Philippe PARAIRE, Thomas TISSIER

PHOTOTHEQUE ✆ 01 72 69 08 07
Élodie SCHUCK, Sandrine LUCAS
et Robin BEDDAR

REGIE INTERNATIONALE ✆ 01 53 69 65 50
Karine VIROT, Camille ESMIEU, Romain COLLYER,
Guillaume LABOUREUR et Laurent BOSCHERO
assistés de Virginie BOSCREDON

PUBLICITE ✆ 01 53 69 70 66
Olivier AZPIROZ, Stéphanie BERTRAND,
Perrine de CARNE-MARCEIN, Caroline AUBRY,
Oriane de SALABERRY, Caroline GENTELET,
Sabrina SERIN et Aurélien MILTENBERGER

INTERNET
Lionel CAZAUMAYOU, Jean-Marc REYMUND,
Mathilde BALITOUT, Fiona TORRENO,
Cédric MAILLOUX, Anthony LEFEVRE,
Christophe PERREAU et Imad HOULAIM

RELATIONS PRESSE ✆ 01 53 69 70 19
Jean-Mary MARCHAL

DIFFUSION ✆ 01 53 69 70 68
Eric MARTIN, Bénédicte MOULET,
Jean-Pierre GHEZ, Aïssatou DIOP,
et Nathalie GONCALVES

DIRECTEUR ADMINISTRATIF ET FINANCIER
Gérard BRODIN

RESPONSABLE COMPTABILITE
Isabelle BAFOURD assistée de
Christelle MANEBARD, Janine DEMIRDJIAN
et Oumy DIOUF

DIRECTRICE DES RESSOURCES HUMAINES
Dina BOURDEAU assistée de Sandra MORAIS,
Cindy ROGY et Aurélie GUIBON

LE PETIT FUTÉ PANAMÁ 2012-2013
▓ 3e édition ▓

NOUVELLES EDITIONS DE L'UNIVERSITÉ©
Dominique AUZIAS & Associés©
18, rue des Volontaires - 75015 Paris
Tél. : 33 1 53 69 70 00 - Fax : 33 1 53 69 70 62
Petit Futé, Petit Malin, Globe Trotter, Country Guides
et City Guides sont des marques déposées ™®©
© Photo de couverture : VILAINECREVETTE - FOTOLIA
Légende : Mangrove
ISBN - 9782746951570
Imprimé en France par Imprimerie Chirat -
42540 Saint-Just-la-Pendue
Dépôt légal : Octobre 2011
Date d'achèvement : Octobre 2011

Pour nous contacter par email,
indiquez le nom de famille en minuscule
suivi de @petitfute.com
Pour le courrier des lecteurs : country@petitfute.com

a Panama !

KU-668-232

Le Panamá ? Vous n'en avez peut-être qu'une vague idée : un canal, le sulfureux Noriega ou encore cet élégant chapeau qui n'est pourtant pas porté sur place ! Bientôt vous serez conquis par cette langue de terre, à peine visible sur un planisphère, qui relie l'Amérique du Nord à l'Amérique du Sud et s'apparente à un confortable hamac fixé entre deux continents. Il suffit de s'y poser pour ne plus vouloir le quitter... Les conquistadores, pirates et chercheurs d'or furent les premiers à tenter l'aventure, pour le meilleur et pour le pire. La découverte de l'océan Pacifique en 1513 scella à jamais son destin. Au centre d'enjeux géopolitiques énormes, le Panamá est devenu une voie de transit incontournable grâce à son fameux canal, dont on oublierait presque l'existence tant le pays regorge de trésors ! Ses provinces déclinent une palette de paysages et d'atmosphères contrastées qui ne laisseront aucun répit aux nouveaux explorateurs : des archipels coralliens aux plages sauvages bordées d'une végétation luxuriante, de la moiteur des forêts tropicales à la fraîcheur des cordillères, l'isthme saura satisfaire les plus exigeants ! Dès votre arrivée à Panamá, vous serez accueillis sur des rythmes endiablés de salsa ou reggaetón. Prenez le temps de visiter cette capitale bouillonnante, alliant charme colonial et modernisme, puis parcourez le Panamá profond, indéfinissable, à la rencontre d'une mosaïque incroyable de visages et de cultures. Les locaux vous le diront eux-mêmes « Panamá est le pont du monde et le cœur de l'univers ! ». Alors, laissez-vous porter à travers ce pays haut en couleurs. Vous rentrerez avec le sentiment d'avoir vécu une aventure unique et, probablement, une folle envie d'y revenir... *Dale Pues !*

Marie Youakim et Nicolas Lhullier

REMERCIEMENTS. *Un grand merci à tous ceux qui m'ont accueilli ou accompagné un bout de chemin pour cette nouvelle édition, et plus particulièrement à Michel Lecumberry, Fatima Cosme, l'INAC d'Aguadulce, Jacinto Changcheng, Ruth Saldaña, Erika Bakk, Dayra, Nerma, La Route des Sens et ses voyageurs, Eric Chapron, Yasy, Benja, Salsa, Lupe, Feliciano González y su esposa, Juan, Cris, Lucas... de Santa Catalina, Lidia de Santiago, Fabian, Cécile, Sonia Ortega, Fred Lacoste, Michel et Elisabeth Puech, Yessica et Marlon, Ana Meriguet, Lorena y Angel, Benjamin S. et Dylan « al Dedo », Marva, Bruno, Elisabeth...*

PEFC™

PEFC/10-31-1695

PROVENANT
DE FORÊT GÉRÉES
DURABLEMENT

Sommaire

Le Panamá

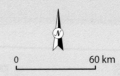

0   60 km

COSTA RICA

Pointe de Cahuita

Puerto Viejo

Bratsi

Guabito

Changuinola

Almirante

Archipel de Bocas del Toro

Bocas del Toro

Baie de Almirante

Cusapín

Péninsule Valiente

Punta Laurel

Lagune de Chiriquí

Chiriquí Grande

Canquintú

Golfe des Moustiques

Nuevo Ch

Boca del Río Indio

Miguel de la Borda

Coclé del Norte

La

Coclesito

Calovébora

El Copé

La Pintada

San Vito

Nueva California

Volcán Barú

Bajo Boquete

Fortuna

3475

Río Sereno Volcán

Dolega

La Concepción

Boquerón

David

Alanje

Pedregal

Puerto Armuelles

Boca Chica

Baie de Charco Azul

Pointe Burica

3885

2238

2829

Santa Fé

Cordillère Centrale

Hato Chamí

Horconcitos

Las Lajas

Remedios

Tolé

Cánazas

Las Palmas

Jorones

Soná

Río de Jesús

El Tigre

Santa Catalina

Pixvae

Golfe de Chiriquí

Île Coiba

Île Jicarón

Golfe de Montijo

I. Cébaco

La Mesa

San Francisco

Santiago

Montijo

La Yeguada

Olá

Calobre

Pocrí

Las Minas

Tebario o Mariato

Arenas

Pedregal

Pointe Mariato

Penono

Natá

Aguadulc

Santa María

París

Parita

Ocú

Pesé

Los Pozos

Macaracas

Péninsule de Azuero

Tonosí

Guanico

Baie d

Parit

Monagrillo

Chitr

La Arena

Los San

Valle

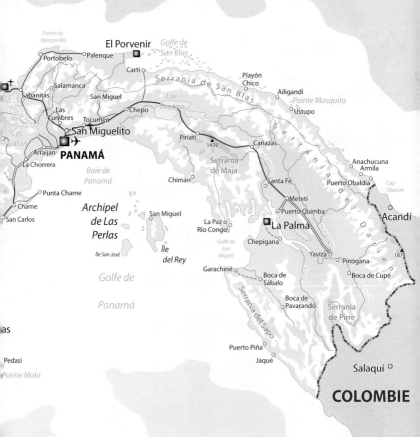

MER DES CARAÏBES

Pointe de Manzanillo
El Porvenir
Portobelo
Palenque
Golfe de San Blas
Carti
Salamanca
San Miguel
Sabanitas
Serranía de San Blas
Playón Chico
Ailigandi
Pointe Mosquito
Las Cumbres
Chepo
Lac Bayano
Ustupo
Tocumen
San Miguelito
Piriati
1439
Cañazas
PANAMÁ
Anachucuna Armila
Arraiján
La Chorrera
Baie de Panamá
Chimán
Serranía de Maja
Santa Fé
Puerto Obaldía
Cap Tiburon
Punta Chame
Meteti
Chame
San Miguel
Puerto Quimba
Acandí
San Carlos
Archipel de Las Perlas
San Miguel
La Paz o Río Congo
La Palma
Île San José
Île del Rey
Golfe de San Miguel
Chepigana
Yaviza
1875
Garachiné
Pinogana
Boca de Cupé
Golfe de
Boca de Sábalo
as
Boca de Pavarandó
Serranía de Pirre
Pedasí
Panamá
Serranía del Sapo
Pointe Mala
Puerto Piña
Salaquí
Jaqué
COLOMBIE

OCÉAN PACIFIQUE

Danseuse.

Les plus du Panamá

Un pays béni des dieux

Contrairement à ses voisins d'Amérique centrale, le Panamá est à l'abri des grandes catastrophes naturelles (ouragan ou tremblement de terre). Les caprices de la météo s'y limitent à de très fortes précipitations parfois en hiver. Dans les îles, le temps change alors rapidement : la mer prend des teintes noires bleutées et le ciel se charge d'électricité. L'atmosphère est lourde et le paysage paraît presque surnaturel. Dans les terres, la végétation est plus luxuriante et ses couleurs plus vives. Mais la pluie ne dure jamais longtemps, elle va et vient, interrompt une promenade, puis laisse de nouveau place au soleil !

Une nature généreuse

Véritable pont biologique entre l'Amérique du Nord et l'Amérique du Sud, le pays présente une concentration d'espèces animales et végétales parmi les plus riches au monde, avec un niveau d'endémisme exceptionnel dans certaines régions. Outre des oiseaux, insectes et mammifères terrestres que l'on peut observer sur terre, les eaux chaudes et cristallines du Panamá sont le refuge d'une incroyable faune marine qui fait le bonheur des passionnés de pêche et de plongée. De l'Atlantique au Pacifique, de la forêt tropicale humide aux archipels coralliens, le pays est un immense jardin ! Certains de ses joyaux jouissent déjà d'une grande notoriété avec plusieurs sites naturels inscrits sur la liste du patrimoine mondial de l'humanité.

Une mosaïque de visages et de cultures

Le Panamá rassemble une incroyable diversité de métissages, né de la position stratégique du pays au cœur des Amériques, entre deux océans. Latinos, Européens, Africains et Asiatiques côtoient pas moins de sept groupes amérindiens, qui se distinguent tant par leurs modes de vie que leurs traditions. Mille et un visages que vous apprendrez à connaître ! Leur point commun ? Sans doute la gentillesse… mais aussi une certaine insouciance et une joie de vivre généralisée ! Attention, c'est contagieux…

Une terre d'aventures

Malgré sa taille réduite, vous serez surpris de constater que de nombreuses régions semblent encore inexplorées. De la jungle du golfe de Darién, en passant par la cordillère centrale ou par les centaines d'îles au large de l'isthme, il est facile de sortir des sentiers battus. N'hésitez pas à vous adresser aux guides locaux car le Panamá peut être exploré de mille façons différentes : marche en forêt tropicale humide à la recherche d'oiseaux rares, randonnées dans les hautes terres du Chiriquí ou de Veraguas, exploration des fleuves en pirogue au milieu des crocodiles, traversées fantastiques à la tombée de la nuit dans les archipels de San Blas ou de Bocas del Toro… Et l'aventure peut même commencer dès votre arrivée, dans la jungle urbaine de Panamá, à bord d'un bus roulant à vive allure !

La douceur de vivre

On y vient souvent par hasard pour repartir avec la sensation d'avoir vécu une aventure unique. L'hospitalité de la population, les paysages hauts en couleur et le climat tropical n'y sont pas étrangers. Mais le Panamá bénéficie de nombreux autres atouts, attirant de plus en plus de Nord-Américains et d'Européens désireux d'y prendre leur retraite ou d'y monter des affaires. Parmi les avantages chers aux nouveaux résidents, on peut citer la stabilité politique et la sécurité, des infrastructures modernes, un coût de la vie faible comparé au pays d'origine, une économie en forte croissance, l'utilisation du dollar comme monnaie courante, des avantages fiscaux en pagaille, le niveau de langue anglaise des Panaméens, etc. Au final, de nombreux voyageurs y restent et se lancent dans de nouvelles aventures…

Fiche technique

Argent

Monnaie

La monnaie officielle est le balboa (PAB ou B/), en parité fixe avec le dollar américain ($). 1 PAB = 1 $.

Taux de change

Quant au change avec l'euro (juillet 2011) : 1 € = 1,44 PAB et 1 PAB = 0,70 €. Le balboa n'existe pas sous la forme de billets de banque, ce sont les dollars américains qui sont utilisés. Pour les centimes, on se sert indifféremment de centavos de balboa et de cents de dollar, de mêmes dimensions.

Idées de budget

Les idées de budget suivantes sont par jour et pour une personne voyageant seule. Pour les personnes voyageant en couple ou à plusieurs, le budget de chacun sera réduit de 20 à 30 %, en raison du coût plus avantageux de la nuitée.

- **Petit budget :** de 20 à 40 $.
- **Moyen budget :** de 40 à 80 $.
- **Gros budget :** de 80 à 200 $ et plus.

Le Panama en bref

Le pays

- **Nom officiel :** République de Panamá.
- **Capitale :** Panamá (City ou Ciudad).
- **Superficie :** 75 517 km².
- **Langue officielle :** espagnol.
- **Religions :** catholique 85 %, protestants et autres 15 %.

La population

- **Population :** 3,46 millions d'habitants (est. 2011).
- **Espérance de vie :** 75 ans (72 pour les hommes, 77 pour les femmes).
- **Répartition (âge) :** la moitié de la population a moins de 25 ans, 29 % de 0 à 14 ans, 64 % de 15 à 64 ans, 7 % de plus 65 ans.
- **Croissance démographique :** 1,4 %.
- **Taux de natalité :** 19,4 ‰.
- **Mortalité infantile :** 18 ‰.
- **Indice de fécondité :** 2,5 enfants par femmes.
- **Taux d'alphabétisation :** 94 %.

L'économie

- **Produit intérieur brut** (PIB en Parité de pouvoir d'achat) : 40,8 milliards $.
- **PIB/habitant :** 11 788 $.
- **Taux de croissance :** 8,5 % (est. 2011).
- **Taux d'inflation :** 6,5 % (est. 2011).
- **Taux de chômage :** 5,6 % (est. 2011).
- **Population vivant sous le seuil de pauvreté :** 32 %.
- **Indice développement humain (IDH) :** 0,84 (60e mondial).

Téléphone

- **Code pays :** 507.
- **Téléphoner de France au Panamá :** 00 507 + numéro local.
- **Téléphoner du Panamá en France :** 00 33 + numéro local sans le 0.
- **Téléphoner du Panamá au Panamá :** taper directement le numéro. Les téléphones fixes comportent 7 chiffres, les portables 8 chiffres et commencent par 6.
- **Coût d'un appel vers la France.** Avec une carte *teleship* de 5 $, d'une cabine publique : 90 minutes sur un fixe, 25 minutes sur un portable. Depuis un centre d'appel, comptez environ 0,15 $/minute vers un fixe et 0,30 $ vers un portable.
- **Appels locaux :** communications intra-urbaines : 0,10 $ pour 3 minutes ; interurbaines : 0,15 $/minute ; portable : 0,35 $/minute.

Décalage horaire

- **Avec la France :** - 7 heures de fin mars à fin octobre ou - 6 heures de fin octobre à fin mars (quand il est 20h en France, il est 14h au Panamá).

Le drapeau du Panamá

Le drapeau fut le premier symbole patriotique que les Panaméens arborèrent à l'annonce de l'indépendance du Panamá de la Colombie, le 3 novembre 1903. Dans le carré supérieur gauche, une étoile bleue ; à sa droite, un carré rouge. Le motif est inversé sur la partie inférieure. Le blanc symbolise la paix, l'union pacifique des deux partis historiques : le parti conservateur représenté par la couleur rouge et le parti libéral par la couleur bleue. L'étoile bleue évoque l'honnêteté ; l'étoile rouge, la loi et l'ordre. Le drapeau est partout : dans les taxis, les commerces, les administrations et jusque dans les églises (le catholicisme est la religion d'Etat). Et puis, c'est sans doute celui que reconnaissent le plus facilement tous les marins du monde, puisqu'il est arboré par près d'un navire marchand sur cinq ! Le Panamá possède en effet, par le biais de son pavillon de libre immatriculation ou de « complaisance », la première flotte de marine marchande du monde. Sachez enfin que le plus grand drapeau du pays se trouve au sommet du Cerro Ancón, et qu'un projet complètement fou est à l'étude pour construire à quelques kilomètres de la capitale une marina géante à l'effigie du drapeau panaméen… visible depuis l'espace ! Voir le site www.panamarinapacific.com

▶ **Avec le Costa Rica et l'Amérique centrale :** + 1 heure.

Formalités

Pas besoin de visa. Le tampon d'entrée sur le passeport donne droit à un séjour touristique de 3 mois maximum (ce délai pourrait passer à 6 mois). Le passeport doit être valable au moins 6 mois après la date d'entrée dans le pays.

Climat

Le climat est de type tropical humide. Il fait chaud toute l'année, avec une moyenne de 28 à 31 °C pendant la journée et de 20 à 23 °C la nuit (l'altitude peut faire descendre les températures sous les 10 °C en montagne). La pluviométrie varie selon les saisons. Le versant Caraïbe reçoit près de 3 m de pluie par an, deux fois plus que le littoral pacifique, mais les microclimats sont nombreux. Durant la saison humide, appelée hiver (*invierno*), de fin avril à début décembre, de fortes pluies s'abattent sur tout le pays, mais elles ne durent en général que quelques heures par jour. Durant la saison sèche ou été (*verano*), de décembre à mi-avril, la brise rend l'air moins humide et les averses se font plus rares. Cette période est beaucoup plus marquée côté pacifique.

Saisonnalité

▶ **Haute saison touristique :** de novembre à mars.

▶ **Basse saison :** d'avril à octobre.

Cristobal											
Janvier	Février	Mars	Avril	Mai	Juin	Juillet	Août	Sept.	Octobre	Nov.	Déc.
24°/29°	24°/29°	25°/29°	25°/30°	24°/30°	24°/30°	24°/29°	24°/29°	24°/30°	24°/30°	24°/29°	24°/29°

Idées de séjour

Le Panamá est une destination agréable toute l'année. Contrairement aux idées reçues, la saison des pluies ou « hiver » est loin de nuire à la réussite d'un voyage dans ce petit pays tropical. Au contraire, les paysages sont plus verts, les prix plus doux et les ambiances orageuses ont un charme fou ! Un réseau de bus performant et des vols internes à des prix abordables faciliteront votre séjour. Les petits avions ou avionnettes permettent de relier la capitale aux différents aérodromes du pays en moins d'une heure. Compagnies privées et particuliers assurent le relais vers les îles en bateau (lancha) ou en pirogue motorisée. Seule la province de Darién présente des difficultés majeures et reste peu accessible sans guide au-delà de la route panaméricaine. Il est certain qu'un séjour d'une semaine pour visiter un pays aussi riche et lointain semble toujours trop court. Toutefois, le Panamá offre des perspectives alléchantes même pour un voyage-découverte de huit jours.

Séjour court

▷ **Jour 1.** Le premier jour dans la capitale : un choc climatique et culturel ! Débutez par un tour dans le quartier moderne de la ville puis rendez-vous dans le quartier colonial. Déambulez dans ses rues, du musée du canal à la Plaza de Francia. A l'heure du dîner, attablez-vous à une terrasse du Casco Viejo. Une balade digestive sur le Paseo Esteban Huertas vous permettra de découvrir le quartier des affaires sous un nouvel angle.

▷ **Jour 2.** Départ tôt en « coucou » de l'aéroport d'Albrook pour l'archipel de San Blas. L'hôtel que vous aurez choisi prendra en charge l'organisation de votre séjour. Au programme : rencontre avec les Indiens Kunas, découverte de la vie sous-marine et baignade.

▷ **Jour 3.** Farniente sous les cocotiers ou promenade en pirogue à moteur à la découverte des nombreuses îles voisines. Nuit dans les îles et départ le lendemain matin en avion.

▷ **Jour 4.** Promenade sur les sentiers balisés du parc national Soberanía. Au retour, arrêtez-vous aux écluses de Miraflores pour voir évoluer les navires sur le canal. Dîner dans un des restaurants du Causeway, cette longue jetée aménagée d'où la vue sur la ville illuminée et le pont des Amériques est inoubliable.

▷ **Jour 5.** Direction les montagnes du Chiriquí. Visite de plantations de café, randonnées à la recherche du quetzal, ascension du plus haut sommet panaméen, le volcan Barú (3 475 m)… Les possibilités d'excursions sont nombreuses autour de Boquete, ce village au climat si agréable.

▷ **Jour 6.** Excursion en rafting ou plongeon dans les bains naturels bouillonnants de Caldera. Le lendemain matin, décollage de David pour Panamá.

Mangrove dans la province de Coclé.

Jour 7. Visite de l'une des communautés Emberás, qui vit sur les rives du Río Chagres et qui vous initiera à ses coutumes et ses traditions.

Jour 8. *Compras* (emplettes) sur les marchés artisanaux de la capitale et dans la rue piétonne la plus animée du pays : la Avenida Central. Pour ceux qui aiment la nature, le parc naturel métropolitain propose de courtes promenades dans la forêt tropicale !

Séjour long

Jour 1. Le séjour peut commencer par une visite de la capitale. Pour en contempler les différentes facettes, grimpez sur la colline qui domine la ville : le Cerro Ancón.

Jour 2. Entre le quartier moderne, le Casco Viejo et Panamá la Vieja, respirez dans le parc naturel métropolitain, le poumon vert de la capitale.

Jour 3. À 1 heure en bateau de Panamá, partez à la découverte d'Isla Taboga, la charmante île aux fleurs où séjourna Paul Gauguin.

Jour 4. Départ en train touristique pour Colón, d'où l'on rejoint le fort San Lorenzo ou le village de Portobelo dont les ruines sont inscrites au patrimoine mondial de l'Unesco.

Jour 5. Dégustation de riz au coco sur l'île verdoyante d'Isla Grande ou excursions dans les petits villages endormis de Nombre de Díos, Palenque, Miramar… sur cette côte autrefois si convoitée par les pirates.

Jour 6. Retour à Panamá et changement de décor. Départ pour Bocas del Toro en avion, à la rencontre de la communauté afro-antillaise qui anime cette côte caribéenne. Visite des quelques communautés Ngöbe Buglé qui y vivent et qui s'ouvrent au tourisme.

Jour 7. De l'ambiance roots de Bastimentos à Carenero où il fait bon s'isoler, chacune des îles possède sa propre atmosphère. L'archipel regorge de trésors : végétation luxuriante bordant des plages sauvages, dauphins et petites grenouilles rouges…

Jour 8. Excursions à la journée pour découvrir la faune et la flore sous-marines. Bastimentos, c'est aussi un parc national maritime réputé.

Jour 9. Voyage de Bocas à Boquete. Le bus vous promènera tranquillement sur une route sinueuse environnée d'une dense végétation humide.

Jour 10. Deux jours à Boquete pour profiter du charme de cette petite ville de montagne

environnée de plantations de cafés, de forêts et de pâturages.

Jour 11. Agrumes, légumes et fruits poussent à merveille dans cette vallée fertile. Les parcs nationaux voisins sont le refuge de nombreux oiseaux, dont le fameux quetzal.

Jour 12. Découverte de l'univers *típico* des provinces de Herrera et de Los Santos. Les habitants, fiers de leurs traditions et de leur folklore, vous feront découvrir une nouvelle facette du Panamá. Première escale : Chitré.

Jour 13. D'un côté, le parc national de Sarigua réputé pour être la zone la plus aride du pays ; de l'autre, la petite ville de Los Santos, plaisante bourgade tranquille… Que faire ? Pourquoi ne pas, par exemple, rencontrer les potiers de La Arena ou les fabricants de masques de la région ?

Jour 14. Plus au sud de la péninsule : Pedasí. Pratique de la pêche et de la plongée. Pas très loin, des milliers de tortues viennent déposer leurs œufs chaque année, sans doute charmées par les longues plages sauvages dont les rouleaux sont également très appréciés des surfeurs.

Jour 15. Isla Iguana : cette petite île déserte et corallienne au large de Pedasí est une zone naturelle protégée. Il est très facile de s'y rendre avec l'un des pêcheurs du village.

Jour 16. Retour sur la Panaméricaine, où vous pourrez choisir entre la fraîcheur d'El Valle et la belle plage de sable blanc de Santa Clara. A partir d'El Valle, où un marché artisanal se tient le dimanche, les randonnées sont multiples.

Jour 17. Retour à Panamá. Visite des musées de la capitale et détente dans le quartier de San Felipe.

Jour 18. Direction l'archipel de San Blas, en avionnette. Un nouvel environnement qui va vous enchanter. Vous devriez peut-être y rester plus longtemps ! Entre les îlots bordés de palmiers et les coraux habités de poissons colorés, on ne sait plus où donner de la tête.

Jour 19. La visite d'un musée est souvent comprise dans les excursions organisées par les hôtels de la comarca (région, territoire). Une étape essentielle pour mieux comprendre la culture et le mode de vie des Indiens Kunas, qui administrent selon leurs propres règles ce territoire paradisiaque.

Jours 20-21. Retour matinal dans la capitale. Dernières emplettes et soirée de *despedida* (« d'au revoir ») dans les discothèques de la calle Uruguay.

INVITATION AU VOYAGE

Séjours thématiques

La diversité des cultures et des paysages permet de nombreuses approches thématiques selon les intérêts de chacun : randonnée, surf, pêche, plongée, ornithologie, ethnologie, farniente, etc. Voici quelques suggestions…

Pour remonter le temps

▶ **Jour 1.** Les ruines de Panamá la Vieja, la ville coloniale détruite par le corsaire anglais Henry Morgan en 1671.

▶ **Jour 2.** Déambulation dans les ruelles du Casco Viejo (San Felipe), le quartier colonial fondé en 1673 après la destruction de Panamá la Vieja. Visite du musée du Canal.

▶ **Jour 3.** Départ pour Colón en empruntant la ligne ferroviaire interocéanique, l'une des premières au monde (1855). Visite du fort de San Lorenzo situé à l'embouchure du fleuve Chagres. C'est par ce río que transitaient les richesses du Pérou à destination de Portobelo. Nuit à Colón, au New Washington, un hôtel Art déco qui héberge de nombreuses personnalités au temps de la construction du canal.

▶ **Jour 4.** Visite des vieux forts en ruine de Portobelo, où étaient organisées de grandes foires commerciales jusqu'au milieu du XVIIIe siècle.

▶ **Jour 5.** Si vous souhaitez partir sur les traces des Espagnols, empruntez le Camino Real, reliant Nombre de Dios à Panamá à travers la jungle. Cette excursion de deux jours, réservée aux sportifs, nécessite la présence d'un guide.

À la rencontre des communautés amérindiennes

▶ **Jour 1.** Dans la capitale, visite de Mi Pueblito. Cette reconstitution des différents habitats traditionnels du Panamá vous donnera un avant-goût du mode de vie de quelques communautés que vous aurez l'occasion de rencontrer.

▶ **Jours 2-3.** À proximité de Panamá, sur les berges du Chagres, rencontre avec les Emberás. Certains ont développé des programmes d'écotourisme, avec présentation d'artisanat, danses locales et excursions dans les environs. Ils vous accueilleront, au cœur même de leur village, pour un ou plusieurs jours.

▶ **Jours 4-5.** Départ pour la comarca de Kuna Yala, le premier territoire autonome amérindien des Amériques. Profitez de votre séjour sur l'une des nombreuses îles de l'archipel en compagnie des Kunas.

▶ **Jour 6.** Retour à Panamá, direction Bocas del Toro. Isla Colón est le point de départ idéal pour visiter les communautés Ngöbe Buglé de San Cristobal, Salt Creek ou Tobobé.

▶ **Jours 7-8.** Sur le continent, à proximité du parc international La Amistad, la communauté Naso Teribe vous accueille pour partager sa culture.

▶ **Jour 9.** Depuis la capitale, il est possible de gagner le Darién où vivent plusieurs communautés Wounaans, dont le mode de vie est proche de celui des Emberás.

Aventures en pleine nature

▶ **Jour 1.** À proximité de la capitale, le parc Soberanía ravira les ornithologues les plus exigeants. Séjour conseillé au Canopy Tower, pour les plus mordus.

▶ **Jour 2.** Au milieu du lac Gatún, l'île de Barro Colorado est l'un des sites les plus étudiés par les scientifiques. Plus de 1 300 espèces de plantes et une centaine de mammifères y ont été recensées.

▶ **Jour 3.** Au cœur des montagnes du Chiriquí, la descente de la rivière Chiriquí Viejo est idéale pour une journée en « eaux vives ». Si vous avez encore de la force dans les bras, les hautes cimes de la canopée vous attendent pour quelques heures d'accrobranche.

▶ **Jour 4.** Ascension du volcan Barú de nuit, du sommet duquel vous pourrez contempler le lever du soleil et, par beau temps, les deux océans.

▶ **Jour 5.** Dans le couloir biologique qui relie les Galápagos aux îles Cocos, l'île de Coiba est l'un des joyaux naturels du Panamá. Ses fonds marins vous offriront une journée de plongée sous-marine inoubliable.

▶ **Jour 6.** Pas très loin, les vagues de Santa Catalina n'attendent que vous pour de belles sessions de surf… Sensations fortes garanties !

▶ **Jour 7.** Et s'il vous reste du temps, explorez les forêts impénétrables et mystérieuses du Darién…

Île de Kuna Yala.
© IPAT PANAMA

Le Panamá en 30 mots-clés

Amérindiens

Les premiers habitants de la région sont les Indiens ou plutôt les peuples dits « premiers », « autochtones » ou « indigènes » (*pueblos indígenas*). Cette dernière dénomination est largement utilisée et préférée par les intéressés eux-mêmes. En revanche, le terme *Indio* (« Indien ») est considéré comme très péjoratif, voire insultant en Amérique latine. On compte sept groupes amérindiens au Panamá (Ngöbe, Bokotá, Kuna, Emberá, Wounaan, Teribe, Bri-bri) qui représenteraient pas moins de 200 000 personnes, soit 7 à 8 % de la population du pays.

Comme dans toute l'Amérique latine, un grand nombre d'entre eux appartiennent aux classes les plus défavorisées. Mais les communautés se battent avec beaucoup de détermination pour faire valoir leurs droits ancestraux, notamment sur les terres qu'elles occupent. Cinq territoires autonomes existent déjà, ce sont les comarcas.

Ayudante

Souvent des jeunes, rarement des filles, les assistants des chauffeurs de bus sont chargés de rameuter les passagers, de prendre soin de leurs bagages et d'encaisser la course. Et ces précieux compagnons ont tout intérêt à avoir du coffre et de l'énergie pour s'imposer dans le brouhaha de la circulation !

Bohío

Vous pourrez les louer à la journée sur la plupart des plages… Ces petits abris traditionnels, ouverts à la brise, seront votre refuge pour vous protéger du soleil. Abrité sous leur toit de palme, vous n'hésiterez pas à y accrocher votre hamac !

Cantina

Les endroits où l'on sert le plus de bière et de rhum sont traditionnellement les *cantinas*, dont la porte style saloon empêche de voir ce qui se passe à l'intérieur. Presque exclusivement fréquentés par les hommes (qui en ressortent vacillants), ces bars ont pour principales attractions billards, musique *típico* et caisses de bières. Les locaux pourront accueillir d'un œil amusé les touristes mais nous ne conseillons pas aux femmes d'y entrer, même accompagnées…

Carnaval

Evénement très attendu, le carnaval est fêté avec la plus grande ferveur. Quatre jours où tout s'arrête (les congés sont presque imposés par les entreprises), sauf la bringue ! Parades,

Femmes Emberá dans la jungle du Darién.

© PAT PANAMA

élections de reines, arrosages au jet d'eau de la foule… On se désaltère à la bière ou au seco… Le plus couru et le plus fou est celui de Las Tablas, dans la péninsule d'Azuero.

Chino

Désigne toute personne d'origine asiatique, panaméenne ou non. Les Chinos font l'objet de nombreux clichés, souvent péjoratifs. Au milieu du XIXe siècle, une importante communauté chinoise est arrivée à l'occasion de la construction de la ligne de chemin de fer reliant Panamá à Colón. Aujourd'hui, leurs descendants tiennent la grande majorité des laveries, restaurants populaires et épiceries.

Clim

Installée dans la plupart des lieux publics en ville (centres commerciaux, bureaux, restos, bus, etc.), elle est appréciable à toute saison mais trop souvent réglée (ou déréglée) au maximum. N'oubliez donc pas pull et chaussettes avant un long voyage en bus ou une séance de ciné !

Cooler

La glacière : l'accessoire indispensable de tout Panaméen qui veut passer un bon moment à la plage ! Car les bières se boivent *bien frías*, bien fraîches. Certains coolers sont même équipés de roulettes tout-terrain !

Corruption

Le thème fait souvent la une des journaux. Des sommes d'argent colossales circulent au Panamá et les organismes de contrôle ne sont pas toujours très regardants. Lors de chaque campagne électorale, l'objectif « Cero corrupción » fait un tabac. Malgré les mesures prises pour lutter contre ce fléau, le secteur public panaméen reste l'un des plus corrompus du continent, notamment dans la justice. Mais en tant que touriste, il y a peu de chances que vous soyez confrontés à une demande de *bakchich*.

Diablos rojos

Avec leurs graffs colorés, leurs pots d'échappement pétaradants et leurs mégas Klaxons, les « diables rouges » font la loi dans la capitale ! Ne vous aventurez pas à traverser la rue si vous en voyez débouler un au loin : c'est la course au passager entre leurs chauffeurs ! Alors ça passe ou ça casse, et à l'intérieur on s'accroche comme on peut à son fauteuil défoncé ! Ce nom de diable rouge leur colle à la peau et viendrait du surnom que l'on donnait à certains gardes nationaux qui portaient un béret rouge sous

la dictature de Noriega… On raconte aussi que ces bus, à l'origine destinés au transport scolaire aux Etats-Unis, devaient être peints en rouge par leurs nouveaux propriétaires panaméens. Mais ces derniers ont préféré les personnaliser en les décorant de couleurs vives. Monter à bord de ces œuvres d'art roulantes vaut le détour : ambiance garantie ! Certains ont même été réaménagés spécialement pour la fiesta et inondent la ville de décibels musicaux les soirs de fin de semaine : ce sont les chivas parranderas. Mais ces drôles de bus sont peu à peu remplacés par les Metrobus, modernes et confortables, des « anges » orange et blanc un peu moins marrants !

Dominos

Dans certains endroits assez stratégiques de la capitale, comme dans l'avenida Central par exemple, les hommes aiment se réunir pour de longues parties. Sous leurs apparences improvisées, ces parties de dominos sont bien organisées. Des tables carrées sont installées et des juges sont désignés. Jeunes et moins jeunes se rassemblent et des parties endiablées commencent. C'est l'occasion de s'affronter en équipe. Habitués ou novices, tout le monde est convié, à condition de respecter les règles établies. Car si les rires fusent, les coups de gueule ne sont pas rares ! C'est un véritable spectacle codifié : certains se font des signes et tous lèvent la main avant de faire claquer leur pièce de domino sur la table.

Drogue

Le Panamá est connu pour ses affaires de trafic et de blanchiment d'argent de la drogue. Le voisinage avec la Colombie, dont la production de cocaïne inonde le monde, n'est pas facile à gérer : la frontière en pleine jungle est particulièrement poreuse et les centaines d'îles et de plages des deux côtés du pays reçoivent régulièrement de gros colis. La présence gênante, à la tête de l'Etat, du général Noriega, narcotrafiquant notoire mais aussi ex-agent de la CIA et ancien informateur de la DEA (Centre américain de lutte antidrogue !), donna lieu à l'opération « Juste Cause » en décembre 1989. Mais l'arrestation du narco-dictateur n'a pas arrangé les choses. « Ali Baba est parti, mais les quarante voleurs sont toujours là », plaisantait-on à l'époque. Trafics et opérations de blanchiment ont continué de plus belle dans les années 1990. Les « tours cocaïnes », comme étaient appelés les immeubles abritant les banques, et la zone libre de Colón continuaient tranquillement leurs fonctions de blanchisseuses.

Récemment, des lois ont limité le montant des dépôts d'argent liquide et l'usage de prête-noms pour rendre plus difficile le blanchiment à travers les banques. Il semblerait qu'aujourd'hui les « machines à laver » l'argent sale les plus puissantes soient le secteur du bâtiment et les casinos… mais c'est toujours la même poudre blanche qui est utilisée !

Gecko

Parfois appelé margouillat, il en existe de nombreuses espèces. Au Panamá, les plus fréquents sont d'un jaune translucide et mesurent de 5 à 7 cm. Si vous ne les voyez pas, vous les entendrez. Ils se cachent dans tous les recoins et émettent un petit bruit (toc toc) qui vous accompagnera tout au long de votre voyage. Ecoutez bien le soir dans votre chambre, vous ne pourrez pas les manquer !

Gringo

À l'origine, ce terme péjoratif désignait les militaires nord-américains basés en Amérique latine. Il viendrait de l'expression « green go ! » (« les verts dehors ! »), en référence au coloris de la tenue des soldats. Au Panamá, la présence néocoloniale américaine a duré près d'un siècle et a profondément marqué le nationalisme panaméen. Aujourd'hui, le terme *gringo* (ou *gringa*) est plus largement associé à tout(e) étranger(ère) au teint clair, sans distinction entre Nord-Américains et Européens. Il symbolise entre autres un porte-monnaie bien fourni !

Isthme

190 km dans sa partie la plus large et 51 à peine entre le golfe de San Blas et l'estuaire du Río Chepo, l'isthme de Panamá, né il y a 3 millions d'années, s'étire entre deux océans et représente un pont naturel pour les espèces animales et végétales entre l'Amérique du Nord et l'Amérique du Sud. Une terre unique de rencontre biologique et humaine : sa plus grande richesse !

Loterie

Synonyme de chance, de rêve et d'évasion, la *lotería nacional* a de nombreux adeptes. Les deux tirages hebdomadaires (mercredi et dimanche) et *El Gordito* (trois tirages à la fin du mois) sont attendus avec impatience. Le coupon de 1 $ peut faire gagner jusqu'à 2 000 $ et celui de 0,25 $ (dit « chance ») 14 $. Mais si vous en achetez cinq, le gain passe à 70 $. Etre vendeur de billets de loterie est une véritable profession. Ils sont nombreux, hommes et femmes, à étaler leurs coupons sur de grandes planches en bois et à attendre les acheteurs. Ces derniers vont de l'un à l'autre, à la recherche de leur numéro favori. Une fois celui-ci trouvé, ils dépensent toutes leurs économies. Parallèlement, la loterie clandestine a autant de succès ! C'est le tirage des numéros gagnants de la loterie officielle qui détermine aussi ceux de la clandestine… dont le prix des billets est plutôt de l'ordre de 5 $!

Mall

Paradis de la consommation, ce terme américain désigne un centre commercial géant comprenant galeries marchandes, restaurants, cinés, jeux pour enfants… Ces espaces modernes, aseptisés et climatisés, font fureur dans toute l'Amérique latine, en particulier à Panamá où les prix sont très attractifs. On y trouve de tout, et en particulier des articles de luxe, ce qui attire des dizaines de milliers de touristes d'Amérique centrale et du Sud. Ces touristes fortunés avaient l'habitude de se rendre à Miami (Floride) pour faire leurs courses, mais les Etats-Unis ont durci leur politique de visas. Du coup, plus souple en matière d'entrée sur son territoire, le Panamá semble en profiter directement !

Panamax

Nom donné aux navires que leur taille autorise à emprunter le canal de Panamá. Les panamax n'ont parfois que quelques centimètres de libre de chaque côté lorsqu'ils empruntent les écluses bientôt centenaires (33,50 m de large pour 305 m de long). Les porte-conteneurs ou les pétroliers trop larges pour franchir le canal sont appelés « post-panamax ». Ils sont de plus en plus nombreux, ce qui a encouragé d'importants travaux d'agrandissement avec la création de nouvelles écluses plus larges.

Paseo

Le dimanche sur les routes, vous croiserez peut-être des vieux bus un peu plus bruyants et agités que les autres. Ils sont loués à la journée par des groupes d'amis ou des familles nombreuses, pour partir ensemble, à moindres frais, à la plage ou à la rivière. A l'arrivée, les barbecues se préparent et les coolers se vident. Les retours sont en général plus calmes, le soleil et la bière ayant fait leur effet…

Piñata

La *piñata* est une figurine représentant un personnage apprécié des enfants (Mickey, Titi, etc.) ou tout autre objet. Confectionnée avec du papier crépon coloré, sa hauteur atteint

© IPAT PANAMA

Plage de Kuna Yala.

souvent plus d'un mètre. D'origine mexicaine, cette tradition a été peu à peu adoptée par toute l'Amérique centrale.

Au Panamá, c'est la coutume d'offrir une piñata aux enfants dont on célèbre l'anniversaire… On l'accroche en hauteur au bout d'une corde. Le héros de la fête se munit d'un bâton et tape sur la piñata jusqu'à ce qu'elle se casse. Surprise et bonheur ! Une pluie de friandises et de petits cadeaux tombe alors de la figurine, et tous les enfants se précipitent, ravis, les mains tendues.

Plages

Elles sont magnifiques, que ce soit du côté atlantique ou pacifique, sur le continent ou sur les îles : sable blanc, gris ou noir, végétation luxuriante, température de l'eau entre 24 et 30 °C… Il convient parfois d'être prudent en raison de courants perfides, de puissantes vagues et d'un soleil ravageur. Les plages sont le plus souvent désertes, mais, les week-ends et jours fériés, les Panaméens viennent y festoyer en nombre et la rumba commence !

Push Button

Le motel « presse bouton » est une institution purement panaméenne ! Né dans les années 1960 et destiné à l'origine aux soldats américains de la Zone du canal pour emmener leurs conquêtes, ces *love motels* ou *casas de ocasión* se sont démocratisés dans un pays où l'on vit de plus en plus tard chez ses parents… et où l'infidélité n'est pas vraiment rarissime ! On trouve une vingtaine de push button à Panamá. L'idée est d'offrir aux couples illégitimes confort et… discrétion ! Les établis-

sements ressemblent à des garages collés les uns aux autres pour former un U, afin que l'on ne puisse rien distinguer depuis la rue. Ils portent des enseignes aux noms évocateurs (La Croisière de l'Amour, les Mille et Une Nuits, Mes Jolis Rêves…) et aux cœurs roses qui clignotent. On rentre directement en voiture. A l'intérieur, dans le mur, un bouton : la porte de garage se referme tandis qu'une porte sur le côté s'ouvre… dévoilant une chambre sans fenêtre mais climatisée avec un grand lit, un minibar, une télé et de grands miroirs… Ces lieux anonymes et mystérieux ont été le théâtre d'assassinats de personnalités du monde des affaires ou de la politique. Les tabloïds se régalent d'histoires de ce genre, tandis que les polars dont l'intrigue se déroule au Panamá ont tous leur scène de push button !

Quincena

Au Panamá, les salaires sont payés par quinzaine. Les jours de *quincena*, des queues se forment devant les banques où les salaires en liquide attendent au guichet. Les billets de 20 $ partent vite dans le loyer et les factures puis vient le moment d'en profiter. La journée, les commerçants font recette ; le soir, ce sont les restaurants et discothèques !

Rumba

Assimiler la fête à un sport national n'est pas un euphémisme ! Et il ne s'agit pas d'oublier l'équipement qui va avec : bonne humeur, cooler, glaçons, rhum et sono… Rendez-vous également dans les boîtes de la capitale un jour de quincena pour participer aux rumbas les plus endiablées !

Seco

Loin d'égaler en matière de goût les rhums locaux, cet alcool blanc, fort, à base de canne à sucre et très bon marché, est le plus populaire du pays. Goûtez le *seco con vaca* (littéralement « seco avec vache » servi avec du lait).

Snorkeling

Ce mot anglais, qui désigne la plongée libre avec masque, tuba et palmes, est utilisé à travers tout le pays et n'a pas d'équivalent en espagnol. A retenir, car les coraux et la faune sous-marine sont spectaculaires et accessibles à tous.

Soleil

Ses premiers rayons inondent le paysage dès 6h du matin pour se coucher aux alentours de 18h. Le soleil monte très vite et tombe comme un rideau ! Méfiez-vous en, même si le ciel est nuageux.

Sombrero

Les chapeaux communément appelés « panama » ne sont pas originaires de l'isthme mais d'Equateur. Le nom donné au chapeau équatorien viendrait de l'expression « panama hats » utilisée par les Américains pour désigner les chapeaux portés au début du siècle dernier par les ouvriers et ingénieurs du canal. Les élégants chapeaux dont sont coiffés les Panaméens, surtout dans l'intérieur du pays, sont appelés *pintado* (ou *pinta'o*). Fabriqués à partir de fibres végétales, ils sont originaires du village de La Pintada. On fabrique aussi des chapeaux à Ocú, les ocueños, au style légèrement différent et reconnaissable à leur unique couleur blanche. Il y a plusieurs façons de porter le pintado, selon que l'on est plutôt un « dur à cuir », un intellectuel, un jeune homme ou un vieux sage… Informez-vous !

Telenovela

À partir de 18h, ne manquez pas les *telenovelas*, ces feuilletons latinos dramatiques ou comiques qui font un tabac. Tous les ingrédients sont réunis pour émouvoir le spectateur : des femmes sexy, des hommes aux cheveux gominés, de jolies maisons, des gouvernantes, des maîtresses, des regards dévastateurs, des larmes…

Típico

Ce terme qui englobe aussi bien un mode de vie, une cuisine, une musique, une danse et des costumes traditionnels, renvoie à une grande fierté régionale et beaucoup d'authenticité. Le carnaval et de nombreux festivals rendent hommage à ce folklore « typiquement » panaméen, originaire des provinces centrales que l'on appelle « El Interior ».

Ne pas faire

A todos (pour tous)

▹ **Photographier** des gens sans leur autorisation, en particulier dans les communautés amérindiennes.

▹ **Si vous promettez d'envoyer des photos,** soyez certain que vous allez le faire !

▹ **Entrer** en short dans certains lieux de culte ou administrations.

▹ **Boire** de l'alcool en public dans la rue. Par ailleurs, certaines veilles de fêtes religieuses comme le vendredi saint, la loi interdit la vente d'alcool.

▹ **Sortir** sans son passeport (ayez au moins une copie avec vous).

A los varones (pour les hommes)

▹ **Rougir** quand une vendeuse ou serveuse vous appelle « mi amooor » !

▹ **Conduire** ou se promener en ville torse nu.

A las mujeres (pour les femmes)

▹ **S'exposer** seins nus à la plage, à cause des coups de soleil, mais surtout parce que c'est interdit !

▹ **Inviter** au restaurant ou au cinéma un Panaméen, il le prendrait comme une offense. C'est à l'homme de payer !

Survol du Panamá

GÉOGRAPHIE

Sur un planisphère, le Panamá apparaît comme une étroite bande de terre reliant deux masses continentales. C'est un « isthme » où le voyageur s'embrouille souvent avec les signes cardinaux, car le pays présente plutôt une forme horizontale au milieu d'un continent largement allongé du nord au sud. On rejoint le Costa Rica (et l'Amérique du Nord) en partant vers l'ouest et la Colombie (Amérique du Sud) en se dirigeant vers l'est. Telle une maigre digue, le Panamá sépare l'Atlantique – ou plutôt la mer Caraïbes ou des Antilles – au nord et le Pacifique au sud. Le Panamá s'étire sur 725 km. Sa largeur ne dépasse pas 190 km au plus large et se réduit à 51 km dans sa partie la plus étroite, entre le golfe de San Blas et l'estuaire du Río Chepo. Cette taille modeste (75 517 km², un septième de la France) lui permet pourtant d'abriter une biodiversité parmi les plus riches au monde.

Relief

Les cordillères qui traversent l'isthme sur presque toute sa longueur structurent le pays pour lui donner cette forme particulière de « S » allongé, paresseux. Même si 87 % du territoire se situe à moins de 700 m d'altitude, le pays est relativement montagneux.

▶ **Le relief est plus marqué à l'ouest dans la région du Chiriquí.** La cordillère centrale (de Talamanca) qui arrive du Costa Rica s'y élève à une hauteur moyenne de 1 500 m et dépasse à quatre reprises les 3 000 m. Le volcan Barú (3 475 m) est le point culminant du pays. La péninsule d'Azuero, au sud, présente également quelques pointes volcaniques supérieures à 1 500 m. La cordillère se poursuit vers l'est jusqu'aux environs du lac Gatún, région de plaines et de collines où l'homme a choisi de creuser un canal. La célèbre voie d'eau emprunte en partie le lac artificiel Gatún qui a longtemps été le plus grand au monde (423 km²).

▶ **Dans la partie orientale,** le relief s'élève de nouveau mais sans dépasser les 2 000 m. Plaines et collines centrales sont séparées des océans par deux axes montagneux qui suivent

les côtes. Au nord, l'arc du Darién longe la côte Caraïbes. Au sud, les chaînes de Bagre, Majé, Pirre et Sapo dominent le Pacifique avec une altitude moyenne comprise entre 600 et 800 m. De ces cordillères naissent 500 rivières ou fleuves, dont 350 se déversent dans le Pacifique et 150 dans la mer des Antilles. Les principaux fleuves navigables sont le Tuira, le Chucunaque et le Bayano.

Le littoral et les îles

Le Panamá possède près de 3 000 km de côtes assez accidentées avec plusieurs golfes, baies et lagunes. 1 288 km baignent dans les eaux chaudes de la mer des Antilles et 1 700 km reçoivent les rouleaux puissants du Pacifique. Les eaux du littoral caribéen possèdent de très nombreuses variétés de coraux et de mangroves. L'eau est plus chaude que du côté Pacifique et les marées sont moins importantes. Le pays possède également 1 518 îles et îlots. Côté Caraïbes, on trouve deux magnifiques archipels non loin des côtes : Bocas del Toro et Las Mulatas (ou San Blas). Côté Pacifique, l'archipel des Perles (Las Perlas) est un petit paradis, tout comme Coiba, la plus grande île du Panamá (493 km²) et l'une des mieux préservées. Cette île et les fonds marins qui l'entourent constituent un sanctuaire pour de très nombreuses espèces endémiques.

Organisation spatiale

La population est surtout installée sur le littoral alors que dans les autres pays d'Amérique centrale les gens vivent plutôt dans les vallées montagneuses ou sur les plateaux. Panamá est l'une des rares capitales du continent à être située sur la côte. Le taux d'urbanisation est d'environ 56 % avec une moyenne de 38 hab/km². La moitié des 3,3 millions d'habitants se concentre aux abords du canal et plus d'un million vit dans l'agglomération de Panamá, tandis que la province de Darién et une grande partie du versant Atlantique sont très peu peuplées.

Du détroit à l'isthme : la rencontre de deux continents

Il y a 3 millions d'années, l'isthme a émergé des flots, pour relier deux vastes continents. Les Amériques du Nord et du Sud sont en effet issues de 2 masses continentales différentes qui se sont éloignées puis rapprochées par le jeu de la tectonique de plaques, avant d'atteindre leurs positions actuelles. Selon la théorie de Wegener (1912), 280 millions d'années avant notre ère, l'ensemble des terres émergées de la planète formait un continent unique appelé Pangée. La Pangée commença à se fractionner il y a 220 millions d'années en deux grands blocs : au sud, le Gondwana regroupait les actuelles Amérique du Sud, Afrique, Inde, Antarctique et Australie. Au nord, la Laurasie se composait des actuelles Amérique du Nord, Europe et Asie (sans l'Inde). Le Gondwana et la Laurasie se morcelèrent à leur tour, et les futures Amérique du Nord et Amérique du Sud dérivèrent seules jusqu'à se rapprocher de nouveau pour n'être séparées que par un archipel d'îles volcaniques. La poussée des plaques et l'accumulation de lave et de cendres dégagées par les éruptions finirent par réunir les îles et former un véritable pont entre les deux blocs continentaux, mais aussi séparer les océans Atlantique et Pacifique. L'isthme du Panamá est né… Bien plus tard, l'homme décida de le percer !

CLIMAT

Le pays jouit d'un climat de type tropical maritime. Il fait chaud et humide toute l'année, avec deux périodes bien marquées : la saison sèche, venteuse, appelée *verano* (été), qui s'étend de mi-décembre à avril ; la saison humide ou « verte », *invierno* (hiver), dure le reste de l'année, à l'exception d'une accalmie d'une quinzaine de jours vers le mois de juillet : *el veranillo* (petit été).

Températures

Même si la chaleur se fait davantage sentir en « hiver » en raison d'une humidité plus forte et du peu de vent, la saison influe peu sur les températures, l'amplitude thermique annuelle étant d'environ 3 °C. Les températures évoluent surtout en fonction de l'altitude. Dans les plaines côtières, terres chaudes, la moyenne est de 26 °C. Les températures descendent rarement sous les 20 °C la nuit et peuvent dépasser les 35 °C la journée. Les bains de mer vous rafraîchiront même si la température de l'eau est à peine inférieure à celle de l'air ambiant (entre 25 et 32 °C) ! Dans les terres dites tempérées, entre 700 et 1 500 m, il fait entre 12 et 26 °C. Dans les hautes terres de la cordillère, au-delà de 2 500 m, il peut faire froid mais il ne neige jamais. Sur les îles, la brise impose parfois une petite laine, le soir ou après un orage.

Pluies

Une forte disparité caractérise la répartition des pluies sur le territoire. Sur le versant Atlantique, les précipitations atteignent en moyenne 2 960 mm par an. Colón, Portobelo et Bocas del Toro sont parmi les endroits les plus pluvieux. Il pleut presque quotidiennement par averses successives de mai à décembre, mais les microclimats existent. A la saison « sèche », les pluies sont plus rares, même si les alizés du nord-est chargés de l'air humide de la mer des Antilles restent souvent bloqués par les cordillères. La mer est souvent agitée durant l'été panaméen. Le versant Pacifique bénéficie d'une saison sèche plus marquée. Les précipitations atteignent 1 650 mm par an, presque deux fois moins que de l'autre côté des

Aguacero en la Ciudad (orage dans la ville)

Lorsque le vent se lève, que le ciel et la mer prennent la couleur de l'encre et que la moiteur est maximale, prenez garde ! Des trombes d'eau risquent de s'abattre sur vous en quelques minutes. Les orages tropicaux sont spectaculaires. A Panamá, ils provoquent débordements de bouches d'égout, chutes d'arbres et interminables embouteillages… Les chauffeurs de taxi pragmatiques improvisent alors une petite sieste, à peine dérangés par le tonnerre qui fait trembler les tours de verre et déclenche des concerts de sirènes. Pendant ce temps, des courageux, nus pieds et trempés, accompagnent les passants sous leurs grands parapluies, d'une rive à l'autre des rues pour quelques *centavos*…

cordillères. La brise marine estivale dégage les nuages et le soleil s'impose largement. L'hiver, le ciel est nuageux et les orages éclatent en début d'après-midi (de mai à septembre) ou en fin d'après-midi (d'octobre à décembre).

Les pluies durent rarement plus d'une heure ou deux. Octobre et novembre sont les mois les plus pluvieux. Mais comme partout le climat semble se dérégler, la météo vous réservera toujours des surprises !

ENVIRONNEMENT – ÉCOLOGIE

Les questions relatives à la protection ou à la conservation de l'environnement, ainsi qu'au développement durable, sont traitées par l'ANAM (Autorité Nationale de l'Environnement), organisme d'Etat créé en 1998. Les trottoirs impeccables du Casco Viejo de la capitale forment un contraste saisissant avec certaines zones moins touristiques du pays, où les papiers et emballages, qui sont négligemment jetés par terre, ne sont jamais ramassés. Les systèmes d'évacuation des égouts varient selon les les villes mais, en général, une forte pluie suffit à nous rappeler qu'ils ne sont pas toujours très performants. Les projets d'écotourisme fleurissent, vantant le retour à la nature… tandis que de gros investisseurs peu scrupuleux n'hésitent pas à détruire l'écosystème pour construire leurs infrastructures climatisées. C'est en arpentant le pays que vous vous rendrez compte de tous les contrastes et paradoxes en matière de respect de l'environnement.

La déforestation

La déforestation est l'un des problèmes majeurs. Elle met en péril faune et flore, et provoque une détérioration des sols et ressources hydriques. La liste des ennemis de la forêt est longue : exploitation forestière et minière, promotion du développement urbain ou pratique intensive de l'agriculture sur brûlis, etc. Le problème s'aggrave avec la migration des paysans et éleveurs en direction de zones forestières inexploitées. En arrivant, ces derniers brûlent les sous-bois, défrichent et cultivent la terre, puis l'abandonnent lorsqu'elle est épuisée pour migrer vers des zones boisées encore intactes, au sol fertile. Les provinces de Panamá, de Bocas del Toro, de Darién, ainsi que la comarca Kuna Yala concentrent les 3/5e des forêts du pays. Actuellement, c'est dans la province de Darién et la province de Panamá que les taux de déforestation les plus élevés sont enregistrés.

Pour contrer ce phénomène, la loi n° 24 de 1992 garantit des avantages aux investisseurs nationaux et étrangers prêts à miser sur la reforestation. Parmi les pins, acacias, cèdres ou eucalyptus, c'est le teck, espèce non native, qui est largement privilégié. L'intérêt commercial qu'il suscite est croissant et on assiste à un essor des plantations consacrées au bois de teck à croissance rapide (au bilan plutôt négatif en terme de biodiversité).

Les pollutions

Avec l'explosion des projets immobiliers et l'accroissement de la population dans la capitale, ce sont les gaz d'échappement des trop nombreuses voitures qui deviennent préoccupants. Associé au bruit et à la pollution visuelle des panneaux et enseignes publicitaires, les habitants de la capitale ont intérêt à prendre son mal en patience. Le futur métro devrait apporter une bouffée d'oxigène d'ici quelques années. Dans l'intérieur du pays, ce sont surtout les projets de mines à ciel ouvert qui sont pointés du doigt, induisant d'une part le délogement de la population et d'autre part une forte menace écologique. L'exploitation de métaux tels que l'or nécessite l'utilisation d'une grande quantité d'eau, mais aussi de cyanure. Sans respect des normes de précaution, c'est la pollution garantie des rivières et nappes phréatiques.

© PAT PANAMA

Dans la région des hautes terres.

L'impact du canal de Panamá sur l'environnement

Rappelons que le Panamá est un territoire charnière entre l'Amérique du Nord et l'Amérique du Sud, à l'origine issu de deux continents différents, et que le bassin hydrographique du canal accueille l'une des biodiversités les plus riches au monde. D'un point de vue strictement écologique, le canal est donc une barrière dans les migrations naturelles de nombreuses espèces animales et végétales entre le nord et le sud du continent. En raison du flux des navires en provenance du monde entier, le canal est également un facteur de dispersion d'espèces invasives au cœur de l'Amérique. Enfin, le passage d'un océan à un autre, séparé depuis des millions d'années, permet à certaines espèces marines vivant naturellement dans l'océan Pacifique d'accéder à l'Atlantique, et inversement…

Concernant les travaux actuels d'agrandissement du canal, le chantier aura des incidences certaines sur la faune, la flore et la qualité de vie de personnes vivant autour du lac Gatún. La première incidence provient de l'objectif même des travaux : l'augmentation du trafic. On compte environ 14 000 navires par an. Ce chiffre devrait doubler d'ici 2025, ce qui va entraîner inexorablement une dégradation de la qualité de l'eau du lac. La seconde incidence est l'élévation de 45 cm des eaux du lac Gatún. En plus des conséquences économiques et sociales du déplacement des habitants vivant autour du lac, la submersion des berges aura des incidences sur une biodiversité déjà menacée par la déforestation croissante autour du lac… Le chantier lui-même porte atteinte à la qualité de l'eau : les tranchées et dragages rendent l'eau plus trouble, ce qui pourrait avoir des effets sur la température de l'eau et sur la pénétration de la lumière nécessaire à la photosynthèse. Enfin, les bassins de réutilisation de l'eau des nouvelles écluses, certe beaucoup plus économes en eau, pourraient, d'après certains scientifiques, engendrer une salinisation progressive du lac…

Les déchets

Les trottoirs de certaines zones touristiques ont beau être d'une propreté irréprochable, l'apparence est trompeuse… Le gouvernement a visiblement des difficultés à mettre en place une politique nationale de récupération, tri et valorisation des déchets cohérente et performante. L'accès difficile de certaines zones rurales ou encore l'isolement des îles rendent, par exemple, la collecte problématique. Il est plus facile de brûler ses propres ordures que d'espérer un éventuel ramassage, ce qui n'est pas sans impact sur la qualité de l'air. La sensibilisation des citoyens à ce sujet est un chantier en devenir.

La question de l'eau

Les 40 millions de tonnes d'eau usées déversées chaque année dans la baie de la capitale font l'objet de toutes les attentions du gouvernement. A l'étude depuis 1959, le projet d'assainissement de la *bahía* a débuté fin 2006 et comme pour la Seine à Paris, on nous a promis que l'on pourrait bientôt se baigner dans la baie ! Entre les fleuves, les lacs et les eaux souterraines, le pays est loin de manquer d'eau. Pourtant ce thème est l'un des plus brûlants.

Amélioration des services en eau potable, traitement des eaux usées, mais aussi augmentation des ressources hydroélectriques sont plus que nécessaires.

▬ PARCS NATIONAUX ▬

Près d'un tiers de la superficie totale du Panamá est déclaré zone protégée. A la quinzaine de parcs nationaux s'ajoutent diverses zones classées en plusieurs catégories distinctes : réserve forestière, refuge de vie sauvage, forêt protégée, réserve hydrologique, forêt communale, etc. L'accès est normalement réglementé. Chaque visiteur est censé signaler sa présence et s'acquitter du droit d'entrée auprès de l'ANAM. Bien qu'il y ait une représentation dans chacune des zones protégées, vous n'aurez souvent à franchir ni barrière ni

Les zones protégées

DÉCOUVERTE

poste de contrôle. Le budget alloué à l'ANAM n'est malheureusement pas suffisant pour la permanence des gardes forestiers et l'entretien des 2,5 millions d'hectares protégés.

▌ **Les droits d'entrée** sont plus élevés pour les touristes étrangers.

Ils s'élèvent en général de 5 à 10 $ pour les parcs nationaux et de 10 à 20 $ pour les parcs maritimes.

Quant au logement, il est de 15 à 20 $ par jour et par personne dans les cabanes de l'ANAM, un peu moins sous la tente.

FAUNE ET FLORE

La grande diversité climatique et géographique du pays est un atout essentiel pour la richesse de la faune et de la flore. 11 000 plantes, 950 espèces d'oiseaux et 250 mammifères ont été recensés, parmi lesquels près de 1 600 espèces sont endémiques. La variété des coraux est tout aussi évocatrice : 58 espèces différentes du côté atlantique et 18 du côté pacifique. Parmi les 1 307 espèces de poissons marins, 140 ont un intérêt commercial. Quant aux poissons d'eau douce, 25 % sont endémiques, soit 56 espèces. Il est évident que la mise en place de programmes de sensibilisation et de gestion des pressions des activités humaines (liées à la pêche, au tourisme…) sur les ressources naturelles doit être une priorité pour préserver cette diversité. A nous aussi, touristes, d'y contribuer !

La faune

Un monde animal peuplé et varié, dont seules certaines espèces sont visibles facilement.

▌ **Agouti (*ñeque*).** Un gros rongeur forestier semblable à un cobaye, mais avec des membres plus allongés. L'agouti a des oreilles courtes et une petite queue.

Une reconnaissance internationale des richesses panaméennes

L'Unesco encourage à travers le monde l'identification, la protection et la préservation du patrimoine naturel et culturel considéré comme ayant une valeur exceptionnelle pour l'humanité. Au Panamá, trois parcs nationaux sont inscrits sur la liste des biens naturels : Coiba (2005), les réserves de la cordillère de Talamanca au sein du parc La Amistad (1983) et le parc national du Darién (1981). Quatre sites enrichissent l'illustre liste des biens culturels : le site archéologique de Panamá Viejo (1997), les fortifications de Portobelo et de San Lorenzo (1980) et enfin le Casco Viejo à Panamá Ciudad (2003). Ce dernier risque d'être déclassé si les travaux de la *cinta costera* se font autour du quartier, le président Ricardo Martinelli n'ayant apparemment rien à faire des recommandations de l'Unesco…

Il a un pelage plutôt brun et son poids peut atteindre les 4 kg. Vous l'entendrez fouiner dans les bosquets à la recherche de graines, feuilles et fruits.

▌ **Aigle harpie (*águila arpía*).** Ce rapace considéré comme l'un des plus puissants au monde peut peser jusqu'à 9 kg, pour une envergure pouvant atteindre les 2,10 m ! Auparavant concentré entre le sud du Brésil et le sud du Mexique, l'aigle est en voie d'extinction. Il n'existerait plus qu'au Brésil, en Equateur, au Nicaragua, au Pérou, au Venezuela et dans la province de Darién au Panamá, dont il est l'emblème national depuis 2002.

▌ **Coati (*gato solo*).** Cet élégant mammifère à la fourrure marron mesure environ 60 cm. Sa longue queue ponctuée d'anneaux plus foncés se tient dressée. Carnivore vorace aux dents pointues, le coati aime s'aventurer au-delà des lisières des forêts à la recherche de nourriture.

▌ **Culebra.** C'est le nom communément utilisé pour désigner toutes sortes de reptiles, de la vipère à la couleuvre en passant par le boa. *Cuidado* ! Mais rassurez-vous, sur les 127 espèces présentes au Panamá, seules 21 sont venimeuses.

▌ **Dauphin (*delfín*).** Il a colonisé toutes les mers et océans de la planète, vous le rencontrerez certainement, ainsi que les baleines… que vous écouterez chanter vers le mois de septembre, de Las Perlas au golfe de Chiriquí.

▌ **Étoile de mer (*estrella de mar*).** De trois à cinq bras, une large palette de couleurs, il en existe des milliers d'espèces. Toutes ne sont pas inoffensives, en particulier l'ancathaster pourpre, qui se nourrit de corail et peut détruire un récif en un temps record… Dans tous les cas, laissez-les évoluer dans leur milieu naturel et ne les sortez pas de l'eau.

▌ **Fourmi (*hormiga*).** Elles sont faciles à repérer. Les fourmis se déplacent en colonies, construisant routes et ponts pour faciliter leurs déplacements. On peut passer de longs moments à les observer, mais attention, certaines piquent et peuvent provoquer de grosses fièvres.

▌ **Grenouille (*rana*).** De 2 à 6 cm, elles sont nombreuses et variées : turquoises et noires (*dendrobate auratus*), noires avec des points circulaires jaunes (*dendrobate arboreus*), etc. Méfiez-vous des amphibiens, leur peau sécrète des toxines qui peuvent, selon les circonstances, affecter l'être humain. Mais tendez l'oreille, leurs bruits nocturnes, faisant penser à un jeu vidéo, pourront vous surprendre.

▌ **Iguane (*iguana*).** De couleur verte au marron foncé, l'iguane a tendance à disparaître. Chassé pour sa chair, il devient plus difficile à observer dans certaines régions. De plus petite taille et plus vivaces, les lézards sont très nombreux. Avec un peu de chance, vous surprendrez le lézard « Jésus-Christ » (basilic vert ou brun), qui court sur l'eau à une vitesse pouvant atteindre les 12 km/h !

▌ **Oiseaux (*aves*).** Du charognard noir qui rôde près des poubelles (*gallenazo*) au colibri qui bat des ailes 80 fois par seconde, du pélican (*pelicano*) qui joue dans les vagues au quetzal qui ne montre que rarement sa longue queue, il existe près d'un millier d'espèces d'oiseaux au Panamá. Quant aux oiseaux migrateurs, ils font le bonheur des birdwatchers.

▌ **Papillon (*mariposa*).** Amusez-vous la nuit à tendre un drap blanc sur une source de lumière et vous serez impressionnés par la quantité de papillons nocturnes. Quant au *Morpho peleides limpida*, aux ailes bleu électrique bordées de noir, il est facilement visible près des cours d'eau.

▌ **Singes (*monos*).** Capucins à tête blanche, singes hurleurs ou araignées, ils se déplacent rapidement, soyez prêts ! Quant au paresseux à deux ou trois doigts, une fois localisé, vous aurez tout le temps de l'observer. Flegmatique, il vit accroché aux branches des arbres, dort environ 20 heures par jour, suspendu la tête en bas, et ne descend que pour déféquer. Curieux, son cou, qui comporte 9 vertèbres cervicales, lui permet d'effectuer des rotations de la tête de près de 270 degrés. Si vous avez de la patience…

© PAT PANAMA

Grenouille Sapito.

Orchidée.

▌ **Tortue (*tortuga*).** Elles s'approchent des côtes pour pondre leurs œufs sur les plages. Vous serez tentés de les observer. Elles sont en voie d'extinction, respectez-les : rendez-vous sur les lieux avec un guide local, n'utilisez ni flash ni lampe (sauf infrarouge), portez des vêtements sombres, ne jetez rien. Ne les suivez pas, laissez-les évoluer.

La flore

Pays de mers, de montagnes, de plaines, le Panamá présente une incroyable diversité de milieux naturels, modelés au gré des altitudes et des influences maritimes. La façade Atlantique possède une végétation dense et verdoyante car bien arrosée. Le versant Pacifique, moins humide, présente à la fois des zones semi-arides et des forêts tropicales sèches et humides. On trouve également de nombreuses zones de mangroves. Pour de nombreuses communautés amérindiennes, les arbres et les plantes sont non seulement porteurs de fruits mais constituent aussi la base de leur médecine traditionnelle. Pour le visiteur, c'est l'occasion de goûter de nouvelles saveurs et de découvrir la richesse de la flore panaméenne : des flamboyants aux arbres fruitiers (bananier, manguier, papayer, etc.), en passant par la canne à sucre et les orchidées.

▌ **Arbre à pain (*árbol del pan*).** Ces arbres de taille moyenne, aux longues feuilles (30 à 60 cm) ciselées d'un vert profond, sont surtout présents sur les îles peuplées de Kuna Yala. Leurs fruits ronds-ovales granuleux sont comestibles, cuits ou séchés.

▌ **Bougainvillée.** C'est une plante grimpante dont les nuances des feuilles peuvent aller du blanc pur au violet, en passant par le rose ou le jaune. Si vous cherchez la fleur, il s'agit du petit point jaune au milieu des couleurs.

▌ **Ceiba.** De la famille des bombacacées, il peut dépasser les 40 m. Impressionnant, son tronc est palmé à la base. C'est l'arbre sacré des Mayas.

▌ **Flamboyant.** Cet arbre tire son nom de la couleur de ses fleurs qui éclosent toutes au même moment. Un orange vif qui masque alors complètement les feuilles pour laisser éclore un bouquet… flamboyant.

▌ **Heliconia.** Imaginez un bouquet de feuilles hautes d'où sort une grande tige, surmontée d'un épi jaune ou rouge qui constitue un réservoir d'eau idéal pour les oiseaux, insectes et reptiles. Ce genre comprend plus de cent espèces, concentrées principalement dans les zones semi-ombragées chaudes et humides.

▌ **Mangrove (*manglar*).** La mangrove a un rôle écologique considérable : frein de l'érosion côtière, filtre, refuge et garde-manger pour crustacés et mammifères. Cet écosystème en voie d'extinction est désormais protégé.

▌ **Noni.** Cet arbuste, qui pousse dans tout le pays, est facilement reconnaissable à son fruit qui a la forme d'un ovale déformé, et dont la peau est parsemée de petits points marrons. Sa couleur évolue du vert au jaune translucide selon le degré de maturité. Quand il est mûr, il tombe de l'arbuste et dégage alors une odeur assez terrible. Riche en fibres, fer, vitamine C, calcium et zinc, il est consommé sous forme de jus (disponible chez nous dans les rayons des magasins bio).

▌ **Orchidées (*orchideas*).** Blanche et délicate, la fleur emblématique du Panamá est une orchidée (*la Flor del Espíritu Santo*). On trouve les orchidées à l'état sauvage, mais elles sont aussi cultivées dans des fermes spécialisées, à El Valle, Santa Fé ou Cerro Punta.

Histoire

« *Si le monde devait élire sa capitale, il me semble que l'isthme de Panamá serait choisi pour cet auguste destin.* » Simón Bolívar (1824).

Une terre de passage et de peuplement bien avant l'arrivée des Espagnols

D'après l'anthropologue panaméenne Reina Torres de Arrauz, l'isthme de Panamá a toujours été une terre de passage, ou un pont entre les cultures du nord et du sud du continent, ainsi que des Caraïbes. On estime la présence de l'homme dans l'isthme à quelques dizaines de milliers d'années et les premiers établissements durables à 11 000 ans. En témoignent des tombes, statues, *metates* (tables en pierre sur pied pour piler le maïs), bijoux en or, pierres précieuses ainsi que de nombreuses céramiques découvertes sur plusieurs sites à travers le pays. Ces premières sociétés étaient organisées en chefferies et présentaient des croyances et modes de vie proches de la civilisation Chibcha d'Amérique du Sud, moins développée que celle des Aztèques et des Incas. La vie s'organisait autour de la pêche, la chasse et la cueillette, avant que ne se développe, il y a 3 500 ans, la culture du maïs. Le développement de l'agriculture a favorisé la sédentarisation des peuples et la création d'organisations politiques et militaires de type théocratique, avec un chef (cacique), des notables, des religieux et le peuple. Certaines civilisations, comme les Coclé, se sont éteintes avant l'arrivée des conquistadores, mais on estime entre 600 000 et 1 million le nombre de personnes vivant dans l'isthme à l'arrivée des Espagnols. Les chroniques du début du XVIe siècle parlent d'une langue cueva comprise par différents groupes humains sur un vaste territoire partant de la région de Chame jusqu'au Darién. Les Cueva auraient complètement disparu une quarantaine d'années seulement après l'arrivée des conquistadores. Au-delà du travail forcé et des combats, ce sont surtout les maladies apportées d'Europe, contre lesquelles les autochtones n'étaient pas immunisés, qui auraient fait le plus de ravages. Il n'a pour l'instant pas été démontré que les Kuna soient les descendants des Cueva que rencontrèrent les conquistadores, ni que les Ngöbe Bugle (qui vivent actuellement dans l'ouest du pays), soient originaires des provinces centrales et de la péninsule d'Azuero. Les Emberá et Wounaan quant à eux seraient arrivés dans le Darién au XVIIIe siècle depuis l'Amérique du Sud…

Les premières expéditions espagnoles, en quête d'un détroit vers les Indes

La première expédition à aborder les côtes luxuriantes du Darién est celle de Rodrigo de Bastidas, en 1501. Les Espagnols qui longent la côte nord de l'Amérique du Sud puis celle du Darién, en se croyant déjà en Asie, sont en quête d'un passage vers les Indes. Les marins ne trouvent pas ce mythique détroit mais rencontrent des « Indiens »… et de l'or ! Un an plus tard, Christophe Colomb se lance dans son quatrième et dernier voyage vers le Nouveau Monde. Lui aussi cherche un détroit. L'expédition entreprend la reconnaissance du littoral d'Amérique centrale depuis le cap Gracias a Dios (au Honduras actuel) jusque dans le Darién. Chaque brèche côtière peut se révéler un passage vers l'ouest. Colomb explore notamment la baie de Caraboro (rebaptisée Almirante), la lagune de Chiriquí et les côtes de Veraguas… Le voyage se poursuit jusqu'à une localité indigène où s'échoue la flotte après une violente tempête. Colomb, émerveillé par les lieux, baptise l'endroit Porto Bello (joli port en italien qui, hispanisé, deviendra Portobelo). L'expédition s'y repose un temps avant de retourner dans la région aurifère de Veraguas, pour tenter de fonder une colonie : Santa María la Antigua de Belén. C'est un échec, les conquistadores, avides d'or et de femmes, sont chassés par les indigènes et l'expédition échouera finalement en Jamaïque.

Conquête et colonisation de l'isthme

Dans son plan de conquête et de colonisation, le roi d'Espagne décide en 1508 de diviser en deux les terres du Nouveau Monde, dont la partie continentale est appelée alors Terre Ferme (toute terre dont on ne peut faire le tour en caravelle, par opposition aux îles des Caraïbes). Les territoires à l'est du Golfe d'Uraba constituent la Nouvelle Andalousie. À l'ouest du golfe c'est la Castille d'Or gouvernée par Diego de Nicuesa. En 1510, celui-ci tente de s'implanter dans une baie accueillante qu'il baptise Nombre de Dios, mais très vite les

Une colonisation qui se heurte à de fortes résistances amérindienne et noire

Les plaines littorales et les îles au large de Panamá sont colonisées dans la douleur : les Indiens sont tués ou soumis au travail forcé dans les mines, tandis que les maladies importées d'Europe (grippe, variole, rougeole…) déciment les populations. Des caciques indigènes comme Natá, Penonomé, Escoría ou Paris organisent la résistance. La plus héroïque est sans doute celle d'Urracá qui se lie avec des tribus traditionnellement ennemies pour résister pendant près de dix ans. La main-d'œuvre indigène diminuant à grande vitesse alors que l'activité commerciale bat son plein depuis la découverte de l'Empire inca, les Espagnols décident d'importer en masse des esclaves capturés en Afrique de l'Ouest. Panamá et Portobelo deviennent des centres de distribution importants. Quelques esclaves parviennent à s'échapper et s'organisent en communautés, dans des palenques, des villages fortifiés et camouflés dans la jungle du Darién ou du côté de Nombre de Dios. Ces fugitifs appelés *cimarrones* (marrons en Français) s'allient parfois avec les tribus amérindiennes pour attaquer les convois de leurs anciens maîtres sur le camino real. Ils s'arrangent également avec les pirates et corsaires en les guidant dans la forêt pour prendre par surprise les forts espagnols. Le trafic vers l'Espagne en est tellement perturbé que les autorités coloniales sont parfois obligées d'abandonner les mines et de négocier avec les chefs marrons. Les plus redoutés se dénomment Bayano et Filipillo…

DÉCOUVERTE

conquistadores doivent abandonner les lieux, chassés par les fléchettes empoisonnées. Ils partent plus à l'est et fondent Santa María la Antigua del Darién. La localité, aujourd'hui en territoire colombien, est considérée comme la première cité coloniale de l'Amérique continentale. Dans cette bourgade, loin de l'Europe et de Saint-Domingue, capitale coloniale du Nouveau Monde, les luttes politiques font rage. Après la disparition de Diego de Nicuesa, Vasco Nuñez de Balboa devient de fait gouverneur de la région. Cet aventurier est un administrateur ferme et respecté. Charismatique et diplomate, il explore l'isthme à la recherche d'or et d'esclaves et finit par se lier d'amitié avec certains caciques indigènes, comme Careta ou Comagre. Un jour, le fils de ce dernier, Panquiaco, se dispute avec Balboa. Irrité par l'avarice des conquistadores, il aurait déclaré que « si les hommes blancs aiment autant l'or qu'ils sont prêts à quitter les leurs pour envahir des terres lointaines, ils n'ont qu'à se rendre dans le royaume où les gens sont si riches que les vases et ustensiles dont ils se servent pour boire et manger sont en or… Ce territoire est situé au sud, au-delà des cordillères, sur les côtes d'une autre mer, une mer très vaste… ». Il n'en faut pas plus pour décider Balboa à monter une nouvelle expédition à la recherche de ce pays de l'or.

La découverte de la mer du Sud

Parti de Santa María del Darién le 1er septembre 1513, Balboa, à la tête d'une expédition de 190 conquistadores, de quelques éclaireurs et d'un millier de porteurs indigènes, s'enfonce dans la forêt inhospitalière du Darién en direction du sud. Le 25 septembre, après trois semaines de marche éprouvante et d'affrontements avec les tribus locales, les aventuriers aperçoivent du haut d'une colline l'embouchure d'une vaste étendue d'eau : la fameuse mer dont parlait Panquiaco, enfin pour l'instant la baie de San Miguel. La baie est baptisée ainsi le 29 septembre, du nom du saint du jour, Michel. Ce 29 septembre, Balboa prend possession, au nom de la couronne espagnole, « des mers, terres, côtes et îles du sud, des royaumes et des provinces qui y sont attachés ». La mer du Sud sera rebaptisée « Pacifique » par Magellan en 1520, en raison du temps calme dont bénéficia le navigateur dans sa traversée océanique entre la Terre de Feu et les Philippines.

La découverte de la mer du Sud est certainement le chapitre le plus important de l'histoire de la conquête, après la « découverte » de Christophe Colomb en 1492. Cette nouvelle étape est malheureusement annonciatrice de grandes catastrophes pour les peuples des Andes. Un certain Francisco Pizarro fait d'ailleurs partie de l'expédition… Par la suite, les conquistadores apprennent que les îles qu'ils aperçoivent au large regorgent de perles. Une expédition s'y rend et rafle tout ce qu'elle peut. L'archipel est baptisé Las Perlas. L'expédition de Balboa rentre finalement à Santa María la Antigua del Darién en janvier 1514, chargée d'or et de perles mais surtout de cette formidable découverte géographique.

Chronologie

Période précolombienne

▸ **9 000 ans avant J.-C. >** Premiers peuplements dans l'isthme.

▸ **1500 ans avant J.-C. >** Début de l'agriculture sur brûlis.

Les premières expéditions espagnoles à la recherche d'un détroit vers les Indes

▸ **1501 >** Bastidas explore les côtes du Darién.

▸ **1502 >** Christophe Colomb explore les régions de Bocas, Veraguas et Portobelo. Fondation éphémère de Nuestra Señora la Antigua de Belén.

La conquête de l'Isthme et la découverte de la mer du Sud

▸ **1510 >** Diego de Nicuesa fonde Nombre de Dios puis Santa María la Antigua del Darién.

▸ **1513 >** Découverte de la mer du Sud (Pacifique) par Vasco Nuñez de Balboa.

▸ **1514 >** Arrivée dans l'isthme du nouveau gouverneur Pedro Arias de Avila.

▸ **1519 >** Fondation de la ville de Panamá la Vieja et premiers transits à travers l'isthme par le camino real jusqu'à Nombre de Dios.

▸ **1519-24 >** Explorations des côtes du Pacifique depuis Panamá.

▸ **1524-35 >** Expéditions vers le Pérou et premiers pillages de l'Empire inca.

▸ **1519-fin XVIᵉ siècle >** Accroissement continu du transit interocéanique via l'isthme entre Panamá et Nombre de Dios puis Portobelo. Développement de la piraterie dans la région.

▸ **1596 >** Destruction de Nombre de Dios par Francis Drake.

▸ **XVIIᵉ-milieu XVIIIᵉ siècle >** Foires commerciales de Portobelo et attaques des corsaires.

▸ **1671 >** Destruction de la ville de Panamá (« Panamá la Vieja ») par Henri Morgan.

▸ **1673 >** Fondation de « Panamá la Nueva ».

▸ **1739 >** Destruction de Portobelo par Edouard Vernon. Fin des foires.

Indépendance de l'Espagne et rattachement à la Grande Colombie

▸ **1821 >** Proclamation de l'indépendance de l'isthme le 28 novembre. Rejoint la Grande Colombie de Bolívar, puis la Nouvelle-Grenade en tant que « département de l'Isthme ».

▸ **1840 >** Mouvement séparatiste mené par Tomás Herrera.

Grands travaux et indépendance du Panamá

▸ **1850-1855 >** Construction de la première voie ferrée transcontinentale.

▸ **1880-1889 – 1894-1898 >** Tentative française de construction du canal.

▸ **1999-1902 >** Guerre des Mille Jours dans toute la Colombie.

Parc national du Darién.

© IPAT PANAMA

© DIDIER RAFFIN / IMAGES DU MONDE

Jeune fille en costume traditionnel.

1903 > Indépendance du Panamá de la Colombie. Traité de Hay-Bunau-Varilla.

1904-1914 > Reprise de la construction du canal par les Etats-Unis.

Instabilité politique et poussées nationalistes jusqu'en 1968

1914-1940 > Emergence des revendications nationalistes concernant le canal et la Zone du canal et poussée de l'anti-américanisme.

1940-45 > Période prospère et grands travaux par l'armée américaine.

1950-60 > Instabilité politique. Les Etats-Unis font quelques concessions concernant le canal.

1964 > Rupture des relations diplomatiques avec les Etats-Unis suite à la répression dans le sang d'une manifestation étudiante dans la Zone du canal.

Régime autoritaire du général Omar Torrijos

1968-1981 > Coup d'Etat contre Arnulfo Arias et mise en place d'un régime militaire progressiste dirigé par Omar Torrijos.

1977 > Signature des traités Torrijos-Carter pour la rétrocession progressive au Panamá du territoire de la Zone du canal.

1981 > Mort d'Omar Torrijos dans un accident d'avion suspect.

Dictature du général Noriega

1984-1989 > Régime militaire avec des présidents fantoches. Institutionnalisation des trafics et du blanchiment d'argent. Tentatives de déstabilisation du régime par les Etats-Unis.

1989 > Opération « Juste Cause ». Les bombardements provoquent des dégâts humains et financiers considérables. Arrestation du dictateur condamné aux Etats-Unis à 40 ans de prison pour trafic de drogue.

Retour à la démocratie

1990-1998 > Retour à la démocratie et mise en place de politiques économiques néolibérales. Election des présidents Endara et Balladares dans la transparence. Retour de l'investissement étranger et du tourisme.

1999 > Election de Mireya Moscoso, première femme présidente de la République. Transfert du canal et de la région interocéanique au Panamá le 31 décembre 1999.

2004 > Victoire du PRD (*Partido Revolucionario Democrático* – parti révolutionnaire démocratique) aux élections générales. Martín Torrijos élu président de la République.

2006 > Référendum relatif aux travaux d'agrandissement du canal.

2007 > Début du chantier d'agrandissement du canal.

2009 > Elections du président Martinelli.

Avril 2010 > Manuel Noriega est extradé en France et condamné en juillet à 7 ans de prison pour blanchiment d'argent. Incarcéré à la prison de la Santé à Paris.

Juillet 2010 > importantes manifestations contre la « Loi Chorizo », violentes répressions faisant plusieurs morts à Changuinola.

Août 2011 > Le décret d'extradition de Noriega vers le Panama est signé par les autorités françaises.

En juin 1514, Pedro Arias de Ávila (Pedrarias Dávila) est nommé gouverneur à la place de Balboa. Ce sexagénaire est connu pour sa cruauté. Contrairement aux instructions de la couronne qui prône une conversion au catholicisme en douceur (autant que cela pouvait l'être à l'époque), des milliers d'Indiens sont massacrés ou contraints à l'esclavage. De plus, Pedrarias ne supporte pas non plus Balboa, irrité par le prestige de l'aventurier en Espagne comme dans les colonies. Au retour d'une expédition en mer du Sud, il fait arrêter le « découvreur du Pacifique ». Pedrarias l'accuse de vouloir créer un gouvernement parallèle et d'essayer de le destituer. Balboa sera décapité le 22 janvier 1519 à Aclá, une ville fondée en 1515 sur la côte caraïbe (aujourd'hui enfouie sous la végétation). On raconte que Balboa a payé de sa tête l'orgueil d'avoir préféré Anayansi, la fille d'un cacique indigène, à la propre fille de Pedrarias avec qui il devait se marier…

La fondation de la ville de Panamá et les chemins transisthmiques

Le 15 août 1519, Pedrarias s'empare d'un petit village de pêcheurs de la mer du Sud, appelé par les indigènes Panamá, qui signifie « abondance de poisson ». Nuestra Señora de la Asunción de Panamá se substitue alors à Santa María la Antigua del Darién comme capitale de la province de Castille d'Or. La ville devient un important centre ecclésiastique et commercial et le point de départ d'expéditions vers le nord et le sud du continent. Francisco Pizarro prend la direction des expéditions dans le Pacifique et s'embarque vers le sud en 1524 puis en 1526. Il découvre le Pérou en 1528 et bientôt les richesses de l'Empire inca. Panamá voit alors débarquer des tonnes d'or, d'argent, de pierres précieuses d'Amérique du Sud, sans compter les perles récoltées dans l'archipel voisin. Ces trésors qui doivent rejoindre Saint-Domingue puis l'Espagne transitent à travers la jungle par une ancienne piste indienne qui mène à Nombre de Dios (et plus tard Portobelo), côté Atlantique. Ce *camino real* (« chemin royal ») est pavé de lourdes pierres pour éviter que la végétation ne le fasse disparaître. Le transport est effectué à dos d'esclaves amenés d'Afrique ou de mules. Le *camino real* est relayé quelques années plus tard par un second chemin, le *Camino de Cruces*, qui relie Panamá à Cruces, petite bourgade au bord du Río Chagres à une trentaine de kilomètres de Panamá (à côté de

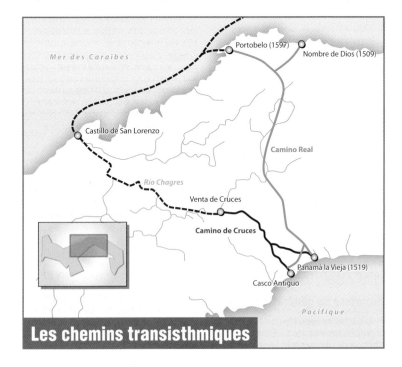

Les chemins transisthmiques

© DIDIER RAFFIN / IMAGES DU MONDE

DÉCOUVERTE

Église Santo Domingo à Panamá Ciudad.

l'actuel Gamboa. Cruces sera englouti lors de la création du lac Gatún entre 1906 et 1913). De Cruces, les marchandises sont embarquées sur des barques ou petites caravelles qui descendent le Chagres jusqu'à l'Atlantique, pour rejoindre ensuite Nombre de Dios en longeant la côte. Mais les choses se compliquent à la fin du XVIe siècle avec l'arrivée de pirates et flibustiers dans la mer des Caraïbes…

Une concentration de richesses qui attire pirates et flibustiers

L'un des premiers à lier son nom aux pillages des colonies américaines est l'Anglais Francis Drake, qui s'empare de Nombre de Dios en 1572. Portobelo devient la nouvelle place forte de Castille d'Or à partir de 1597. Dans une baie plus étroite que celle de Nombre de Dios et à l'abri de solides fortifications, le comptoir organise d'immenses foires. On y échange marchandises d'Europe et esclaves d'Afrique, contre or, argent et perles du continent conquis. Cette concentration de richesses ne laisse pas indifférentes les grandes puissances navales. L'Angleterre, la France ou la Hollande remettent à d'intrépides navigateurs (souvent d'anciens pirates) des « lettres de marque » ou « de course » les autorisant à attaquer les navires et comptoirs d'une nation ennemie. Portobelo et le fort de San Lorenzo sont attaqués à de nombreuses reprises au cours du XVIIe siècle. Parmi les corsaires les plus craints dans l'isthme, on peut citer les Anglais Joseph Bradley et Edouard Vernon, mais surtout sir Henri Morgan. Le Gallois fait le coup du siècle en 1671 : après avoir détruit San Lorenzo et remonté le camino de Cruces,

il prend par surprise la ville de Panamá (la Vieja), cité prospère de 8 000 habitants, qu'il abandonne après l'avoir pillée et mise à feu et à sang. Panamá sera reconstruite deux ans plus tard sur une péninsule 8 km plus à l'ouest (actuel Casco Antiguo).

Après l'ultime destruction de Portobelo en 1739 par Vernon, la couronne espagnole finit par imposer la route du cap Horn pour rallier ses colonies occidentales d'Amérique du Sud. Portobelo, privé de foires, se vide de sa population, tandis que Panamá tombe en décadence. Au début du XIXe siècle, un projet de construction d'un canal interocéanique proposé par l'explorateur scientifique Alexandre de Humboldt aurait pu relancer l'activité, mais l'heure est désormais à l'émancipation des colonies américaines et il faudra attendre les années 1850 pour que l'isthme sorte du marasme économique.

L'indépendance de l'Espagne et le rattachement à la Grande Colombie

Influencées par les idées libérales de l'époque et profitant des guerres sur le vieux continent, les colonies espagnoles prennent tour à tour leur indépendance. Le 10 novembre 1821, « el grito » (« le cri ») retentit à la Villa de Los Santos et marque le début du mouvement d'émancipation dans l'isthme qui se conclut par la proclamation de l'indépendance envers l'Espagne le 28 novembre 1821. Les provinces de l'isthme rejoignent la République fédérale de Grande Colombie du « libérateur » Simón Bolívar, mais cette confédération qui réunit le Venezuela, la Colombie et l'Equateur actuels vole en éclat en 1830.

La Grande Colombie

Seul l'isthme reste uni à l'actuelle Colombie dans ce qu'on appelait la Nouvelle-Grenade (puis la Colombie à partir de 1886). L'isthme avait le statut de département de l'Isthme. Mais l'éloignement de Bogotá, la capitale colombienne, favorise les mouvements sécessionnistes. En 1840, le général Tomás Herrera proclame l'indépendance de l'isthme mais celle-ci ne durera que onze mois. Entre 1855 et 1886, le département de l'Isthme prend le statut d'Etat fédéral et gagne en autonomie. C'est à cette période que le transit d'un océan à l'autre reprend.

La construction d'une ligne de chemin de fer transisthmique

La découverte en 1848 de filons d'or en Californie relance en quelques mois l'activité de la petite province colombienne. Les chercheurs d'or, en provenance de l'est des Etats-Unis et d'Europe, préfèrent éviter de se rendre au Far West par les dangereuses plaines nord-américaines où vivent de redoutées tribus indiennes. L'isthme, partie la plus étroite du continent, devient la route principale des aventuriers. Après un long voyage en bateau jusqu'à l'embouchure du Río Chagres, côté Atlantique, il faut compter une semaine pour rejoindre la ville de Panamá, côté Pacifique. Le Camino de Cruces reprend alors du service. La traversée du pays par le fleuve et la forêt est éprouvante et dangereuse. C'est alors qu'une compagnie maritime américaine, la Panamá Railroad Company, entreprend à partir de 1850 la construction d'une ligne de chemin de fer reliant Panamá à « Aspinwal Colón ». Les travaux attirent une main-d'œuvre venue du monde entier avec une majorité de Jamaïcains et Chinois. Les premiers trains circulent en 1855 et il ne faut plus que 4 heures pour passer d'un océan à l'autre. Mais pour parvenir à ce succès technique et commercial, ce seront plus de 12 000 ouvriers qui laisseront la vie sur les traverses, en raison du paludisme, du choléra et des rudes conditions de travail (on comptera des centaines de suicides parmi les ouvriers chinois…).

Le « canal français » : enthousiasme, erreurs, drames et scandale

La mise en fonctionnement de la voie ferrée permet à l'isthme de sortir de sa léthargie. Mais les ingénieurs d'Amérique et d'Europe se lancent un nouveau défi : relier les deux océans sans même descendre de bateau. Le succès du canal de Suez, inauguré en 1869, avait attiré l'attention des milieux savants sur les possibilités d'autres canaux interocéaniques à travers le monde. Les projets foisonnent aux Etats-Unis et en Europe. En 1877, d'illustres ingénieurs, Armand Reclus (frère d'Elysée, le fameux géographe) et Lucien Napoléon Bonaparte Wyse (petit-neveu de Napoléon) entreprennent une exploration minutieuse du Darién. Le projet Wyse-Reclus est présenté en 1879 au Congrès international d'études du canal interocéanique de Paris présidé par Ferdinand de Lesseps. Le « Vainqueur de Suez », doté d'un formidable talent oratoire, parvient à convaincre le Congrès que le canal doit être creusé au Panamá, et non au Nicaragua comme le souhaitent les Américains. Le Congrès choisi l'option Panamá. Pour financer ce nouveau chantier pharaonique, la Compagnie universelle du canal interocéanique est créée en 1880. Le prestige du « Grand Français » permet d'obtenir la confiance de milliers de souscripteurs privés parmi lesquels de petites gens n'ayant jamais joué en bourse.

Malgré l'avis d'ingénieurs de renom comme Joseph Godin de Lépinay préconisaient un canal doté d'écluses (ce visionnaire avait pratiquement dessiné le canal qui sera achevé en 1914 par les Américains) ou Gustave Eiffel (qui vota pour le projet nicaraguayen), Lesseps se lance dans la construction d'un canal « à niveau », comme à Suez. Les travaux débutent réellement en 1881 et sont censés durer huit ans. Mais le climat et les sols ne sont pas les mêmes sous les tropiques que dans le désert égyptien. La percée de la cordillère avance difficilement dans la roche volcanique et l'enthousiasme du début se transforme vite en drames et en amertume. Ingénieurs et ouvriers, venus des Antilles et d'Europe, supportent mal la chaleur et l'humidité, tandis que les pluies torrentielles d'avril à décembre provoquent des glissements de terrain dévastateurs. Mais ce sont surtout les moustiques, en particulier l'anophèle et le stegomya, qui causent les plus gros dégâts en véhiculant des maladies très mal connues à l'époque : le paludisme et la fièvre jaune. On ignorait ainsi le rôle de l'insecte dans la transmission du mal, à tel point que dans les hôpitaux, les pieds des lits étaient placés dans des coupelles d'eau afin d'empêcher les fourmis ou tarentules de monter jusqu'aux malades ! De véritables élevages à moustiques, tout comme les bassines et les citernes où l'on conserve l'eau de pluie, ou la moindre flaque… Le bilan humain est très lourd : 22 000 morts, soit plus de la moitié des ouvriers et ingénieurs présents sur le chantier ! Mais plus que les fièvres, ce sont les difficultés financières de la compagnie qui vont mettre fin au chantier. Les licenciements massifs provoquent d'importantes émeutes à Colón et dans les villages ouvriers. Le matériel laissé dans la jungle rouille à grande vitesse… En France, la corruption et le mensonge provoquent l'un des plus graves scandales politico-financiers de la IIIe République. En 1894, Philippe Bunau-Varilla, un jeune polytechnicien et ingénieur des Ponts et Chaussées, prend la direction de la compagnie nouvelle du canal. La société obtient de nouveaux financements, mais les problèmes financiers et sanitaires ne sont pas résolus. L'objectif de Bunau-Varilla est désormais de céder les droits, bâtiments et matériel de la compagnie au plus offrant, allant jusqu'à proposer la vente du canal au tsar de Russie !

Le canal, une idée ancienne

L'idée d'un canal navigable pour relier les deux océans a germé très tôt dans la tête des ingénieurs du monde entier. En 1529, Alvaro de Saavedra suggère de faire communiquer les fleuves Chagres et Grande pour aménager un canal de 3 m de profondeur. Les travaux sont jugés trop importants et le projet est abandonné. En 1534, Charles Quint ordonne une étude topographique, mais les moyens technologiques sont encore insuffisants pour concrétiser le percement de l'isthme. En 1556, une nouvelle étude au Nicaragua commandée par Philippe II aboutit au même constat d'impuissance. Devant cet échec, le souverain qui craint aussi que des puissances étrangères n'utilisent un futur canal pour rejoindre les colonies espagnoles déclare : « Dieu a marqué sa volonté de voir les deux océans séparés par un isthme continu […]. Il est interdit sous peine de mort de s'occuper de l'ouverture de toutes nouvelles routes entre les deux océans. » Au début du XIXe siècle, le naturaliste allemand Alexandre de Humboldt propose neuf tracés (via l'isthme de Tehuantepec au Mexique, le río San Juan au Nicaragua ou encore à travers la jungle épaisse du Darién…). D'autres projets seront proposés par des Américains, des Anglais, des Hollandais… mais ce sont les Français qui les premiers se lancent dans l'aventure.

La guerre des Mille Jours (1899-1902)

Après l'échec du canal français, l'isthme se trouve dans une situation économique critique dont ne se préoccupe guère plus l'Etat colombien, en proie aux rivalités entre conservateurs et libéraux. La guerre civile éclate en octobre 1899 dans toute la Colombie. Les combats sont particulièrement violents dans l'isthme. Les conservateurs défendent les intérêts des grands propriétaires terriens, tandis que les libéraux se sentent plus proches de la bourgeoisie commerçante et des petits paysans dont la plupart sont des indigènes. Les Etats-Unis, qui souhaitent reprendre le chantier du canal, composent avec les deux factions pour provoquer la sécession de l'isthme.

3 novembre 1903 : naissance sous tutelle de la République de Panamá

Avec la guerre contre l'Espagne en 1898 et la prise de Cuba et des Philippines, les Etats-Unis de Théodore Roosevelt sont convaincus plus que jamais de l'importance stratégique d'un raccourci à travers le continent pour faire circuler les navires de guerre et contrôler les océans. En janvier 1903, le gouverneur de l'isthme signe un traité avec les Etats-Unis pour la reprise des travaux du canal (traité Herrán-Hay) mais en août le Congrès colombien refuse de le ratifier dénonçant une atteinte à la souveraineté nationale. Les Panaméens craignent alors que la voie d'eau ne soit réalisée au Nicaragua. L'occasion est trop belle. En 1903, une junte associant conservateurs et libéraux lance un mouvement séparatiste sous la protection officieuse des Etats-Unis, en échange de la signature d'un nouveau traité pour le canal. Les troupes colombiennes venues pour stopper la rébellion sont neutralisées à Colón, sans réel combat et sans que n'aient à intervenir les navires de guerre américains mouillant au large des côtes. L'indépendance du Panamá est proclamée le 4 novembre (la fête nationale sera instituée le 3). Trois jours après, les Etats-Unis reconnaissent le nouvel Etat. La Colombie ne le fera qu'en 1921.

Une souveraineté territoriale limitée

L'indépendance aura été largement orchestrée par le Colombien Manuel Amador Guerrero et le Français Bunau-Varilla. En échange d'une

---

Le scandale de Panamá

En 1887, le coût des travaux a englouti 1,4 milliard de francs, le double de ce qui était prévu pour l'ensemble du chantier, alors que seule la moitié de celui-ci a été réalisée. Les banques se retirent. Pour poursuivre les travaux malgré tout, Lesseps accepte enfin l'idée d'un canal à écluses et fait appel au déjà célèbre Gustave Eiffel (alors en plein chantier pour sa tour qui sera inaugurée en 1889). Pour le reste, il demande l'aide de barons de la finance et propose une nouvelle souscription publique. Pour mettre en place un emprunt sous forme de « bons à lots » (à la fois obligations et billets de loteries), l'accord du Parlement est nécessaire. Il est curieusement très facilement accepté par les députés, et 85 000 souscripteurs pleins d'espoirs se lancent alors dans l'aventure… Mais l'emprunt est trop tardif et les travaux prennent énormément de retard. La compagnie est finalement mise en liquidation judiciaire en février 1889. Les souscripteurs sont ruinés… Ils ont surtout été bernés ! Le scandale éclate en 1892 : plusieurs millions de francs ont été détournés pour financer une vaste entreprise de corruption. Des pots-de-vin ont été versés à des journalistes, des industriels, des ministres et une centaine de parlementaires, contre mensonges ou silences sur l'avancement réel du lointain chantier et la santé financière de la compagnie. Clemenceau lui-même est éclaboussé et se retire plusieurs années de la politique (il reviendra sur le devant de la scène au moment de l'affaire Dreyfus).

Pendant de longs mois la presse se déchaîne contre les « chéquards » et les « panamistes », mais les procès seront cléments ; la plupart des politiques bénéficiant d'un non-lieu. Seul Baïhaut, le ministre des Travaux publics, est condamné à cinq ans de prison. Plusieurs ingénieurs et cadres de la compagnie sont également condamnés. Ferdinand de Lesseps, âgé de 88 ans et très affaibli psychologiquement, bénéficie de la prescription, mais son fils Charles impliqué dans l'escroquerie n'a pas cette chance. L'affaire de Panamá salira à jamais l'image du canal en France, l'ouvrage restant associé encore aujourd'hui à l'un des plus gros scandales de corruption de son histoire.

Le coup du timbre-poste

Les Etats-Unis, convaincus de la nécessité d'engager la construction d'une voie navigable en Amérique centrale, hésitent à nouveau entre le Panamá et le Nicaragua. Il semble plus simple de continuer les travaux engagés par les Français mais les négociations avec la compagnie nouvelle et surtout avec l'Etat colombien sont délicates. Le Nicaragua, plus large, demande un canal beaucoup plus long, mais ne nécessite en revanche aucune négociation, en raison d'une concession accordée aux Etats-Unis par un traité de 1849. De plus, le pays est plus proche que la province colombienne. En 1902, la Chambre des représentants vote pour le projet du Nicaragua et le Sénat est sur le point de faire de même. Or, la compagnie nouvelle, quasi ruinée, cherche par tous les moyens à céder sa concession Wyse et son patrimoine. Philippe Bunau-Varilla se transforme en lobbyiste redoutable faisant preuve d'une certaine malice. A l'époque, un timbre-poste du Nicaragua représentait l'image d'un volcan couronné de fumée. Le 8 mai 1902, l'éruption de la montagne Pelée en Martinique détruit entièrement la ville de Saint-Pierre, faisant plus de 30 000 morts. Un mois plus tard et trois jours avant le vote au Sénat, l'ingénieur envoie à chacun des sénateurs une lettre exposant ses arguments et le fameux timbre assorti de la légende « timbre-poste de la République de Nicaragua, un témoin officiel de l'activité volcanique de l'isthme de Nicaragua ». Le revirement du Congrès et le choix final du Panamá pourraient bien être dus à cette idée un peu « fumeuse » !

aide financière pour les sécessionnistes, l'opportuniste ingénieur français obtient d'être nommé ministre plénipotentiaire du Panamá à Washington (sorte d'ambassadeur pour la nouvelle République). En vertu de ce titre, il conclut le 18 novembre 1903, soit deux semaines après l'indépendance, un traité avec le secrétaire d'Etat américain John Hay. Le traité Hay-Bunau-Varilla, surnommé le « traité qu'aucun Panaméen n'a signé », est considéré par le peuple panaméen comme une véritable trahison. Il offre en effet aux Etats-Unis une concession perpétuelle pour la construction et l'exploitation du futur canal et leur concède, également à perpétuité, la souveraineté absolue sur une bande de terre de 10 milles terrestres (16 km) autour de la voie d'eau : la « Zone du canal ». Officiellement, cet Etat dans l'Etat de 1 500 km² est créé pour garantir l'entretien et la protection du canal. Au fil des années y seront installées plusieurs bases militaires US. Elles servent pour d'éventuelles interventions dans la région, à l'entraînement au combat de jungle et à la surveillance continentale via les écoutes. La Constitution panaméenne de 1904 reconnaît même aux Etats-Unis la possibilité d'intervenir militairement « en cas de troubles » dans les affaires intérieures de la jeune république. Les *yankees* versent en contrepartie à l'Etat panaméen une indemnité de 10 millions de dollars (plus une rente annuelle de 250 000 $ à partir de 1912), sommes dérisoires comparées aux profits générés par la voie d'eau. Dans l'enclave américaine on construit logements, administrations, des postes, des églises, écoles,

hôpitaux… La législation de la Louisiane est instituée dans la zone. Enfin, le dollar devient la monnaie nationale panaméenne. Ainsi, dès son indépendance de la Colombie, la République de Panamá se retrouve avec une enclave en plein milieu de son territoire. Elle est également sous la surveillance étroite de son « protecteur ».

La reprise du chantier du canal par les États-Unis

Les Etats-Unis rachètent les droits et propriétés (hôpitaux, voie de chemin de fer…) de la compagnie française pour 40 millions de dollars. Les ingénieurs optent cette fois pour la construction d'un canal à écluses. Commencé en 1904, le chantier va employer environ 75 000 personnes, la majorité d'origine afro-antillaise : Barbade, Trinidad, Sainte Lucie, Martinique, Grenade, Curaçao, Guadeloupe, et Saint-Vincent… On trouve aussi des Européens (Italiens, Espagnols surtout) mais finalement peu de Panaméens. 5 000 Américains occupent les postes de direction et d'études. Avant de commencer les travaux d'excavation, la priorité des Américains est d'assainir la région pour ne pas reproduire le drame de l'entreprise française. Le médecin colonel William Crawford Gorgas s'emploie à faire admettre à une majorité de sceptiques la nécessité de se battre contre les moustiques. Gorgas avait auparavant travaillé à Cuba avec le Cubain Juan Carlos Finlay qui a identifié le moustique responsable du virus de la fièvre jaune et préconisa la démoustication comme méthode de lutte contre la maladie.

Au Panamá, les travaux du canal commencent donc par la pose de moustiquaires, la chasse aux eaux stagnantes et la fumigation dans les zones marécageuses… La chasse aux moustiques sert aussi contre le paludisme. Mais l'anophèle qui véhicule le paludisme vit surtout dans les zones boisées, impossibles à assainir complètement. Gorgas insiste donc pour que les travailleurs prennent à titre préventif et curatif de la quinine, que l'on mélange à de la limonade (avec du gin on obtient le fameux gin tonic !). Les efforts de Gorgas sont récompensés par l'éradication de la fièvre jaune et du paludisme. Le chantier fera tout de même plus de 5 000 victimes en dix ans, ce qui porte à plus de 27 000 le nombre de morts pour l'ensemble des travaux depuis 1881. Le canal est terminé en 1914. Cette prouesse technologique est considérée à l'époque comme la huitième merveille du monde, en raison de ses réalisations spectaculaires : la percée Gaillard avec des millions de tonnes excavées dans la cordillère, les ouvrages d'art (ses écluses sont toujours en activité) et l'imposant barrage Gatún qui donna naissance au plus grand lac artificiel du monde à l'époque (après avoir englouti des centaines de villages et nécessité le déplacement de 50 000 personnes). Le 15 août 1914, alors que l'Europe se jette dans la guerre, le vapeur *Ancón* effectue la première traversée officielle du canal de Panamá.

Instabilité politique et poussées nationalistes jusqu'en 1968

L'opposition traditionnelle entre conservateurs et libéraux disparaît à partir de la présidence de Belisario Porras élu en 1912. Les populations immigrées des Antilles, d'Asie et d'Europe vont donner naissance à un mouvement ouvrier qui se scindera ensuite en parti socialiste et parti communiste. L'Action communale, parti à tendance fasciste, prend le pouvoir peu après la grande crise de 1929, puis de nouveau au début de la Seconde Guerre mondiale avec à sa tête Arnulfo Arias. Le régime discriminatoire mis en place dans la Zone du canal (fontaines et toilettes séparées entre les blancs et les noirs, conditions salariales selon la couleur de peau…) offense les Panaméens et nourrit les sentiments nationalistes. On supporte de moins en moins la présence militaire étrangère, ainsi que le comportement des sociétés américaines comme la puissante United Fruit Company qui détient les meilleures terres et méprise les droits des ouvriers agricoles dans les bananeraies. Dans les années 1930 et 1940, les

Panaméens obtiennent une révision des clauses du traité Hay-Bunau-Varilla (augmentation des redevances du canal, limitation des droits d'interventions militaires…).

Le pays connaît une certaine prospérité durant la Seconde Guerre mondiale, avec l'arrivée massive de soldats dépensant sans compter et la réalisation de grands travaux fournissant des emplois (bases militaires, aéroports, routes panaméricaine et transisthmique). En 1942, 130 sites en dehors de la Zone du canal sont concédés à l'armée US. Dans les années 1950 et 1960, les manifestations anti-américaines reprennent. De longues grèves ont également lieu dans les bananeraies en 1960-61. Ces années seront particulièrement instables avec pas moins de dix présidents entre 1945 et 1960, dont deux seulement termineront leurs mandats ! Le 9 janvier 1964, une manifestation d'étudiants dégénère. Dans une école de la Zone du canal, des étudiants américains refusent que soit hissé le drapeau panaméen, et violent ainsi un accord trouvé l'année précédente entre les Etats-Unis et le Panamá qui prévoyait que les deux drapeaux soient hissés sur tous les sites civils de la zone. Les étudiants panaméens qui manifestent leur mécontentement et réclament la souveraineté dans la zone sont appuyés en quelques heures par des centaines de personnes. Le mouvement de protestation est sévèrement réprimé par l'armée américaine faisant 22 morts et des centaines de blessés. Le 9 janvier 1964 est depuis lors un jour de deuil national : *el día de los Mártires*. Les réactions internationales sont hostiles à l'encontre des Etats-Unis. Roberto Chiari, le président du Panamá, rompt les relations diplomatiques pendant plusieurs mois, jusqu'à ce que les Etats-Unis acceptent d'entamer des négociations concernant la souveraineté panaméenne dans la Zone. Ces événements sont considérés comme une étape majeure dans le processus qui mènera quelques années plus tard à la rétrocession du canal.

1968-1981, la « révolution nationaliste et populaire » du général Omar Torrijos

En mai 1968, le populiste Arnulfo Arias est élu pour la troisième fois président de la République. Quelques mois plus tard, il est renversé par un coup d'Etat monté par de jeunes officiers de la garde nationale. Le but de la junte est de changer les rapports de forces dans le pays, en confisquant le pouvoir à l'oligarchie traditionnelle pour le donner au peuple. Cette politique progressiste qui prend de l'ampleur dans toute l'Amérique latine au début des années 1970 passe par la redistribution des richesses et l'égalité des droits. Parmi les officiers putschistes, Omar Torrijos s'impose rapidement à la tête de l'Etat. Une nouvelle constitution, plus représentative, est adoptée en 1972. Les communautés rurales et indigènes, jusque-là volontairement oubliées, vont pouvoir faire entendre leurs voix dans les *corregimientos* (sorte d'arrondissement).

Le général Torrijos dirige d'une main de fer le pays de 1969 à 1981 sous couvert de présidents fantoches. De profondes réformes sociales dans l'éducation et la santé permettent de réduire de moitié l'analphabétisme et la mortalité infantile en dix ans. Sur le plan économique, une réforme agraire conduit à l'expropriation des grandes propriétés foncières qui sont redistribuées aux petits paysans regroupés en coopératives. Il y a aussi des nationalisations, de grands travaux d'équipement routier et la création d'un centre bancaire international. Au niveau du politique étrangère, le Panamá s'inscrit parmi les pays dits « non-alignés ». Le pays a des relations privilégiées avec les pays de la mouvance anticolonialiste et anti-américaine (Cuba, le Chili de Salvador Allende…) et soutient à la fin des années 1970 aux mouvements guérilleros du Nicaragua et du Salvador.

En 1973, profitant d'une réunion de l'ONU à Panamá, Torrijos expose devant le monde entier les revendications de son peuple concernant le canal. Les négociations sur la question d'une restitution du canal, initiées en 1964, vont s'accélérer en 1977 avec l'élection de Jimmy Carter à la présidence américaine, pour aboutir à la signature du traité Torrijos-Carter le 7 septembre 1977. Le texte accueilli triomphalement au Panamá et dans toute l'Amérique latine prévoit la « rétrocession » progressive du canal et de la zone d'ici l'an 2000. Dès 1979, le pays récupère plus de 60 % du territoire de la Zone du canal (bases militaires, ports et la ligne ferroviaire). Les Etats-Unis, toujours premiers utilisateurs du canal, se sont néanmoins arrogé un droit d'intervention militaire après 2 000 (le traité de « neutralité »), pour garantir le fonctionnement normal du canal « en cas de troubles intérieurs au Panamá ». Une notion bien floue dont se servira Georges Bush pour justifier l'opération « Juste Cause » de décembre 1989. Une des conséquences immédiates des traités est que le Panamá renoue avec les principes démocratiques. A la fin des années 1970, les libertés publiques sont mieux respectées et les exilés politiques reviennent au pays. On autorise les partis qui

jusqu'à présent étaient interdits. Torrijos crée le parti révolutionnaire démocratique (PRD), un parti de tendance social-démocrate. Mais le 31 juillet 1981, Torrijos meurt dans un accident d'avion au-dessus des montagnes de Coclé, accident dont les causes restent encore un mystère… Le bilan économique et politique des années 1970 est controversé : on reproche à Torrijos la disparition d'opposants politiques et une explosion de la dette nationale. On lui reconnaît par contre d'avoir modernisé le pays, favorisé le développement d'une classe moyenne, aidé à la représentation des communautés indigènes, et surtout d'avoir obtenu la rétrocession du canal.

Les années noires et « blanches » de la dictature de Noriega

Une période floue suit la mort de Torrijos. Généraux et présidents fantoches se succèdent jusqu'aux élections de mai 1984. Avec 1 713 voix d'avance seulement, Nicolas Barletta, l'ancien collaborateur de Torrijos et président de la Banque mondiale pour l'Amérique latine, remporte les élections. L'opposition parle de fraude mais les Etats-Unis soutiennent l'économiste formé à Chicago. Mais moins d'un an après son élection, le président Barletta est « démissionné » par Manuel Noriega, commandant en chef de la garde nationale. Le président vient en effet de demander l'ouverture d'une commission d'enquête qui pourrait impliquer directement Noriega. Il s'agit de l'assassinat du médecin et journaliste Hugo Spadafora, retrouvé décapité le 13 septembre 1985 près de la frontière du Costa Rica. Ce meurtre suscita une grande émotion dans l'isthme. Spadafora était un personnage charismatique et populaire, vice-ministre de la Santé sous Torrijos et ancien guérillero au Nicaragua. Il s'apprêtait à livrer des informations précieuses impliquant directement Noriega et l'agence de renseignements américaine (CIA), dans des trafics de drogue et d'armes…

Après le départ du président Barletta, le général Noriega met en place un régime dictatorial plus poussé. Aux recettes classiques de la dictature (musellement de la presse, répression d'opposants, corruption), il ajoute les trafics d'armes, de drogue et de visas, et met en place un vaste réseau de blanchiment d'argent de ces trafics ! Le refus du dictateur de renégocier les accords Carter-Torrijos de 1977 et les relations privilégiées qu'il entretient avec Fidel Castro finissent par irriter sérieusement le cabinet de Ronald Reagan.

Manuel Antonio Noriega : un personnage sulfureux

C'est sans doute le Panaméen le plus célèbre. Né dans le quartier populaire de Chorillo le 11 février 1934, cet élève studieux quitte les bancs de l'université pour gravir les échelons de l'armée jusqu'au plus haut niveau. Il est envoyé au Pérou pour se former aux techniques de contre-espionnage qu'enseignent les services de renseignements américains. Après avoir empêché un coup d'Etat en décembre 1969 contre le général Torrijos, alors que celui-ci se trouvait au Mexique, il devient son bras droit et prend la direction des services secrets, le redoutable G2. C'est à cette période, en 1970, que Noriega est recruté par la CIA et qu'il touche d'importantes sommes pour ses bons services. A la mort de Torrijos en 1981, Noriega fait partie des hommes forts du pays, mais aussi des plus craints. En 1983, il prend la tête du commandement de la garde nationale et exerce toutes sortes de pressions sur les politiques, président de la République compris. En tant qu'agent de la CIA, Noriega ou « PK/BARRIER/7-7 » récolte de précieuses informations sur Cuba et les pays de mouvance communiste ou socialiste. Son salaire versé par l'Etat américain s'envole. Mais cela ne l'empêche pas de vendre aux services secrets cubains des renseignements sur les Etats-Unis et de leur offrir quelques faux visas ! L'agent double amasse également une fortune en faisant progressivement de Panamá une plaque tournante du trafic de drogue et du blanchiment d'argent. Douane, police, armée et banques sont directement impliquées. Sans scrupule, il livre des informations à l'agence antidrogue américaine (DEA) tout en accueillant Pablo Escobar quand celui-ci est inquiété en Colombie ! Mais quand on exagère, tout finit par se savoir... Capturé par l'armée américaine en janvier 1990 suite à l'opération « Juste Cause », il est condamné en 1992 à 40 ans de prison, pour trafic de drogue, crime organisé et blanchiment d'argent. Sa peine sera réduite à 30 puis 17 ans, pour bonne conduite. Après les Etats-Unis, Noriega, condamné en France en 1999 à une peine de dix ans de prison (pour 18,4 millions d'euros de blanchiment d'argent), effectuera un séjour de plus d'un an à la Santé à Paris à partir d'avril 2010. Il devrait en principe rentrer dans son pays natal, après la signature d'un accord d'extradition entre la France et le Panamá». Par le paragraphe suivant : Après les États-Unis, Noriega extradé en avril 2010, est condamné en France à une peine de sept ans de prison pour 2,3 millions d'euros de blanchiment d'argent lié au trafic de drogue dans les années 1980. Après une incarcération à la prison de la Santé à Paris. Il devrait en principe rentrer dans son pays natal, après la signature en août 2011, d'un accord d'extradition entre la France et le Panamá.

« Face d'ananas » (surnommé ainsi en raison de son visage grêlé) ne devient plus du tout fréquentable quand des journalistes du *New York Times*, informés par une fuite des renseignements américains, révèlent les liens entre Noriega et le cartel de Medellín, le plus grand exportateur au monde de cocaïne. Or, c'est justement à cette époque que le crack (dérivé de la cocaïne que l'on fume) envahi les ghettos noirs de Los Angeles ou New York... Mais le plus grave est qu'on apprend que la CIA n'était pas étrangère à ce trafic et s'en servait pour financer l'achat d'armes à destination des « contras » (contre-révolutionnaires du Nicaragua). Des tonnes de drogue seraient arrivées aux Etats-Unis dans des avions que la CIA elle-même affrétait pour son trafic d'armes... En 1986, après l'éclatement au grand jour de l'affaire Iran-Contra (ou Iran Gate), Noriega perd ses contacts à la CIA et le gouvernement américain

veut désormais sa tête. Au Panamá, le colonel Roberto Díaz Herrera, accuse publiquement Noriega de corruption, de fraude électorale et d'être responsable de l'explosion de l'avion du général Torrijos. Une coalition panaméenne réunissant membres de l'opposition, hommes d'affaires, l'Eglise et tous ceux qui ont de bonnes raisons de détester le général se met en place, soutenue par le gouvernement américain. Cette « croisade civique » se réunit le 10 juillet 1987 dans l'église El Carmen à Panamá. La manifestation est violemment réprimée par les « Doberman », un groupe paramilitaire au service de Noriega. Pendant deux ans, les Etats-Unis tentent de paralyser l'économie : gel des fonds de la banque nationale aux Etats-Unis, non-versement de la redevance pour l'utilisation du canal, etc. Mais Noriega continue de narguer les présidents Reagan, puis Bush élu en 1989. La politique américaine de déstabilisation ne fonctionne pas et a même des effets pervers : les rentrées d'argent légales du pays étant bloquées, il faut bien trouver des liquidités. Il n'a donc jamais été aussi facile de blanchir de l'argent à Panamá… L'armée crée même sa propre banque pour faciliter les choses ! Les élections de mai 1989 voient la victoire de Guillermo Endara, soutenu par Washington. Noriega fait annuler les élections. Les manifestations pour le retour à la démocratie se multiplient tandis qu'un nouveau *golpe* (coup d'Etat) échoue en octobre 1989. La tension atteint son paroxysme entre les forces de défense panaméenne et les soldats américains présents dans la Zone du canal. Devant le constat d'échec de la stratégie de déstabilisation menée depuis trois ans, Georges Bush décide d'employer les grands moyens.

Décembre 1989 : l'opération « Juste Cause » ou « l'Invasion »

Dans la nuit du 19 au 20 décembre 1989, les Etats-Unis lancent, au nom d'une « cause juste », la plus importante opération militaire depuis la guerre du Viêt-Nam. Elle mobilise 26 000 soldats et du matériel lourd et sophistiqué (tanks, bombardiers, hélicoptères…). Le prétexte est l'assassinat d'un militaire américain par des soldats panaméens deux jours avant. L'enjeu est de capturer Noriega, l'ennemi n°1 du moment, de protéger les ressortissants américains au Panamá, de restaurer la démocratie dans le pays et de sauvegarder les accords relatifs au canal… On dit aussi que cette intervention américaine avait pour but de tester sa force de frappe, un an avant l'opération « Tempête du Désert » en Irak… Les attaques se concentrent sur Panamá et Colón. Le quartier d'El Chorillo qui abrite le QG des forces panaméennes est détruit. Des heurts ont lieu à San Miguelito et dans d'autres quartiers populaires. Dans le chaos urbain et la panique générale, suivent de nombreux pillages de magasins. L'opération qui dura une quinzaine de jours aurait fait 516 victimes panaméennes selon les autorités américaines. Entre 3 000 et 5 000 morts, en majorité des civils, selon les organisations de défense des droits de l'homme.

Noriega disparaît quelques jours puis se réfugie dans la nonciature du Vatican. Epuisé par la torture psychologique que lui inflige jour et nuit une gigantesque sono qui crache à plein volume *The Highway to Hell* (« l'autoroute de l'enfer ») d'AC/DC, il se rend sans gloire le 3 janvier 1990.

Années 1990 : démocratisation et néolibéralisme

Guillermo Endara est officiellement proclamé président de la République le 20 décembre 1989, jour de l'invasion. Il hérite d'un pays ruiné et rongé par l'insécurité, la corruption et les trafics en tout genre. Endara parvient à restaurer la démocratie et à sortir le pays de l'isolement économique dans lequel il était plongé depuis 1987. Mais le retour timide de la croissance se fait au prix de mesures d'austérité. La politique de rigueur recommandée par les institutions internationales a des effets sociaux catastrophiques sur une population dont plus de 50 % vivent en dessous du seuil de pauvreté. Les Panaméens espéraient autre chose du retour à la démocratie.

Aux élections de mai 1994, le PRD, discrédité par Noriega, mais désormais plus modéré, s'impose. Ernesto Pérez Balladares remporte les élections. Contrairement aux promesses électorales, la politique d'ouverture économique engagée par Endara s'accélère. Les investissements étrangers affluent (ports, routes…) et le pays connaît un développement économique indéniable mais la population désapprouve les réformes. Grèves générales et manifestations empêchent la réforme de la sécurité sociale et la privatisation du secteur de l'eau. L'opposition accuse en outre le président d'avoir négocié en douce avec la Maison-Blanche la mise en place au Panamá d'un centre de lutte antidrogue, qui ne serait qu'un prétexte pour les Etats-Unis de rester dans le pays après l'an 2000, contrairement à ce que prévoit le traité Torrijos-Carter de 1977. Au même moment, on découvre que celui qui veut installer un centre antidrogue est impliqué dans un scandale de blanchiment d'argent de la drogue, sa campagne électorale de 1994 aurait en partie été financée par de l'argent blanchi ! Malgré tout, le départ progressif des Américains de la Zone du canal, application de la phase finale du traité de 1977, n'est pas vraiment souhaité par la majorité des Panaméens. A la fierté de pouvoir récupérer le canal se mêle en effet l'inquiétude de voir partir les emplois liés à cette présence étrangère. Dans ce contexte, Mireya Moscoso, la veuve du président Arnulfo Arias (1901-1988), gagne les élections présidentielles de mai 1999 avec 44 % des voix. A 53 ans, Mireya est la première femme à diriger le pays. Dès le début de son mandat, elle a l'immense privilège d'honorer la rétrocession du canal, le 31 décembre 1999 à midi.

31 décembre 1999 à midi : El Canal 100 % Panameño !

La cérémonie est solennelle, discrète. Y assistent de nombreuses personnalités : le roi d'Espagne, Colin Powell, l'ancien président Jimmy Carter… Le passage à l'an 2000 a donc une importance toute particulière au Panamá : l'autorité du canal de Panamá (ACP), désormais complètement panaméenne, assume la responsabilité de gérer l'une des voies d'eau les plus importantes au monde. La communauté maritime internationale était plutôt inquiète à cette idée. Après 31 ans de dictature entre 1968 et 1989 et les nombreux scandales récents de corruption, la communauté internationale pouvait légitimement craindre que le canal ne devienne un jour l'otage des intérêts politiciens. Avec le recul, les spécialistes considèrent que la gestion du canal est bien meilleure que sous l'époque américaine.

Les années 2000

Le bilan de Mireya Moscoso est contrasté. Elle a permis au pays de sortir de la liste noire du GAFI (Groupe de surveillance du blanchiment d'argent) mais on lui a beaucoup reproché son clientélisme politique. Les élections de 2004 ont vu le retour au pouvoir du PRD. Elu avec 47 % des voix devant l'ancien président Guillermo Endara, Martín Torrijos a largement bénéficié du prestige de son défunt père. Le jeune président va bénéficier d'un boom économique sans précédent durant ses quatre ans de mandats mais ne parviendra pas à réduire les inégalités sociales et l'insécurité. L'argent sale est par ailleurs toujours bien présent à Panamá, où les gratte-ciel grimpent, grimpent… Le principal enjeu du quinquennat était le projet d'élargissement du canal. Celui-ci a été approuvé par référendum le 22 octobre 2006 (« oui » à 78 %). Les travaux commencés en septembre 2007 doivent se terminer en 2014 avec un coût prévu de 5,25 milliards de dollars.

Le Panamá de Martinelli

Mai 2009 voit la victoire du candidat de la droite libérale, Ricardo Martinelli, avec 61% des voix, à la tête de « l'Alliance pour le Changement ». Cet entrepreneur multimilliardaire s'est lancé dans un vaste programme de grands travaux, destiné à moderniser les infrastructures, dans tout le pays mais surtout dans la capitale, avec le projet très controversé de poursuite de la route côtière autour de la vieille ville et celui plus intelligent de la construction d'un métro. Sur le plan social, les relations avec la société civile, les syndicats et la presse se sont bien dégradées. Le président ne discute pas et fait ce qu'il a décidé, et gare à ceux qui résistent : en juillet 2010, à Changuinola, ville aux grandes exploitations bananières, la répression des manifestations contre un projet de modification de réformes syndicales (entre autre) s'est terminée par la mort de quatre personnes et la cécité de dizaines d'autres à cause des gaz lacrymogènes. La réforme syndicale faisait partie de la loi 30 surnommée « chorizo » (plusieurs réformes mélangées dans une même loi) qui bafouait ouvertement de nombreuses protections environnementales (réforme du code des Mines) et les droits des peuples autochtones sur leurs territoires. Le gouvernement Martinelli est finalement revenu en arrière sur de nombreux points.

Plus positif pour le pays est le recul de la pauvreté, passée de près de 38 à 32 % entre 2006 et 2010. « Ahora le toca al Pueblo », « maintenant c'est le tour du peuple », disait le candidat Martinelli lors de sa campagne électorale. Il faut espérer que la manne financière que représente le canal et les grands travaux, permettra de réduire encore davantage la pauvreté qui touche un tiers des Panaméens, et d'améliorer les systèmes de santé et d'éducation, qui n'attendent que ça.

Politique et économie

POLITIQUE

Structure étatique

La république du Panamá est née le 3 novembre 1903. C'est un Etat souverain et indépendant qui a retrouvé la démocratie en 1990 après la chute du général Noriega. Le territoire est composé de 9 provinces administratives (Bocas del Toro, Chiriquí, Coclé, Colón, Darién, Herrera, Los Santos, Panamá et Veraguas), dirigées par des gouverneurs nommés par le président de la République. Chaque province est divisée en districts administrés par un *municipio*, émanation des représentants élus des *corregimientos* (« arrondissements ») qui composent le district. Une curiosité locale est l'existence, à côté de cette subdivision administrative classique, d'un territoire autonome (*comarca*) géré par les communautés amérindiennes kunas : Kuna Yala (Terre Kuna), dont la « capitale » est Porvenir. On trouve cinq autres *comarcas* (Emberá-Wounaan 1 et 2, Wargandí, Madugandí, Ngöbe-Buglé) ayant également une organisation politique propre, mais qui font partie d'une province administrative.

Institutions

La constitution organise les pouvoirs de la façon suivante : l'exécutif est composé du président de la République, à la fois chef de l'Etat et chef du gouvernement, d'un vice-président et d'un cabinet ministériel. Le Parlement est composé d'une seule chambre, l'Assemblée législative, qui réunit 78 *legisladores* (« députés ») élus dans le cadre du district. L'autorité judiciaire est constituée de plusieurs niveaux de tribunaux, chapeautés par la Cour suprême. La justice est le point noir de la démocratie panaméenne en raison du manque d'indépendance des juges. Le Panamá compte également de nombreuses institutions ou établissements publics sur lesquels le gouvernement garde un droit de regard plus ou moins fort : l'autorité du canal de Panamá (ACP), l'Unité administrative des biens rétrocédés (UABR), la sécurité sociale, deux universités publiques, la banque nationale (*Banco Nacional de Panamá*), la zone libre de Colón ou encore la loterie nationale… Le Panamá est l'un des rares pays au monde à ne pas disposer d'armée. Abolie en 1994, elle a été remplacée par la *fuerza pública*, sorte de police nationale qui reste assez impressionnante tout de même !

Partis

Les élections présidentielles, législatives, municipales et d'arrondissement ont lieu en même temps, tous les 5 ans. Le vote, à partir de 18 ans, n'est pas obligatoire mais l'abstention est généralement très faible (moins de 20 %). Le président est élu au suffrage universel direct à la majorité simple (pas de second tour) en même temps que son vice-président. La constitution interdit au président en exercice de se représenter immédiatement à la fin de son mandat. Il existe une dizaine de partis politiques. Les principaux sont le Changement démocratique (CD, au pouvoir depuis 2009, droite libérale) et le Parti révolutionnaire démocratique (PRD), un gros parti de tendance sociale démocrate. Les autres gros partis, tous plus ou moins conservateurs, sont le Mouvement libéral nationaliste républicain (MOLINERA), le Parti panaméiste (ou Arnulfiste), l'Union patriotique (UP, coalition du Parti solidarité et du Parti libéral national) et le Parti populaire (PP, anciennement Parti démocratique chrétien). Les campagnes électorales sont généralement marquées par le clientélisme et beaucoup de populisme. Plusieurs mois avant les élections, dans tout le pays, les candidats organisent des fêtes de quartier ou de village pour charmer les foules. Les drapeaux ou tee-shirts partisans sont distribués allègrement, cela jusque dans les petites îles de San Blas ! Les candidats aiment jouer de la corde nationaliste et usent des grands classiques : construction de routes et hôpitaux, luttes contre la pauvreté, la corruption ou l'insécurité… Le Panaméen n'hésite pas à débattre et à afficher sa couleur politique, en accrochant un drapeau à sa fenêtre, ou en défilant dans un convoi officiel dont les haut-parleurs inondent la rue de discours enflammés et de salsa ou de *típico* !

Les élections de mai 2009 ont vu la victoire de l'Alliance pour le Changement emmenée par Ricardo Martinelli et qui réunissait le CD (Democratic Change), les panaméistes, MOLINERA et l'UP.

Enjeux actuels

Comme son prédécesseur, Ricardo Martinelli doit faire face à d'importants mouvements de protestation, dans les secteurs de l'éducation, de la santé, des transports et du bâtiment. Enfin plusieurs communautés rurales et indigènes se regroupent et manifestent régulièrement contre des projets de construction de barrages hydroélectriques, de mines ou de résidences touristiques sur leurs terres, et pour réclamer un meilleur accès aux soins et à l'éducation. Car les inégalités économiques et sociales sont toujours très importantes au Panamá, malgré la bonne santé économique du pays.

▬ ÉCONOMIE ▬

La structure économique du Panamá, dominée par le commerce et les services, est plutôt atypique pour un pays d'Amérique latine. Sa vocation de terre de transit, apparue dès la colonisation et illustrée par les fameuses foires de Portobelo, a pris une ampleur considérable avec la mise en service du canal en 1914. Profitant de cette attraction exercée par la voie interocéanique sur les marchandises et capitaux du monde entier, le pays a orienté son développement vers les activités maritimes, le commerce et les services. Un centre bancaire international de premier rang, de fortes incitations fiscales et le dollar comme monnaie courante depuis 1904, ont permis d'attirer l'investissement étranger dans ce pays de taille modeste et au marché intérieur de 3,5 millions de personnes. Compte tenu de la dynamique des services (80 % du PIB), l'agriculture et l'industrie représentent une part assez faible du produit intérieur brut (PIB). Ces secteurs offrent cependant un tiers des emplois et permettent de maintenir, autant que possible, une partie de la population dans les campagnes.

Le Panamá, plate-forme du commerce maritime international

▎ **Le canal : la clef de voûte de l'économie.** Avec une quarantaine de navires par jour, plus de 14 000 par an, le canal voit circuler 5 % du commerce mondial. Avec des droits de passage établis en fonction du type et de la taille des navires, il génère un chiffre d'affaires de plus de 1,5 milliard de dollars et apporte 600 millions de dollars par an de recettes à l'Etat, 8 % du PIB. Dans les six premières années de propriété panaméenne qui ont suivi la rétrocession du 31 décembre 1999, le canal aurait rapporté l'équivalent des 85 ans de redevances versées par les Etats-Unis ! Le canal est donc aujourd'hui le véritable moteur économique du pays et aussi son meilleur ambassadeur. Les travaux d'agrandissement du canal qui doivent permettre à presque tous les navires d'emprunter ses écluses (la moitié des porte-conteneurs actuels ne passent pas) devraient offrir 7 000 emplois directs et 35 000 emplois indirects d'ici 2014.

▎ **Les ports.** En offrant des concessions à de grands groupes asiatiques et américains, le pays s'est doté d'un système portuaire ultramoderne aux embouchures du canal. Côté Pacifique, on trouve le port de Balboa à Panamá, et un projet en eaux profondes est à l'étude. A Colón, côté Atlantique, on trouve trois grands ports à containers (Manzanillo, Cristobal, Colón Port Terminal). De puissantes infrastructures (quais, grues…) associées à d'immenses entrepôts de stockage permettent de décharger des milliers de containers, de les entreposer puis de les réexpédier en lots plus petits vers des ports plus modestes des côtes sud et nord-américaines. Par ailleurs, Colón possède un port destiné aux bateaux de croisières (Colón 2000).

▎ **Zone libre de Colón.** A proximité des ports de Colón se trouve la deuxième plus grande zone franche au monde, après Hong Kong. Véritable plate-forme de distribution, cet entrepôt de 400 ha accueille, sans droit de douane, les produits les plus divers (habillement, électronique, produits pharmaceutiques, parfums et cosmétiques), en provenance d'Asie, des Etats-Unis et d'Europe. Contenu et contenant arrivent séparément pour des gains de volume et de coûts. Les marchandises sont conditionnées, assemblées, emballées et groupées avant d'être renvoyées, généralement en plus petites quantités en fonction de la demande, et de nouveau sans taxe, vers les pays de la région. Plus de 2 000 entreprises du monde entier profitent ainsi d'une exemption totale de taxes à l'import et à l'export, ainsi que sur les bénéfices.

Les régions administratives

MER DES CARAÏBES

OCÉAN PACIFIQUE

COLOMBIE

COSTA RICA

Provinces et régions

SAN BLAS

DARIÉN

PANAMÁ

COLÓN

COCLÉ

VERAGUAS

HERRERA

LOS SANTOS

BOCAS DEL TORO

CHIRIQUÍ

Lieux

Acandí
Salaquí
Anachucuna
Armila
Puerto Obaldía
Boca de Cupe
Pinogana
Ustupo
Ailigandi
Pointe Mosquito
Cañazas
Santa Fé
Metetí
La Palma
Yaviza
Boca de Paya
Puerto Quimba
Chepigana
Boca de Pavarandó
Playón Chico
Boca de Sábalo
La Paz
Río Congo
Puerto Piña
Garachiné
Jaqué
Pinati
Chimán
San Miguel
Golfe de San Blas
El Porvenir
Cartí
Ile del Rey
Palenque
San Miguel
Chepo
Portobelo
Sabanitas
Salamanca
Las Cumbres
Tocumen
San Miguelito
Ile San José
Colón
Pointe Mangle
Nuevo Chagres
Escobal
La Arenosa
La Chorrera
Arraiján
PANAMÁ
Archipel de Las Perlas
Baie de Panamá
Golfe de Panamá
Boca del Río Indio
Miguel de la Borda
La Trinidad
Punta Chame
Chame
San Carlos
El Valle
Antón
Coclé del Norte
Coclesito
El Copé
Olá
Nata
Penonomé
La Pintada
Aguadulce
Parita
Pocrí
Santa María
Pesé
Monagrillo
Chitré
Los Santos
Las Tablas
Pedasí
Pocrí
Calovebora
Santa Fé
La Yeguada
Calobre
Olba
Ocú
Las Minas
Macaracas
Valle Rico
Vallecriquito
Tonosí
Guánico Abajo
Pedregal
Guararé
Golfe des Moustiques
Santa Catalina
San Francisco
La Mesa
Cañazas
Santiago
Río de Jesús
Los Pozos
Tebario
Mariató
Arenas
Ile Cébaco
Pointe Mariato
Las Palmas
Soná
El Tigre
Santa Catalina
Joronés
Pixvaé
Ile Colba
Ile Jicarón
Golfe de Chiriquí
Hato Chamí
Canquintu
Cusapín
Archipel de Bocas del Toro
Bocas del Toro
Chiriquí Grande
Laguna de Chiriquí
Punta Laurel
Fortuna
Tolé
Las Lajas
Remedios
Boca Chica
Horconcitos
San Félix
Route David-Almirante
Almirante
Changuinola
Guabito
Bratsi
Puerto Viejo
Nueva
Río Sereno
San Vito
Cañitas
Volcán
Baru
Dolega
David
Pedregal
Boquete
Alanje
Boquerón
La Concepción
Puerto Armuelles
Pointe Burica
Golfe de Chiriquí

60 km

43

Calzada de Amador à Panamá Ciudad.

Le volume total des transactions de la ZLC atteint aujourd'hui plus de 18 milliards de dollars par an.

▶ **Le pavillon de complaisance.** Par le biais de son pavillon de libre immatriculation ou de « complaisance », le Panamá possède la première flotte de marine marchande du monde. N'importe quel navire, quel que soit son âge, son tonnage et la nationalité du propriétaire, peut demander une immatriculation panaméenne et bénéficier ainsi d'une législation sociale, fiscale et maritime particulièrement souple. Créé en 1925 par les Etats-Unis, onze ans après la mise en service du canal, le registre panaméen est géré par l'autorité maritime de Panamá, relayée par une soixantaine de consulats panaméens à travers le monde (à Marseille, par exemple). Procédure d'enregistrement rapide et peu coûteuse, exonérations fiscales et anonymat (cher aux armateurs peu scrupuleux) expliquent le succès du pavillon. Avec plus de 8 000 navires représentant environ 180 millions de tonnes brutes de marchandises, le registre rapporte à l'Etat 60 millions de dollars de droits d'immatriculation et à peu près autant en ressources indirectes (avocats, assurances, hypothèques navales…). En fait, les emplois créés dans le pays sont bien plus nombreux dans le secteur juridique qu'à bord des navires. Les Panaméens ne représentent même pas 1 % des 300 000 marins de toute nationalités qui naviguent sous drapeau panaméen ! Suite aux trop nombreuses catastrophes maritimes impliquant des bateaux mal entretenus arborant des pavillons de complaisance, l'organisation maritime internationale tente de faire pression sur les Etats pour améliorer la sécurité. Le

Panamá, dont plus du tiers de la flotte a plus de vingt ans, a adopté des mesures importantes en matière de contrôle des navires mais de gros efforts restent à faire.

Une place financière réputée

Le pays est doté d'une législation attractive pour la création de sociétés et offre une sécurité juridique rassurante pour les investisseurs étrangers qui bénéficient d'une égalité de traitement avec les nationaux. Le pays est considéré par beaucoup comme un paradis fiscal en raison de l'application du principe de territorialité : seuls les bénéfices réalisés sur le sol panaméen sont imposés, et non ceux réalisés à l'étranger et transférés dans le pays. Le Panamá est aussi devenu l'une des places financières les plus importantes d'Amérique latine avec son centre bancaire international (CBI) créé en 1970, au moment où les pétrodollars abondaient. Le CBI s'est développé grâce à l'utilisation depuis 1904 du dollar étasunien, ainsi qu'à des règles strictes de confidentialité. Aujourd'hui le CBI constitue la 4e place bancaire mondiale et génère 14 % du PIB. Des lois récentes limitant le montant des dépôts d'argent liquide et l'usage de prête-noms ont permis au CBI de sortir des listes noires et grises en matière de blanchiment d'argent. Le blanchiment s'est vraisemblablement déplacé vers le secteur de l'immobilier qui vit aujourd'hui un important mouvement spéculatif.

Les secteurs primaire et secondaire

Les secteurs primaires et secondaires sont faibles, même s'ils représentent plus du tiers des emplois. Le marché intérieur, limité à 3,5 millions de consommateurs, et des salaires plus élevés que ceux de la région, expliquent une faible compétitivité au niveau international.

▌ **L'agriculture.** Les agriculteurs représentent 15 % de la population active du pays. Le climat subéquatorial et la variété du relief sont particulièrement propices à la culture d'une grande variété de produits tropicaux destinés en majorité à l'export : cacao, café, tabac, banane, canne à sucre, ananas, melon, pastèque… Les productions de manioc, riz et maïs sont essentiellement destinées au marché local.

▌ **La pêche.** Malgré des eaux territoriales riches, la pêche reste une activité essentiellement artisanale qui emploie plus de 20 000 personnes. Le secteur est confronté depuis quelques années à une surexploitation des zones de pêches. Celles-ci se raréfient avec l'installation de grands complexes touristiques à proximité des villages de pêcheurs et les indispensables contraintes environnementales qui restreignent l'activité dans certaines zones. Enfin, la hausse du prix du carburant affecte bien évidemment la rentabilité de chaque sortie en mer.

▌ **L'élevage.** L'élevage de volailles, bovins et porcins, suffit à peine au marché local, grand consommateur de viandes. L'élevage bovin, qui s'est longtemps concentré dans les régions des provinces centrales et de Chiriquí, s'étend en quête de nouveaux pâturages aux régions forestières comme le Darién, au détriment des forêts…

▌ **La sylviculture.** On déboise pour élever des bovins ou planter du maïs, mais aussi pour revendre du bois précieux coupé dans les dernières forêts primaires. Pour empêcher ces dérives, des incitations fiscales poussent à replanter à des fins commerciales des essences comme le teck et le pin, essences non traditionnelles, très rentables financièrement mais au bilan plutôt négatif pour la conservation de la biodiversité.

▌ **L'industrie.** Le secteur industriel concerne essentiellement l'agroalimentaire (raffineries sucrières, huileries, conserveries de poisson, brasseries) ainsi que le textile et le raffinage de produits pétroliers. L'industrie minière (or, argent, manganèse, cuivre) reprend du service avec la hausse des cours mondiaux de ces métaux, tandis que les cimenteries tournent à plein régime pour alimenter la frénésie immobilière dans le pays. Pour l'énergie, le pays, qui ne produit ni gaz ni pétrole, exploite largement l'hydroélectricité grâce à plusieurs barrages. 60 % de l'électricité produite est d'origine hydroélectrique, contre 40 % thermique.

Place du tourisme

Pendant longtemps, le Panamá n'a pas été considéré comme une destination touristique. Encore aujourd'hui, du moins en Europe, on connaît peu ce petit pays tropical dont on a souvent des images sulfureuses : scandale qui éclaboussa la France à la fin du XIXᵉ siècle, dictature de Noriega, blanchiment d'argent… Le pays s'est donc longtemps cantonné au tourisme d'affaires, avec pour principal attrait la zone libre de Colón et le centre bancaire international. Les hôtels de la capitale fonctionnent encore beaucoup avec ces businessmen qui viennent passer des contrats ou assister à des congrès. Les projets touristiques d'envergure n'ont vraiment commencé qu'à la fin des années 1990, avec le réaménagement des terrains de la Zone du Canal rétrocédés par les Américains. Des groupes hôteliers, colombiens et espagnols surtout, ont ainsi converti les anciennes bases militaires en grands complexes touristiques.

▌ **« Panamá, mucho más que un Canal », « Panamá, una ruta por descubrir », « Panamá se queda en ti »…** « Le Panamá, bien plus qu'un canal », « Une voie à découvrir », « Panamá reste en toi », voici quelques slogans touristiques qui ont marqué les années 2000. Pour séduire une clientèle variée, on a mis en lumière toutes les richesses du pays : plages de rêve, biodiversité, cultures amérindiennes, canal mais aussi casinos et centres commerciaux. Le secteur a vraiment progressé avec l'arrivée, en 2004, de la légende de la salsa, Rubén Blades, à la tête du ministère. Porté par cette icône charismatique, mais aussi par des incitations fiscales, le secteur explose depuis quelques années. Le pays attire par exemple de plus en plus de bateaux de croisière, grâce au prestigieux passage du canal.

Le « tourisme médical »

De plus en plus de tour-opérateurs se spécialisent dans l'accueil des touristes américains venant se faire soigner les dents ou opérer d'une hernie, tout en combinant un séjour sous le soleil de Panamá. Cela coûte en effet beaucoup moins cher d'associer la pose d'une prothèse dentaire à une semaine de vacances dans les tropiques que de se faire soigner chez un dentiste aux Etats-Unis ! Par ailleurs, de nombreux médecins panaméens ont fait leurs études aux Etats-Unis, ce qui rassure ces patients-voyageurs…

Le pays soigne particulièrement cette clientèle fortunée qui descend dans les ports ou sur les îles pour faire ses emplettes et quelques excursions. Parmi ces passagers certains ne sont pas insensibles au charme de l'isthme et décident de rester ! Phénomène récent, l'arrivée en masse des baby-boomers. Des milliers de jeunes retraités, pour la plupart nord-américains, s'installent à la montagne et sur le littoral de la côte Pacifique. Altos de María, Valle Escondido, Cielo Paraíso, Montañas de Caldera, Rancho Los Sueños, Las Nubes… On voit fleurir dans des endroits de rêve de grands complexes avec piscine, golf, églises, médecins, le tout dans une enceinte sécurisée et une vue imprenable sur la vallée ou l'océan… Dans les classements nord-américains des destinations les plus attractives au monde pour vivre une retraite heureuse, on trouve toujours le Panamá dans les cinq ou dix premiers, avec des villages stars comme El Valle ou Boquete. L'attrait est certain : paysages magnifiques, climat agréable à l'abri des catastrophes naturelles, stabilité politique, sécurité, coût de la vie faible comparé aux pays d'origine, avantages fiscaux et stabilité pour obtenir un visa, dessertes aériennes, infrastructures, centres commerciaux, casinos… Miami a désormais du souci à se faire !

▶ « En Panamá unimos al mundo ». Le slogan touristique 2011 met l'accent sur la position géographique du pays, et pas uniquement pour son canal, mais aussi pour son accès aérien depuis 80 destinations. L'aéroport de Tocumen serait d'après l'Autorité panaméenne du tourisme le 8e hub aérien au monde ! L'ATP prévoyait pour 2011 la visite de 2 millions de visiteurs (qui restent en moyenne 9 jours et dépensent 130 $ par jour). Le tourisme génère désormais plus de devises que le canal et offre près de 200 000 emplois directs. Le parc hôtelier connaît un vrai boom avec la construction dernièrement de 25 nouveaux hôtels de grandes chaînes internationales (les 3/4 dans la capitale). Le développement des infrastructures d'accueil a permis la création de milliers d'emplois dans la construction et les services aux personnes, et cela ne fait que commencer. On peut toutefois regretter certaines conséquences déjà bien visibles de ce boom touristique, avec par exemple la construction de grandes tours sur les plages du Pacifique dans les environs de la capitale. Il faut donc espérer que le Panamá saura garder la tête froide et maîtriser les travers du tourisme de masse, pour ainsi conserver toute sa beauté et son authenticité.

Enjeux actuels

Le Panamá donne l'image d'un pays dynamique sachant exploiter sa position géographique pour profiter de la mondialisation des échanges. Ses indices sont plus proches de ceux des pays industrialisés que des pays dits en développement. Le Singapour ou Dubai latino, comme certains le surnomment, présentait en 2011 le taux de croissance le plus élevé du continent selon la CEPAL (estimé à 8,5 %) et semble s'être bien sorti de la crise économique mondiale, malgré la mauvaise santé financière de son principal partenaire, les Etats-Unis. Le grand chantier de modernisation du canal, qui doit s'achever en 2014, devrait dynamiser encore davantage l'économie nationale, qui voit déjà affluer les investisseurs du monde entier dans tous les secteurs : travaux publics, ports, tourisme… Le principal enjeu serait que toutes ces richesses soient mieux réparties : le Panamá est l'un des pays les plus inégalitaires au monde – 20 % de la population la plus riche concentre 60 % des revenus et les 20 % les plus pauvres 3 %. Selon l'ONU, 80 familles détiennent plus de 40 % des richesses du pays, et 32 % des Panaméens vivent sous le seuil de pauvreté ! L'inégalité et la pauvreté apparaissent davantage dans les campagnes et touchent plus particulièrement les communautés amérindiennes, souvent isolées et avec des difficultés d'accès à l'éducation, à la santé et au crédit. Enfin concernant l'emploi, si le taux de chômage officiel tourne autour de 6 %, ce « plein emploi » masque une grande proportion de sous-emploi et de travail informel (40 % des emplois). Les politiques en sont bien conscients dans les discours. Sauront-ils faire le nécessaire pour transformer le Panamá en véritable eden comme on peut le voir dans les publicités des revues touristiques ?

Population et langues

Panaméen au Desfile de Carretas de Los Santos.

Le pays compte 3,5 millions d'habitants, dont la moitié vit dans la province de Panamá. Le Chiriquí, en 2ᵉ position, compte à peine 420 000 personnes. La répartition est très inégale. La province de Panamá a, par exemple, une densité 34 fois plus importante que celle de Darién ! Des contraintes d'accès, de climat et d'infrastructures font qu'une très grande partie du pays se trouve naturellement isolée. Et pourtant, l'une des premières impressions marquantes dans ce pays c'est la densité de sa population ! Cette foule métissée qui déferle dans les rues de la capitale…

Quelle est l'histoire de la communauté noire panaméenne ? A qui s'adresse le slogan « 100 % panameño » visible sur de nombreux tee-shirts ? Qui sont réellement ces petites femmes que leurs bras et chevilles encerclés de petites perles colorées, leurs cheveux courts et leur anneau d'or dans le nez métamorphosent en personnages mythiques ? Qui sont ces hommes habillés comme dans notre imaginaire amazonien et que l'on peut rencontrer aux abords du fleuve Chagres ? Qui sont ces familles entières qui travaillent dans les plantations de café des vallées du Chiriquí ? Ou, encore, qui sont les héritiers des traditions folkloriques paysannes de l'intérieur du pays ? Les résultats et prévisions du recensement national n'avançant aucun chiffre précis, il est difficile de définir clairement la composition de la population panaméenne. Les descendants des populations autochtones présentes dans l'isthme à l'arrivée des Espagnols au début du XVIᵉ siècle forment aujourd'hui sept groupes amérindiens distincts ; ils représentent près d'une personne sur douze. Ce sont ensuite les vagues migratoires successives, forcées ou volontaires, qui constituent la population actuelle du Panamá, une mosaïque de peuples qui s'enrichit chaque jour davantage. Ainsi, Colón regorge d'entrepreneurs juifs et arabes, plusieurs projets touristiques récents sont l'initiative d'Européens, et les nouveaux migrants, en majorité colombiens et vénézuéliens, sont de plus en plus nombreux… sans oublier la génération des baby-boomers nord-américains.

De nombreuses vagues migratoires

La première vague migratoire significative fut celle des conquistadores espagnols, accompagnés de leurs esclaves africains.

Zoom sur les « baby-boomers »

Ainsi sont nommés les enfants nés après la Seconde Guerre mondiale, entre 1946 et 1964. « Goodbye USA, hola Panamá ! », semblent-ils crier en cœur… Aujourd'hui à la retraite, ils représentent le nouveau phénomène migratoire et seraient plus de 200 000 à bénéficier des facilités d'installation et d'obtention de visas, ainsi que des nombreux avantages fiscaux et réductions en vigueur pour les retraités installés au Panamá. Les revues touristiques sont d'ailleurs pleines de conseils ou de publicités qui leur sont exclusivement destinées. A ceux-ci s'ajoutent les Colombiens et les Vénézuéliens qui viennent aussi gonfler les chiffres, mais pour des raisons autres : situation politique conflictuelle dans leurs pays respectifs, opportunités d'investissement dans l'eldorado panaméen…

© IPAT PANAMA

Aux XVIe et XVIIe siècles, les besoins en hommes étaient nombreux pour accompagner le transit des échanges sur les routes du *camino real*. C'est à la moitié du XIXe siècle, suite à l'abolition de l'esclavage, qu'une nouvelle migration reprend vers le Panamá. L'émancipation des esclaves ayant durement touché les plantations sucrières des îles des Caraïbes, la situation économique se détériore et pousse la population à trouver de nouveaux débouchés. Aussi bien colons que Noirs affranchis se trouvent ainsi attirés par la côte de Bocas, les uns pour y créer de nouvelles plantations (toujours en compagnie de leurs esclaves !), les autres pour y pêcher la tortue, etc.

En 1850, la Ruée vers l'or, qui mobilisa quantité d'Américains et d'Européens, entraîna la construction du chemin de fer panaméen. La majorité des ouvriers était originaire de Jamaïque et de Grenade, mais Allemands, Français, Irlandais ou Autrichiens vinrent également y participer, aux côtés de près de 3 000 Chinois. Ce chantier, physiquement et moralement éprouvant pour tous, se chiffra en de nombreuses pertes humaines. La communauté chinoise ne fut pas épargnée. Attachés à leurs traditions, les Chinois étaient venus avec des quantités de riz, de thé et d'opium que les Américains, à la signature des contrats de travail, avaient accepté de renouveler quotidiennement. Ainsi, les bières et autres alcools consommés en fin de semaine par les ouvriers étaient remplacés chez les Chinois par des volutes de fumée d'opium. Cette pratique finit par déranger et fut finalement remise en cause. Brutalement, les Américains cessèrent tout approvisionnement, en prétextant qu'il était temps d'appliquer les lois fédérales relatives aux drogues. L'effet fut immédiat mais on ne s'en rendit compte que trop tard.

L'ensemble de la communauté chinoise fut progressivement gagné par la mélancolie, conduisant à une véritable tragédie humaine sous la forme de dépressions massives et de suicides collectifs. L'un des plus meurtriers fut celui de la localité de Matachín, en 1856 (la coïncidence veut que Matachín soit le motvalise de *mata Chinos*, en français, « tuer les Chinois »). Cette page tragique de l'histoire n'encouragea pas les Français à embaucher des Asiatiques pour la construction du Canal. Ils préférèrent s'appuyer sur une force de travail recrutée au Venezuela, aux Antilles (Sainte-Lucie, Cuba, Martinique, Barbade) et en Jamaïque. Quant aux Américains, à la reprise des travaux, ils privilégièrent les hommes de la Barbade, pour éviter de payer la taxe sur le recrutement imposé par le gouvernement jamaïcain. Suite à la faillite du canal français, cette solution fut trouvée pour permettre, en cas de nouvel échec, le financement du rapatriement des habitants de l'île. Mais, en réalité, la majorité des travailleurs recrutés à la Barbade était originaire de Jamaïque ou des autres îles antillaises : Martinique, Guadeloupe ou Trinidad. Parallèlement, on y dénombrait près de 12 000 Européens, principalement originaires d'Espagne, Italie, Grèce, France ou Arménie. Dès la fin du chantier du canal, de nombreux Noirs furent embauchés à Bocas del Toro, sur les plantations de bananes de l'United Fruit Corporation. Certains restèrent dans la zone du Canal en tant qu'employés pour les Américains et d'autres s'installèrent définitivement à Colón. La reconversion ne fut pas aisée pour tous.

Aujourd'hui, la population noire se concentre surtout le long de la côte Caraïbes, mais aussi dans la capitale. Quant à la communauté asiatique, elle augmenta particulière-

Quelle élégance !

Un trait noir qui partage le visage en deux, un anneau d'or dans le nez, les cheveux courts, deux molas cousus sur la blouse, une jupe portefeuille aux motifs colorés, des bracelets de perles aux poignets et aux chevilles : la tenue traditionnelle de la femme kuna est d'une extrême élégance. D'après certains témoignages, nombreuses sont les jeunes filles qui aimeraient échapper à ce carcan vestimentaire pour s'habiller selon la mode occidentale. Toutefois, la tradition perdure au travers de certains rites initiatiques, notamment les différentes fêtes marquant les étapes clefs de la vie d'une jeune fille : la fête de l' « Ico-Inna » (fête de l'aiguille), célébrée en famille et où l'on perfore la paroi nasale de l'adolescente pour y placer l'anneau d'or, la fête de l'« Inna-Suit », au cours de laquelle est chanté le chant des ciseaux, dislaiga, quand on coupe les cheveux de la jeune fille et qu'un nouveau nom lui est attribué. Enfin, lors de la fête de la puberté, « Inna-Muustiki », qui célèbre l'apparition des premières règles. Quant à la cérémonie nuptiale, elle obéit également à un rituel qui s'étend sur plusieurs jours et qui est destiné à démontrer les capacités physiques du futur marié.

ment entre les années 1970 et 1980. Elle est aujourd'hui spécialisée dans de nombreux petits commerces (restauration, laveries, épiceries mais aussi casino et hôtels…). Ne soyez pas surpris si vous entendez un Panaméen appeler le serveur asiatique du restaurant « hey Chino ! ». L'utilisation de *chino* ou *china*, pour s'adresser à tout membre de la communauté asiatique, a été vulgarisée.

Les communautés amérindiennes

Malgré la désastreuse et dramatique diminution des populations amérindiennes consécutive à la conquête espagnole, malgré de nombreux déplacements forcés et une discrimination sporadique, pas moins de sept groupes amérindiens sont encore présents sur le territoire : les Guaymí (Ngöbe et Bokótá), les Kuna, les Chocoe (Emberá et Wounaan), les Teribe (ou Naso) et les Bri-bri. Tous peuvent s'enorgueillir d'une langue propre, de traditions authentiques et d'une résistance exemplaire. Autant de richesses pour lesquelles il a fallu se battre contre les autorités panaméennes ; une lutte qui reste d'actualité pour conserver une place juste et équitable, tant au niveau du territoire que de l'identité nationale. Les chiffres fournis ne permettent malheureusement pas d'indiquer avec exactitude le nombre d'indigènes vivant dans le pays, d'autant qu'ils ne prennent en compte que ceux vivant au sein des *comarcas*. La plus importante semble être celle des Ngöbe Buglé, avec environ 150 000 personnes. Viennent ensuite les *comarcas* des Kuna et, bien plus loin, la comarca des Emberá-Wounaan.

▌ **Les Guaymí.** C'est le nom commun désormais utilisé pour englober les communautés Ngöbe et Bokótá (ou Buglé). Ces deux ethnies étant fortement liées, on a souvent tendance à les regrouper en une seule. Toutefois, si leurs membres partagent les mêmes rites, se vêtissent de la même façon et sont soumis au même cacique, quelques différences persistent quant à leurs croyances et références spirituelles.

▌ **Les Ngöbe.** C'est le groupe ethnique le plus nombreux, au taux de natalité le plus élevé (supérieur à 4 %). Ils sont répartis sur trois des neuf provinces du pays, au cœur des zones montagneuses : la cordillère centrale de Chiriquí (districts de Tolé, Remedios, San Felix et San Lorenzo), Bocas del Toro (districts de Chiriquí Grande et Bocas del Toro) et Veraguas (districts de Santa Fé, Cañazas et Las Palmas). Les Guaymí ont longtemps souffert de déplacements forcés. L'arrivée des conquistadores

Sept communautés, une même menace

Malgré leurs revendications, les sept groupes amérindiens sont très peu consultés par le gouvernement sur l'avenir de leurs sous-sols et voient leurs terres fréquemment menacées par les concessions minières accordées aux multinationales étrangères. Les retombées de ces exploitations ne contribuent en rien au développement de ces communautés et sont le plus souvent source d'importantes pollutions des sols et rivières.

a bouleversé leur vie communautaire, leurs croyances et leurs rapports avec la terre. Le développement économique des provinces de Chiriquí et de Veraguas ou encore la construction de la route panaméricaine les ont conduit à se retrancher dans des zones moins accessibles. Finalement, ce sont les multiples projets de concessions minières qui représentent aujourd'hui la principale menace… et ce, au cœur même du territoire qui leur a été concédé en 1997, la *comarca* Ngöbe Buglé. Au-delà de la question foncière, c'est celle de leur pauvreté extrême qui est la plus préoccupante. Initialement fondées sur les échanges et le travail coopératif, ces communautés n'ont souvent pour vivre que les fruits modestes d'une agriculture de subsistance, parfois agrémentée de quelques bêtes d'élevage ou de la pêche. Même si beaucoup vont travailler dans les plantations (cacao, café, canne à sucre, bananes), cela ne suffit pas pour assurer un revenu décent à des familles souvent très nombreuses. Il n'est pas rare de rencontrer des foyers ayant plus de six enfants, alors que la mortalité infantile y est cinq fois plus importante que dans le reste du pays. Les problèmes d'accès aux soins sont souvent liés à leur isolement géographique, ainsi qu'au faible taux d'alphabétisme (45 % chez les Ngöbe Buglé). Le tableau dressé est celui d'une communauté souvent introvertie, qui ne souhaite pas se mélanger au reste de la population par crainte de subir de nouveaux actes de barbarie. Au sein même du foyer, les femmes doivent souvent affronter, dans le silence, problèmes d'alcoolisme et de violence conjugale. Contrairement aux Buglé, les Ngöbe peuvent être polygames.

▌ **Les Bokótá (ou Buglé).** Ils se concentrent dans les provinces de Veraguas et Bocas del Toro et ne seraient que 4 000 individus. Comme chez les Ngöbe, les femmes s'habillent avec de longues robes (*nangún*).

Que sont les *comarcas* ?

Pour le gouvernement panaméen, ce terme désigne une réserve autonome indigène aux délimitations géographiques définies et dont les habitants sont, en principe, consultés sur tout changement relatif aux frontières ou à la gestion de ce territoire. Cette autonomie est exercée dans les faits sur la base de l'organisation interne propre à chacune des communautés. Cette superposition d'acteurs n'est pas sans poser problème : quel est le poids réel de ces autorités traditionnelles face aux autorités panaméennes ? La première comarca a été établie par et pour les Kunas en 1938 et reçut soixante ans plus tard l'appellation de Kuna Yala. Sa création engendra un processus de revendications de la part des autres groupes amérindiens, qui s'organisèrent également pour que leur soit concédé un territoire. Actuellement, il existe cinq autres *comarcas* au Panamá : celles de Emberá-Wounaan (1983), de Madugandi (1996), de Ngöbe Buglé (1997) et de Wargandi (2000). Seuls les Naso Teribes et les Bri-bris n'ont pas de territoire délimité officiellement, et ils en espèrent la création. Un espoir encouragé par l'adoption, en septembre 2007, de la déclaration des Nations unies sur les droits des peuples autochtones ; le premier instrument universel à affirmer que ces peuples ont le droit d'être autonomes et de s'administrer eux-mêmes pour tout ce qui touche à leurs affaires intérieures et locales, ainsi que de disposer des moyens de financer leurs activités autonomes.

Elles sont décorées au moyen d'appliques et de motifs traditionnels, dont les rouge, bleu ou vert vif ne passent pas inaperçus. Les hommes, eux, ne portent aucun habit traditionnel, auquel ils préfèrent jean et tee-shirt. Certaines cérémonies rituelles (*balseria*), qui réunissaient autrefois la communauté entière, semblent être en train de disparaître. Egalement pratiquées par les Ngöbe, elles ont lieu à huis clos, à l'abri des regards étrangers. Néanmoins, quelques fêtes continuent à ponctuer leur vie, par exemple à la fin des semences ou des récoltes, à l'occasion de la puberté des jeunes filles… Leur organisation dépend des revenus des familles, qui souvent ne peuvent affronter de telles dépenses.

▶ **Les Kuna.** La majorité du peuple Tule ou Kuna se regroupe actuellement au nord-est du pays, au sein de trois *comarcas* distinctes : Kuna Yala, Madungandi et Wargandi. La première est la plus connue : Kuna Yala reçoit chaque année la visite de nombreux touristes attirés par ses îles paradisiaques. La seconde se trouve dans le bassin du fleuve Bayano, dans la province de Panamá, et héberge douze communautés. La dernière et certainement la moins connue, en raison de son isolement, se nomme Wargandi. Dans la province de Darién, à proximité de la frontière colombienne, trois communautés vivent de la manière la plus ancestrale, à l'abri des regards et des influences occidentales mais soumises aux possibles incursions de la guérilla colombienne. De nombreux Kuna, qui n'entrent pas dans les 50 000 recensés par le gouvernement panaméen, ont choisi de vivre dans la capitale ou le reste du pays,

de la restauration, de la vente de molas, ou en travaillant dans les plantations bananières… Leur combat pour l'obtention d'un droit de consultation, et contre l'idée que les peuples autochtones sont un obstacle au développement économique et au progrès de toute nation, ne date pas d'aujourd'hui. Mais il a fortement contribué à améliorer la représentation de l'ensemble des communautés amérindiennes auprès du gouvernement panaméen. En 1945, la rédaction de la charte organique de San Blas officialise la représentation du peuple Tule auprès des autorités panaméennes en institutionnalisant le rôle du congrès général kuna. En 1953, avec l'approbation de la loi 16, les droits collectifs des Kunas sur leur territoire sont reconnus légalement.

▶ **Les Chocoe.** Les Chocoe rassemblent les Emberá (environ 15 000) et Wounaan (4 000), qu'il est très difficile de distinguer pour les non-initiés. Ils forment en réalité deux groupes linguistiques différents mais dont l'histoire et la culture sont similaires. La *comarca* qui les héberge depuis 1983 se divise en deux zones géographiques distinctes situées dans la province de Darién. Ces peuples autrefois nomades, vivant le long des fleuves, se sont sédentarisés récemment pour l'éducation des enfants. Si la cohabitation entre Wounaans et Emberás n'a jamais posé de problèmes, en revanche, les relations avec les Kuna sont plus tendues. Ces derniers auraient même chassé les Wounaans de leurs terres au XVIIIe siècle, à la suite de conflits d'intérêts. Il n'est donc pas envisageable que des mariages soient célébrés entre ces deux groupes, alors qu'ils sont fréquents entre Wounaan et Emberá. Concernant l'organisation interne des Chocoe, c'était le *noko*, généralement l'homme le plus âgé du village, accompagné du *jaibaná* ou chaman, qui formait autrefois l'autorité supérieure de la communauté. Aujourd'hui, des principes plus démocratiques (comités, représentants) ont été introduits et tous sont consultés sur les questions d'intérêt général. Un cacique est également chargé de représenter les Chocoes au niveau national. Bien que les Chocoe vivent principalement dans la forêt, leurs habitudes vestimentaires ont évolué. Peu à peu, le pagne a été remplacé par le short en coton et le torse autrefois nu des hommes est à présent souvent couvert d'un tee-shirt. Cependant, dans certaines communautés isolées ou accueillant des touristes, les hommes continuent à porter un simple morceau d'étoffe. Quant aux femmes, elles sont torse nu et portent à la taille une bande de tissu nouée comme un paréo, le *paruma*, aux dessins variés et aux couleurs très vives. Ces motifs sont conçus par un fabricant taïwanais qui approvisionne exclusivement les femmes emberás et wounaans ! Lors des cérémonies, leurs lourds colliers de pièces d'argent martelé tintent dès qu'elles se mettent à danser.

© IPAT PANAMA

Jeunes femmes en costume traditionnel au festival de la Mejorana de Los Santos.

▶ **Les Teribe ou Naso.** Ce groupe, d'environ 3 000 personnes, vit isolé sur les rives du río Teribe dans la province de Bocas del Toro. Sa particularité tient à la nature de son gouvernement, les Teribe étant représentés par un roi ! Choisi autrefois en fonction de ses aptitudes guerrières, le roi doit aujourd'hui être issu de la lignée des Santana. Cette famille a déjà enfanté huit monarques. Tito Santana, au pouvoir depuis 1998, a la charge de représenter son peuple, notamment dans les rapports avec les autorités panaméennes. Cela fait déjà plus de vingt ans que les Teribe réclament que leur soit assigné un territoire officiel !

▶ **Les Bri-bri.** Présente le long de la frontière, la grande partie de leur communauté se trouve au Costa Rica où ils seraient près de 10 000. Du côté panaméen, on en recense environ 500. Ce petit nombre est peut-être la raison pour laquelle on les connaît si peu et pourquoi on les assimile souvent au groupe des Guaymí. Aucun territoire propre ne leur est assigné par le gouvernement.

DÉCOUVERTE

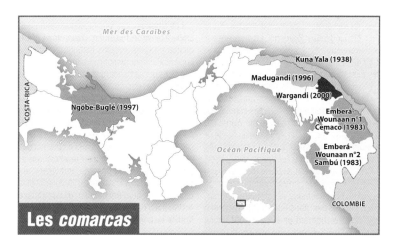

Mer des Caraïbes

COSTA-RICA

Kuna Yala (1938)

Madugandi (1996)

Wargandi (2000)

Ngöbe-Buglé (1997)

Emberá-Wounaan n°1 Cémaco (1983)

Emberá-Wounaan n°2 Sambú (1983)

Océan Pacifique

COLOMBIE

Les *comarcas*

Mode de vie

La capitale surprend par ses immeubles de 60 étages qui contrastent avec le quartier historique aux magnifiques maisons d'influences coloniale, française ou caribéenne, d'un autre temps. Sur la côte Atlantique, on préfère construire sa maison sur pilotis. Dans la province de Darién, les communautés privilégient également la vie en hauteur, en raison du risque de crue des rivières souvent proches.

On compte autant d'habitations que de modes de vie différents, pour cette population métissée, jeune (la moitié a moins de 25 ans !) et joyeuse, qui vit souvent au jour le jour, mais pas toujours par choix.

VIE SOCIALE

Identité

L'identité du peuple panaméen s'est forgée dans les métissages et apports successifs des vagues migratoires. C'est un peuple hétéroclite aux nombreuses disparités de conditions et de revenus, qui reste fier et fidèle à ses traditions. En témoignent les nombreuses manifestations folkloriques, où costumes traditionnels et danses sont à l'honneur. La pollera est considérée comme le vêtement « national », son équivalent masculin étant le montuno. Le peuple panaméen est très attaché à ces symboles patriotiques, dont font également partie le drapeau, l'écusson et l'hymne national, mais aussi l'aigle harpie et la fleur de « l'Esprit saint » (orchidée).

Éducation

L'espagnol est la langue maternelle de la grande majorité des Panaméens et la langue officielle de la République. Viennent ensuite les langues et patois (wounaan, kuna, guari-guari…) propres aux différentes populations autochtones, dont certains de leurs membres, très souvent les anciens ou les femmes, ne parlent ni ne comprennent l'espagnol. L'enseignement est généralement dispensé en espagnol, malgré des textes juridiques favorables à la mise en place de programmes d'alphabétisation bilingue dans les communautés amérindiennes. Le problème actuel n'est pas la diffusion de l'espagnol mais la sauvegarde et la transmission des langues autochtones. Une réalité difficile à intégrer quand on sait que ces communautés sont le plus souvent isolées et que les enseignants sont rarement des autochtones. Quant aux livres scolaires, ils sont principalement rédigés en espagnol.

L'école est obligatoire jusqu'à 12 ans, l'âge moyen d'obtention du premier certificat délivré par l'Education nationale. Si, depuis les années 1970, les écoles primaires sont implantées jusque dans les régions les plus isolées, ce n'est malheureusement pas le cas des collèges et lycées qui se concentrent autour des zones urbaines. Les décrochages scolaires sont donc habituels. Les élèves sont parfois obligés de parcourir plusieurs kilomètres pour assister aux cours, sous réserve que la situation financière de la famille le leur permette. Les trajets quotidiens entre l'école et le domicile familial représentent une dépense souvent sous-estimée. A partir du collège, l'enseignement est payant : frais d'inscription, matériel scolaire et uniforme. Les trois années qui constituent le premier cycle sont validées par un nouveau certificat. L'obtention de l'équivalent de notre baccalauréat nécessite deux années d'études

© IPAT PANAMA

Habitations et mode de vie modernes à Panamá Ciudad.

supplémentaires, en général de 16 à 18 ans. Fondée en 1935, l'université nationale du Panamá compte près de 70 000 étudiants à chaque rentrée. Les facultés sont implantées dans l'agglomération la plus importante de chacune des provinces du pays.

Le découpage des formations est semestriel : une première session de mi-février à fin juillet, une autre de début août à mi-décembre. Une cérémonie de remise des diplômes à l'américaine ponctue chaque semestre. Il est fréquent que les élèves n'étudient que six mois dans l'année et travaillent le reste du temps pour financer leur cursus. Les cours du soir sont populaires pour cette même raison. Enfin, une université d'été fonctionne tous les ans de la mi-janvier à la mi-mars.

Il est courant que les familles les plus aisées envoient leurs enfants étudier dans l'une des 15 universités privées panaméennes, ou encore aux Etats-Unis.

Médecine traditionnelle

Sukia chez les Guaymí, *jaibaná* chez les Chocoe, *curandero* chez les Kuna… le rôle du guérisseur est considérable au sein de ces communautés. La médecine traditionnelle est encore très pratiquée, mais elle n'est plus toujours considérée comme l'unique moyen de délivrer le patient de son mal. Le guérisseur établit un diagnostic et conseille parfois qu'un médecin prenne le relais. Or, toutes les communautés amérindiennes n'ont pas de centre de santé ou de clinique à proximité et il est parfois nécessaire de parcourir plusieurs kilomètres. Les plantes médicinales sont soigneusement choisies et cueillies par les guérisseurs. Ils les utilisent ensuite en soins internes ou externes, sous forme de bains, gargarismes, cataplasmes ou tisanes. Quant au chaman, c'est aussi un sage qui possède le don de communiquer avec les esprits. L'apprentissage est long et semé d'épreuves…

MŒURS ET FAITS DE SOCIÉTÉ

Place de la femme

Les femmes sont exigeantes et fières, bien qu'elles évoluent dans une société plutôt machiste. De nombreux efforts ont été faits à la fin des années 1990 pour améliorer la condition de la femme dans le pays et promouvoir sa participation dans la société, mais aussi dans la vie politique. L'élection de Mireya Moscoso à la présidence de la République de Panamá en 1999 a donné de nombreux espoirs mais il reste encore beaucoup de travail. Les femmes panaméennes, plus instruites, représentent la majorité des diplômés universitaires, mais continuent néanmoins à percevoir un salaire inférieur à celui des hommes pour un travail égal. Le harcèlement sexuel au travail, la violence et autres formes de discrimination sont comme partout d'actualité. Les communautés amérindiennes sont parfois victimes d'un certain racisme qui touche bien évidemment aussi les femmes. La situation est d'autant plus difficile pour la population des zones rurales et à faible revenu. L'accès à l'éducation y est plus restreint, ce qui pénalise surtout les jeunes filles. Ces dernières voient également leur horizon s'obscurcir à l'annonce d'une grossesse souhaitée ou non (chaque année, 20 % des naissances sont attribuées à des mineures). Les familles monoparentales sont d'ailleurs nombreuses et l'infidélité fait des ravages.

Rites initiatiques

Pour les communautés amérindiennes, les fêtes les plus importantes sont liées aux différentes phases du cycle de vie de la femme. Chez les Kuna par exemple, plusieurs cérémonies très codées marquent les passages successifs d'une classe d'âge à une autre. La perforation nasale, quelques mois après la naissance, et le rite de la puberté sont deux événements donnant lieu à de grandes fêtes. Arrosées de *chicha* (boisson alcoolisée à base de maïs fermenté), elles réunissent la communauté entière.

Quince años

Comme dans toute l'Amérique latine, l'âge de quinze ans est considéré comme le plus important moment de la vie d'une femme (avec le mariage !). La célébration en grande pompe de cet anniversaire traduit le passage de l'enfance à l'âge adulte. Une belle fête, réunissant famille et amis, est alors organisée pour l'heureuse princesse d'un jour. Les familles économisent parfois des mois, quitte à s'endetter, pour offrir la plus belle robe et le plus beau banquet qui soit. Rendez-vous à la rubrique « sociales » (*people*) des quotidiens qui publient les photos de jeunes filles célébrant leurs quinze ans.

C'est au cours de la fête de la puberté que les Guaymís déclarent la jeune fille prête pour le mariage. Autrefois, les hommes devaient aussi suivre un parcours initiatique, au cours duquel on leur transmettait les clés essentielles pour affronter la vie (art de la chasse, de la guerre, etc...). Les Chocoe accordent aussi une grande importance aux rites d'initiation féminine.

RELIGION

© PAT PANAMA

Église de Santa Librada.

L'éventail des religions représentées au Panamá tend à s'élargir de plus en plus. On estime actuellement que près de 85 % de la population est de confession catholique, les 15 % restant pratiquent le protestantisme, l'islam ou le judaïsme... Certaines sources non officielles insistent sur le fait que la religion catholique est en train de perdre du terrain. Un quart des chrétiens seulement affirment croire pour des motifs purement spirituels ou par conviction. Pour les trois quarts restant, il s'agit d'une croyance issue de la tradition familiale. Il est par ailleurs fréquent de changer de religion, en passant en général du catholicisme à l'évangélisme, plutôt que le contraire. La constitution panaméenne reconnaît la religion catholique comme celle de la majorité et non comme la religion officielle de l'Etat. La liberté de culte est totalement respectée dans le pays, même si des cours de catéchisme, non obligatoires, sont dispensés dans les écoles publiques. En revanche, les pèlerinages, nombreux au Panamá, connaissent toujours le même succès et attirent les foules. Comme dans la majorité des pays latins, il est fréquent de voir les pèlerins parcourir des kilomètres et des kilomètres à pied, et même à genoux, pour rejoindre le lieu de culte en fête. Les processions du Christ noir de Portobelo ou de l'Eglise d'Antón sont particulièrement spectaculaires. Plusieurs chaînes de télévision retransmettent des émissions à caractère exclusivement religieux, et les programmes de radio débattant de la question du bien et du mal ont un succès fou. Parallèlement, on assiste à une sérieuse percée de diverses représentations évangélistes : adventistes (*la Iglesia del Séptimo Día*), mormons (*Iglesia de Jesús Cristo de los Santos de los Últimos Días*), pentecôtistes ou encore témoins de Jéhovah... La majorité de ces églises envoient leurs missionnaires depuis les autres pays d'Amérique centrale, excepté les mormons qui viennent directement des Etats-Unis. Tous se tournent en premier lieu vers les communautés isolées ou dans le besoin. Il n'est pas rare de voir, dans un petit village de 300 habitants, trois églises de confessions différentes !

Les musulmans sont des natifs descendant des premiers esclaves ou des familles de commerçants d'origine libanaise, indienne, syrienne ou palestinienne. Ils se concentrent principalement dans les provinces de Panamá ou de Colón. Certains parlent de 10 000 membres, ce chiffre étant également celui de la communauté juive. Cette dernière est surtout regroupée dans la capitale, en particulier dans le quartier de Bellavista où abondent synagogues et écoles religieuses. Quant au bouddhisme, il est pratiqué par la plupart des immigrants chinois. En ce qui concerne les communautés amérindiennes, il serait plus exact de parler de spiritualité, de croyances, de mythes ou encore d'animisme. Malgré la tentative espagnole de convertir les populations autochtones, ces dernières continuent à pratiquer cérémonies et rites relatifs à leurs propres dieux, qui prennent parfois la forme d'esprits ou d'êtres supérieurs. Pour les Guaymí, par exemple, tout ce qui est inexplicable est le fruit de l'action d'un esprit bénéfique ou maléfique. Quant aux Bokotá, ils se réfèrent à un dieu, Shube, mais aussi à des démons...

INRI

Église de San Atanasio.

Arts et culture

Toute la richesse ethnique du Panamá se reflète dans la variété de son artisanat. Jusqu'à ce que le pays s'ouvre au tourisme, l'artisanat avait un caractère bien plus fonctionnel que décoratif. Aujourd'hui, de nombreuses familles d'artisans se lancent dans la création artistique, en exerçant un art qu'elles maîtrisent totalement et qui constitue souvent leur unique source de revenus.

La *mola*

Dans le domaine de la production artisanale, la *mola* des Indiens de San Blas est pour beaucoup la référence. Cette pièce de tissu rectangulaire qui forme l'avant et l'arrière de la blouse des femmes kunas est confectionnée selon la technique dite de l'appliqué-inversé. Plusieurs couches de textile sont superposées. Les découpes faites sur le tissu de dessus laissent apercevoir la couleur de l'étoffe de dessous et ainsi de suite. Le résultat final est un véritable tableau, dont la profondeur des matières contribue au relief. Si les motifs représentés trouvaient autrefois leur origine dans l'imaginaire ou dans les rites socioculturels des Kunas, ils intègrent aujourd'hui de nombreux éléments de la culture occidentale. Certaines *molas* représentent ainsi le père Noël, l'arche de Noé ou encore des cloches et des gants de boxe, etc. Ce produit phare de l'artisanat panaméen détient la première place au classement des ventes, aussi bien sur le territoire qu'à l'exportation. La demande ne cesse d'augmenter. Les Kuna eux-mêmes se sont organisés en coopératives. L'arrivée des touristes a vivement encouragé le développement de sites Internet consacrés à la vente en ligne, et nombreux sont les étrangers qui passent directement de grosses commandes à des familles kuna, pour revendre ensuite le tout dans leurs pays respectifs. Le procédé n'est pas forcément « équitable », mais il est difficile de résister à ces magnifiques parures dont la finesse et les couleurs sont tellement séduisantes.

La vannerie

Paniers, assiettes, masques, etc., la vannerie des Chocoe est époustouflante. Les prix, parfois élevés, sont justifiés par l'extrême finesse de certains ouvrages. Nous vous recommandons de ne pas acheter vos articles de vannerie n'importe où, leur qualité étant parfois médiocre. Certaines boutiques proposent par exemple des produits dont la qualité ne justifie pas le prix. Rendez-vous donc dans les communautés. Vous en profiterez pour découvrir leur culture. Fabriqués de façon totalement artisanale et tissés avec des fibres végétales, certains paniers nécessitent plusieurs mois de travail. Les feuilles des palmiers *chunga* et *nawala* sont d'abord cueillies, puis transformées en fibres au terme d'un long processus. Selon la palette souhaitée, les Chocoe préparent une teinture naturelle à base de roucou (pour le rouge), de *jagua* (pour le noir), d'une variété de *yucca* (pour le jaune) ou d'écorces de noix de coco (pour le marron). Les couleurs obtenues servent ensuite à teindre les fibres, lesquelles sont tressées d'une manière savante pour produire des dessins qui se mêleront à la couleur naturelle de la chunga. Ces motifs géométriques, issus de l'imagination de l'artiste, rappellent les peintures corporelles encore arborées de nos jours.

Ne manquez pas non plus les *chácaras* des Ngöbe Buglé. Ces besaces extensibles en fibre naturelle sont communément utilisées pour transporter des marchandises.

Que ramener de son voyage ?

Vous aurez le choix dans tous les marchés artisanaux ou les boutiques : colliers en tagua, chapeaux panaméens de La Pintada ou de Ocú, cruches aux motifs précolombiens de La Arena, molas de toutes tailles, sculptures en *cocobolo*, paniers *wounaan*... Les tarifs sont fonction de la qualité et du travail passé sur les œuvres. Vous pouvez aussi acheter des tissus fluos (importés d'Asie) dont se servent comme jupes les belles Wounaan, Emberá et Kuna. On trouve ces étoffes au mètre dans l'avenue Central à Panamá. Une reproduction miniature d'un *diablo rojo* coloré, en bois et carton, peut constituer également un beau souvenir !

Marché artisanal dans la province de Coclé.

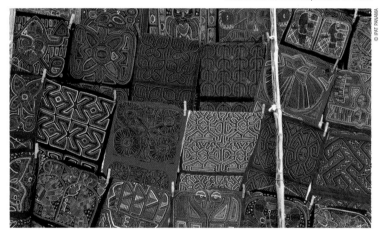

Molas.

Molas.

Le *panama hat*

Non, ce fameux chapeau n'est pas panaméen mais… équatorien ! Le malentendu daterait de l'époque de la construction du canal, alors que de nombreux ouvriers équatoriens le portaient pour se protéger du soleil. Son port s'est généralisé chez les ingénieurs étrangers et il devint si populaire qu'on a fini par penser que ce chapeau robuste, souple et léger était originaire du coin. Bien que moins connus, les chapeaux fabriqués au Panamá méritent votre attention. Le sombrero *pinta'o*, comme il est nommé ici, est vissé sur la tête de tous les habitants de l'*Interior,* cette région qui comprend les provinces centrales et la péninsule d'Azuero.

Confectionnées à partir de diverses fibres provenant de la pita, une variété de palme, elles sont également colorées avec des teintures tirées des racines et des lianes.

La *tagua*

La noix de *tagua* provient d'un palmier poussant dans les forêts tropicales humides d'Amérique du Sud, mais aussi du Panamá. A l'origine prisé par les Indiens pour son lait sucré, le fruit de ce palmier, qui se durcit pour former la *tagua,* connut une grande popularité jusque dans les années 1930. A sa découverte par les Européens, au cours du XIXe siècle, la noix de *tagua* fut exploitée en raison de sa grande ressemblance avec l'ivoire animal, plus particulièrement pour la confection de boutons et d'objets d'ornement. L'armée américaine en équipa même les uniformes de ses soldats. Puis, l'apparition du plastique signa son arrêt de mort. Tombée dans l'oubli, la *tagua* ressuscite aujourd'hui grâce au talent des Indiens qui la travaillent. Ils sont de plus en plus nombreux à sculpter ces noix blanches à carapace marron, qu'ils peignent parfois de couleurs vives. Au Panamá, ce sont surtout les Emberá et les Wounaan qui excellent dans cet art, donnant naissance à une multitude de petits animaux et miniatures décoratifs (toucans, singes, colibris…).

Le *cocobolo*

C'est un arbre de taille moyenne, jusqu'à 15 m de haut, qui pousse du Mexique au Panamá. Robuste, son bois est utilisé pour la fabrication de sculptures d'une extrême finesse, représentant souvent des animaux et pouvant être très chères. Ses couleurs sont de toute beauté, une gamme qui s'étend du rouge vif au marron foncé. Sa texture fine dégage naturellement une huile qui lui donne un aspect brillant et lustré. Utilisé à l'origine pour la fabrication de bâtons de cérémonie, le *cocobolo,* considéré comme un bois précieux, est très prisé.

Afin de protéger cette richesse artisanale et plus généralement sa production et sa commercialisation, le ministère panaméen du Commerce et de l'Industrie a renforcé en 2001 la loi sur la protection de l'identité culturelle et les savoirs traditionnels des peuples autochtones. Cette loi s'applique non seulement aux produits mentionnés ci-dessus mais aussi aux nombreux autres articles que vous découvrirez lors de votre voyage : les calebasses décorées, les *chaquiras* des Ngöbe Buglé (colliers de plusieurs rangs obtenus par enfilage de petites perles de couleur suivant des dessins abstraits), les *wini* des Kuna (ces rangs de perles aux couleurs vives qui entourent leurs avant-bras et mollets) ou les céramiques aux motifs précolombiens des artisans de la péninsule d'Azuero…

▦ LITTÉRATURE ▦▦▦▦

Trois grandes périodes se détachent dans l'histoire de la littérature panaméenne :

▶ **La seconde moitié du XIXe siècle** a été marquée par les premiers essais de Don Justo Arosemena. En s'interrogeant sur la place de Panamá au sein de la Grande Colombie, l'auteur entrevoyait déjà l'indépendance de 1903. Cet événement donna naissance à un courant romantique au fort contenu politique et patriotique, également représenté par les poètes Amelia Denis de Icaza ou Tomás Martín Feuillet. Surtout réputé pour son œuvre patriotique, Ricardo Miró (1883-1940) est l'un des écrivains les plus marquants de la période républicaine. Il fut notamment l'auteur du poème *Patria* (*Patrie*), repris dans toutes les écoles du pays. María Olimpia de Obaldía (1891-1985) connut également une grande popularité pour ses poèmes consacrés à la maternité et à la famille, ce qui lui valut le titre de María Olimpia de… Panamá.

▶ **Dans les années 1930,** Rogelio Sinán, membre de « l'Académie panaméenne de la langue », rompt avec les formes conventionnelles de la production panaméenne pour introduire la littérature avant-gardiste : *Onda, Plenilunio, la isla mágica…* que représentera également la poétesse Stella Sierra (1917-1997) dont la renommée dépasse les frontières. Parmi les romanciers du XXe siècle, il nous faut également citer Joaquín Beleño (1922-1988), ancien ouvrier du canal, dont l'œuvre est réputée pour refléter justement la réalité socioéconomique du pays (*Luna verde*, 1959 ; *Flor de banana*, 1965).

▶ **La littérature contemporaine** est variée, mêlant poèmes (Héctor Miguel Collado : *El genio de la tormenta*, 1983 ; *Toque de Diana*, 2001), romans (Enrique Jaramillo Levy : *Para más señas*, 2005 ; *El vendedor de libros*, 2002) et contes (Ramón Fonseca Mora : *La Danza de las Mariposas*, 1994 ; *La Isla de las iguanas*, 1995). Equivalent de notre Goncourt, le Premio Ricardo Miró récompense chaque année les

Rubén Darío Carles (1896-1981)

Préoccupé par le manque de livres dans l'enseignement public, il écrivit de nombreux ouvrages didactiques. *Quiero aprender* (« je veux apprendre »), l'un de ses premiers livres, fut utilisé par tous les élèves des écoles du pays dès 1935. Passionné par l'histoire de son pays, il l'étudia sous ses aspects les plus divers, aussi bien politiques que culturels, et laissa derrière lui de nombreux livres passionnants : *A través del Istmo, Darién Majestuoso, San Blas, Historia del Canal*, etc.

meilleurs auteurs nationaux. Ce prestigieux prix littéraire est un indicateur précieux pour les hispanophones à la recherche de lectures.

DÉCOUVERTE

MÉDIAS

Presse

On achète son journal, entre 15 et 35 cents, dans la rue ou les épiceries.

▶ **La Prensa**, quotidien relativement indépendant et critique avec des suppléments intéressants.

▶ **El Panamá América** et **La Estrella de Panamá** sont plus conservateurs.

▶ **La Crítica** et **El Siglo, Mi Diario** et **Día a Día** sont les journaux les plus lus et les mieux fournis en rubriques « chiens écrasés » et en photos d'hémoglobine (à éviter pour ne pas devenir parano).

Tous ces journaux sont consultables sur Internet. Il suffit de taper leurs noms suivis de « Panamá » dans un moteur de recherche.

Presse d'information et de promotion touristique

Gratuite, disponible en espagnol et en anglais, elle est diffusée dans certains hôtels, dans les offices du tourisme et en ligne :

▶ **Focus Panamá** : magazine semestriel au format pratique proposant des informations générales et une carte du pays.

▶ **The Visitor – El Visitante** : journal bimensuel recensant les événements culturels ou festifs de la quinzaine.

Radio

La radio diffuse informations nationales et internationales, débats politiques et culturels, ainsi que tout l'éventail musical du pays : *típico*, salsa, *bachata*, *merengue*, *reggaetón*… entrecoupé de pubs et de jingles dévastateurs (même les émissions religieuses proposent parfois du reggaetón, avec des paroles cependant plus pieuses !). A San Blas et dans le Darién, on peut capter certaines radios colombiennes.

Télévision

Vous aurez le choix entre les chaînes nationales (canal 2, 4, 5, 11, 13 et 21) et internationales (CNN, TV5…).

MUSIQUE

La musique est omniprésente. Dès leur plus jeune âge, les enfants apprennent à jouer d'un instrument et participent aux orchestres de leurs écoles. Que ce soit dans les transports en commun, dans la rue ou dans les magasins, il y a toujours un air de musique qui flotte. Le pays compterait une quarantaine de fanfares indépendantes ! Ces musiques aux rythmes variés invitent à la danse : merengue et salsa bien sûr, mais aussi *típico, reggaetón* et musique congo vous envoûteront.

La *décima panameña*, ou dizain panaméen

De la simple *gritadera* (où, généralement, deux hommes, face à face, se défient joyeusement en criant d'une voix aiguë et sonore « JAU ! JAU ! AUUUJUIIITAAA ! » – un véritable spectacle spontané auquel vous aurez l'occasion d'assister au cours des fêtes bien arrosées), à la *cantadera* (une improvisation codée, chantée sous forme de vers de dix lignes), le chant a toujours fait partie des mœurs de l'« Intérieur ». Autrefois, à la fin d'une journée de labeur, les paysans se réunissaient pour partager un moment ensemble, boire un verre ou deux et entamer une *cantadera*, accompagnée à la guitare (*mejorana*) ou à l'accordéon... Cette pratique est toujours aussi populaire.

Le *típico*

Il s'inscrit dans cette tradition et englobe aussi bien la musique que le chant. La *mejorana*, le violon ou le *tamborito* (dont il existe différentes variétés selon le son recherché) étaient autrefois les principaux instruments. L'accordéon ne les a rejoints que récemment mais il est aujourd'hui complètement intégré à cette musique. Très populaire, l'accordéoniste Osvaldo Ayala en est l'un des meilleurs représentants. Quelques puristes du folklore traditionnel ont vu d'un mauvais œil l'introduction des rythmes de cumbia dans l'univers típico. Samy et Sandra Sandoval, dont le succès est énorme, représentent à merveille cette symbiose de rythmes anciens et d'influences nouvelles.

Salsa

Cette musique festive est omniprésente et les groupes locaux sont nombreux. Le représentant panaméen le plus célèbre est Rubén Blades. Un autre nom vous dira peut-être quelque chose : Azuquita et son tube *La salsa c'est pas compliqué*. Originaire de Colón, il est considéré

Les polleras, *costumes folkloriques du Panamá.*

Danilo Pérez

Ce musicien hors pair aurait sa place dans de nombreuses rubriques de ce guide. Né en 1966 à Panamá, son père, chanteur de mambo, lui a rapidement glissé une paire de bongos dans les mains. Son destin était tracé… De par son héritage et sa formation, Danilo Pérez est aujourd'hui considéré comme l'un des plus fameux musiciens latino-américains de sa génération. Musiques traditionnelles et contemporaines ont largement influencé son art, à la double culture, qu'il a partagé tout au long de sa carrière avec Paquito d'Rivera, Dizzy Gillespie, Tito Puente… Il joue désormais avec sa propre formation, Danilo Pérez Trio, et enseigne au Berklee College of Music où il a lui-même étudié. Mais il a plus d'une corde à son arc, notamment la création du Panamá Jazz Festival, dont tous les bénéfices sont reversés à la fondation qui porte son nom et qui a pour objectif principal de favoriser l'accès à la formation musicale à tous par le biais de bourses d'études…

❯ **Pour en savoir plus :** www.panamajazzfestival.com ou www.daniloperez.com

DÉCOUVERTE

comme celui qui a popularisé la salsa en France. Il fit ses premiers concerts à La Chapelle des Lombards à Paris en 1979 et enregistra avec les plus grands de la mythique maison de disques Fania Records. Il assura même la première partie de Bob Marley en 1981 au Bourget devant 76 000 personnes !

Le *reggaetón*

Son origine remonterait aux années 1980 avec la naissance du « reggaespañol », un nouveau genre musical, inspiré du reggae anglophone, aux influences afro-antillaises, jamaïcaines et latines. L'un des pionniers, le Panaméen El General, a pris sa retraite en 2004 après une carrière prodigieuse (17 disques de platine, 32 d'or et un Grammy Latino). Mais pas de panique, ses successeurs sont nombreux… et pas seulement au Panamá, également à Porto Rico ou en République dominicaine. Trois pays qui se revendiquent chacun d'être le berceau du *reggaetón* ! Le Panamá clame fièrement la paternité et aujourd'hui, c'est l'explosion sur les ondes. Du « reggae romántico » au « dancehall » plus rythmé, les chansons alimentent quantité de polémiques : les paroles sont souvent considérées comme vulgaires voire irrespectueuses, en particulier envers la femme, l'un des thèmes privilégiés avec la rue, la passion, l'amour, l'injustice, la drogue… La popularité du *reggaetón* ne cesse de croître et le talent des *reggaetoneros* panaméens dépasse largement les frontières. Vous connaissez sans doute le tube *Papi Chulo* de Lorna, mais saviez-vous qu'elle est panaméenne, tout comme le DJ qui l'accompagne, Rodney Clark « Chombo » ? El Roockie, Eddy Lover, Mach and Daddy, Comando Tiburón, Aldo Ranks, DJ Black, La Factoria (deux filles ! Demphra et Joycee)… autant de noms qui ne vous parlent

peut-être pas encore mais que vous découvrirez rapidement lors de votre séjour.

Rock

Les influences tropicales sont présentes même dans le rock. Le groupe phare depuis quelques années se nomme Los Rabanes. Des rythmes salsa et reggae influencent leur musique aux textes festifs truffés d'argot. Leur album *Kamikaze* a été récompensé par un Grammy Latino en 2007. Avec quatre disques à leur actif, leurs cousins, Os Almirantes, commencent également à faire parler d'eux au-delà des frontières. Dans un style plus personnel et déjanté, le groupe Señor Loop s'impose aussi tranquillement.

Jazz

Chaque année, durant une semaine, la capitale se met au rythme du jazz. Au programme : concerts, ateliers, rencontres avec des musiciens… Et il y en a pour tous les goûts et toutes les bourses. Alors si vous avez la chance d'être là en janvier, ne manquez pas le Panamá Jazz Festival ! Mis en place depuis quelques années à l'initiative de Danilo Pérez, il connaît un succès croissant et a déjà accueilli quelques pointures : les formations Tia Fuller Quartet et Caribbean Jazz Project, ou encore Catherine Russell… Et ce n'est pas fini, Marseille a hébergé une artiste panaméenne hors pair. Il s'agit de Yomira John, une « chanteuse panaméenne à la voix inimitable et renversante, mêlant humour et spontanéité, qui exerce un magnétisme auquel il est difficile de ne pas succomber ». Tout un programme pour cette artiste qui, après avoir baroudé de nombreuses années dans différentes formations des Etats-Unis à la France, s'est finalement réinstallée dans son pays où elle a sorti un album au nom évocateur, *Ida y Vuelta* (« aller et retour »).

© IPAT PANAMA

Théâtre national de Panamá Ciudad.

PEINTURE ET ARTS GRAPHIQUES

Raúl Vásquez Sáez

Né en 1954 à La Villa de Los Santos et parti trop vite en 2008, Raúl Vásquez Sáez est l'un des plus grands peintres panaméens reconnus internationalement. Autodidacte, poète à ses heures, il s'est formé au long de ses différents voyages en Europe, au Mexique et en Amérique du Sud. Sa touche figurative rompait avec la réalité quotidienne pour proposer de jolis voyages introspectifs colorés.

Parmi les artistes réputés, Guillermo Trujillo, Mario Calvit, Juan Carlos Marcos, Julio Zachrisson ou encore Manuel Chong Neto font partie de la génération qui a permis à l'art panaméen d'acquérir une dimension plus internationale. Ces « pionniers » sont exposés au MAC. Le musée d'Art contemporain situé dans la capitale organise chaque année, outre la visite de sa collection permanente et d'expositions temporaires, une biennale de l'art (septembre et octobre). Actuellement, ce sont des peintres contemporains comme David Solís qui se distinguent. A la renommée également internationale, Isabel de Obaldía, celle que Guillermo Trujillo considère comme sa fille, nous conquit avec ses sculptures sur verre infusées de couleurs surprenantes. Enfin, de la peinture à la vidéo, citons Brooke Alfaro. Il nous entraîne dans un univers urbain et engagé à travers des courts-métrages dénonçant surtout la misère et la pauvreté de ses compatriotes du Casco Viejo… Un petit tour dans les galeries d'art de la capitale vous permettra également de vous familiariser avec les artistes panaméens. Avec un peu de chance, vous pourrez admirer les merveilleuses toiles du Kuna Oswaldo De León Kantule, dont les œuvres mêlent imaginaire, cosmologie et traditions du peuple tule. Autre visite incontournable, celle du Théâtre national pour les peintures murales de Roberto Lewis. Ancien directeur de l'Ecole nationale de peinture, il entretient une relation étroite avec les artistes français installés à Panamá au début du siècle.

Art ambulant

Sans qu'il soit nécessaire de vous déplacer, l'art viendra à vous car il est partout ! Son support, ce sont ces vieux bus scolaires nord-américains dont les carrosseries sont couvertes de fresques aux couleurs vives ! Leurs propriétaires s'y expriment à coups de bombes de peinture, et les dessins, qui reflètent l'imaginaire de leurs auteurs, ne manquent parfois pas d'humour. A l'arrière, sur la porte, se trouve souvent le portrait d'un chanteur, d'un acteur, d'un animal ou de Jésus. A l'intérieur, outre les peintures, il y a aussi le velours rouge, les miroirs et les breloques qui pendouillent… Une espèce condamnée à disparaître dans la capitale…

TRADITIONS

Voici les tenues vestimentaires traditionnelles du pays :

▷ **La *pollera*.** Elle était autrefois portée au quotidien. Les femmes en avaient plusieurs et en réservaient une pour les grands jours. Aujourd'hui, on ne la porte plus que pour les fêtes et cet honneur n'est pas à la portée de tout un chacun. Ce magnifique ensemble, composé en général d'une blouse et d'une longue jupe froncée, a une grande valeur aussi bien du point de vue esthétique que financier. Selon la finesse de ses broderies et ornements, une pollera peut être estimée à plusieurs milliers de dollars. Il est fréquent que les jeunes filles ou femmes la louent juste pour l'occasion. La confection d'une pollera demande la participation de nombreuses couturières minutieuses. Selon les régions, les jupons, les tissus et la composition diffèrent. L'ensemble est ensuite agrémenté de *tembleques* qui complètent la coiffure de l'*empollerada* (la demoiselle qui porte la *pollera*). Ce sont de véritables bouquets fixés au moyen de broches et composés autrefois de fleurs naturelles. Divers petits détails ont ensuite été introduits : écailles de poisson, perles ou paillettes. Sur certains, des petits rubans de soie colorée sont ajoutés, on les appelle alors *pimpollo de seda* (bouton de soie). Douze *tembleques* sont nécessaires pour orner la coiffure d'une adulte, dix pour celle d'une petite fille. Influencée par la richesse de la nature et des eaux panaméennes, chaque petite broche est différente. Papillon, dindon, colombe, fleur ou insecte, le *tembleque* doit ensuite être posé avec précision, sans oublier de couvrir les oreilles. Les *cadenas* sont aussi importantes que la coiffure. Il s'agit de chaînes en or, véritable ou imité, dont le nombre varie selon la *pollera* et l'occasion ; pour une *pollera de gala*,

Identité culturelle et connaissances traditionnelles

Dans une loi du 26 juin 2000, l'Etat panaméen a institué un régime spécial concernant la « propriété intellectuelle sur les droits collectifs des peuples indigènes, pour la protection et la défense de leur identité culturelle et de leurs connaissances traditionnelles ». L'objectif est de préserver les richesses, en particulier artistiques et culturelles, des différentes communautés amérindiennes du pays. Reste encore à réfléchir sur les questions des ressources biologiques et de la biodiversité.

DÉCOUVERTE

il doit être supérieur à sept ! Puis vient la touche finale : le pompon placé sur l'encolure de la blouse, les boucles d'oreilles et les bracelets. Ne manquez pas le défilé des mil polleras, qui a lieu tous les ans dans la capitale, superbe vitrine du folklore panaméen.

▷ **Le *montuno*.** Comme pour les *polleras*, il existe plusieurs variante de montuno selon la région et l'usage. Comparé à celui de la femme, l'ensemble porté par l'homme est d'une grande simplicité. Habituellement, il se compose d'une chemise blanche à manches longues et à col mao, et d'un pantalon court. Les grands jours, la chemise est ornée de broderies de couleur, principalement jaune, rouge et bleu ; le pantalon est noir. Avec l'évolution des tendances, les chemises sont plus travaillées et des franges sont parfois ajoutées. Sandales en cuir et *sombrero* complètent la tenue.

Festivités

On ne le répétera jamais assez, les Panaméens aiment la fête et tous les prétextes sont bons : cérémonie religieuse, jour férié, représentation folklorique ! Le mois de novembre, particulièrement chargé, a été rebaptisé le mois des fiestas patrias (fêtes patriotiques) : pas moins de trois célébrations successives en l'honneur de l'histoire tumultueuse du pays ! Certaines dates varient sensiblement d'une année sur l'autre, un calendrier se trouve dans le journal gratuit El Visitante/The Visitor.

Janvier

■ FERIA DE LAS FLORES Y DEL CAFÉ
Boquete
5 jours à la mi janvier. Dix jours de fête à Boquete, mi janvier, pour célébrer les fleurs et le café. Au bord du Rio Caldera, elle attire des dizaines de milliers de Panaméens, souhaitant admirer de beaux massifs et goûter aux meilleurs cafés du pays. Vente d'artisanat, musique à plein volume et spectacles folkloriques sont au rendez-vous.

■ FERIA DE SAN SEBASTIÁN
Ocú
Le Saint patron du village d'Ocú est célébré chaque année pendant cinq jours autour du 20 janvier. On organise à cette occasion une grande feria agricole qui mêle danses folkloriques, concerts et gastronomie provenant de la province d'Herrera.

■ PANAMA JAZZ FESTIVAL
Panamá Ciudad, Casco Viejo
www.panamajazzfestival.com
Vers la mi janvier. Le festival de jazz le plus important du pays. Créé en 2003 par le pianiste Danilo Perez, il dure une semaine et réunit étudiants des écoles de musique et artistes de renommées internationales. Le festival finance les programmes éducatifs de la Fondation Danilo Perez qui offre aux enfants des foyers défavorisés, la possibilité de s'intégrer dans la société grâce à la musique.

Février

■ CARNAVAL
4 jours au mois de février. L'événement le plus attendu au Panamá. Il dure quatre jours et a lieu dans tout le pays. Le plus célèbre est celui de Las Tablas, dans la péninsule d'Azuero, où s'opposent la Calle Arriba et la Calle Abajo pour l'élection de la plus belle reine. Les carnavals de Pedasí, d'Aguadulce ou de Penonomé sont également très courus. Celui de la capitale n'est pas mal non plus, mais ceux des petites villes sont plus authentiques.

■ CARNAVALITO
La Pintada
Vous redemandez des défilés de chars allégoriques et de l'ambiance ? Le « Petit Carnaval » a lieu une semaine après le carnaval, dans le village de La Pintada.

■ FERIA DE SANTA FÉ, VERAGUAS
Vers le 1er février. Fin janvier début février, une grande feria agricole qui montre aussi les richesses éco touristiques des environs de ce charmant village de moyenne montagne. Expos de bovins, chevaux et autres animaux mais aussi de plantes et d'artisanat.

Mars

■ FERIA INTERNACIONAL DE DAVID
Chriqui, David
Courant mars. La feria international San José de David a lieu courant mars et accueille plusieurs centaines d'exposants agricoles et industriels dans une ambiance festive. Danses folkloriques, bals, chants, artisanat...

■ FESTIVAL DE DIABLOS Y CONGOS
Portobelo
Tous les deux ans, courant mars, une glorification de l'influence africaine dans le folklore panaméen. Des danses théâtrales, héritées des esclaves noirs qui se moquaient de leurs maîtres espagnols, des masques colorés impressionnants et une ambiance survoltée, au rythme des tambours et des chants !

■ SEMAINE SAINTE
La Semaine Sainte est célébrée avec la plus grande ferveur dans tout le pays, avec de nombreuses cérémonies religieuses dans chaque petit village.

Avril

■ FERIA DE LAS ORQUIDEAS (FÊTE DES ORCHIDÉES)
Boquete
Début avril. Plus de mille espèces d'orchidées

© PAT PANAMA

dégagent leurs arômes à Boquete, pour cette fête qui a lieu tous les ans, durant quatre ou cinq jours, courant avril.

▪ FERIA INTERNACIONAL DE AZUERO
Los santos
Fin avril. L'une des plus grande foire agricole du pays a lieu à Los Santos, fin avril durant une dizaine de jours. Les éleveurs y exposent d'énormes spécimens de bovins. Concerts de *tipico*, danses folkloriques et gastronomie sont bien sûr au rendez-vous !

Mai

▪ DÍA DEL TRABAJO
Jour férié. Manifestations syndicales pour la fête du travail.

Juin

▪ CORPUS CHRISTI
Los Santos
60 jours après Pâques. Soixante jours après Pâques, la Fête-Dieu commémore l'institution du sacrement de l'eucharistie. Elle est célébrée dans tout le pays mais surtout à Los Santos, où elle dure deux semaines. On peut y admirer de superbes masques et voir les fameuses danses des Diablícos sucios ou Del Torito, entre autres.

Juillet

▪ FESTIVAL NACIONAL DE LA POLLERA
Las Tablas
Le 22 juillet. La robe nationale, d'une très grande finesse, est célébrée le 22 juillet à Las Tablas, au moment des festivités de Santa Librada,

la sainte-patronne du village. Les plus belles robes de différentes catégories sont élues par un jury spécial.

Août

▪ FESTIVAL DEL MANITO
Ocú
Mi ou fin août. Ce festival de quatre jours, courant août à Ocú, est l'occasion d'en apprendre plus sur les traditions agricoles de la région, avec des représentations évoquant la récolte du maïs ou les noces d'un couple de paysan par exemple, sans oublier les concours enjoués de danse et de musique.

Septembre

▪ DÉFILÉ DES MILLE POLLERAS
Las Tablas
Courant septembre.

▪ FERIA INTERNACIONAL DEL MAR
Bocas del Toro
Vers le 15 septembre. La feria internationale de la mer, à Bocas, dure quatre jours vers la mi septembre. Beaucoup de concerts et de soirées festives, et de la sensibilisation à l'environnement marin.

▪ FESTIVAL DE LA MEJORANA
Guararé
Vers le 24 septembre. La *mejorana* est une petite guitare à la sonorité particulière que vous entendrez dans les orchestres de la péninsule d'Azuero. Le festival annuel de Guararé, lui rend hommage vers la fin septembre, avec des concerts de musique folkloriques, des défilés de chars allégoriques et de jolies reines.

Bijoux accompagnant les polleras.

belles manifestations folkloriques du pays, avec les présentations de costumes et les élections de reines, ainsi que des danses traditionnelles, dont celle fameuse du Toro Guapo.

Novembre

■ INDÉPENDANCE À L'ÉGARD DE LA COLOMBIE
Le 3 novembre. Le 3 novembre, on fête l'indépendance du pays par rapport à la Colombie (1903) autour de moult réjouissances. C'est un jour férié.

■ INDÉPENDANCE À L'ÉGARD DE LA COURONNE D'ESPAGNE
Le 28 novembre. On célèbre la proclamation de l'indépendance du pays à l'égard de l'Espagne, survenue le 28 novembre 1821.

■ PRIMER GRITO DE LA INDEPENDANCIA
Los Santos
10 novembre. C'est la date du premier « cri » de l'indépendance à la Villa de los Santos qui a mené à sa séparation du Panama de la couronne d'Espagne.

Octobre

■ DÍA DEL CRISTO NEGRO
Portobelo
Le 21 octobre. Le 21 octobre, à Portobelo, on vient par milliers de tout le pays, pour assister aux processions en l'honneur du Christ noir. Un événement spectaculaire !

■ FERIA DEL TORITO GUAPO
Antón
Mi octobre. Mi octobre, à Antón, l'une des plus

Décembre

■ DÍA DE LA MADRE
2 décembre. La fête des mères qui a lieu le 8 décembre, le jour de l'Immaculée Conception, revêt une grande importance au Panamá. C'est d'ailleurs un jour férié.

■ NAVIDAD
25 décembre. Noël est célébré dans tout le pays.

Cuisine panaméenne

Entre terre et mer, façonnée par la mosaïque de cultures représentées dans le pays, la cuisine panaméenne est riche de recettes originales. A ceux qui vous diront que l'on n'y trouve que du poulet et de la viande, répondez par le centollo, le ceviche, les tamales, la parrillada mixta… sans oublier tous ces fruits tropicaux qu'il ne faut pas manquer de savourer.

PRODUITS CARACTÉRISTIQUES

El maíz

Le maïs est l'un des aliments de base de la cuisine panaméenne. Qu'il soit cuit ou bouilli, en farine ou en grains, il entre dans la composition de nombreuses recettes :

▌ **Les *tortillas.*** Curieusement, la recette panaméenne n'a rien à voir avec celle des autres pays d'Amérique centrale, ici il s'agit de galettes épaisses bien fermes et frites, parfois garnies de viande.

▌ **Le *tamal.*** Cette pâte à base de maïs fourrée à la viande et parfumée de condiments est l'une des grandes spécialités du pays. Pour le cuire, on enveloppe le *tamal* dans la gaine d'un épi de maïs ou dans une feuille de bananier, ce qui lui donne une saveur très agréable.

▌ **L'épi de maïs** est également consommé bouilli, plongé en morceaux dans la soupe pour la compléter et la parfumer.

▌ **Sous forme de jus, goûtez le *chicheme.*** On le prépare en mélangeant maïs moulu, lait et parfois une pincée de cannelle, le tout mijoté un long moment à feu doux, jusqu'à épaississement. Un véritable délice, et une sacrée dose d'énergie, à boire froid.

El plátano

La banane plantain (utilisée comme légume) est l'une des deux variétés de bananes consommées, avec la banane dessert (*guineo*). La banane plantain est plus grosse et plus longue que la dessert. Jeune, à la peau verte, elle est utilisée pour les patacones, ces rondelles frites qui accompagnent ou remplacent le riz. Bien mûre, à la peau jaune marron, elle sera servie bouillie ou selon la recette des *plátanos en tentación.* Coupées dans la longueur, elles sont cuites un long moment avec de l'eau, de la cannelle et du sucre. Savoureux en accompagnement du plat principal !

La yuca

À ne pas confondre avec la plante que l'on connaît en France sous le nom de « yucca », le mot espagnol *yuca* désigne le manioc ! Ses racines sont très largement consommées au Panamá. Une fois dégagée de son écorce brune, la chair blanche est bouillie ou frite, et sert de base à plusieurs préparations. La *yuca* accompagne aussi les plats, au même titre que le riz ou les *patacones.*

El arroz

Le riz est incontournable. Il vous sera servi à tous les repas, préparé de différentes façons. Frit, il prend le nom d'*arroz frito* et se consomme alors mélangé à du poulet (*con pollo*), à des fruits de mer (*con mariscos*) ou aux deux (*mixto*). En accompagnement, il est cuisiné avec plusieurs variétés de haricots (*guandú ou poroto*), mais aussi avec le lait de coco ! *El arroz con coco* est un véritable délice que vous dégusterez surtout sur la côte Caraïbes (provinces de Bocas del Toro, Colón et Kuna Yala) et qui se marie idéalement avec les poissons ou fruits de mer.

La carne

Les viandes sont souvent préparées en sauce (*guisada*), parfois grillées (*a la parrillada*), ou fumées (*ahumada*). Les plus communes sont le veau et le bœuf. Le porc est moins populaire, généralement servi en côtelettes (*chuletas*). Si vous aimez la viande saignante, vous risquez d'être déçu. Toutefois, faites un tour du côté des restaurants argentins et colombiens qui réservent en général de très agréables surprises.

El pollo

Le mot « poulet » fera vite partie de votre vocabulaire courant. Les Panaméens en raffolent !

Donnez-leur du poisson pendant trois jours consécutifs, et ils vous enquiquineront, ne rêvant que de poulet ! *Pollo frito, ahumado, guisado*… Poulet frit, fumé, en sauce… Vous n'aurez que l'embarras du choix.

Pescados y mariscos

Ils sont à la carte de presque tous les restaurants du pays. Et pourtant, malgré la proximité des deux océans, les poissons et fruits de mer sont loin d'être appréciés par tous les autochtones. La *corvina* et le pagre rouge (*pargo rojo*) sont les plus consommés. Viennent ensuite poulpes (*pulpo*), crevettes (*camarones*), langoustes (*langosta*) ou crabe (*centollo*)… Vous allez vous régaler. A consommer sans modération !

Et les légumes ?

Curieuse question au Panamá. Vous ne mettrez pas longtemps à découvrir que si les plats peuvent compter jusqu'à trois féculents, les légumes sont peu présents, exceptés les haricots ou les lentilles ! Et pourtant les terres de Chiriquí ou d'Azuero produisent salades, courges, etc., en abondance ! C'est peut-être là l'un des aspects les plus frustrants de la gastronomie panaméenne.

Quelques douceurs ?

Elles apparaissent peu sur les menus, à l'exception du riz au lait (*arroz con leche*) ou du flan. Si les desserts ne font pas vraiment partie des habitudes alimentaires locales, faites tout de même un tour dans une boulangerie pour voir si quelque chose vous tente. Les incontournables gâteaux à la crème, aux teintes fluorescentes, y occupent une place de choix ! Viennent ensuite les quatre-quarts, cakes à la carotte ou à la banane, puddings… Ces derniers, communément appelés *masmellena*, portent bien leur nom (littéralement « más me llena », « plus me remplirait »). Après en avoir mangé une part, partez escalader le volcan Barú !

▶ *Chocao panameño.* Bananes plantains bien mûres (coupées dans le sens de la longueur et évidées de leur cœur) cuites dans du lait de coco avec du gingembre, un peu de sel et du sucre. Très savoureux, ce dessert n'est malheureusement que très peu servi.

▶ *Cocada.* Vous trouverez ce rocher parfumé à la noix de coco dans les boulangeries.

▶ *Sopa borracha.* À partir d'un mélange épais composé d'eau, de sucre, de raisins, de cannelle et de liqueurs (rhum, moscatel, jerez), on obtient une pâte épaisse, que l'on dore au four ! Les trois alcools qui y sont incorporés valent à cette douceur le nom de « soupe ivre ».

Les fruits et leurs jus

Nombreux, ils sont surtout consommés par la population sous forme de jus de fruits, de glaces ou encore de *duros*. La palme d'or revient à la banane (*guineo*). Mais vous aurez le choix entre fruits de la passion (*maracuyá*), mangues (*mango*), papayes (*papaya*), melons (*melón*), pastèques (*sandía*), litchis (*mamón chino*), anones (*guanabana*), noix de coco (*coco*), oranges (*naranja*) ou tamarin (*tamarindo*)…

Des fruits et légumes de saison

Certaines destinations tropicales sont directement associées aux fruits colorés et juteux, que nous trouvons souvent très chers et fades sur nos marchés. Et pourtant quel délice sur place ! Comme chez nous, il est important de vivre au rythme des saisons et de privilégier des produits locaux pour ne pas alourdir notre empreinte écologique. Le calendrier ci-après vous aidera à vous y retrouver :

▶ **Toute l'année :** ananas, bananes, noix de coco, pastèques et papayes.

▶ **De décembre à avril :** goyaves… Jusqu'en mai : oranges, mandarines, narangilles (*naranjillas*). Les pamplemousses (*pomelo*) ? Jusqu'au mois de juin.

▶ **Dès janvier :** corossols ou anones (*guanabana*).

▶ **De février à juin :** melons.

▶ **En avril :** fraises, fruits de la passion ou grenadilles, noix de cajou (*marañon*).

▶ **De mai à septembre :** mangues.

▶ **Dès septembre :** avocats.

Mais ne vous étonnez pas à l'époque de Noël si les pommes, raisins, litchis, ramboutans et tamarins (importés) envahissent les étals…

Les jus de ces fruits sont souvent mélangés avec du sucre (n'hésitez pas à demander à la vendeuse d'y aller doucement).

▸ **La _chicha_** reste le rafraîchissement le plus commun. Préparée avec des fruits et de l'eau, elle est servie à toute heure, dans la rue ou à table. La _chicha_ se décline dans toutes les saveurs dont certaines vous surprendront, telles que la _chicha de arroz con piña_ (ananas et riz moulu), _de naranja con raspadura_ (orange, sucrée avec le pain de sucre de canne, la _raspadura_), _de avena_ (avoine)... Attention, ne la confondez pas avec la _chicha fuerte_ des Amérindiens, également obtenue à base de fruits mais que l'on laisse fermenter pendant plusieurs jours, voire quelques semaines, afin d'en faire un alcool fort dédié aux fêtes traditionnelles (Georges Simenon, dans _Quartier Nègre,_ en décrit bien ses effets...).

▸ **_El batido con leche_,** ou milk-shake, peut aussi être préparé avec de l'eau, _con agua._ Souvent à la mûre (_zarzamora_) ou à la fraise (_fresa_) dans la province du Chiriquí.

▸ **Et si vous souhaitez une saveur plus légère, un verre d'_agua de pipa_** (eau de noix de coco) vous enchantera. Quand cette boisson est servie bien fraîche, avec une paille, à même la noix de coco, n'oubliez pas d'ouvrir ensuite la noix pour en manger la chair.

Pour se rafraîchir...

Rien de tel qu'une glace (_helado_) ou encore un _duro_. Les _duros_ sont des sortes de glaces artisanales confectionnées avec de l'eau ou du lait concentré sucré, le plus souvent vendues par les particuliers sur le pas de leur porte. Si vous voyez un écriteau « se vende duros » accroché à la porte d'une maison, frappez... et demandez quel est le parfum. Il varie selon la saison, et en général c'est bon, sucré et rafraîchissant, pour une somme modique (environ 0,25 $). L'emballage est lui aussi artisanal, gobelet ou petit sachet en plastique.

Pour s'enivrer...

Peuple festif, les Panaméens sont aussi des buveurs réputés.

▸ **_La cerveza._** Avec pas moins de quatre bières locales différentes (Soberana, Atlas, Balboa, Panamá) et deux brasseries industrielles, c'est la première boisson alcoolisée consommée dans le pays. Les amateurs les reconnaissent les yeux fermés. Légères, elles ne dépassent pas les 4°. _Una cerveza bien fría por favor_, et là, vous êtes heureux !

El ron (« rhum »). Le pays est grand producteur de canne à sucre, dont on boit le jus naturel. Sur le bord de la route, quelques vendeurs ambulants installent encore leur trapiche, un moulin élaboré servant à extraire le liquide de la canne. Mais une fois fermenté, le jus est encore meilleur ! Le pays possède plusieurs marques de rhum local, Seco Herrerano, Ron Abuelo, Carta Vieja, qui sponsorisent de nombreux événements et fêtes. Dans les campagnes, le seco se boit avec du lait (*seco con leche* ou *seco con vaca*), dans les discothèques, on le préfère avec du Coca Cola (*ron con Coca*).

El vino. Si vous rêvez de vin, vous trouverez votre bonheur du côté des importations chiliennes, argentines, australiennes ou californiennes. Tendances, les bars à vin se multiplient dans la capitale…

HABITUDES ALIMENTAIRES

El desayuno

Le petit déjeuner est généralement pris très tôt. A la campagne, il constitue un véritable repas salé, souvent une viande en sauce accompagnée de *tortillas* ou de *hojaldres* (sorte de galette frite à la texture mi-crêpe mi-beignet). Il peut aussi se composer d'œufs frits (*huevos fritos*), brouillés (*revueltos*) ou d'une omelette (*torta*), délicieuse aux crevettes (*torta de camarón*). Si vous rêvez de saveurs plus occidentales, sachez que les *tostadas a la francesa* sont nos pains perdus, les *tostadas de pan con mantequilla* sont des tartines de pain beurrées, et les pancakes… vous connaissez ! Quant au café, si vous le souhaitez avec du lait (*café con leche*), soyez avertis qu'il s'agit le plus souvent d'un nuage de lait concentré. Il est fréquemment servi à la mode américaine, avec beaucoup d'eau (*americano*). Pour le boire serré, demandez un expreso et, pour une « noisette », tentez le *café pintado* !

El almuerzo

Habituellement, le déjeuner se compose de riz, de haricots ou de lentilles, et de viande ou poisson. Une petite salade russe (pommes de terre et œufs avec mayonnaise), de chou, ou une banane plantain viennent parfois garnir cette assiette déjà copieuse. Le dessert n'est pas une tradition.

La cena

Pris tôt, le dîner est assez semblable au déjeuner. Certains Panaméens ont l'habitude de manger de la viande ou du poulet deux ou trois fois par jour. D'autres ne font évidemment qu'un seul repas.

Sur le pouce

C'est sûrement ce que préfèrent les Panaméens ! Car s'ils ne se refusent pas un plat copieux, ils ne résistent pas non plus devant les étals de fritures. Nombreux dans l'« intérieur », les provinces centrales et la péninsule d'Azuero, souvent en bordure de route, ces étals se multiplient à l'occasion des fêtes de village. Le choix y est vaste pour qui aime la viande frite et les beignets à base de manioc ou de maïs.

Carimañola : beignet de forme ronde fourré de purée de manioc et de viande hachée.

Torreja ou *torrejita* : boulettes cuisinées à partir de maïs préalablement moulu. Dégustez-les surtout à l'époque de la récolte du maïs, quand elles ont un petit goût sucré.

Hojaldre : très communes, ce sont de grandes crêpes épaisses à base de farine de maïs, frites dans l'huile.

Chicharrón : peau de porc séchée et frite dans un bain d'huile. Vous en avez peut-être déjà mangé en Espagne. Riche en calories.

Tasajo : un morceau de viande de bœuf très cuit.

Empanadas : chaussons à la viande ou au fromage, populaires dans tous les pays. Parfois sucrés, à la confiture de goyave ou à la banane.

En accompagnement, vous aurez le choix entre une jolie salade colorée qui s'apparente plutôt à une bouillie de pommes de terre, d'œufs et de betteraves, ou le riz sauté. L'un comme l'autre est relativement nourrissant !

Dans la catégorie grignotage, on retrouve aussi l'incontournable paquet de chips (la pomme de terre est remplacée par du manioc ou des bananes plantains mûres)… Sinon rendez-vous sur le coup de 11h ou 16h dans le quartier des affaires de la capitale. Des camionnettes s'installent alors au pied des tours, le coffre ouvert, proposant une multitude de gâteaux et *empanadas*, accompagnés de *chicha*.

Au restaurant

El restaurante peut aussi bien être un *comedor*, c'est-à-dire un petit kiosque vendant un plat unique ou un restaurant familial sans prétention ; un self-service, une formule très appréciée des Panaméens ; ou un restaurant plus ou moins sophistiqué avec un service dans les règles. Dans tous les cas, les assiettes sont généreusement garnies, un critère de sélection important par ici ! Vous serez sans doute impressionnés par ces montagnes de victuailles qui peuvent tenir dans un seul et même plat ! Les menus proposés à midi débutent à 1,50 $ dans les *comedores*. Ils prennent le nom de *comida corriente*, par opposition aux plats à la carte (*orden, ordenes*). C'est la formule favorite. Dans les bureaux, il est courant de commander son repas (*comida*) à l'extérieur et le manger sur son lieu de travail. Il est alors servi dans une boîte en polystyrène, comportant trois compartiments, un pour le riz, un pour la viande et un pour la banane cuite. Dans les restaurants de catégorie légèrement supérieure, ce même menu est également proposé accompagné d'une chicha. Sous le nom de *menú ejecutivo* (en français « menu pour cadre »), il est compris entre 2,50 et 6 $. Il s'adresse à une clientèle plus aisée, souvent les employés de bureaux, de banques…
Les chaînes de restauration rapide internationales sont également implantées au Panamá.

Les tarifs y sont généralement plus élevés qu'ailleurs mais, comme partout, elles connaissent un succès phénoménal. Il y a aussi des chaînes locales spécialisées, telles que Pío Pío (du poulet sous toutes ses formes) ou La Ranchera, dont les hamburgers font une concurrence digne de ce nom à Ronald.

Les bonnes tables

La plupart de ces bonnes tables ont en général un menu aux saveurs internationales. Un doux mélange entre influences panaméennes et subtilités étrangères. Le choix des entrées est plus développé, et aux *ceviches*, soupes, salades, se mêlent les *boquitas*, sortes de *tapas* panaméennes.

Autres cuisines

Dans le paysage de ces cuisines « autres », les plus nombreux sont les restaurants chinois, une formule souvent économique aux plats aussi bien panaméens (*sancocho*) qu'asiatiques (*chow mein*, nouilles sautées), nems… Une règle que suit la majorité des restaurants étrangers pour ne pas manquer de satisfaire les Panaméens très attachés à leurs plats traditionnels. Ce sera surtout dans la capitale que vous pourrez goûter à d'autres cuisines du monde : latines, européennes, orientales… Quant aux restaurants végétariens, ils commencent à fleurir avec l'essor du tourisme.

DÉCOUVERTE

▨ RECETTES

Ceviche

Cette spécialité panaméenne (mais aussi péruvienne) est peut-être l'unique plat relevé du pays ! Il ne nécessite pas de nombreux ingrédients : un oignon, de l'ail, un piment rouge, des citrons, de la coriandre, une pincée de sel et du poisson ou des crevettes, selon vos préférences. Pelez oignon et ail. Hachez l'ail et coupez finement l'oignon. Coupez le piment en petits morceaux. Pressez le jus des citrons. Dans un saladier, déposez le poisson cru coupé en dés (ou des crevettes décortiquées coupées en deux dans le sens de la longueur). Versez-y tous les ingrédients mentionnés ci-dessus. Laissez mariner toute la nuit, c'est l'acidité du citron qui cuit le poisson et lui donne un aspect très blanc. Dégustez-le frais avec des petites galettes salées et une bière bien fraîche.

Sancocho

Les amateurs de soupe apprécieront cette recette aux multiples interprétations possibles. Servi habituellement avec une assiette de riz que les locaux aiment bien mélanger avec le liquide chaud pour en faire un plat complet, le sancocho est un plat nutritif et économique. C'est aussi le plat national !
Sa préparation est longue et exige de nombreux ingrédients. Certains y mettent du poulet, d'autres de la viande de bœuf. Au consommé parfumé d'un oignon, d'un poivron vert, d'une gousse d'ail et d'un peu de coriandre, on ajoute un morceau d'épi de maïs et parfois de la *yuca*. Tout aussi populaire, le *guacho*, ou *gallo pinto*, est un mélange de riz, de haricots, d'oignon et de tomate, auquel on ajoute un morceau de viande.

Retrouvez l'index général en fin de guide

Jeux, loisirs et sports

Le Panamá est une destination qui vous enchantera aussi bien si vous êtes sportif actif (à vous les marches en forêt pour observer les oiseaux, la pêche, la plongée, le rafting, les randonnées ou encore le surf) que « passif » : vous ne manquerez alors pas de suivre l'actualité sportive du pays en matière d'athlétisme, de baseball, de boxe ou de foot !*

DISCIPLINES NATIONALES

Athlétisme

Depuis que le Panamá compte des athlètes de renommée internationale tels Irving Saladino (saut en longueur) ou Bayano Kamani (400 m haies), il semble que le pays se soit pris d'affection pour cette discipline. Et même si ces deux athlètes ne dépassent pas à eux deux les 60 ans, il semble que la relève soit déjà assurée avec Jamal Bowen, Mateo Edward, Alberto Perriman ou Iván Lu.

Boxe

Le 18 juin 1929, « Panamá » Al Brown devient le premier champion du monde panaméen et latino-américain de l'histoire de la boxe. Mais c'est surtout Roberto Durán, alias Mano de Piedra (main de pierre), champion du monde de boxe dans quatre catégories, qui a véritablement porté la boxe panaméenne sous les projecteurs à partir de 1972 : un impressionnant palmarès de 105 victoires dont 69 par KO (« *nocauts* », comme disent les Panaméens). Devenu une légende vivante, il a suscité de nombreuses vocations parmi les jeunes du pays. Si personne n'a pour le moment réussi à l'égaler, les boxeurs panaméens continuent à se défendre sur le ring en s'imposant dans diverses catégories. En 2002, Santiago Samaniego remporta le championnat du monde super-welters. Aujourd'hui, les supporters se tournent vers Luis « El Nica » Concepción, Anselmo Moreno, Celestino « Pelenchín » Caballero, « El Huracán » Alfonso Mosquera, « La Araña » Roberto Vásquez, Ricardo Córdoba, ou chez les filles Chantall « La Fiera » Martínez.

Football

Ah le foot ! Comme dans la majeure partie des pays d'Amérique latine, c'est un sport très populaire, même si, au niveau international, les résultats de l'équipe panaméenne ne sont pas des plus réjouissants : la meilleure performance date de 2005 à l'occasion de la finale de la Gold Cup de la Concacaf. Il faut dire que l'équipe nationale était portée par un certain « Panagol » Julio Cesár Dely Valdes. Mais il n'y a pas que le ballon rond dans la vie. Même si le soccer comporte aussi de nombreux adeptes, il ne faut pas non plus oublier le football américain, dont les équipes fleurissent ! On en dénombre pas moins de quatorze dans le pays. Le baseball est également très populaire.

Rafting au Panamá.

Panamá Al Brown, l'étoile fantasque des rings et des cabarets

Colón est le berceau de nombreuses vedettes de la boxe. Parmi elles : Panamá Al Brown. Né en 1902, Alfonso Teofilo de son vrai nom a durci ses poings dans les ruelles mal famées de cette ville caribéenne. Il a 13 ans à la mort de son père, un ancien manœuvre de l'aventure française du canal. L'adolescent devenu chef de famille se lance dans les combats pour quelques balboas dans les cantinas des quartiers chauds. Avec son physique de fil de fer, 1,75 m pour un peu plus de 52 kg, ce poids coq est doté d'une droite redoutable. « Kid Teofilo », comme on l'appelle alors, empoche le titre de champion du Panamá en 1922. Mais le jeune homme ne compte pas en rester là. A 20 ans Alfonso rêve d'aventures et s'embarque pour New York. Clandestin, le latino noir survit à Spanish Harlem. Il y rencontre un manager véreux qui l'exploite comme peut le faire un manager blanc d'un boxeur noir dans les années 1920. « Kid Teofilo » devient « Panamá Al Brown » et enchaîne les combats à travers les Etats-Unis, mettant KO presque tous ses adversaires en moins d'une minute. Mais la fédération américaine lui refuse pour divers prétextes de combattre pour le titre mondial, pourtant largement à sa portée. A l'époque, il n'est pas souhaitable qu'un Noir devienne champion du monde. Al Brown prend un ferry pour la France en 1926. Le Panaméen s'installe à « Paname » puis enchaîne les combats dans toute l'Europe, en Afrique du Nord et au Canada.

Le globe-trotter de la boxe est aussi doté d'une personnalité des plus fantasques. Le public le déteste et le hue (il exécute ses adversaires trop vite !), mais le milieu artistique l'adore et l'invite dans les plus grands cabarets de Paris. Alliant élégance et sens de l'humour, il simule des entraînements sur les rythmes de jazz, joue de la batterie et du saxo, ou danse avec des amies de Joséphine Baker ! Maurice Chevalier mime des combats contre lui, tandis que Jean Cocteau, amoureux, l'invite pour des nuits d'opium et de champagne… Le poète du ring oublie de s'entraîner mais continue de mettre au tapis ses adversaires dès les premières reprises. Son secret ? Peut-être les lampées de champagne qu'il ingurgite pendant ses combats… Panamá Al Brown gagne le titre de Champion du monde des coqs le 18 juin 1929 (le premier Latino-américain à obtenir le titre). Il le conserve six ans, six années durant lesquelles son manager engrange beaucoup d'argent, faisant combattre à une cadence dangereuse le trentenaire déjà bien usé par la vie. Al Brown est en effet affaibli par la syphilis et la tuberculose et ne peut presque plus utiliser sa fameuse main droite, maintes fois fracturée.

Le Champion du monde endetté par une vie pleine d'insouciance et par sa passion pour les courses de chevaux n'a pas le choix : il doit combattre, quitte à y laisser sa peau. Alors qu'il s'apprête à fuir la boxe et les dettes, on lui propose un dernier combat (le 13e en Championnat du monde), celui de trop ! Empoisonné par son soigneur, Panamá Al Brown perd son titre le 1er juin 1935 à Valencia.

Le boxeur déchu vivote alors de spectacles dans les cirques. Cocteau l'encourage à remonter sur le ring et à reprendre son titre, pour l'honneur. Après une cure de désintoxication et de longues séances d'entraînement, le succès est au rendez-vous… mais, à bientôt 40 ans, le champion décide de rentrer dans son pays natal pour terminer sa carrière. Il n'est cependant pas accueilli avec faste par ses compatriotes, comme cela avait été le cas en 1929, au moment du sacre de l'enfant du pays, le « Kid » de Colón. Après quelques victoires, il prend sa retraite définitive en 1942 et repart vivre aux Etats-Unis. Mais la drogue le rattrape et l'ancien champion n'est plus que l'ombre de lui-même. Pour vivre, il remet les gants, mais cette fois comme « sparing partner » payé un dollar la reprise… Né dans la misère à Colón, Alfonso Teofilo terminera pauvre et oublié à New York. Celui qui n'est jamais tombé KO en 171 combats s'effondre à Harlem le 11 avril 1951, vaincu par la tuberculose.

ACTIVITÉS À FAIRE SUR PLACE

Observation des oiseaux

Chaque année, des millions d'oiseaux migrateurs en route vers l'Amérique du Sud passent par l'isthme de Panamá, une étape importante. Plus de 950 espèces d'oiseaux (migrateurs, endémiques et natifs) ont été recensées dans le pays. Plusieurs secteurs de grande richesse ornithologique sont privilégiés par les birders : l'Achiote Road sur le versant atlantique, la baie de Panamá, le parc Metropolitano ou le Soberanía. Et la liste est encore longue. Les ornithologues seront intéressés par les publications de l'ONG Panamá Audubon, en charge de l'observation des oiseaux et de la conservation de leur habitat. Sont disponibles en anglais ou espagnol : *A Guide to the Birds of Panamá* par Robert Ridgely et John Gwynne (Princeton University Press, 1992), *A Guide to the Common Birds of Panamá City* par Jorge Ventocilla, illustrations Dana Gardner. A la portée de tous, ce dernier propose une découverte des oiseaux de la capitale et de ses alentours proches. Sur le site www.panamaaudubon.org, vous aurez une belle présentation des oiseaux présents dans le pays, on en a recensé 975 espèces ! L'association organise également, tout au long de l'année, des sorties qui s'adressent aussi bien aux néophytes qu'aux observateurs expérimentés.

Pêche

La position de l'Isthme panaméen ainsi que ses nombreux fleuves qui se jettent dans les deux océans font du Panamá une référence en matière de pêche : traditionnelle, à la mouche ou sportive. Ce n'est pas pour rien que le mot « Panamá » signifie en langue indigène « abondance de poissons ». Une réalité que la pratique du *catch and release* protège naturellement. Egalement appelée *no-kill*, elle consiste à relâcher systématiquement ses prises dans le milieu naturel où elles vivent. La carpe cubera de 15 kg, ça n'est que pour la photo, on la rejette ensuite à la mer. Les inconditionnels caresseront l'idée de prendre mérous, thons jaunes ou à dents de chien, marlins noirs ou bleus, poissons coqs, coryphènes, carangues et même quelques tarpons du côté Pacifique ! Cette espèce, qui évolue normalement dans les eaux des Caraïbes, a profité du canal pour passer de l'autre côté. La pêche, plus développée du côté Pacifique, est possible toute l'année, mais elle est plus agréable en saison sèche (de décembre à avril). Il faut également faire son choix en fonction du poisson qui vous motive ; préférez octobre et novembre pour les carpes rouges…

Plongée

Le pays étant encore peu connu, ses sites de plongée sous-marine ne sont pas encore envahis, à vous d'en profiter ! L'île de Coiba, dont le principal atout est sa grande biodiversité, est un site encore préservé mais qui attire un nombre croissant de pêcheurs et plongeurs, on y voit de sacrés monstres ! Des sorties sont organisées également vers Isla Iguana ou dans l'archipel de Las Perlas. Sur la côte Atlantique, les meilleurs sites se trouvent entre Portobelo et San Blas, ou à Bocas del Toro. La plongée avec masque et tuba est aussi très populaire, tant parmi la population locale que parmi les touristes. Les bons spots sont très accessibles et vous trouverez partout quelqu'un pour vous y transporter.

Rafting, canoë, kayak

350 rivières se jettent dans le Pacifique et 150 dans l'Atlantique. Le potentiel du Panamá, pour les passionnés de kayak et de rafting, est immense : ríos Chagres, Chiriquí Grande, Mamoní ou Chiriquí Viejo… La grande variété des cours d'eau classés de I à IV (dans le jargon des spécialistes) fera le bonheur des initiés mais aussi des débutants.

Randonnée

Sur les flancs du volcan, à travers les sentiers des parcs nationaux, dans la forêt vierge, sur le sable chaud des plages, vous trouverez une multitude d'excursions possibles, dont quelques-unes indiquées dans ce guide.

Surf

Un défi que l'homme lance à la mer ! Des vagues parfaites, des spots puissants, des murs de 4 à 6 m, tout est possible au Panamá quand il y a du swell. Les destinations surf sont nombreuses, de la côte Atlantique à la côte Pacifique. Parmi les plus réputées, la péninsule d'Azuero (El Toro, Destiladero, Playa Venao, Guanico, Cambutal), les plages de Panamá (de Malibú à Gorgona, Bahía Serena, Coronado, Playa Teta), de Bocas del Toro, d'Isla Grande ou encore la célèbre Santa Catalina… Le Panamá offre aussi quelques spots de planche à voile et de kitesurf, notamment à Punta Chame, non loin de la capitale ! Pour avoir un aperçu de ce qui vous attend : www.surfeapanama.com

Enfants du pays

Oswaldo De León Kantule

Né en 1964 à Ustupu, l'une des îles de l'archipel San Blas, cet artiste occupe une place particulière dans la peinture panaméenne. Surnommé « Achu », il privilégie les thèmes relatifs à ses racines kuna, mêlant tradition, cosmologie, histoire et spiritualité. Après avoir longtemps voyagé entre Cuba, les Etats-Unis et Londres, il réside désormais à Montréal, tout en continuant à participer à de nombreuses expositions individuelles ou collectives.

Julio Dely Valdés

Alors que ses camarades de Colón préféraient le base-ball, Julio Dely Valdés était déjà un adepte du ballon rond. Il commence sa carrière en première division panaméenne sous les couleurs de l'Atlético Colón. Quatre saisons plus tard, il émigre dans le sud du continent au Nacional Montevideo qui l'accueille durant quatre ans, et pour qui il marquera 128 buts grâce à sa rapidité et à son jeu de tête impressionnant ! Il cumule les titres de champion et de meilleur buteur d'Uruguay entre 1990 et 1992. Un an plus tard, « Panagol » rejoint les clubs européens, dont le PSG en 1995 avec qui il remporte le championnat et la Coupe des coupes. Sa fabuleuse ascension se poursuit au sein de l'équipe de Málaga. Il devient le meilleur buteur de l'histoire du club. Au terme de la saison 2002-2003, il décide de retrouver le club uruguayen qui l'a révélé, où joue également son frère jumeau. Dely Valdés a raccroché officiellement les crampons, à 36 ans, à l'issue du match hommage qui lui a été rendu à Panamá, au stade Rommel Fernández, le 30 mai 2004. En septembre 2010, il est nommé sélectionneur de l'équipe nationale panaméenne.

Roberto Durán

Ce boxeur né en 1951, dans un quartier pauvre de la capitale, El Chorillo, dispute son premier match professionnel en 1968. Cinq ans plus tard, il remporte son premier titre mondial, coup d'envoi de son ascension. Les fanatiques se souviendront des matchs disputés contre l'Américain Sugar Ray Leonard, autre légende de l'époque. Durant sa longue carrière, Roberto Durán sera tour à tour Champion du monde des légers entre 1972 et 1979, des welters en 1980, des super-welters en 1983-1984 et des moyens WBC en 1989. En 2002, suite à un accident

Jeune Emberá.

de voiture en Argentine, il fait officiellement ses adieux à la boxe… à 51 ans ! Surnommé « Mano de piedra » (« main de pierre »), il occupe toujours une place privilégiée dans le cœur des Panaméens.

René de Obaldía

Né le 22 octobre 1918 à Hong-Kong, d'un père panaméen alors consul du Panamá et d'une mère française, René de Obaldía est surtout connu en France, où il grandit. Le 24 juin 1999, il devient le premier « Panaméen » à être élu à l'Académie française. Auteur de poèmes, de pièces de théâtre et de romans, les huit tomes de son œuvre sont publiés aux éditions Grasset. Obaldía nous raconte son contact tardif avec le pays de ses origines dans *Exobiographie*, en 1993 ; son unique livre à nous révéler quelques tranches de vie panaméennes. Pour ne citer que quelques autres titres : *Les Richesses naturelles* (1952), *Le Centenaire* (1959), *La Baby-Sitter* (1971). Et si l'on vous dit : « Le geai gélatineux geignait dans le jasmin… »

Laffit Pincay Junior

Né en 1946 d'un père déjà très célèbre dans le monde hippique, Laffit Pincay Junior est aujourd'hui considéré comme l'un des plus grands jockeys de l'histoire.

Rubén Blades : de la chanson militante à la politique

© DIDIER RAFFIN / IMAGES DU MONDE

Ses chansons sont des hymnes, repris en chœur dans les bus bondés de Mexico, les coupe-gorge de Spanish Harlem, et par les sonos hurlantes de l'*avenida Central de la Ciudad* de Panamá. Car l'ambassadeur incontesté de la musique latine est panaméen. Un enfant de San Felipe, Casco Viejo. Fils d'une Cubaine et d'un natif de Colombie, tous deux musiciens amateurs, Rubén Blades le prodige sait lire à 4 ans. Il le doit à sa grand-mère, militante féministe et éducatrice dévouée, qui lui transmettra ses idées progressistes et son profond humanisme. L'adolescence est pour lui le temps de perfectionner ses talents musicaux et d'affiner ses idées politiques au regard des événements tragiques qui secouent l'Amérique latine des années 1960. De ces événements, il retiendra l'amer épisode de janvier 1964 où les Etats-Unis, refusant de hisser le drapeau panaméen dans la Zone du canal, provoqueront une vague de protestation qui se soldera par une vingtaine de victimes. Le milieu des années 1960, c'est aussi le temps de l'université pour Rubén. Des études de droit à la faculté de Panamá suivies avec beaucoup d'assiduité. Et, en parallèle, un début de carrière musicale sur les scènes de la capitale, une activité qui lui vaudra les railleries de ses professeurs pour qui la vocation institutionnelle d'avocat semble totalement incompatible avec celle de chanteur. Une théorie que Rubén s'emploiera à contredire.

C'est grâce à l'un de ses frères qui travaille dans une compagnie aérienne que le jeune étudiant-chanteur achète son premier billet Panamá-New York, pour la modique somme de 20 $. Il atterrit là-bas en 1969 et, de fil en aiguille, de contact en contact, il réussit à enregistrer son premier album, accompagné par l'orchestre d'un certain Pete Rodriguez. Pourtant, sur cette scène new-yorkaise où les musiques latines souffrent d'uniformisation et de ghettoïsation, il lui semble peu aisé d'imposer son style « militant » : une salsa « à texte » imprégnée de la réalité sociale des cités latino-américaines. Rubén Blades n'a alors que 20 ans et ses études supérieures mises en suspens le rappellent au pays. De retour au Panamá, où la situation politique se gâte, il se félicite de l'exil de ses parents à Miami, en 1973. Etre avocat dans un pays sans droit, en l'occurrence Panamá sous la dictature, ce n'est pas exactement l'idéal que défend Rubén, déjà militant de la lutte pour les libertés individuelles et contre les injustices sociales. Alors, son diplôme en poche, il s'envole pour rejoindre sa famille à Miami. Puis il se décide rapidement à tenter à nouveau l'aventure new-yorkaise. Nous sommes en 1974. La Mecque de la musique latino à « Nueva-York » se nomme Fania. C'est LE label, l'écurie de toutes les vedettes de la scène salsa nord-américaine. Rubén y fait ses débuts en tant que… postier. Il côtoie alors de nombreux musiciens, dont l'inimitable Ray Barretto qui lui offre une place de chanteur remplaçant sur l'un de ses albums. Mais la rencontre qui lancera définitivement la carrière de Rubén Blades et qui aboutira à l'une des collaborations musicales les plus fructueuses de ces cinquante dernières années est celle qui l'associera au maestro Willy Colón, producteur et tromboniste exceptionnel, cheville ouvrière de la moitié des tubes latinos des années 1970. De leurs six albums concoctés en commun chez Fania, le chef-d'œuvre reste sans conteste *Siembra*. Un brûlot vendu à plus d'un million d'exemplaires à travers les Amériques. Une musique inédite qui mêle l'énergie sensuelle des rythmes afro-cubains à cette poésie des ghettos, baignée de la réalité socio-politique et passée à la moulinette d'une ironie grinçante. Pour preuve, la chanson *Pedro Navaja*, chronique urbaine truculente et dramatique, inspirée d'un fait divers, a résonné jusqu'en France et été réinterprétée par Bernard Lavilliers sous le titre *Pierrot-la-lame*.

On aurait pu penser que Rubén Blades s'en tiendrait là : qu'il réchaufferait régulièrement la même recette pour s'assurer une retraite paisible. C'est mal connaître le personnage. Et cette nécessité permanente de se remettre en question, d'expérimenter, de progresser et de faire progresser l'humanité selon ses humbles moyens… Le début des années 1980 marque un tournant dans la carrière de Rubén. Fin de l'épisode Fania avec Willy Colón. Des débuts au cinéma, dans le film *The Last Fight*. Une carrière de comédien qu'il mènera parallèlement à ses activités musicales. Le chanteur panaméen a totalisé, jusqu'à aujourd'hui, une trentaine de rôles sur le grand écran. Il partira même vivre en Californie pour se rapprocher du milieu cinématographique. Ses activités musicales seront désormais marquées par une volonté explicite et constante d'universalité, tant dans la musique que dans les textes. L'ancien « salsero » s'aventure alors dans de nouvelles combinaisons musicales qui aboutiront à la formation d'un groupe, les Seis del Solar. Et encore un succès retentissant : l'album *Buscando America*, sorti en

1985. Jusque dans son dernier album en date, *Mundo*, sorti en 2002, l'artiste affirme sa foi dans le mélange des influences, le métissage musical, l'échange mutuel pour développer une alternative à l'uniformisation des musiques latines. Son combat se matérialise également par un soutien constant à la scène panaméenne et latino-américaine, à travers la promotion de ses jeunes artistes. Pendant ce temps-là, au pays, la dictature de Noriega a été écrasée et la démocratie rétablie. Rubén Blades, observateur attentif de la scène politique et grand défenseur du processus démocratique, se découvre une nouvelle vocation, dans la continuité de cette carrière musicale toute empreinte de militantisme et de prises de position bruyantes. Les élections présidentielles de 1994 sont pour lui l'occasion de faire son entrée sur la scène politique. L'homme aux multiples facettes, chanteur, comédien, politicien, a créé son propre parti : *Movimiento Papa Egoro*, totalement indépendant de toute idéologie partisane ou groupe d'intérêt. L'homme est détenteur d'un diplôme de droit international obtenu à l'université de Harvard et se veut au plus près des réalités sociales de son pays natal. Son combat politique est nourri de discours sur les injustices sociales et la défense des minorités. Malgré les railleries de ses concurrents et le peu de sérieux qui lui est accordé par les médias, le candidat Blades est crédité de 17 % des voix, ce qui le met au troisième rang des résultats du premier tour. Un demi-succès qui ne lui enlèvera pas la vocation du service public puisqu'il revient sous les feux des projecteurs électoraux en 2003, en soutien au candidat Martín Torrijos. Il « met en musique » la campagne du PRD (*Partido Revolucionario Democrático*), qui se solde par un succès et l'élection de Torrijos en avril 2004. Rubén Blades, 56 ans, est nommé ministre du Tourisme. Un aboutissement, une consécration pour cet artiste hors du commun, pur produit des rues de Panamá, devenu le véritable mégaphone du « *Pueblo Latino* ».

**Par Jérémie Kerouanton
(www.groovalizacion.com)**

Trop petit pour être joueur de baseball, certains l'ont cru trop grand pour être cavalier. Et pourtant… 9 530 victoires lui sont attribuées de 1964 à 2003 ! Un score mythique pour lequel « El Corsario » s'est battu nuit et jour : on raconte qu'il a dû s'astreindre tout au long de sa carrière à suivre un régime alimentaire draconien de 700 calories par jour, pour maintenir son poids autour des 50 kilos requis. Réputé pour sa ténacité et son courage, ce n'est que contraint et forcé qu'il a quitté le monde professionnel de l'équitation, suite à une mauvaise blessure.

Mariano Rivera

Numéro 42 au sein de l'équipe Yankees de New York depuis près de quinze ans, ce joueur de baseball, né à Panamá en 1969, reste l'une des figures sportives emblématiques du Panamá, bien que vivant et jouant aux Etats-Unis. Sacré meilleur joueur du championnat de la Ligue américaine en 2003, Mariano Rivera a décidé de poursuivre sa carrière avec les Yankees en acceptant la signature d'un nouveau contrat de 45 millions de dollars (2007-2010). Un joueur en or, dont on raconte qu'il souhaite devenir « missionnaire » évangéliste à sa retraite !

Irving Saladino

Né à Colón en 1983, c'est le premier athlète du Panama et même d'Amérique centrale à gagner une médaille d'or ! C'était aux Jeux olympiques de Pekin en 2008. Après un saut à 8,73 m, le 7e plus long de l'histoire, le 24 mai 2008 en Hengelo en Holande, « Canguro » (« Kangourou ») faisait figure de grand favori à Pékin. Il ne trembla pas et remporta la compétition avec un saut à 8,34 m. En juillet 2011, il obtient la médaille d'or au meeting Areva de Paris, avec un bond à 8,40 m, ce qui est prometteur pour les JO de 2012…

Samy et Sandra Sandoval

Frère et sœur, passionnés par la musique depuis leur plus jeune âge, leur réussite est un véritable phénomène au Panamá ! Natifs de Herrera, ils firent leurs premiers pas dans les provinces de l'intérieur du pays. Ils sont aujourd'hui aussi bien à l'affiche des fêtes de village que des concerts de la capitale. Le physique de Sandra,

ses tenues et ses chorégraphies, associés au charisme de Sammy, ne sont pas étrangers à leur commun succès. Leur musique inspirée du típico, aux influences nombreuses, est joyeuse et rythmée. Plus de quinze albums, aux paroles parfois peu tendres envers les hommes, comme sur *Hasta que el cuerpo aguante*. Et pourtant… Sandra a donné naissance à Luis Esteban en février 2008, et jusqu'au dernier moment les frangins se seront déhanchés sur les scènes du pays…

David Solís

Cet artiste panaméen, né dans le quartier populaire de Calidonia en 1953, construit une œuvre picturale, originale et poétique, dans laquelle il confronte son héritage latino-américain à la culture européenne. En effet, David Solis est installé depuis plus de trente ans dans le sud de la France où il se consacre à une recherche esthétique et identitaire. Formé à l'Ecole d'architecture et des beaux-arts de Panamá, puis à celle de Marseille-Luminy à la fin des années 1970, il y développe une remarquable maîtrise du dessin, de l'aquarelle, et y approfondit les techniques de la gravure. A partir des années 1980, avec de fréquents retours aux sources, au Panamá, mais aussi en Colombie et à Cuba, il se dédie à la peinture et explore, à mi-chemin entre abstraction et figuration, les genres du paysage, de la nature morte et du portrait. Panamá nourrit de toute évidence l'imaginaire de ce peintre. Il évite néanmoins de contribuer à une vision folklorique de son pays et prend de la distance avec l'archétype du paysage tropical. Gorgées d'humidité, ses toiles sont barrées d'archipels énigmatiques ou saturées de forêts impénétrables. Cet artiste nous invite à un voyage entre réalité et irréalité, les eaux sont troubles, les terres marécageuses, l'atmosphère moite et les rives incertaines. Il brouille les pistes et n'hésite pas à glisser des emprunts issus de voyages au Maroc ou en Afrique de l'Ouest. Il peint un monde fragile et mouvant, chargé d'énergie animiste. Ses toiles et dessins sont exposés en Europe, Amérique latine, notamment à Panamá au musée d'Art contemporain et à la galerie Habitante, ainsi qu'aux Etats-Unis. Son site : www.art-davidsolis.com

Lexique

Les hispanophones s'habitueront bien vite aux quelques spécificités de la langue panaméenne (« los pañamenismos ») et n'auront aucun souci à se faire comprendre ! Seuls quelques-uns de vos interlocuteurs vous regarderont peut-être avec de grands yeux ; il s'agit de certains membres des communautés amérindiennes qui ne parlent que leur propre langue. Nous avons donc choisi de vous proposer également un petit lexique emberá-wounaan-kuna pour encourager la prise de contact ! Quant à ceux qui ne parlent pas un traître mot de castillan, nous ne vous avons pas oublié !

Los pañamenismos

Vous remarquerez vite que la langue anglaise a influencé de nombreuses expressions. Comme en français, le verlan est parfois utilisé. Le lexique ci-après est plutôt du registre courant, voire familier.

▶ **Hola hola frén :** salut mon pote.

▶ **Todo está chilling o qué ? :** ça roule ou quoi ?

▶ **Bién pritti :** bien mignon(ne).

▶ **El man :** le mec.

▶ **Estoy full – está full :** je suis pleine – c'est plein.

▶ **Estar limpio :** être fauché.

▶ **Rentar :** louer.

▶ **Joven :** « jeune » en castillan mais on l'utilise pour interpeller communément un homme ou une femme sans distinction d'âge.

▶ **Gracias mi amor, mi corazón, mi cielo :** merci mon amour – mon cœur, mon ciel ! Il ne s'agit que d'une expression couramment utilisée mais sans sous-entendus…

▶ **Qué sopa ? :** ça gaze ? (verlan de qué pasó ?).

▶ **Qué sopa block ? :** ça roule mon pote ?

▶ **Qué lo qué es ? :** quoi de neuf ?

▶ **Chevere – bien chevere :** super.

▶ **Pega duro :** ça marche du tonnerre.

▶ **Diez palos :** 10 dollars.

▶ **Mopri :** cousin (verlan de primo).

▶ **El yeye :** le fils à papa.

▶ **Racataca :** racaille.

▶ **Ahuevado – pendejo :** couillon (se prononce awuewao).

▶ **La rumba :** la fête.

▶ **Tiene buena onda :** il/elle a de bonnes vibrations – chouette.

▶ **A rumbear :** allons faire la fête..

▶ **El guarometro :** l'alcootest.

▶ **Dale pues ! :** Vas-y donc !

▶ **Bien yeye ! :** Bien branché !

▶ **Chucha – chuleta :** punaise.

▶ **Alla la vida :** ah là là, mon Dieu…

▶ **La vaina :** le truc, le machin.

▶ **La buya :** le bazar.

▶ **Una chica sabrosa :** une jolie fille (littéralement « savoureuse »).

▶ **El bam bam :** le derrière (le popotin).

DÉCOUVERTE

Et en kuna, emberá et wounaan ?

Français	Kuna	Emberá	Wounaan
Bonjour	*nuégambi*	*bihabuha*	*hakpaïsi*
Au revoir	*deguimaló*	*abanúdiapeda*	*húaïm*
Oui	*eye*	*maé*	*tchatcha*
Non	*suly*	*aha*	*tchatchabam*
Merci	*nuhét*	*bihabuha*	*húaïm*
Homme blanc	*sippu*	*embera torsa*	*bokhóm*
Homme latin	*waga*	*campuniá*	*négor*
Père	*bába*	*céza*	*munhaï*
Mère	*nána*	*pápa*	*munhat*
Maison	*nega*	*dé*	*dii*
Hamac	*katchi*	*jirabá*	*Hamáa*
Pirogue	*hulú*	*hambá*	*háp*
Manger	*mascunner*	*nécodé*	*tashcom*
Riz	*orós*	*arroz*	*arroz*
Poulet	*canmir*	*terré*	*athar*
Poisson	*uá*	*betá*	*awar*
Boire	*gobé*	*baytotora*	*dobá*
Comprendre	*itogé*	*yakabasia*	*umbá*
Jour	*ivgin*	*eváu una*	*astáu*
Nuit	*mutic*	*diamassi*	*edar*
Lune	*niï*	*edeko*	*ed-daho*
Soleil	*dada*	*besea*	*edbttu*
Étoile	*niscua*	*lucero*	*kukuy*
Mer	*denmhaár*	*pusá*	*dokier*

Ce lexique nous a été gracieusement fourni par Michel Puech, de l'agence Panamá Exotic Adventures.

Communiquer en espagnol

Aborder une langue est aussi approcher un peuple : sa culture, son système de valeurs, sa façon d'organiser la vie, ses normes, ses sentiments... en un mot : son âme.

Ainsi, même si votre séjour est court ou que vous partez encadré (voyage organisé ou autre) mais que vous voulez goûter vraiment au pays, partez en explorateur curieux, profitez de chaque occasion pour aller à la rencontre des « gens du pays ».

Attention : *la prononciation donnée dans ces quelques pages est celle de l'espagnol ibérique, c'est-à-dire du castillan d'Espagne. Dans les pays d'Amérique latine, il existe quelques différences de prononciation, comme celle du z et du c (devant e et i) qui sont prononcés ss. Côté grammaire, vous trouverez également quelques petites différences dans la conjugaison de la 2ᵉ personne du pluriel des verbes (« vous »), ainsi que dans le vocabulaire de certains mots locaux (plantes, animaux et autres américanismes), mais cela ne vous empêchera pas de vous faire comprendre.*

Cette rubrique est réalisée en partenariat avec

La prononciation

Voici les lettres et combinaisons de lettres dont la prononciation diffère du français (chaque voyelle se prononce distinctement) :

- **e**   toujours *é*
- **u**   toujours *ou*, sauf dans les combinaisons **gue, gui** et **qu** (où il est muet)
- **c**   devant **e** ou **i,** comme le *s* de *serpent* fortement zozoté ; devant les autres voyelles, comme en français
- **d**   en fin de mot, se prononce à peine ou même pas du tout
- **g**   comme en français dans les combinaisons **gue** et **gui** ; devant **e** ou **i** voir prononciation de **j**
- **j**   son guttural ressemblant à un raclement de gorge, il sera transcrit *H*
- **ll**   comme le *l* mouillé français dans *million*, il sera transcrit *y*
- **ñ**   comme *gn* en français
- **r**   roulé doux s'il est simple, entre voyelles ou en fin de mot
          très roulé s'il est initial, doublé ou placé après **l, n** ou **s**
- **s**   toujours *ss*
- **v**   pratiquement comme **b**
- **y**   comme en français dans *yaourt* ; *i* quand il est seul, en fin de mot ou de syllabe
- **z**   comme le *s* de *serpent* fortement zozoté, il sera transcrit *Z*

La grammaire

La phrase

La structure de la phrase espagnole est très proche de la française. Vous n'aurez en général aucune difficulté à vous exprimer correctement en partant des modèles français. Rappelons toutefois quelques détails :

L'interrogation

Pour les questions simples auxquelles votre interlocuteur pourra répondre par **si,** *oui,* ou par **no,** *non,* il vous suffira de faire une phrase affirmative ou négative.

Il faudra lui donner une intonation interrogative à l'oral, ou au moyen de la ponctuation adéquate (¿...?) à l'écrit :

▶ **Te llamas Carlos.**
té yamass carloss
Tu t'appelles Carlos.

▶ **¿Te llamas Carlos?**
té yamass carloss
(Est-ce que) tu t'appelles Carlos ?

Bien entendu, tout n'est pas aussi simple et vous serez également amené à poser des questions ouvertes avec des mots interrogatifs auxquelles les réponses ne seront pas *oui* ou *non*. Voici quelques mots qui vous aideront à formuler des questions :

▶ **¿qué?**	*qué*	que ?, quoi ?, qu'est-ce que ?
▶ **¿quién? ¿quiénes?**	*quié'n / quiénéss*	qui ? (sing. / pl.)
▶ **¿cuál?**	*coual*	lequel, laquelle ?
▶ **¿cómo?**	*como*	comment ?
▶ **¿por qué?**	*por qué*	pourquoi ?
▶ **¿cuánto?**	*coua'nto*	combien ? (invariable devant un verbe)
▶ **¿cuánto, a, os, as?**	*coua'nto, a, oss, ass*	combien de ? (se rapportant à un nom)
▶ **¿cuándo?**	*coua'ndo*	quand ?
▶ **¿dónde?**	*do'ndé*	où ?
▶ **¿de dónde?**	*dé do'ndé*	d'où ?
▶ **¿adónde?**	*ado'ndé*	(vers) où ?

La négation

No équivaut à la fois à *non* et à *ne... pas*. Dans une phrase négative, **no** précède toujours le verbe.

▶ **¿No quieres comer?**
no quiéréss comér
Tu ne veux pas manger ?

▶ **nada**	*nada*	rien
▶ **nadie**	*nadié*	personne
▶ **ni**	*ni*	ni
▶ **ninguno**	*ni'ngouno*	aucun
▶ **nunca / jamás**	*nou'nca / Hamass*	jamais
▶ **tampoco**	*ta'mpoco*	non plus

Le verbe

En espagnol, il y a trois groupes de conjugaisons :

- premier groupe : verbes en **–ar,** comme **hablar** *ablar,* parler ;
- deuxième groupe : verbes en **–er,** comme **comer** *comér,* manger ;
- troisième groupe : verbes en **–ir,** comme **vivir** *bibir,* vivre.

Mais il existe aussi un certain nombre de verbes irréguliers qui comptent parmi les plus courants.

Le verbe espagnol n'a pas besoin d'être accompagné du pronom personnel.

• Le présent des verbes réguliers

- **hablar** (groupe en **-ar**)

▶ **hablo**	*ablo*	je parle
▶ **hablas**	*ablass*	tu parles
▶ **habla**	*abla*	il / elle parle / vous parlez (vouvoiement sing.)

▌ **hablamos** *ablamoss* nous parlons
▌ **habláis** *ablaïss* vous parlez (tutoiement pl.)
▌ **hablan** *ablan* ils / elles parlent ou vous parlez (vouvoiement pl.)

- **comer** (groupe en **-er**)

▌ **como** *como* je mange
▌ **comes** *coméss* tu manges
▌ **come** *comé* il / elle mange ou vous mangez (vouvoiement sing.)
▌ **comemos** *comémoss* nous mangeons
▌ **coméis** *coméïss* vous mangez (tutoiement pl.)
▌ **comen** *comé'n* ils / elles mangent ou vous mangez (vouvoiement pl.)

- **vivir** (groupe en **-ir**)

▌ **vivo** *bibo* je vis
▌ **vives** *bibéss* tu vis
▌ **vive** *bibé* il / elle vit ou vous vivez (vouvoiement sing.)
▌ **vivimos** *bibimoss* nous vivons
▌ **vivís** *bibiss* vous vivez (tutoiement pl.)
▌ **viven** *bibé'n* ils / elles vivent ou vous vivez (vouvoiement pl.)

• **Le verbe avoir**

- **tener** *ténér*, avoir (posséder)

▌ **tengo** *té'ngo* j'ai
▌ **tienes** *tiénéss* tu as
▌ **tiene** *tiéné* il / elle a ou vous avez (vouvoiement sing.)
▌ **tenemos** *ténémoss* nous avons
▌ **tenéis** *ténéïss* vous avez (tutoiement pl.)
▌ **tienen** *tiéné'n* ils / elles ont ou vous avez (vouvoiement pl.)

• **Les deux verbes « être » : « ser » et « estar »**

- **Ser**

▌ **soy** *soï* je suis
▌ **eres** *éréss* tu es
▌ **es** *éss* il / elle est ou vous êtes (vouvoiement sing.)
▌ **somos** *somoss* nous sommes
▌ **sois** *soïss* vous êtes (tutoiement pl.)
▌ **son** *so'n* ils / elles sont ou vous êtes (vouvoiement pl.)

On emploie **ser** pour :
• exprimer une caractéristique liée à la nature d'une personne ou d'une chose :

▌ **Isabel es muy simpática.**
issabél éss mouï si'mpatica
Isabel est très sympathique.

• indiquer la profession, la nationalité, la religion ;
• identifier une personne, indiquer l'appartenance, la provenance.

- **Estar**

▌ **estoy** *éstoï* je suis
▌ **estás** *éstass* tu es
▌ **está** *ésta* il / elle est ou vous êtes (vouvoiement sing.)
▌ **estamos** *éstamoss* nous sommes
▌ **estáis** *éstaïss* vous êtes (tutoiement pl.)
▌ **están** *ésta'n* ils / elles sont ou vous êtes (vouvoie pl.)

DÉCOUVERTE

On emploie **estar** pour :
- situer dans l'espace ;
- exprimer un état d'esprit, une humeur, un état physique momentané ;

▶ **Estoy muy contento.**
éstoï mouï co'nté'nto
Je suis très content.

Un « petit truc » : chaque fois que vous pourrez remplacer le verbe *être* par *se trouver*, il conviendra d'employer **estar**.

- **Quelques mots autour du passé**
Comme le français, l'espagnol connaît plusieurs manières d'exprimer le passé.

- Le passé composé

En espagnol, le *passé composé* de <u>tous</u> les verbes se construit avec l'auxiliaire **haber,** *avoir*, + le participe passé du verbe correspondant qui, lui, reste invariable en toute circonstance. Vous n'aurez donc aucun mal à vous en servir spontanément.

haber *abér,* avoir (auxiliaire)

▶ **he**	*é*	j'ai
▶ **has**	*ass*	tu as
▶ **ha**	*a*	il / elle a ou vous avez (vouvoiement sing.)
▶ **hemos**	*émoss*	nous avons
▶ **habéis**	*abéïss*	vous avez (tutoiement pl.)
▶ **han**	*a'n*	ils / elles ont ou vous avez (vouvoiement pl.)

- Le participe passé

La terminaison en **-ado** caractérise tous les participes passés des verbes en **-ar.**
La terminaison en **-ido** est celle que prennent tout aussi bien les verbes en **-er** que les verbes en **-ir** (à l'exception de ceux qui sont irréguliers).

- **Exprimer un futur proche**
Il existe, bien entendu, en espagnol un « vrai » futur mais le plus simple pour débuter est de vous servir du « futur proche ». Dans ce cas, généralement on utilise **ir,** *aller,* **+ a.**

▶ **Vamos a tomar un café.**
bamoss a tomar ou'n café
Nous allons prendre un café.

Il existe bien sûr un vrai futur ; il se forme en ajoutant à l'infinitif du verbe que l'on souhaite employer les terminaisons du présent de **haber,** *avoir,* (+ l'accent qui correspond) : **é, ás, á, emos, éis, án** ; pratique, n'est-ce pas ?
Ces terminaisons sont valables pour les verbes des trois conjugaisons.

La conversation

Quelques mots utiles

▶ Avez-vous un dépliant avec les horaires ?
¿Tiene un folleto con los horarios?
tiéné ou'n foyéto co'n loss orarioss

▶ À quelle heure ouvrent les magasins / les banques... ?
¿A qué hora abren las tiendas / los bancos...?
a qué ora abré'n lass tié'ndass / loss ba'ncoss

▶ Savez-vous où il y a une cabine téléphonique / une station de taxis / un hôpital... ?
¿Sabe dónde hay una cabina telefónica / una parada de taxis / un hospital...?
sabé do'ndé aï ouna cabina téléfonica / ouna parada dé taxiss / ou'n ospital

▷ Y a-t-il quelqu'un qui parle allemand / français / anglais / italien...?
¿Hay alguien que hable alemán / francés / inglés / italiano...?
aï alguié'n qué ablé aléma'n / fra'nZéss / i'ngléss / italiano

▷ Où se trouve le commissariat de police ?
¿Dónde está la comisaría de policía?
do'ndé ésta la comissaria dé poliZia

▷ Où se trouve le consulat de... ?
¿Dónde está el consulado de...?
do'ndé ésta él co'nsoulado dé...

▷ Où se trouve l'ambassade de... ?
¿Dónde está la embajada de...?
do'ndé ésta la é'mbaHada dé

▷ Où sont les toilettes ?
¿Dónde están los servicios / aseos?
do'ndé ésta'n loss sérbiZioss / asséoss

▷ J'ai besoin de...
Necesito...
néZéssito

Vous n'avez rien compris ? Essayez ça !

▷ Je ne parle pas bien espagnol.
No hablo bien español.
no ablo bié'n éspagnol

▷ Parlez-vous français ?
¿Habla (usted) francés?
abla (ousté^d) fra'nZéss

▷ Comment avez-vous / as-tu dit ?
¿Cómo ha / has dicho?
como a / ass ditcho

▷ Comment dit-on... en espagnol ?
¿Cómo se dice... en español?
como sé diZé é'n éspagnol

▷ Qu'est-ce que ça veut dire ?
¿Qué quiere decir esto / eso ?
qué quiéré déZir ésto / ésso

Ce guide vous propose les bases de la grammaire et du vocabulaire de la langue espagnole, comprise dans l'ensemble des pays hispanophones. Des phrases utiles vous permettront de vous débrouiller rapidement.

DÉCOUVERTE

◗ Excusez-moi, je n'ai pas compris.
Perdone, no he entendido.
pérdoné, no é é'nté'ndido

◗ Pouvez-vous répéter, s'il vous plaît ?
¿Puede repetir, por favor?
pouédé répétir, por fabor

◗ Plus lentement, s'il vous/te plaît.
Más despacio, por favor.
mass déspaZio, por fabor

◗ Pourriez-vous / pourrais-tu me l'écrire ?
¿Podría / podrías escribírmelo?
podria / podriass éscribirmélo

◗ Comment vous dites ?
¿Cómo dice?
como diZé

◗ Je comprends. / Je ne comprends pas.
Entiendo. / No entiendo.
é'ntié'ndo / no é'ntié'ndo

◗ Que signifie... ?
¿Qué significa...?
qué sig'nifica

Questions et phrases de base

◗ Avez-vous / As-tu... ?
¿Tiene / Tienes...?
tiéné / tiénéss

◗ Savez-vous / Sais-tu... ?
¿Sabe / Sabes...?
sabé / sabéss

◗ Y a-t-il... ?
¿Hay...?
aï

◗ Je cherche...
Busco...
bousco

◗ J'ai besoin de...
Necesito...
néZéssito

◗ Je veux...
Quiero...
quiéro

◗ Je voudrais...
Quisiera...
quissiéra

◗ Combien coûte(nt)... ?
¿Cuánto cuesta(n)...?
coua'nto couésta('n)

◗ Où est / Où se trouve... ?
¿Dónde está...?
do'ndé ésta

◗ Emmenez-moi à...
Lléveme a...
yébémé a

◗ S'il vous plaît, pouvez-vous m'aider ?
Por favor, ¿puede ayudarme?
por fabor, pouédé ayoudarmé

Les indispensables

◗ oui / non	**sí / no**	*si / no*
◗ s'il vous/te plaît	**por favor**	*por fabor*
◗ merci	**gracias**	*graZiass*
◗ merci beaucoup	**muchas gracias**	*moutchass graZiass*
◗ de rien	**de nada**	*dé nada*
◗ d'accord	**vale / de acuerdo**	*balé / dé acouérdo*
◗ Salut !	**¡Hola!**	*ola*
◗ Bonjour !	**¡Buenos días!**	*buénoss diass*
◗ Bon après-midi ! / Bonsoir !	**¡Buenas tardes!**	*bouénass tardéss*
◗ Bonsoir ! / Bonne nuit !	**¡Buenas noches!**	*bouénass notchéss*
◗ Au revoir !	**¡Adiós!**	*adioss*
◗ À bientôt !	**¡Hasta pronto!**	*asta pro'nto*
◗ À tout à l'heure !	**¡Hasta luego !**	*asta louégo*
◗ Pardon.	**Perdón.**	*pérdo'n*
◗ Excusez-moi. / Excuse-moi.	**Perdone. / Perdona.**	*pérdoné / pérdona*
◗ Je regrette. / Je suis désolé(e)	**Lo siento (mucho).**	*lo sié'nto (moutcho)*
◗ Ce n'est rien.	**No ha sido nada.**	*no a sido nada*
◗ À l'aide ! / Au secours !	**¡Ayuda! / ¡Socorro!**	*ayouda / socorro*
◗ Enchanté/e.	**Encantado/a.**	*é'nca'ntado/a*
◗ Ça va ? / Comment ça va ?	**¿Qué tal?**	*qué tal*
◗ Comment vas-tu/allez-vous ?	**¿Cómo estás/está?**	*como éstas / ésta*
◗ bien / mal	**bien / mal**	*bié'n / mal*
◗ Allô ?	**¿Diga? / ¿Sí?**	*diga / si*
◗ Bon appétit !	**¡Buen provecho!**	*boué'n probétcho*
◗ Bon voyage !	**¡Buen viaje!**	*boué'n biaHé*

Panneaux, affiches et autres instructions... « à suivre » !

◗ À louer	**Se alquila**	*sé alquila*
◗ À vendre	**Se vende**	*sé bé'ndé*
◗ Baignade interdite	**Prohibido bañarse**	*proïbido bagnarsé*
◗ Caisse	**Caja**	*caHa*
◗ Chaud	**Caliente**	*calié'nté*
◗ Complet	**Completo**	*co'mpléto*
◗ Danger	**Peligro**	*péligro*
◗ Entrée	**Entrada**	*é'ntrada*
◗ Entrée interdite	**Prohibida la entrada**	*proïbida la é'ntrada*
◗ Fermé	**Cerrado**	*Zérrado*
◗ Interdit de fumer	**Prohibido fumar**	*proïbido foumar*
◗ La poste	**Correos**	*corréoss*
◗ Libre	**Libre**	*libré*
◗ Messieurs / Dames	**Señores / Señoras**	*ségnoréss / ass*
◗ Occupé	**Ocupado**	*ocoupado*
◗ Ouvert	**Abierto**	*abiérto*
◗ Passage interdit	**Prohibido el paso**	*proïbido él passo*
◗ Plage	**Playa**	*playa*

Le voyage en poche

collection
Langues de poche

l'indispensable
pour comprendre
et être compris

Le Grec
de poche

L'Hébreu
de poche

L'Espagnol
de poche

Le "Chtimi!"
de poche
Parler du Nord et du Pas-de-Calais

Le Chinois
de poche

L'Anglais
britannique
de poche

Kit de conversation
Thaï

Kit de conversation
Arabe
Marocain
Un livre + un CD audio

Kit de conversation
Espagnol de
Cuba
Un livre + un CD audio

ASSiMiL ®
Langues de poche

▶ Pousser · **Empujar** · *é'mpouHar*
▶ Sortie · **Salida** · *salida*
▶ Toilettes · **Servicios / Aseos** · *sérbiZioss / asséoss*

Se dx

▶ Je voudrais un billet pour Barcelone, s'il vous plaît.
Quisiera un billete para Barcelona, por favor.
quissiéra ou'n biyété para barZélona, por fabor

▶ À quelle heure part le car pour... ?
¿A qué hora sale el autobús para...?
a qué ora salé él aoutobouss para

▶ Combien coûte le voyage à Tolède ?
¿Cuánto cuesta el viaje a Toledo?
coua'nto couésta él biaHé a tolédo

▶ Où puis-je acheter les billets ?
¿Dónde puedo comprar los billetes?
do'ndé pouédo co'mprar loss biyétéss

▶ aéroport · **aeropuerto** · *aéropouérto*
▶ arrêt, station · **parada** · *parada*
▶ arrivée · **llegada** · *yégada*
▶ avion · **avión** · *abio'n*
▶ bagages · **equipaje** · *équipaHé*
▶ bateau · **barco** · *barco*
▶ billet · **billete** · *biyété*
▶ aller retour · **ida y vuelta** · *ida i bouélta*
▶ aller simple · **sólo ida** · *solo ida*
▶ couchette · **litera** · *litéra*
▶ départ / sortie · **salida** · *salida*
▶ gare de chemins de fer · **estación de trenes** · *éstaZio'n dé trénéss*
  estación de ferrocarril · *éstaZio'n dé férrocarril*
  estación de RENFE · *éstaZio'n dé rré'nfé*
▶ gare routière · **estación de autobuses** · *éstaZio'n dé aoutobousséss*
▶ guichet · **ventanilla** · *bé'ntaniya*
▶ métro · **metro** · *métro*
▶ port · **puerto** · *pouérto*
▶ prix (coût) · **precio** · *préZio*
▶ quai · **andén** · *a'ndé'n*
▶ quai (d'un port) · **muelle** · *mouéyé*
▶ réservation · **reserva** · *rréssérba*
▶ sac à dos · **mochila** · *motchila*
▶ siège, place assisse · **asiento** · *assié'nto*
▶ taxi · **taxi** · *taxi*
▶ terminus (cars) aérogare (avions) · **terminal** · *términal*
▶ valise · **maleta** · *maléta*
▶ voie · **vía** · *bia*
▶ voiture-lit · **coche cama** · *cotché cama*
▶ vol · **vuelo** · *bouélo*

▶ Savez-vous où il y a une pompe à essence ?
¿Sabe (usted) dónde hay una gasolinera?
sabé (ousté^d) do'ndé aï ouna gassolinéra

DÉCOUVERTE

▌ Savez-vous où il y a une station-service ?
¿Sabe (usted) dónde hay una estación de servicio?
sabé (ousté[d]) do'ndé aï ouna éstaZio'n dé sérbiZio

▌ Le plein, s'il vous plait.
Lleno, por favor.
yéno, por fabor

▌ Y a-t-il un garage près d'ici ?
¿Hay un garaje por aquí cerca?
aï ou'n garaHé por aqui Zérca

▌ autoroute à péage	**autopista de peaje**	*aoutopista dé péaHé*
▌ batterie	**batería**	*batéria*
▌ carte routière	**mapa de carreteras**	*mapa dé carrétérass*
▌ essence	**gasolina**	*gassolina*
▌ gas-oil	**gasóleo / gasoil**	*gassoléo / gassoïl*
▌ huile	**aceite**	*aZéité*
▌ panne (avoir une / être en ~)	**avería (tener una ~)**	*ténér ouna abéria*
▌ pompe à essence	**gasolinera**	*gassolinéra*
▌ sans plomb	**sin plomo**	*si'n plomo*
▌ super	**súper**	*souper*
▌ travaux	**obras**	*obrass*
▌ voie rapide	**autovía**	*aoutobia*
▌ voiture	**coche**	*cotché*

Pour s'orienter

▌ Excusez-moi, pour aller à la gare ?
Perdone, ¿para ir a la estación?
pérdoné, para ir a la éstaZio'n

▌ à côté de	**al lado de**	*al lado dé*
▌ à droite	**a la derecha**	*a la dérétcha*
▌ à gauche	**a la izquierda**	*a la iZquiérda*
▌ ambassade	**embajada**	*é'mbaHada*
▌ après	**después**	*déspouéss*
▌ au bout de	**al final de**	*al final dé*
▌ au fond	**al fondo**	*al fo'ndo*
▌ avenue	**avenida**	*abénida*
▌ centre	**centro**	*Zé'ntro*
▌ d'abord	**primero**	*priméro*
▌ église	**iglesia**	*igléssia*
▌ ensuite	**luego**	*louégo*
▌ ici / là / là-bas	**aquí / ahí / allí**	*aqui / aï / ayi*
▌ loin	**lejos**	*léHoss*
▌ mairie	**ayuntamiento**	*ayou'ntamié'nto*
▌ parc	**parque**	*parqué*
▌ place	**plaza**	*plaZa*
▌ plage	**playa**	*playa*
▌ plan de ville	**mapa de la ciudad**	*mapa de la Ziouda[d]*
▌ pointe (cap)	**punta**	*pou'nta*
▌ près	**cerca**	*Zérca*
▌ quartier	**barrio**	*barrio*
▌ route	**carretera**	*carrétéra*
▌ rue	**calle**	*cayé*
▌ tout droit	**todo recto**	*todo rrécto*

| village | **pueblo** | *pouéblo* |
| ville | **ciudad** | *Ziouda[d]* |

L'hébergement

auberge	**albergue**	*albérgué*
appartement	**apartamento**	*apartamé'nto*
camping	**camping**	*ca'mpi'ng*
pension de famille	**casa de huéspedes / pensión**	*cassa dé ouéspédess pé'nsio'n*
gîte rural	**casa rural**	*cassa roural*
une chambre	**una habitación**	*ouna abitaZio'n*
petit hôtel	**hostal**	*ostal*
hôtel	**hotel**	*otél*
avec bain	**con baño**	*co'n bagno*
avec douche	**con ducha**	*co'n doutcha*
avec deux lits	**con dos camas**	*co'n doss camass*
un grand lit	**una cama de matrimonio**	*ouna cama dé matrimonio*
demi-pension	**media pensión**	*media pé'nsio'n*
pension complète	**pensión completa**	*pé'nsio'n co'mpléta*
laverie automatique / pressing	**lavandería**	*laba'ndérla*

Avez-vous une chambre libre, s'il vous plaît ?
¿Tienen una habitación libre, por favor?
tiéné'n ouna abitaZio'n libré, por fabor

Boire et manger

Restaurant	**Restaurante**	*rréstaoura'nté*
Brasserie	**Cervecería**	*ZérbéZérla*
Bar où l'on écoute de la musique	**Bar musical**	*bar moussical*
Bar à cocktails	**Coctelería**	*coctéléria*
Club	**Club**	*cloub*
Discothèque	**Discoteca**	*discotéca*
Pub	**Pub**	*pab*

Garçon, s'il vous plaît...
Camarero, por favor...
camaréro por fabor

Je peux voir la carte ?
¿Puedo ver la carta?
pouédo bér la carta

Avez-vous...?
¿Tiene (usted)...?
tiéné (ousté[d])...

Je voudrais... / Nous voudrions...
Quisiera... / Quisiéramos...
quissiéra / quissiéramoss

L'addition, s'il vous plaît.
La cuenta, por favor.
la coué'nta, por fabor

Gardez la monnaie.
Quédese con la vuelta.
quédéssé co'n la bouélta

DÉCOUVERTE

petit déjeuner	desayuno	*désayouno*
apéritif	aperitivo	*apéritibo*
déjeuner	comida / almuerzo	*comida / almouérZo*
goûter	merienda	*mérié'nda*
dîner / souper	cena	*Zéna*
eau plate	agua (mineral) sin gas	*agoua (minéral) si'n gass*
eau gazeuse	agua (mineral) con gas	*agoua (minéral) co'n gass*
boisson	bebida	*bébida*
café noir	café (solo)	*café (solo)*
café au lait /café crème	café con leche	*café co'n létché*
bière	cerveza	*ZérbéZa*
chocolat	chocolate	*tchocolaté*
limonade	gaseosa	*gasséossa*
thé	té	*té*
vin rouge / blanc	vino tinto / blanco	*bino ti'nto / bla'nco*
jus d'orange	zumo de naranja	*Zoumo dé nara'nHa*
jus de pomme	zumo de manzana	*Zoumo dé ma'nZana*
jus de raisin	zumo de uva	*Zoumo dé ouba*

Faire des achats

la boîte aux lettres	el buzón	*él bouZo'n*
bon marché	barato	*barato*
boutique / magasin	tienda	*tié'nda*
boulangerie	panadería	*panadéria*
bureau de tabac	estanco	*ésta'nco*
la carte postale	la (tarjeta) postal	*la (tarHéta) postal*
cher	caro	*caro*
l'enveloppe	el sobre	*él sobré*
la lettre	la carta	*la carta*
librairie	librería	*libréria*
marché	mercado	*mércado*
pharmacie	farmacia	*farmaZia*
le timbre	el sello	*él séyo*

Avez-vous...?
¿Tiene (usted)...?
tiéné (ousté ᵈ)

Combien ça coûte ?
¿Cuánto cuesta?
coua'nto couésta

Celui-ci me plaît / ne me plaît pas.
Éste me gusta / no me gusta.
ésté mé gousta / no mé gousta

Quel est son prix ?
¿Qué precio tiene? / ¿Cuánto vale ?
qué préZio tiéné / coua'nto balé

Le temps qui passe

après	después	*déspouéss*
après demain	pasado mañana	*passado magnana*
aujourd'hui	hoy	*oï*
avant	antes	*a'ntéss*
avant-hier	antes de ayer / anteayer	*a'ntéss dé ayér / a'ntéayer*
demain	mañana	*magnana*

▶ hier	**ayer**	*ayér*
▶ maintenant	**ahora**	*aora*
▶ plus tard / après	**más tarde / luego**	*mass tardé / louégo*
▶ plus tôt	**más pronto**	*mass pro'nto*
▶ souvent	**a menudo**	*a ménoudo*
▶ tard	**tarde**	*tardé*
▶ tôt	**pronto**	*pro'nto*
▶ toujours	**siempre**	*sié'mpré*
▶ la matinée	**la mañana**	*la magnana*
▶ l'après-midi	**la tarde**	*la tardé*
▶ le soir / la nuit	**la noche**	*la notché*
▶ un jour	**un día**	*ou'n dia*
▶ une semaine	**una semana**	*ouna sémana*
▶ un mois	**un mes**	*ou'n méss*
▶ un an / une année	**un año**	*ou'n agno*

DÉCOUVERTE

• **L'heure**
▶ Quelle heure est-il ?
¿Qué hora es?
qué ora éss

▶ Il est une heure. / Il est deux, trois, quatre... heures
Es la una. / Son las dos, las tres, las cuatro...
éss la ouna / so'n lass doss, lass tréss, lass couatro

▶ Il est une heure cinq.
Es la una y cinco.
éss la ouna i Zi'nco

▶ moins	**menos**	*ménoss*
▶ et quart	**y cuarto**	*i couarto*
▶ moins le quart	**menos cuarto**	*menoss couarto*
▶ et demie	**y media**	*i média*
▶ pile, juste, précises	**en punto**	*é'n pou'nto*

▶ Il est midi.
Son las doce ou Son las doce de la mañana.
so'n lass doZé / so'n lass doZé dé la magnana

▶ Il est minuit.
Son las doce ou Son las doce de la noche.
so'n lass doZé / so'n lass doZé dé la notché

• **Les jours de la semaine**

▶ lundi	**lunes**	*lounéss*
▶ mardi	**martes**	*martéss*
▶ mercredi	**miércoles**	*miércoléss*
▶ jeudi	**jueves**	*Houébéss*
▶ vendredi	**viernes**	*biérnéss*
▶ samedi	**sábado**	*sabado*
▶ dimanche	**domingo**	*domi'ngo*

• **Les mois et la date**

▶ janvier	**enero**	*énéro*
▶ février	**febrero**	*fébréro*
▶ mars	**marzo**	*marZo*
▶ avril	**abril**	*abril*

mai	**mayo**	*mayo*
juin	**junio**	*Hounio*
juillet	**julio**	*Houlio*
août	**agosto**	*agosto*
septembre	**septiembre**	*séptié'mbré*
octobre	**octubre**	*octoubré*
novembre	**noviembre**	*nobié'mbré*
décembre	**diciembre**	*diZié'mbré*

Les nombres

0	**cero**	*Zéro*
1	**uno**	*ouno*
2	**dos**	*doss*
3	**tres**	*tréss*
4	**cuatro**	*couatro*
5	**cinco**	*Zi'nco*
6	**seis**	*séïss*
7	**siete**	*siété*
8	**ocho**	*otcho*
9	**nueve**	*nouébé*
10	**diez**	*diéZ*
11	**once**	*o'nZé*
12	**doce**	*doZé*
13	**trece**	*tréZé*
14	**catorce**	*catorZé*
15	**quince**	*qui'nZé*
16	**dieciséis**	*diéZisséïss*
17	**diecisiete**	*diéZissiété*
18	**dieciocho**	*diéZiotcho*
19	**diecinueve**	*diéZinouébé*
20	**veinte**	*béi'nté*
21	**veintiuno**	*béi'ntiouno*
22	**veintidós**	*béi'ntidoss*
23	**veintitrés**	*béi'ntitréss*
24	**veinticuatro**	*béi'nticouatro*
25	**veinticinco**	*béi'ntiZi'nco*
26	**veintiséis**	*béi'ntisséïss*
27	**veintisiete**	*béi'ntissiété*
28	**veintiocho**	*béi'ntiotcho*
29	**veintinueve**	*béi'ntinouébé*
30	**treinta**	*tréi'nta*
40	**cuarenta**	*couaré'nta*
50	**cincuenta**	*Zi'ncoué'nta*
60	**sesenta**	*séssé'nta*
70	**setenta**	*sété'nta*
80	**ochenta**	*otché'nta*
90	**noventa**	*nobé'nta*
100	**cien(to)**	*Zié'n(to)*
200	**doscientos / -as**	*dosZié'ntoss / -ass*
300	**trescientos / -as**	*trésZié'ntos / -ass*
1 000	**mil**	*mil*
2 000	**dos mil**	*doss mil*
1 000 000	**un millón**	*ou'n miyo'n*

Panamá la Vieja.
© INAT PANAMÁ

Panamá Ciudad

Bienvenue à Panamá, City ou Ciudad, au choix, selon l'humeur... Votre découverte du pays commencera sans doute par cette capitale tropicale, vivante et cosmopolite, où la circulation est anarchique, les panneaux publicitaires géants, les bus pétaradants, le bruit des Klaxons et marteaux piqueurs assourdissants... Une capitale déboussolante et fatigante mais qui saura vous captiver ! La Ciudad, comme l'appellent les capitalinos, dégage quelque chose de magique. Ambiance survoltée et nonchalance s'y mêle allègrement. Sur le viaduc qui enjambe la baie pour relier les ruines de la « vieille » ville coloniale aux malls et aux gratte-ciel de Paitilla, les 4x4 rutilants aux vitres teintées font la course avec les taxis déglingués. Dans les airs, papillons et colibris dansent entre les élégantes tours de verre comme dans l'épaisse forêt tropicale du parc naturel métropolitain ou du mont Ancón. Quant aux pélicans, ils préfèrent survoler l'avenida Balboa qui longe la baie, pour rejoindre le centre colonial sur sa péninsule.

Le Casco Antiguo, ou Casco Viejo, est l'un des plus beaux quartiers historiques d'Amérique latine : un véritable joyau à l'architecture éclectique, témoignage de son histoire. Populaire et bohème, il s'embourgeoise depuis son inscription en 1997 sur la liste du patrimoine mondial de l'Unesco. De ses remparts, la vue est remarquable : des tours du quartier d'affaires à l'élégant pont des Amériques, en passant par les îles du Causeway et les immeubles aux couleurs pastel du quartier populaire du Chorillo. Dans la brume marine, on devine les silhouettes des paquebots qui patientent avant de pénétrer dans le canal tout proche. L'atmosphère de Santa Ana est tout aussi envoûtante. Dans l'avenida Central, on rencontre un échantillonnage de toutes les origines, couleurs et musiques du pays qui le rendent si attachant. Cette longue enfilade de magasins, piétonne et animée, descend vers la place 5 de Mayo où passent les « diables rouges ». Montez donc à bord de l'un de ces vieux bus graffés de couleurs vives (avant qu'ils ne disparaissent du paysage urbain), c'est le meilleur moyen d'apprendre le nom des grands axes de la capitale qui vous seront bientôt familiers : Vía España, Calle 50, Calle 12, Transístmica, Panamá Viejo...

Histoire

Panamá La Vieja est la première cité espagnole fondée sur le Pacifique. Sa fondation date du 15 août 1519, six ans après la découverte de la mer du Sud par Vasco Nuñez de Balboa. En 1521, ce paisible village de pêcheurs prend le titre de Ciudad Real (« Cité royale ») et devient le centre politique, religieux et commercial de la « Terre ferme ». Les plus grandes richesses d'Amérique centrale et du Sud y sont entreposées, avant d'être transportées sur des chemins traversant la jungle jusqu'à l'océan Atlantique : Camino Real et Camino de Cruces. La cité prospère très vite, attisant les convoitises des pirates et flibustiers. En 1671, Henri Morgan et ses 1 200 hommes remontent le Río Chagres et prennent par surprise cette ville de 10 000 habitants qu'ils mettent à feu et à sang.

Les immanquables de la province de Panamá

- **La capitale** contemplée depuis les hauteurs du Cerro Ancón.
- **L'atmosphère romantique** du Casco Viejo.
- **Les bains de foule** de l'Avenida Central.
- **Les virées** en *diablos rojos*.
- **Les rythmes endiablés** de la vie nocturne.
- **L'observation d'un paresseux** dans le parc naturel métropolitain.
- **Le canal**, ses écluses et musées.
- **L'île Taboga** et l'archipel des Perles.
- **Les communautés emberá** du Río Chagres.
- **Les excursions dans la jungle** à 20 minutes de la capitale.
- **Les plages ensoleillées** du Pacifique.

Province de Panamá

97

Altitude (en metres)
- 1500
- 800
- 200

— ∙ — Limite de province
■ Ville principale
● Village
⌐ ⌐ Parc national ou réserve naturelle

MER DES CARAÏBES

COMARCA DE SAN BLAS

DARIÉN

Cañazás
Higueronal
Torti
Ipeti Colono
Ipeti
Ipeti Kuna
Chimán
Oquendo
El Llano
Burbayar
Chepo
Chepillo
Isla Chepillo
Pacora
Tocumen (Aéroport)
Cerro Jefe 1007 m
Cerro Azúl
San Miguelito
PANAMÁ
Balboa
San Pedro   Isla Taboguilla
Veracruz
San Carlos
Isla Taboga

Buenos Aires
Paraíso
Gamboa
la Laguna
Arraiján
LA CHORRERA
Arenosa
Capira
Bejuco
Chame
Punta Chame
Otoque   Isla Otoque
Isla Taborcillo
Bahía de Chame

PARQUE NACIONAL CHAGRES
PARQUE NACIONAL PORTOBELO
Lago Alajuela
Lago Gatún

COLÓN

Trinidad del Cerro
Parque Nacional Altos de Campana
El Valle

Río Hato
Santa Clara
Playa Santa Clara
Playa Farallón
Playa Blanca
Playa Corona
Playa Río Mar
Playa El Palmar
Playa San Carlos
Playa Coronado
Playa Gorgona

COCLÉ

BAIE DE PANAMÁ

OCÉAN PACIFIQUE

0   30 km

Saboga   Isla Contadora
Isla Saboga   Isla Chapera
Isla Mogo Mogo
Isla Gibraleon   Isla Casayeta
Isla Bayoneta   Isla Mina
Isla Viveros   San Miguel
Isla del Rey
Pedro González   Isla P. González
La Guinea   Ensenada
Isla Canas
Isla de Puerco
Isla San Telmo
La Esmeralda
Punta Timón
Isla San José

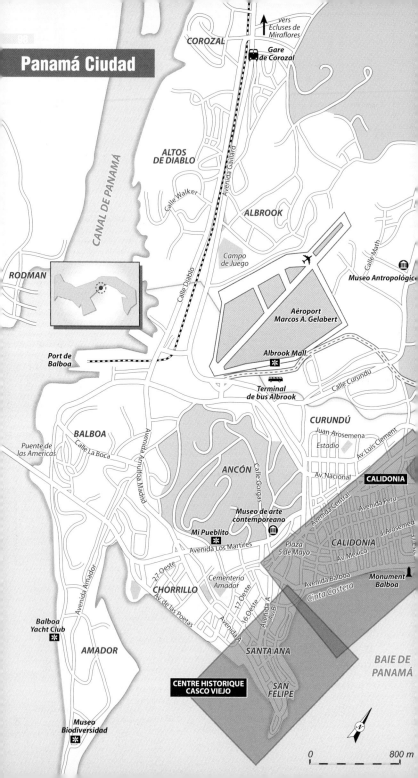

Panamá Ciudad

CANAL DE PANAMÁ

COROZAL

vers
Écluses de
Miraflores

Gare
de Corozal

ALTOS
DE DIABLO

Calle Walker

Avenida Gaillard

ALBROOK

Calle Math

RODMAN

Campo
de Juego

Museo Antropológic

Calle Diablo

Aéroport
Marcos A. Gelabert

Albrook Mall

Port de
Balboa

Terminal
de bus Albrook

Calle Curundú

BALBOA

CURUNDÚ

Juan Arosemena
Estadio

Av. Luis Clement

Puente de
las Americas

Calle La Boca

Avenida Amulfoa Madrid

ANCÓN

Calle Gorgas

Av. Nacional

CALIDONIA

Avenida Central

Avenida Perú

Museo de arte
contemporeano

Mi Pueblito

Avenida Los Martires

Plaza
5 de Mayo

CALIDONIA

J. Arosemen

Av. México

Avenida Amador

27 Oeste

Cementerio
Amador

Avenida Balboa

Monument
Balboa

Balboa
Yacht Club

CHORRILLO

Av. de las Poetas

17 Oeste

16 Oeste

Avenida A

Av. 8

Cinta Costera

AMADOR

SANTA ANA

BAIE DE
PANAMÁ

Museo
Biodiversidad

SAN
FELIPE

CENTRE HISTORIQUE
CASCO VIEJO

0   800 m

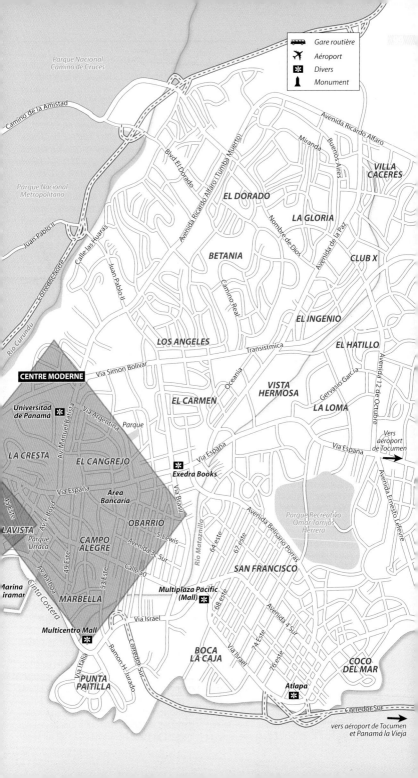

L'orgueil de la Couronne espagnole n'est plus que ruines et désolation. Après ce saccage, l'Espagne décide de déplacer la ville dans une zone mieux protégée et plus saine. La petite péninsule à 8 km au sud-ouest, au pied de la colline Ancón, semble idéale.

Panamá « La Nueva » est fondé le 21 janvier 1673. Il est au départ quadrillé par trois rues principales et sept rues annexes, constituant 38 manzanas ou petites sections à vocation militaire, religieuse, administrative ou résidentielle. Afin de laver l'affront infligé par les Anglais, la cathédrale et l'église de La Merced sont édifiées avec les pierres des anciens édifices religieux. En 1675, la ville est entourée d'imposantes murailles. Il n'y a que deux entrées : la puerta de Tierra, protégée au moyen d'un pont-levis, et la puerta del Mar, dont les pontons permettent le déchargement de marchandises. Avant d'être reliées par une digue lors de la construction du canal plus de deux siècles plus tard (l'actuel Causeway), les îles Perico, Flamenco et Naos accueillent, dans leurs eaux profondes, les navires chargés d'or en provenance du Pérou. A cette époque, Panamá compte 8 000 habitants et s'étend au-delà des murailles, le long de la calle Real (l'actuelle avenida Central). Le point le plus élevé de la ville est choisi pour l'aménagement d'une place, l'actuelle Plaza Santa Ana. La ville devient peu à peu un grand centre ecclésiastique, ce qui explique un nombre important d'églises et couvents. Mais la décision de la Couronne d'abandonner l'isthme comme voie de transit, au milieu du XVIIIe siècle, entraîne un déclin progressif de la cité. A la même période plusieurs incendies causent d'énormes dégâts, la plupart des maisons étant construites en bois. En 1737, le « Fuego Grande » détruit 95 % de la ville intra-muros : seuls 22 des 390 bâtiments échappent aux flammes. En 1756, le « Fuego Chico » détruit près de la moitié de la ville, ce qui pousse l'élite à déménager dans les faubourgs de Santa Ana. Les nouveaux espaces libérés par les flammes sont utilisés pour aménager des places aujourd'hui connues sous les noms de Bolívar et Herrera.

À partir du milieu du XIXe siècle, la Ruée vers l'or et la construction de la voie ferrée rejoignant Colón relancent l'activité commerciale de l'isthme. Trente ans plus tard, lors de la construction du canal, les Français apportent leur touche architecturale. Les Américains font de même à partir de 1904, s'octroient la propriété d'une bande de 8 km de chaque côté du canal en devenir (traité Hay-Bunau-Varilla). Une bonne partie est de la ville, incluant notamment le Cerro Ancón, est désormais territoire américain. Le long du canal, le quartier d'Albrook se construit dans un style nouveau et propret : maisons hautes et blanches, vastes jardins, larges avenues… La ville de Panamá s'étend également vers l'ouest en suivant la baie. Des quartiers chics comme Bellavista ou la Exposición apparaissent dans les années 1910-2020. La capitale s'agrandit et finit même par rejoindre l'ancienne Panamá « la Vieja » dans les années 1950. C'est le temps des larges avenues dédiées à l'automobile, et, plus tard, des grands centres commerciaux… Cet aménagement urbain pensé pour le « tout voiture – consommation » à la mode nord-américaine se fait au détriment des espaces piétonniers et des parcs. Heureusement, une forêt tropicale en périphérie de la ville a été préservée, protégée par son statut de parc naturel métropolitain.

La ville aujourd'hui

Depuis les années 1970, au moment de la création du Centre financier international, la ville pousse aussi verticalement, en particulier dans les zones de San Francisco, Punta Paitilla, Calle 50, Avenida Balboa, Costa del Este et Punta Pacífica. Aujourd'hui, Panamá connaît une fièvre immobilière sans précédent : on recensait en 2011 une quinzaine de gratte-ciel en construction de plus de 200 m de hauteur ! Des immeubles de 50 à 70 étages, abritant luxueux appartements, hôtels, bureaux, casinos et pistes d'atterrissage pour hélicoptères ! Le plus haut édifice actuellement est celui du multimilliardaire américain Donald Trump, le « Trump Ocean Club International Hotel & Tower ». Cette tour, en forme de voile, de 293 m, sera bientôt détrônée par la Tore Financiera et ses 427 m ! (Inauguration prévue pour 2013.) Autre tour à l'architecture originale, la Revolution Tower, surnommée « el Tornillo » (« la Vis ») sur la Calle 50. Cet engouement pour la verticalité atteint les quartiers résidentiels historiques tels Bellavista, El Cangrejo, San Francisco, où les vieilles maisons sont rasées les unes après les autres. La ville commence à prendre des allures de cités asiatiques, et on la compare de plus en plus à Singapour, voire à Dubaï (plusieurs projets d'îles artificielles pourraient voir le jour ces prochaines années !). Plus loin, en direction de Tocumen et de Chepo, de nouveaux quartiers sortent de terre : certains très chics comme la zone sécurisée de Costa del Este, d'autres beaucoup plus populaires, tels ces ensembles basiques de petites maisons identiques qui longent la Panaméricaine. Car il faut loger cette population jeune dont 50 % a moins de 25 ans. Il faut aussi accueillir les étrangers, un peu moins jeunes : les retraités nord-américains, ou baby-boomers, sont de plus en plus nombreux à investir dans la capitale comme dans le reste du pays, attirés par la qualité de vie et les avantages fiscaux. On remarque également de plus en plus de Sud-Américains, en particulier Colombiens et Vénézuéliens, en quête d'emplois et de sécurité. Les Européens, Israéliens et Asiatiques commencent eux aussi à monter des affaires.

Si Panamá a toujours été une ville internationale, elle n'a en revanche jamais été aussi chère… ni embouteillée ! Pour fluidifier la circulation, d'importants travaux ont été engagés ces dernières années (parfois dans un mépris total de l'environnement) : deux grands axes, sortes de périphériques au sud et au nord de la ville (Corredor Sur/Norte) et un second pont au-dessus du canal, à la sortie nord de la ville (pont du Centenaire). Un boulevard côtier, la Cinta Costera, a été aménagé avec des remblais d'une cinquantaine de mètres sur la mer. Il dispose de nouvelles artères longeant l'avenue Balboa mais aussi parcs, terrains de sport et voies piétonne et cyclable. Le gouvernement Martinelli souhaiterait prolonger la Cinta Costera autour du Casco Viejo pour relier le centre moderne, le Chorillo et le Causeway. Trois projets étaient à l'ordre du jour en 2011 et on peut craindre que le Casco Viejo perde de sa superbe s'il voit passer une autoroute sous ses remparts, ou un viaduc dans la ligne d'horizon… L'Unesco a déjà annoncé qu'elle retirerait la vieille ville de sa liste du patrimoine mondial de l'humanité si de tels travaux étaient réalisés. Plus positif, la construction en 2011 d'un métro qui devrait relier l'est et l'ouest de la métropole d'ici 2013 ou 2014, et les travaux d'assainissement de la baie de Panamá qui ont commencé en 2005. Un projet estimé entre 320 et 500 millions de dollars, qui devrait aboutir aux environs de 2015. Tout le monde espère que l'on pourra se baigner un jour sous les gratte-ciel !

QUARTIERS

Panamá s'étend d'ouest en est le long de l'océan Pacifique. La ville est encadrée par le canal à l'ouest, le parc naturel métropolitain au nord, le Pacifique au sud, et s'étend bien au-delà des ruines de Panamá La Vieja et de Costa del Este en direction de l'aéroport de Tocumen. Les principaux quartiers touristiques sont San Felipe (Casco Antiguo ou Casco Viejo), l'avenida Central (pour ses commerces et l'ambiance), El Cangrejo (hôtels et restaurants), Bellavista et Marbella (restaurants, hôtels et discothèques), Amador (ou Causeway, promenade, marina, restaurants), Albrook (terminal de bus, mall et aéroport) et Panamá La Vieja (ruines de Panamá Viejo). Il est assez simple de s'orienter dès que l'on a mémorisé quelques points de repère. Les principaux étant les gratte-ciel bordant la baie et le Cerro Ancón, cette colline à l'ouest qui surplombe les quartiers d'Albrook, du Chorillo, du Casco Viejo et de Calidonia.

La plupart des avenues sont parallèles au Pacifique, tandis que les rues leur sont perpendiculaires. Les noms des rues sont rarement identifiables, tout comme les numéros d'immeubles. On se repère donc en indiquant un monument, une station-service, un grand hôtel ou un magasin qui parfois n'existe plus, ou a changé de nom ! Pour compliquer la tâche, certaines rues (*calle* : C/ en abrégé) ou avenues (*avenida* : Ave.) ont plusieurs noms d'usage ou changent de nom à partir de certaines intersections. Voici les axes les plus utilisés pour lesquels vous pourriez être un peu perturbés :

▌ **Ave. Central :** La Peatonal ou La Central (dans sa partie piétonne).

▌ **Ave. Central :** Vía España (à partir du carrefour de l'église El Carmen en direction de l'est).

© IPAT PANAMA

Plaza 5 de Mayo à Panamá Ciudad.

PROVINCE DE PANAMÁ

© IPAT PANAMA

Port de Panamá Ciudad.

▶ **C/50 :** Nicanor de Obarrio = Ave. 4 Sur

▶ **L'Ave. 6 Sur** prend successivement les noms d'Ave. Balboa, Ave. Brasil, Vía Israel et Ave. Cincuantenario.

▶ **Vía Brasil :** Ave. Ramón Arias (et non c/ Ricardo Arias).

▶ **Tumba Muerto :** Ave. Ricardo Alfaro.

▶ **Vía Transísmica (Boyd Roosevelt) :** Ave. Simón Bolívar.

▶ **Ave. Perú :** Ave. 1 Sur.

▶ **Ave. Cuba :** Ave. 2 Sur.

▶ **Ave. Justo Arosemena :** Ave. 3 Sur.

▶ **C/Uruguay :** C/48 Este.

▶ **C/Aquilino Guardia :** C/49 Este.

▶ **Vía Veneto :** C/49 A Oeste.

▶ **C/Ricardo Arias :** C/50 Este.

▶ **Enfin, ne pas confondre** Panamá Viejo (quartier), Panamá La Vieja (site historique) et Casco Viejo – ou Casco Antiguo – qui regroupe le quartier de San Felipe et une partie de celui de Santa Ana.

Casco Viejo

Le Casco Viejo ou Casco Antigo est la vieille ville de Panamá, située sur une petite péninsule

qui avance dans la baie. C'est l'endroit le plus touristique de la capitale, avec de nombreuses boutiques d'artisanat, restaurants et cafés avec terrasses, quelques hostels et chambres d'hôtes. C'est sans doute le lieu le plus agréable et intéressant de la ville, un incontournable. Le quartier était il y a encore cinq ans assez dangereux, il est aujourd'hui complètement sécurisé, et si vous vous éloignez un peu vers une rue dangereuse (après la place Herrera par exemple), la police touristique devrait venir vous voir d'un coup de vélo.

Calidonia

Calidonia est un quartier populaire, à l'architecture un peu chaotique, avec de nombreux commerces (surtout Via España). C'est un quartier qui a peu d'intérêt touristique, même si c'est là que l'on trouve le plus d'hôtels bas et moyenne gammes. Il convient d'être très prudent ici (pickpockets) et, la nuit, il est recommandé de se déplacer en taxi pour rejoindre ou quitter son hôtel.

Centre moderne et l'est

Cette grande zone qui s'étend le long de la baie de Panamá regroupe de nombreux *barrios* (« quartiers »), résidentiels ou d'affaires, avec également plusieurs grands centres commerciaux (*malls*). On y voit des gratte-ciel impressionnants le long des grandes avenues dédiées à l'automobile.

C'est là que se trouvent les hôtels des grandes chaînes internationales et quelques hostels agréables, aménagés dans des maisons familiales. C'est aussi là où l'on sort, avec les restos et cafés branchés, voire *yeyes* de la Calle Uruguay.

Amador, Albrook et l'ouest

Cette zone regroupe les terrains de l'ancienne zone américaine, le long du canal de Panamá, la Canal Zone. Des quartiers résidentiels tranquilles, avec les vieilles maisons américaines, des avenues très vertes. On y trouve des hôtels de charme et de plus en plus de grands hôtels. Albrook accueille le terminal de bus et un aéroport pour les vols intérieurs, tandis que le Causeway est apprécié pour ses balades au bord de l'eau, ses marinas et la Zona Rumba, une rue pleine de discothèques qui fait fureur chez les jeunes de moins de 20 ans. A l'entrée du Causeway, le futur musée de la Biodiversité est en cours de construction, son architecte n'est autre que Franck Gehry auteur entre autre du musée Guggenheim de Bilbao.

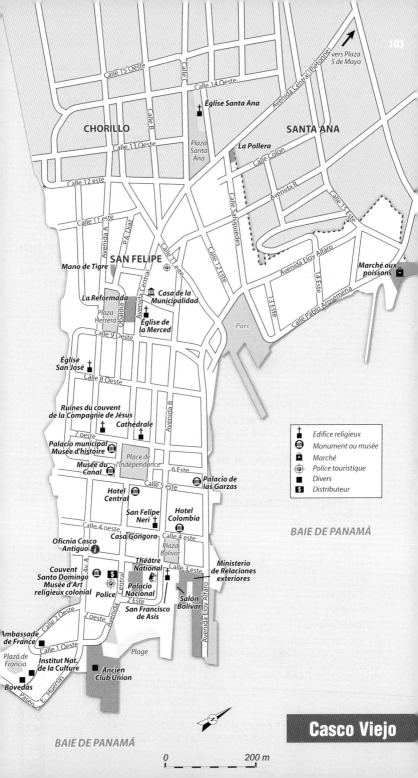

Casco Viejo

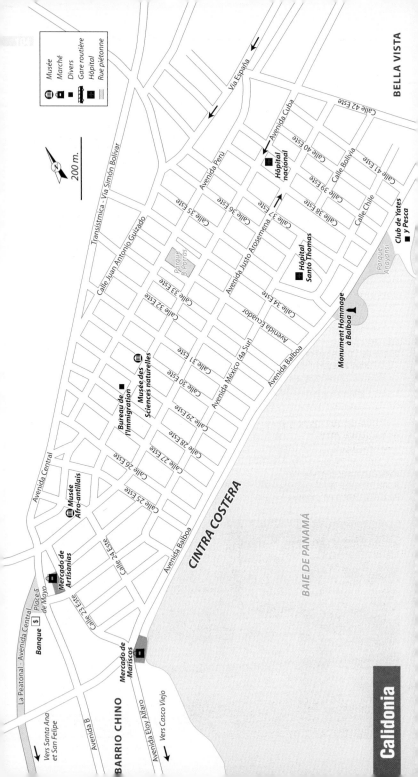

Calidonia

Légende
- Musée
- Marché
- Divers
- Gare routière
- Hôpital
- Rue piétonne

200 m.
N

BELLA VISTA

BARRIO CHINO

BAIE DE PANAMÁ

CINTRA COSTERA

La Peatonal - Avenida Central

Banque $ Place 5 de Mayo

Vers Santa Ana et San Felipe

Avenida B

Avenida Eloy Alfaro

Vers Casco Viejo

Mercado de Mariscos

Mercado de Artesanías

Avenida Central

Calle 23 Este
Calle 24 Este
Calle 25 Este
Calle 26 Este
Calle 27 Este
Calle 28 Este
Calle 29 Este
Calle 30 Este
Calle 31 Este
Calle 32 Este
Calle 33 Este
Calle 35 Este
Calle 36 Este
Calle 37 Este
Calle 38 Este
Calle 39 Este
Calle 40 Este
Calle 41 Este
Calle 42 Este

Musée Afro-antillais

Bureau de l'Immigration

Musée des Sciences naturelles

Avenida Balboa

Avenida México (4a Sur)

Avenida Ecuador

Avenida Justo Arosemena

Avenida Balboa

Calle 34 Este

Parque B. Porras

Calle Juan Antonio Guizado

Transístmica - Vía Simón Bolívar

Avenida Perú

Avenida Cuba

Vía España

Hôpital nacional

Hôpital Santo Thomas

Calle Bolivia

Calle Chile

Parque Anayans

Monument Hommage à Balboa

Club de Yates y Pesca

SE DÉPLACER

L'arrivée

Avion

■ AEROPERLAS REGIONAL

Aeropuerto Marcos A. Gelabert, Albrook
℃ +507 378 6000 – +507 378 6024
℃ +507 206 8222
Fax : +507 206 8210
www.aeroperlas.com
info.aeroperlas@aviancataca.com
*Horaires bureau aéroport : du lundi au vendredi
de 8h à 17h. Horaires bureau centre-ville (CTO
Crowne Plaza) : lundi à vendredi de 8h à midi et
de 13h à 17h, et samedi de 8h à midi.* Compagnie
qui a plus de 40 ans d'expérience sur les vols
régionaux intérieurs du Panama. Aeroperlas vole
quotidiennement depuis l'aéroport Marcos A.
Gelabert Albrook jusqu'aux principales destinations dans le pays : David, Contadora, Bocas
del Toro et Changuinola. Sa flotte compte des
avions de 20 à 46 places et offre aussi des
vols intérieurs depuis l'aéroport international
de Tocúmen (David et Bocas del Toro).

▮ **Autre adresse :** bureaux TACA. Planta baja
del Hotel Crowne Plaza, Vía España.

■ AÉROPORT INTERNATIONAL DE TOCUMEN (PTY)

Tocumen Airport
℃ +507 238 2700 – +507 238 3686
www.tocumenpanama.aero
À une trentaine de kilomètres au nord-est de
Panamá, Tocumen propose l'essentiel des
services d'un aéroport international, avec des
formalités douanières et migratoires plutôt
rapides. Il est en cours d'agrandissement vu
l'importance que prend le pays dans le trafic
aérien international. Pour s'y rendre :

▮ **En taxi.** Le taxi est le moyen le plus simple
et le plus sûr pour rejoindre la capitale. Avec
les taxis *de turismo* de l'aéroport, compter
25 $ pour 2, 30 $ pour 3, 40 $ pour 4. Avec
un taxi ordinaire, 25 à 30 $ par taxi. Si vous
êtes seul ou à deux, n'hésitez pas à proposer
à d'autres voyageurs rencontrés dans l'avion
de prendre le même taxi pour partager le prix
de la course. Pour se rendre à l'aéroport depuis
le centre-ville. Les prix sont plus négociables
mais tournent aussi autour de 25 $. Le mieux
est de s'y prendre la veille pour trouver le taxi
qui viendra vous chercher à l'hôtel, pour les
départs matinaux.

▮ **En bus.** Depuis l'aéroport, on peut monter
dans un Metro bus (bus moderne) à destination
de Panamá à un arrêt situé à environ 300 m, de
l'autre côté du rond-point. Il indique Albrook-
Tocumen Aeropuerto et passe environ toutes les
25 minutes. Compter de 30 minutes à 1 heure
de trajet, 1,50 $. Nous ne le conseillons qu'aux
personnes connaissant déjà bien la capitale et
n'étant pas trop chargées (bus souvent bondé).
A éviter de nuit. Depuis Panamá, prévoir de la
marge pour ne pas risquer de rater son départ.
Les bus passent par la Cinta Costera. Pour être
sûr d'avoir de la place aux heures de pointe, il
est conseillé de partir du terminal d'Albrook.

PROVINCE DE PANAMÁ

© DIDIER RAFFIN / IMAGES DU MONDE

Dans les rues du quartier de Casco Viejo.

AÉROPORT MARCOS A. GELABERT (OU ALBROOK)

✆ +507 501 9000 – +507 501 9271

Cet aéroport situé dans le quartier d'Albrook, à proximité de la gare routière, gère les vols intérieurs. Il est doté d'un distributeur d'argent, d'un point d'informations touristiques, d'une cafétéria et d'agences de location de voitures. Pour se rendre à l'aéroport depuis le centre-ville, compter environ 2,50 $ (pour deux personnes), mais pour repartir de l'aéroport, le prix double ou triple, et les chauffeurs de taxis sont généralement intransigeants. Deux compagnies, Air Panamá et Aeroperlas, desservent les pistes d'atterrissage dispersées à travers le pays et pratiquent des prix équivalents. Les tarifs indiqués dans le guide datent de notre enquête et peuvent avoir sensiblement augmenté lors de votre séjour. Les moins de 12 ans payent généralement moitié prix. Présentez votre passeport lors de l'achat de votre billet et voyagez avec même si vous ne sortez pas du pays (une photocopie ne suffit pas). Enfin, vérifiez bien qu'il n'y ait pas d'erreurs sur le billet émis, cela arrive assez souvent, notamment pour San Blas. Les bureaux de vente sont dans l'aéroport.

AIR FRANCE – KLM

✆ 00 800 052 1275

www.airfrance.com.pa – www.klm.com.pa

AIR PANAMÁ

Aeropuerto Marcos A. Gelabert, Albrook

✆ +507 316 9000 – +507 315 0439

www.flyairpanama.com

info@flyairpanama.com

Cette compagnie gère les vols pour les principaux aéroports du pays (David, Bocas...) mais aussi les pistes de San Blas ou du Darién. Egalement des vols pour San José au Costa Rica.

AMERICAN AIRLINES

Ave. Balboa, Balboa Plaza

✆ +507 269 6022

www.aa.com

CONTINENTAL AIRLINES

Ave. Balboa, Edificio Galerías Balboa

✆ +507 265 0040

www.continental.com

COPA AIRLINES

Business Park, Torre Norte, Costa Del Este

✆ +507 217 2672 – www.copaair.com

DELTA AIRLINES

Edif. Torre de las Americas, Punta Pacífica

✆ +507 214 8118 – www.delta.com

IBERIA

Edif. BBVA, C/43 y Ave. Balboa

✆ +507 227 2322 – www.iberia.com

Train

L'unique voie ferrée du pays relie Panamá et Colón. Le train part de la gare de Corozal (à 10 minutes du terminal d'Albrook), du lundi au vendredi à 7h15 (arrivée 30 minutes à l'avance), retour de Colón à 17h15. Sauf pour les hommes d'affaires se rendant dans la zone libre, la liaison ferroviaire est plus une excursion touristique (fortement conseillée !) qu'un moyen de transport quotidien. 22 $ l'aller (11 $ pour les moins de 12 ans). Ce voyage magnifique dure 1 heure (détails dans la partie « Transports » de la ville de Colón).

Bus

EXPRESO PANAMÁ

Terminal de Transporte de Albrook, Boleteria B-12 ✆ +507 314 6837

www.expresopanama.com

Départ d'Albrook à 23h, arrivée à San José vers 15h, 35 $. Départ de San José à midi, arrivée à Albrook à 3 ou 4h. Moins connu que Ticabus, donc souvent plus de places disponibles.

GARE ROUTIÈRE D'ALBROOK

Inauguré en 2000, le terminal d'Albrook est considéré comme le plus moderne d'Amérique centrale. Tous les bus (destinations locales, nationales et internationales) partent du terminal. On y trouve tous les services (distributeur, toilettes, chaînes de restauration rapide…) et un mall du même nom lui est accolé si vous avez besoin de faire des emplettes.

▶ **Liaisons nationales.** Des autocars assez confortables et climatisés assurent les liaisons avec les principales villes du pays (David, Santiago, Chitré, etc.). Les minibus d'une vingtaine de places, petites tornades blanches, assurent le relais pour les villes secondaires et les plages le long de la Panaméricaine. Les *diablos rojos* assurent aussi quelques liaisons, notamment vers la province de Colón et la province du Darién. Il n'est pas nécessaire de réserver sa place mais conseillé d'arriver à l'avance en fin de semaine et les jours fériés.

▶ **Liaisons internationales.** Deux compagnies effectuent quotidiennement le trajet Panamá-Costa Rica (San José, d'où l'on peut enchaîner vers d'autres villes d'Amérique centrale). Services similaires (clim, vidéos) pour un voyage qui dure environ 16 heures (les arrivées sont souvent un peu plus tardives que prévues).

AEROPERLAS REGIONAL

| Plus qu'un grand pays,
C'est aussi la chance d'y découvrir le paradis

La photographie est une courtoisie de l'Autorité de Tourisme du Panamá.

51664

Pour cela Aeroperlas Regional **vous offre des vols**
depuis l'Aéroport International Tocumen
vers l'intèrieur du Panamá

Bocas del Toro, Changuinola, Contadora, David, Pedasí

aeroperlas.com   (507)206-8222

Réservez votre billet au moins 48 heures à l'avance et présenter son passeport au moment de l'achat. Prévoir des vêtements chauds pour le voyage.

■ **TICA BUS**
✆ +507 314 6385 – www.ticabus.com
Service économique : départ d'Albrook à 23h, durée 16 heures, 35 $. Départ de San José à midi. Service ejecutivo : départ d'Albrook à 11h, 45 $. Départ de San José à 23h.

Voiture

■ **AVIS**
Ave. 1 Norte ✆ +507 278 9444

■ **BARRIGA RENT A CAR**
Calle D à côté de l'hôtel Veneto
✆ +507 269 0224

■ **BUDGET**
Dans le bas de la vía Veneto
✆ +507 263 8777
www.budgetpanama.com
reservaciones@budgetpanama.com

■ **DOLLAR**
C/E. Morales ✆ +507 214 4725

■ **HERTZ**
Vía Veneto ✆ +507 301 2611

■ **NATIONAL**
C/E. Morales ✆ +507 265 2222

✔ **THRIFTY CAR RENTAL**
100 Via Espana
✆ +507 204 9515 – www.thrifty.com
reservaciones@thrifty-pa.com
Thrifty Car Rental possède 6 agences au Panamá (3 à Panama City, 1 à Chitre, 1 à David et 1 à Santiago). Vous y trouverez une large gamme de véhicules en excellent état, du modèle économique aux voitures de luxe en passant par les 4x4 et autres SUV. Le prix de la location comprend un kilométrage illimité. Les assurances sont en option. Vous pouvez réserver votre voiture via le site Internet ou en les contactant par téléphone. Le système de réservation est rapide et efficace et les conseillers vous guideront pour trouver l'assurance la mieux adaptée à votre location.

En ville

Métro

Une première ligne de métro devrait fonctionner d'ici la fin 2013. Les travaux ont commencé en 2011. La ligne 1 traversera la ville du terminal de bus d'Albrook (sud-ouest) jusqu'au centre commercial Los Andes (nord-est) en passant par la Plaza 5 de Mayo et la Via Argentina. Il sera à la fois souterrain et aérien et comportera 13 stations.

Bus

▶ **Circuler à bord de ces bus surnommés diables rouges** (*diablos rojos*) est une expérience haute en couleur, à vivre absolument ! Les bus desservent tous les quartiers de la capitale. Il n'existe pas de plan de réseau. La direction et les principaux arrêts sont peints au-dessus du pare-brise (vía España, calle 50, calle 12, Panamá Viejo, Tocumen, 5 de Mayo, etc.). Pour demander à monter dans un bus, levez la main. Dans le bus, pour demander l'arrêt, criez *Parada* et dirigez-vous vers la sortie avec votre petite monnaie. Paiement à la descente auprès du chauffeur. Tarif unique de 0,25 $ (*una cuarra* ; vous remarquerez peut-être certains passagers avec une pièce de 25 cents dans le creux de l'oreille, c'était la mode à une époque !).

▶ **Depuis peu sont apparus les Metro Bus**, qui devraient à terme remplacer les traditionnels *diablos rojos*. Modernes, de couleur orange et blanc, climatisés et confortables, ils s'arrêtent uniquement aux arrêts de bus prévus (repérer les pancartes Metro Bus ; il y a généralement un employé de la société en uniforme pour lui demander quel bus prendre). Les tarifs sont de 0,45 ou 1,25 $ (bus prenant l'autoroute), on paye cette fois-ci en montant. Prenez un parapluie, certains prennent déjà l'eau par le toit !

Taxi

Le moyen le plus simple et le plus rapide de se déplacer dans la capitale. On en dénombre près de 30 000. Ils sont partout (sauf quand on en a besoin et qu'il pleut !). De couleur jaune, ils ont un numéro qui les identifie clairement. Vous serez invités à monter par un petit coût de Klaxon.

▶ **Tarifs.** Les taxis n'ont pas de compteur et évaluer le prix d'une course nécessite un peu de calcul mental mais sachez que le coût moyen pour un trajet en ville pour une personne tourne normalement autour de 2 $ (+0,50 $ par personne supplémentaire et après 22h ainsi que toute la journée les dimanches et jours fériés). En principe, car certains n'hésitent pas à demander 5 $ ou plus aux touristes. Les chauffeurs de taxi sont généralement honnêtes, mais il est conseillé de se mettre d'accord sur le tarif au départ pour éviter de mauvaises surprises.

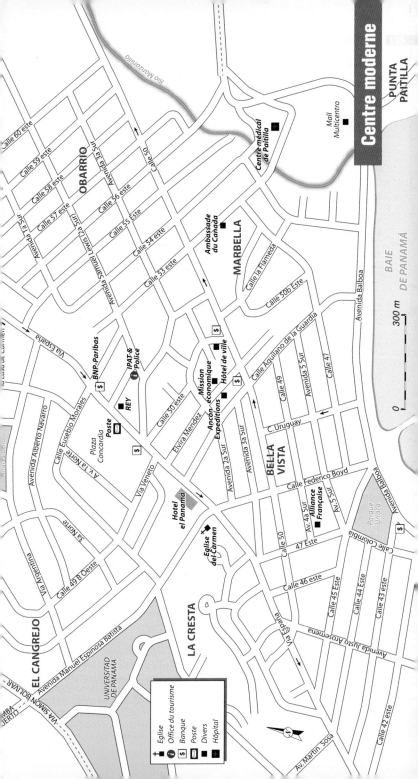

Centre moderne

PUNTA PAITILLA

BAIE
DE PANAMÁ

Mall
Multicentro

Río Manzanillo

OBARRIO

Calle 60 este
Calle 59 este
Calle 58 este
Calle 57 este
Calle 56 este
Calle 55 Este
Calle 54 este
Calle 33 este

Avenida 1a Sur
Avenida Samuel Lewis (2a Sur)
Avenida 3a Sur
Calle 50

Centre médical
de Paitilla

Ambassade
du Canada

MARBELLA

Calle la Planeda
Calle 50b Este

Avenida Balboa

Calle Aquilano de la Guardia

Calle 49

Avenida 5 Sur

Calle 47

BNP-Paribas

IPAT &
Police

REY

Mission
économique

Hôtel de ville

Anton
Expeditions

Via España

Calle de Carmen

Via España

Poste

Plaza
Concordia

Calle Eusebio Morales

Avenida Alberto Navarro

Avenida 1a Norte

3a Norte

Via Veneto

Calle 30 Este

Elvira Mendez

Avenida 2a Sur

Avenida 3a Sur

C. Uruguay

BELLA
VISTA

Calle Federico Boyd

Av. 4a Sur

Alliance
Française

Av. 5 Sur

Calle 50

47 Este

Parque
Urraca

Avenida Balboa

Calle Colombia

Hotel
el Panamá

Eglise
del Carmen

Calle 46 este

Calle 45 Este

Calle 44 Este

Calle 43 este

Avenida Justo Arosemena

Via España

EL CANGREJO

Avenida Manuel Espinosa Batista

UNIVERSIDAD
DE PANAMÁ

Via Argentina

Calle 49 B Oeste

LA CRESTA

VIA SIMON BOLIVAR

Av. Martin Sosa

Calle 42 este

0   300 m

Eglise
Office du tourisme
Banque
Poste
Divers
Hôpital

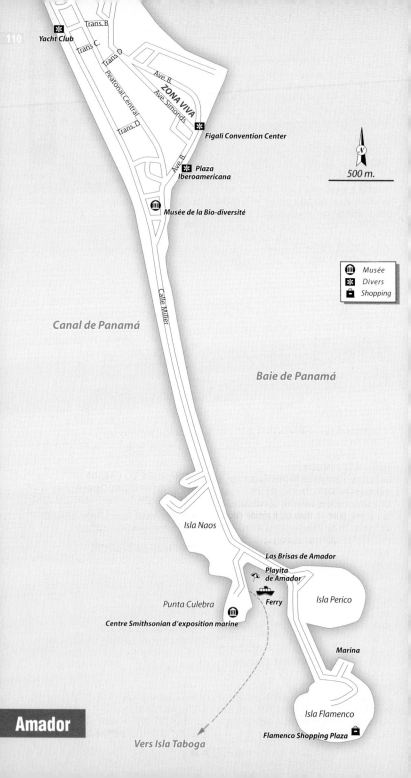

Yacht Club

Trans. B

Trans. C.

Trans. D

Ave. B.

Peatonal Central

ZONA VIVA

Ave. Simonds

Trans. D.

Figali Convention Center

Ave. B.

Plaza
Iberoamericana

Musée de la Bio-diversité

N

500 m.

	Musée
	Divers
	Shopping

Canal de Panamá

Calle Miller

Baie de Panamá

Isla Naos

Las Brisas de Amador

Playita
de Amador

Ferry

Isla Perico

Punta Culebra

Centre Smithsonian d'exposition marine

Marina

Amador

Isla Flamenco

Vers Isla Taboga

Flamenco Shopping Plaza

Ou alors évaluez le tarif et payez-le directement en observant sa réaction (il n'osera peut-être pas vous demander les 5 $ si vous lui en présentez 2). En cas de contestation, demandez à consulter la nouvelle carte des zones et tarifs que le chauffeur est censé avoir dans son véhicule : la ville est découpée en plusieurs secteurs. Il existe des tarifs spécifiques pour l'aéroport.

▌ **« ¡ No voy ! »** : ne soyez pas surpris si le chauffeur après vous avoir demandé votre direction vous répond qu'il ne vous prend pas… cela arrive de plus en plus souvent !

Mais ils n'osent en général pas trop quand vous êtes déjà assis dans la voiture…

Vélo
Déconseillé en dehors des voies cyclables de la Cinta Costera et du Causeway.

À pied
Il n'y a pas de danger particulier à circuler à pied dans les quartiers touristiques, mais méfiez-vous en traversant la rue, ici on s'arrête rarement aux passages piétons signalisés au sol. Sur les trottoirs, gare aux trous béants surtout de nuit !

▨ PRATIQUE

Tourisme

▨ AUTORIDAD DE TURISMO DE PANAMÁ
Ave. Samuel Lewis y calle Gerardo Ortega, Edif. Central, piso 1,
El Cangrejo
✆ +507 526 7000
www.atp.gob.pa
Ouvert du lundi au vendredi de 9h à 16h.
Egalement un bureau dans les aéroports de Tocumen et d'Albrook.

▨ PANAMA EXOTIC ADVENTURES
✆ +507 6673 5381
www.panamadarien.com
exoavent@cwpanama.net
Le Franco-Panaméen Michel Puech est le meilleur spécialiste francais du Darién. Une forte personnalité et une envie de communiquer son amour pour ce pays où il réside depuis les années 1970. Beaucoup de professionnalisme et d'éthique pour des voyages à la carte qui laissent place à l'imprévu mais en toute sécurité. Le Darién est pour lui un magnifique terrain de jeu et de découverte : séjour dans des villages emberás ou wounaans, visite de vieux forts espagnols oubliés, rencontre avec des chercheurs d'or, trekking de plusieurs jours dans la jungle, descente de rivières en pirogue, kayak au milieu des dauphins, balades à cheval… Nuits en hamac, dans des maisons traditionnelles indiennes, en tente safari, ou encore dans un confortable lodge à proximité de Filo del Tallo. Réservez bien à l'avance. Tarifs variables selon les excursions demandées et le nombre de participants (6 à 8 personnes maximum). Les séjours sont généralement de quatre jours ou plus.

Représentations – Présence française

▨ ALLIANCE FRANÇAISE
Edificio Casa Blanca
Ave. J. Arosemena y calle 44, Bellavista
✆ +507 223 7376 – +507 264 1931
www.afpanama.org
alliance@cableonda.net

▨ AMBASSADE DE FRANCE
Las Bóvedas, Plaza de Francia
✆ +507 211 6200 – Fax : +507 211 6201
www.ambafrance-pa.org
Ouvert au public du lundi au vendredi de 9h à 13h.

▨ AMBASSADE DU CANADA
Torres de las Americas, Tower A, Piso 11
✆ +507 294 2500 – Fax : +507 294 2514
▌ **Autre adresse :** World Trade Center, C/53 Este, 1er étage (adresse postale).

▨ CONSULAT DE BELGIQUE
M. Juan Felipe PITTY, Consul Honoraire
2do. Piso, Casa Eusebio A. Morales
Avenida Eloy Alfaro y Calle 8 San Felipe
✆ +507 262 8868
consul.bel.panama@gmail.com

▨ CONSULAT DE SUISSE
Edificio Casa Blanca, planta baja.
Bella Vista Calle 44 y Ave. J. Arosemena
✆ 507 395 9922 – panama@honrep.ch

▨ DIRECCIÓN DE MIGRACIÓN Y NATURALIZACIÓN
C/29 y Ave. Cuba
✆ +507 227 1077 – +507 507 1800
Ouvert du lundi au vendredi de 8h à 15h.

PROVINCE DE PANAMÁ

Argent

Les banques sont évidemment nombreuses dans le quartier financier mais également dans les quartiers commerçants, les malls et les aéroports.

■ **BANCO NACIONAL DE PANAMA**
Vía España,
près de la galerie Plaza Concordia

■ **WESTERN UNION**
Plaza Concordia, Vía España
✆ +507 269 1055
Ouvert du lundi au samedi de 8h à 19h. D'autres agences en ville.

Postes et télécom

On trouve très facilement des téléphones publics ou des cybercafés faisant office de centres d'appel.

■ **POSTE**
Plaza Concordia
(au fond de la galerie commerciale)
Vía España, El Cangrejo
Ouvert en semaine de 7h15 à 16h45, le samedi de 8h15 à 12h45. Pour envoyer une carte postale en France 0,35 $, pour une lettre 0,45 $. Pensez à faire tamponner votre timbre au guichet avant de glisser votre courrier dans la boîte !

Internet

Nombreux dans les quartiers commerçants et touristiques. Le tarif varie entre 0,50 ou 0,75 $ l'heure de connexion. La concurrence la plus forte se trouve dans la Via Veneto (quartier El Cangrejo) avec de nombreux cafés Internet

ouvert 24h/24. Dans le Casco Viejo, peu de cybercafés mais wi-fi gratuite sur presque toutes les places. Deux cybers autour de la place Santa Ana.

■ **INTERNET CAFÉ SANTA ANA**
Plaza Santa Ana y Calle 13 Oeste
✆ +507 228 3236
Ouvert tous les jours de 8h à 21h. 0,75 $/h. Plus calme que l'autre cyber de l'autre côté de la place, équipements récents.

■ **INTERNET PEATONAL**
Avenida Central, Plaza Santa Ana
De nombreux ordinateurs avec une bonne connexion à proximité du Casco Viejo. 0,75 $ l'heure, casques pour Skype. Cabines téléphoniques pour l'international.

Urgences

■ **CROIX BLANCHE (DROGUES)**
✆ +507 226 0000 – +507 227 3002

■ **CROIX ROUGE**
✆ +507 228 2187

■ **POLICE**
✆ 104 – +507 212 2222

■ **POLICÍA DE TURISMO**
Ave. Central y Calle 1a
✆ +507 511 9261 – +507 211 3365
Ouvert 24h/24. La police du tourisme est très présente dans le Casco Viejo. Elle peut vous indiquer les rues à éviter et vous fournir des explications historiques sur le quartier.

Adresses utiles

■ **BIBLIOTHÈQUE NATIONALE**
Dans le Parque Omar, Ave. B. Porras
✆ +507 224 9466 – www.binal.ac.pa
Ouverte en semaine de 9h à 18h (17h le samedi).

■ **CENTRO DE CONVENCIONES ATLAPA**
Vía Israel, San Francisco
✆ +507 226 7000
www.atlapa.gob.pa
Ce centre de conventions d'une capacité d'accueil de 10 500 personnes propose, outre les colloques professionnels, de nombreuses expositions sur différents thèmes (artisanat, tourisme, gastronomie, musique…). Il dispose de deux théâtres auditoriums.

■ **FARMACIA ARROCHA**
www.arrocha.com
farmacias@arrocha.com

Sécurité dans la capitale

À Panamá Ciudad, la violence a augmenté ces dernières années, mais les risques d'agression ne sont pas plus forts que dans les capitales européennes. Comme dans toutes les grandes villes du monde, il y a des quartiers et des rues à éviter de jour comme de nuit (Chorillo, Currundú, San Miguelito). Gardez à l'esprit que le touriste qui cherche son chemin, guide à la main et appareil photo en bandoulière, est une cible facile. Dans les endroits bondés (terminal de bus, marchés…) gare aux picpockets ! La sécurité dans le Casco Viejo et à Panamá La Vieja s'est beaucoup améliorée depuis la mise en place d'une police du tourisme dissuasive qui se déplace parfois à vélo.

On trouve des petites pharmacies un peu partout. Certaines sont ouvertes 24h/24. Il est possible d'acheter les cachets à l'unité (une aspirine, un comprimé, etc.). La Farmacia Arrocha compte une dizaine de succursales dans la capitale (vía España, C/ A. de la Guardia, Vía Argentina, etc.) et fait également office de drugstore (papeterie, produits de beauté…).

■ **SERVICIO NACIONAL DE FRONTERAS**
General Senafront,
Corozal
✆ +507 511 9002 511-9543
✆ +507 511 9543
Prendre contact impérativement avec la police des frontières si vous souhaitez vous rendre dans le Darién.

▦ SE LOGER

La capitale est bien pourvue en hôtels de toute catégorie mais à certaines périodes l'offre reste encore insuffisante, en particulier pour les établissements intermédiaires (« Confort ou charme »). Il est conseillé de réserver à l'avance. Attention, les tarifs indiqués ici datent de notre enquête et sont susceptibles d'évoluer rapidement avec le boom touristique que connaît le pays.

Casco Viejo

Bien et pas cher

■ **HOSPEDAJE CASCO VIEJO**
À côté de l'Eglise San José
C/8 y Ave. A ✆ +507 211 2027
www.hospedajecascoviejo.com
info@hospedajecascoviejo.com
13 chambres privées, 22 $ avec salle de bains partagée, 25 $ avec salle de bains privée. 19 lits en dortoirs à 11 $ par personne. Petit déjeuner léger inclus. Wi-fi, cuisine, laverie 3 $. Un hostel simple, bien tenu mais sans charme particulier, si ce n'est sa situation au cœur du Casco Viejo. Plus petite et plus calme que l'autre établissement du même type dans le quartier. Une terrasse sur le toit pour discuter avec une jolie vue sur le clocher de l'église San José.

■ **HÔTEL CASCO ANTIGUO**
Ave. B y C/2
✆ +507 228 8506 – +507 228 8510
45 chambres au confort inégal. Avec salle de bains commune : chambre simple 15,40 $, double 18,70 $. Salle de bains privée : 26,40 $ pour 2. Double et triple avec air conditionné et salle de bains privée 52 et 63 $. Petit déjeuner inclus. Immeuble de 1915 dont l'intérieur réserve de nombreuses surprises : hauts plafonds, hall décoré de beaux azulejos, vieux planchers grinçants, ascenseur d'époque et escaliers sinueux menant à une terrasse avec une jolie vue panoramique du Casco Viejo. Les chambres sont au confort inégal, demandez à en visiter

plusieurs pour en vérifier l'état et la propreté. Préférez celles qui ne donnent pas directement sur la rue très bruyante la nuit (*cantinas* pas loin). Personnel attentionné mais un brin nonchalant.

■ **LUNA'S CASTLE HOSTEL**
Calle 9na Este 3-28 ✆ +507 262 1540
www.lunascastlehostel.com
lunascastle@yahoo.com
9 dortoirs mixtes de 6 à 12 lits, 13$ par personne. 9 chambres pour 2 ou 3,30 et 39 $. Pancakes, café et thé inclus. Accès cuisine, 5 ordinateurs et wi-fi, ping-pong, mini-ciné, laverie (5 $), bar dans le patio… Dans une belle maison bien restaurée, cette auberge de jeunesse à la déco funky est très appréciée des jeunes *backpackers* désireux de faire la fête et d'obtenir des informations pratiques, notamment pour aller en Colombie en voilier via les San Blas. Clientèle jeune et anglophone, tout comme le personnel. Déco originale, salons conviviaux pour discuter, vue sur la baie. Toilettes et douches communes souvent embouteillées en raison du nombre de personnes cohabitants et l'hostel peut être assez bruyant certains soirs (évitez les chambres du bas, à côté du bar). A votre arrivée on vous remettra un bracelet fluo (pas vraiment discret) qui permet de contrôler les allers et venues et offre des réductions dans certains cafés et restaurants.

Luxe

■ **CANAL HOUSE**
Calle 5a y Ave. A, Casco Antiguo
✆ +507 228 1907 – +507 228 8683
www.canalhousepanama.com
reservations@canalhousepanama.com
2 grandes suites pour 4 et 1 suite pour 2. De 195 à 340 $, petit déjeuner inclus. Nombreux services. Cette belle demeure de la fin du XIXe siècle, finement restaurée, offre trois suites très confortables portant chacune le nom d'une écluse du canal.

Le concept est de se sentir aussi bien qu'à la maison, avec un service personnalisé. Des espaces communs lumineux et conviviaux, une bibliothèque cosy, du mobilier élégant, un beau parquet et des décorations de bon goût. Une bonne alternative aux grands hôtels de luxe.

■ **GRAN EVENIA CENTRAL**
Calle 5 & Avenida Centra
✆ +34 972 36 44 62
Fax : +34 972 37 17 74
www.eveniahotels.com
cont@eveniahotels.com
Situé dans le centre du Casco Viejo, cet hôtel-boutique de luxe est situé en face de la cathédrale dans un bâtiment datant de 1874 et entièrement rénové. Disposant de 132 chambres, ce complexe 5-étoiles compte également un élégant bar et un restaurant dans lequel une combinaison de saveurs locales et de spécialités internationales vous sera proposé. Le petit plus, un centre de Fitness & Spa dernier cri ainsi qu'une salle de réunions.

Calidonia

Le quartier de Calidonia autour des avenues Perú, Cuba ou Ecuador regroupe beaucoup d'hôtels bon marché mais sans charme particulier. Il faut savoir aussi que certaines pensions, *hospedajes* ou *residenciales* du quartier peuvent se louer à l'heure. Le soir, il est préférable de se déplacer en taxi.

Bien et pas cher

■ **HOSTAL BALBOA BAY**
C/39 Este, n° 21,
Bella Vista
✆ +507 227 6182
www.balboabaypanama.com
Lit en dortoir 13 $, 15 $ avec AC. Chambre pour 2 à 40/50 $, 65 $ pour 3. Petit déjeuner basique inclus. Internet, cuisine, laverie (5 $). Dans un quartier résidentiel où les tours de verre poussent comme des champignons après la pluie tropicale, une maison transformée en auberge de jeunesse avec plusieurs dortoirs de 4 à 6 lits et des chambres individuelles plus intimes. La maison est suffisamment grande et aérée pour qu'existent plusieurs lieux de rencontres conviviaux (malgré les télés). Un toit-terrasse agréable le soir pour les barbecues. Seul défaut pour ceux qui dorment en dortoir, le manque de douches et toilettes quand l'auberge est pleine. Malgré cela l'hostal est propre et bien situé, à proximité de la Cinta Costera.

■ **HOSTEL MAMALLENA**
Casa 7-62, Calle Primera, Perejil
✆ +507 393 6611
✆ +507 6676 6163
www.mamallena.com
mamallenapa@yahoo.com
28 lits répartis dans trois dortoirs. 12 $ par personne. 12 chambres privées pour une ou deux personnes 29,50 $. Pancakes inclus. AC, Internet, wi-fi, laverie, salle TV, service de transfert à l'aéroport, nombreuses informations pratiques et agence de tourisme avec des tarifs intéressants. Une auberge de jeunesse conviviale et bien tenue, offrant tous les services appréciés des voyageurs aux longs cours. Il faut accepter de parler anglais. Cuisine en libre-service et un petit jardin bien agréable. Le quartier est populaire et a donc l'avantage d'être économique.

■ **HÔTEL 2 MARES**
C/30 Este
✆ +507 227 6150
79 chambres. Simple 39 $, double 44 $. Salle de bains avec eau chaude, AC, TV, wi-fi. Ambiance assez impersonnelle mais piscine sur le toit.

■ **HÔTEL ARENTEIRO**
C/30 Este, entre Ave. Cuba et Arosemena
✆ +507 227 5883 − +507 225 3175
www.hotelarenteiropanama.com
Chambre simple 30 $, double 35 $. AC, eau chaude, TV. Un hôtel tout carrelé, propre et économique. Accueil plus agréable que dans la plupart des hôtels du quartier. Restaurant ouvert de 19h à 22h30.

■ **HÔTEL LISBOA**
Ave. Cuba y C/31
✆ +507 227 5916 − +507 227 5917
Chambre simple 33 $, double 42 $, triple 44 $. Eau chaude, AC, TV, coffre. Des chambres assez grandes, confortables et propres. Demandez la vue sur la baie.

🖋 **HÔTEL MARPARAISO**
Ave. J. Arosemena y C/34 Este
✆ +507 227 6767
www.marparaisopma.com
marparaiso@cableonda.net
75 chambres. Chambre simple 40 $, double et triple de 45 à 50 $, 55 $ pour 4, 60 $ pour 6. Chambres spacieuses, AC, eau chaude, TV, coffre, Internet, bar-restaurant. Transport gratuit de l'aéroport à l'hôtel, à condition de réserver à l'avance et de rester deux nuits (le cas échéant 10 $ le transfert). Un hôtel agréable, doté de nombreux services et habitué aux touristes.

Confort ou charme

■ HÔTEL COSTA INN

C/39 Este, Ave. Perú
✆ +507 227 1522
Fax : +507 225 1281
www.hotelcostainn.com
costainn@cwpanama.net
100 chambres avec AC, wi-fi. Chambre simple de 55 à 66 $, double de 66 à 77 $, triple 77 ou 110 $, suite de 99 à 110 $. Plutôt impersonnel, cet hôtel s'inscrit plus dans une catégorie confort économique. La piscine sur le toit est l'un de ses avantages. Le bar-restaurant propose un large choix de plats panaméens.

Centre moderne et l'est

Bien et pas cher

■ LA CASA DE CARMEN

C/1 n° 32, El Carmen
✆ +507 263 4366
✆ +507 263 6530
www.lacasadecarmen.net
À côté du croisement
de la Vía España et de la Vía Brasil,
derrière Exedra Books
Chambre simple avec salle de bains partagée 30 et 35 $, chambre double avec salle de bains privée de 39 à 55 $. Petit déjeuner inclus. Eau chaude, Internet et wi-fi, cuisine et laverie, bouquins... La maison de Carmen a été transformée avec goût en auberge de jeunesse. Le tout est soigné et l'ambiance tranquille. Les chambres sont de confort variable mais propres. La terrasse donnant sur un jardin est agréable pour improviser une petite sieste dans un hamac, bercée par le chant des oiseaux.

■ HÔTEL COSTA AZUL

Calle 44, Bella Vista
✆ +507 225 4703
✆ +507 225 1267
www.hcostaazul.com
hcostaazul@cwpanama.net
Chambre simple 35 $, double 48 $, triple 55 $, 4 lits 65 $. Plus 10 % taxes. Eau chaude, AC, Internet. Un bon rapport qualité/prix et des gérants sympas qui font de cet hôtel sans prétention un bon point de chute. Informations et mise en contact possible avec les *cabañas* Waica Mamitupu à San Blas. C'est aussi, selon les propriétaires, l'un des premiers hôtels antisismiques de la capitale ! Un petit resto économique.

POSADA URRACÁ
Calle 44, 2-112, Bella Vista
✆ +507 391 3971
✆ +507 391 3972
www.hostelurraca.com
book@hostelurraca.com

10 chambres de 1 à 4 personnes de 22 à 67 $ et 2 dortoirs pour 4 personnes à 15 $ par personne. + 10 %. AC, eau chaude, cuisine, Internet, wi-fi, TV, hamacs, service laverie et sourires. Une petite maison comme on en voyait des centaines dans le quartier de Belle Vista, avant que ne commence la fièvre des gratte-ciel. Le Parque Urracá est à 50 m, tout comme la baie de Panamá, et la Calle Uruguay est à 5 minutes à pied. Une situation idéale donc. L'hostel est sans doute l'un des plus agréables de tous ceux de la capitale. C'est propre, bien décoré, il y a tous les services que l'on peut attendre de ce genre d'endroit, avec une bonne attention du personnel. La literie est très correcte même dans les dortoirs qui disposent de grands placards individuels avec une clef. Un petit jardin devant avec une table conviviale sous une pergola. Réservation à l'avance conseillée même en basse saison. L'établissement s'appellait Hostal Urracá en 2011, il devrait changer de nom pour Posada Urracá.

RESIDENCIAL LOS ARCOS
Ave. J. Arosemena y C/44
✆ +507 225 0569
Fax : +507 225 0567
losarcos@cwpanama.net

Chambre double 50 $. Eau chaude, AC, TV. Les chambres sont plutôt petites mais confortables et propres. L'établissement est à moins de 5 minutes à pied du parc Urracá et de la baie.

Confort ou charme

APART-HOTEL SEVILLA SUITES
Ave. E. Morales
✆ +507 213 0016
Fax : +507 223 6344
www.sevillasuites.com
reservas@sevillasuites.com

Appartements pour 2 ou 4 personnes à partir de 130 $. AC, coffre, wi-fi, kitchenette équipée, laverie, parking. Le petit déjeuner continental est inclus. Une quarantaine d'appartements spacieux et confortables. Une piscine agréable sur le toit et une salle de sport. Bien situé, cet appart-hôtel s'adresse aussi bien aux hommes d'affaires qu'aux touristes.

DEVILLE HOTEL
C/50 C/Beatriz M. Cabal
✆ +507 206 3100
✆ +507 263 0303
Fax : +507 206 3111
www.devillehotel.com.pa
reservations@devillehotel.com.pa
vpo@devillehotel.com.pa

Hôtel-boutique de 33 chambres. Prix à partir de 175 $ (possibilité de réserver online) petit déjeuner compris. Prix spécial week-end à 109 $ (du vendredi au dimanche). Wi-fi. Séjourner au DeVille, c'est comme remonter au temps aristocratique de Ferdinand Lesseps lorsqu'il effectuait pour la première fois les premières excavations du canal de Panama. Situé dans un petit édifice au cœur de la ville, l'hôtel est un mini-oasis de tranquillité au style français, les chambres ne trompent pas, élégantes et décorées avec des meubles importés des anciennes colonies françaises. Toutes sont confortables et surtout spacieuses, type suite (les plus exclusives type loft)… les sportifs peuvent également demander le service de gym à la chambre. En plus de sa bonne position dans la ville, il dispose d'un restaurant recommandable, Alkimia, avec une cuisine four à bois et une carte très ancrée sur la cuisine méditerranéenne.

Un hôtel rénové qui
incarne l'effort et l'engagement
en pensant aux voyageurs d'affaires
recherchant confort, tranquillité
et un excellent emplacement

CONTINENTAL
HOTEL & CASINO

Tel. +507 366 7700 | www.continentalhotel.com

■ LAS HUACAS

C/49 A Oeste, El Cangrejo
✆ +507 213 2222 – Fax : +507 213 3057
www.lashuacashotel.com
recepcion@lashuacashotel.com
72 chambres. Simple 110 $, double 120 $, triple 130 $. Petit déjeuner inclus. Salle Internet et wi-fi. Piscine. Un hôtel situé dans une rue calme qui est depuis longtemps une référence. L'établissement vient d'être rénové et agrandi. Chambres confortables, modernes et bien équipées, personnel attentionné et de bon conseil.

■ PATTY'S CASITAS

C/47 Este y Ave. 4 a Sur en face de l'alliance française ✆ +507 6713 7165
www.pattyscasitas.com
bienvenidos@pattyscasitas.com
Réservation impérative. Appartement pour 5 personnes, de 90 à 140 $ par jour en haute saison. Des tarifs à la semaine. Petit déjeuner continental inclus. Patty et Rudy, un couple polyglotte sympa, proposent un appartement indépendant dans une grande maison des années 1940, à deux pas du Parque Urracá. L'appartement de 50 m² est composé de deux pièces, d'une salle de bains avec eau chaude et d'une terrasse de 30 m² avec hamacs. TV, AC ou ventilateur. Divers services sont proposés, comme le transfert à l'aéroport (payant), ainsi que des excursions touristiques en petits groupes.

▶ **Autre adresse :** Patty et Rudy louent également un studio dans le Casco Viejo et un appartement à Amador.

Luxe

■ CONTINENTAL HOTEL & CASINO

Vía España y Ricardo Arias
✆ +507 366 7700 – +1 888 625 9385
www.continentalhotel.com
reservations@continentalhotel.com
À partir de 145 $ (plus taxes), 365 chambres spacieuses et luxueuses. Casino et restaurant ouverts 24h/24. Anciennement hôtel Riande, le Continental Hôtel & Casino est toute une institution à Panama City. Actuellement rénovées, ses exclusives et luxueuses chambres couvrent les nécessités des plus exigeants. Situé dans le centre névralgique de la capitale, cet hôtel offre une grande variété de services et de commodités. On recommande spécialement de prendre une boisson où dîner sur la terrasse où l'on trouve la piscine décorée avec de jolis jardins tropicaux. Pour les amants du jeu, n'hésitez pas à tenter votre chance au casino Las Vegas, même tard vous pourrez toujours manger quelque chose au restaurant Café Rendez-Vous ouvert non-stop. Remarquable également : sa grande capacité pour accueillir des événements de grand format, avec salons et espaces pour plus de 1 500 invités.

■ FINISTERRE SUITES & SPA

Ave 3ra A Sur, Calle Colombia
✆ +507 214 9200 – www.fspty.com
ventas@fspty.com
126 suites. A partir de 255 $ la suite exécutive, loft suite 285 $, Jr Suite 415 $, master suite 615 $ + 10 %. Tarifs promotionnels sur le site Web. AC, wi-fi, piscine, gymnasium, restaurant, lobby bar. Un hôtel élégant dans son architecture extérieure et intérieure, qui dispose de suites amples, lumineuses et fonctionnelles, très bien équipées. Une jolie vue sur la baie depuis la piscine. Le service est excellent et personnalisé.

■ HÔTEL BRISTOL

C/Aquilino de la Guardia y C/51
✆ +507 265 7844 – Fax : +507 265 7829
www.thebristol.com
bristol@thebristol.com

La chambre double à partir de 355 $. Plus intime que les autres hôtels de la catégorie (56 chambres sur 8 étages), le Bristol bénéficie d'une excellente réputation depuis plusieurs années. Service attentionné, chambres bien décorées, restaurant gastronomique. Le Bristol est, comme le Mariott, au cœur du quartier des affaires et à proximité de nombreux restaurants et cafés.

■ HÔTEL MANREY
Calle Uruguay
✆ 203 0000
www.manreypanama.com
reservas@manreypanama.com
Chambre double à partir de 162 $. L'hôtel Manrey est avant tout un concept de design et d'élégance. Tout en créativité, l'hôtel propose 4 types de chambres équipées des dernières technologies, un bar à cocktails, un restaurant tenu par un chef français et sur le toit une piscine et un bar où la musique attire de nombreuses personnes en soirée. La décoration et l'atmosphère distinguent cet hôtel de tous les autres à Panama City.

■ HÔTEL MARIOTT
C/52 y Ricardo Arias
✆ +507 210 9100
Fax : +507 210 9110
www.mariotthotels.com/ptypa
287 chambres et 8 suites. Chambre à partir de 185 $ le week-end, 255 $ la semaine. Un grand hôtel de vingt étages au cœur du quartier financier. Ici, tout est pensé pour que votre séjour soit le plus agréable possible. Chambres très confortables, personnel sympathique, piscine, salle de sport, casino, des salons conviviaux et un bon restaurant. Très bien situé, à proximité des bonnes tables et cafés du Cangrejo et de Marbella, cet hôtel de réputation internationale est digne de sa catégorie.

■ HÔTEL RIU
Calle 50
✆ +507 387 9000
www.riu.com
sales.panama@riu.com
Chambre double autour de 150 $. Des promotions en fin de semaine jusqu'à 99 $ la nuit. Petit déjeuner inclus. Cet hôtel impressionnant de 35 étages qui a ouvert ses portes fin 2010 accueille 645 chambres à la décoration minimaliste et colorée. Il revendique un style moderne « urbain », très apprécié des hommes d'affaires. 21 salons de conférences, piscine, gymnasium, minibar (contenu gratuit), sushi lounge, aires VIP…

■ INTERCONTINENTAL MIRAMAR
En face du Parque Urracá,
Ave. Balboa
✆ +507 206 8888
Fax : +507 223 4891
www.miramarpanama.com
panama@interconti.com
Chambre double à partir de 260 $. C'est leur situation privilégiée, associée à un confort digne du 5-étoiles, qui fait tout le charme de ces deux immenses tours de 25 étages à la vue imprenable sur la baie de Panamá. Assurez-vous de donner sur le Pacifique et non au-dessus de l'avenue Balboa.

■ RADISSON DECAPOLIS
À côté du Multicentro Mall,
Ave. Balboa
✆ +507 215 5000
Fax : +507 215 5715
www.radisson.com/panamacitypan
reservations@decapolishotel.com
Chambre à partir de 260 $. Cet hôtel chic et moderne connaît un grand succès. Son architecture originale, ses parois de verre et son éclairage coloré la nuit lui donnent un cachet particulier. Des chambres aérées de grand luxe, un bon restaurant, une piscine, un Spa…

■ SHERATON PANAMA HOTEL & CONVENTION CENTER

En face de Centro de Convenciones Atlapa
Vía Israel y Calle 77 San Francisco
✆ +507 305 6960
✆ +507 305 5100
www.sheratonpanama.com.pa
reservas@sheratonpanama.com.pa
reservations@sheratonpanama.com.pa
*À partir de 205 $ la nuit. Possibilité d'obtenir
des tarifs réduits pour les réservations en ligne.
Belle gamme d'activités au sein de l'hôtel (salle
de gym, piscine, Spa, tennis). Le Sheraton
Panama & Convention Center est un hôtel
moderne, stratégiquement situé au cœur de
la ville. 360 chambres équipées de toutes les
commodités. En dehors des chambres, l'hôtel
offre des services et facilités de grande qualité, par exemple s'offrir le luxe d'un massage
dans le Spa exclusif à l'hôtel ou déguster le
meilleur de la cuisine italienne sur la terrasse
du restaurant Crostini. Laissez-vous aller au
gré des tentations… Goûtez les délicieuses
sucreries de Las Hadas, la pâtisserie située
dans l'hôtel.*

■ TRUMP OCEAN CLUB INTERNATIONAL HOTEL & TOWER*****

Punta Pacífica, Calle Punta Colon
✆ +507 215 8888
www.trumppanamahotel.com
TrumpPanama@TrumpHotels.com
*Trump Ocean Club International Hotel & Tower
Panama, le nouveau membre de la prestigieuse
collection des hôtels Trump, offre un niveau
supérieur de confort. 369 chambres, 5 piscines avec des vues spectaculaires sur la mer,
3 restaurants, 2 bars, centre de conventions,
centre commercial et Spa. En projet une île
privée où les clients pourront profiter du sable
blanc et des eaux cristallines du Pacifique.*
Le nouveau Trump Ocean Club International
Hotel & Tower Panama réunit des avantages
exclusifs, services d'hébergement innovateurs
et le service labélisé Trump. L'hôtel est destiné
à devenir l'icône architecturale d'Amérique
latine, avec un dessin qui évoque une voile
majestueuse complètement ouverte aux vents
du Pacifique. Cet hôtel 5-étoiles au bord de la
mer est logé à l'intérieur de l'immeuble le plus
haut d'Amérique latine et apporte un nouveau
niveau de luxe à la région. Trump Panama
offre un emplacement parfait pour tout genre
de voyageurs, à quelques mètres de la zone
financière, restaurants, centres commerciaux
et à quelques minutes des principaux attractifs
touristiques.

Amador, Albrook et l'ouest

■ ALBROOK INN

C/Los Geranios, Albrook
✆ +507 315 1789
Fax : +507 315 1975
www.albrookinn.com
reserva@albrookinn.com
*Chambre double à partir de 150 $. Petit déjeuner
inclus.* Des chambres spacieuses et confortables pour passer un séjour reposant. Dans
un quartier tranquille, Albrook Inn est l'un des
hôtels les plus agréables de la capitale. Le jardin
verdoyant accueille une piscine dotée d'un
Jacuzzi. Le restaurant, de qualité, propose des
spécialités panaméennes et internationales.

© IPAT PANAMA

Multicentro.

■ COUNTRY INN AND SUITES

Ave. Amador, Causeway
✆ +507 211 4500 – Fax : +507 211 4501
www.panamacanalcountry.com/amador
159 chambres et suites à partir de 150 $. Petit déjeuner inclus. Ce grand établissement de quatre étages n'a pas grand charme mais bénéficie d'une très bonne localisation, à l'entrée du Causeway et à 10 minutes en taxi du centre-ville. Ses points forts : la vue imprenable sur le canal et le pont des Amériques, et une grande piscine, appréciable après une promenade sur le Causeway.

■ LA ESTANCIA

Quarry Heights, Cerro Ancón
C/A. Denis de Icaza n° 35,
✆ +507 314 1604 – +507 6615 4155
www.bedandbreakfastpanama.com
stay@bedandbreakfastpanama.com
Chambre double 75 $, suites 95 $, sans les taxes. Petit déjeuner inclus. Ce bed & breakfast merveilleusement situé, au pied de la colline Ancón, enchantera ceux qui aiment la nature. L'atmosphère est décontractée et les animaux sylvestres tout proches. Les chambres, sans prétention mais soignées, donnent sur le pont des Amériques ou sur la forêt tropicale. Deux salles communes où vous pourrez jouer du piano ou bouquiner avec un petit thé.

■ HOSTAL AMADOR FAMILIAR

Casa 1519, Calle Akee, Balboa
✆ +507 314 1251 – +507 6747 6229
www.hostalamadorfamiliar.com
reservations@hostalamadorfamiliar.com
15 $ en dortoir, 30/35/55 $ la chambre double, 45 $ chambre avec 2 lits doubles. Petit déjeuner inclus. Cuisine, AC, Internet, wi-fi, laverie… Dans une grande maison jaune avec jardin, une auberge de jeunesse très bien placée, à deux pas du Causeway et proche du terminal d'Albrook. Des chambres lumineuses et propres. Accueil sympathique.

■ SE RESTAURER

Il y a finalement assez peu de restaurants proposant de la cuisine typiquement panaméenne dans la capitale.
On trouve en revanche un très grand choix de bonnes tables spécialisées dans les saveurs du monde entier.

Casco Viejo

Sur le pouce

Pour un petit creux, vous n'aurez pas de mal à trouver des vendeurs d'*empanadas*, de saucisses grillées (*chorizos*), de *raspadura*, de chips de bananes ou de manioc, d'*agua de pipa* (eau de coco), de jus de canne à sucre… pour quelques dizaines de centimes.

L'eau au Panamá

On vous servira souvent un grand verre d'eau glacée dans les restaurants. Pas de crainte particulière à avoir, le Panamá est l'un des seuls pays d'Amérique latine où l'eau du robinet (*agua del grifo*) est potable dans la capitale et les grandes villes (pas dans les zones isolées ou sur les îles). L'eau en bouteille n'est donc pas si commune et il s'agit en général d'eau « purifiée » qui n'a rien d'une eau minérale.

Bien et pas cher

■ AZAFRÁN

Ave. Central y Calle A, 5-55
✆ +507 262 7026
Ouvert du lundi au samedi de midi à 23h ou plus. Menu de midi autour de 5 à 6 $, un peu plus cher à la carte. Un petit établissement sympathique, avec une décoration simple et de bon goût, un service attentionné et des plats et boissons aux tarifs plus accessibles que dans les autres cafés ou restaurants du quartier. Côté cocktails, la grande spécialité est le mojito que Ricardo alias « Ricky Mojito » (champion du Panamá du mojito trois années de suite…) décline sous toutes les saveurs. Souvent des concerts le vendredi soir.

🖋 BOHEMIO'S

Avda. A entre Calle 4 et 5
✆ +507 6732 3467
Ouvert à midi en semaine et également à partir de 19h du jeudi au samedi. Menu du jour entre 3 et 5 $, ne dépasse pas 15 $ à la carte. Un restaurant familial, l'un des rares du Casco tenu par des locaux. Ici l'esprit bohème domine, on est libre de chanter, danser, écrire des messages sur les murs, dans toutes les langues… Lancez-vous ! *Musica en vivo* en fin de semaine. Un lieu très convivial et finalement pas trop bobo. Des plats du jour originaux en fusionnant

des plats internationaux avec des ingrédients locaux (*patacones*, *yuca*, mangue...).

🍴 CAFÉ COCA-COLA
Plaza Santa Ana
Ouvert tous les jours de 7h30 à 22h. Large choix, du petit déjeuner au dîner, à partir de 2 $. Poissons et viandes autour de 5 $. Le plus vieux café-restaurant de la capitale, où se rencontraient autrefois intellectuels, poètes et chanteurs de boléro. Il aurait reçu la visite d'Ernesto Che Guevara... Sans prétention aucune, avec une déco qui a vieilli, il est toujours aussi populaire et la plupart des clients sont des habitués. On lit son journal et on refait le monde tout en dégustant son café ou son sancocho. Café Coca Cola a eu gain de cause dans le procès qui l'a opposé à la célèbre marque du même nom qui n'avait pas protégé sa marque au Panamá... Pause agréable pour se requinquer après la cohue de l'avenue Central et avant de pénétrer dans le Casco Antiguo. Copieux sandwiches, pâtes, riz, salades... Bons jus de fruits frais et pas d'alcool. Recommandé pour son atmosphère et ses prix doux.

◼ CAFFÈ PER DUE
Ave. A final ☎ +507 228 0547
Ouvert du mardi au dimanche de 8h30 à 22h, à partir de 9h30 le dimanche. Une cuisine italienne avec des pâtes et pizzas pas trop chères (7-8 $), et de copieux petits déjeuners (4 $). Un lieu agréable avec un mini patio derrière.

◼ FONDA JONATHAN
Ave. Central, entre les calles 8 et 9 Oeste
Ouvert tous les jours de 7h à 19h. Cette cafétéria sans enseigne visible de l'extérieur propose des plats très bon marché dans une grande salle ouverte sur la rue. Ventilateurs puissants et tables à hauteur de ceux qui mangent la tête dans leur assiette pour un minimum d'effort. Atmosphère populaire et prix imbattables.

◼ LA ROSA DE LOS VIENTOS
À côté de l'église San José
Calle 8ª Oeste
Ouvert de 11h à 23h. Fermé le mardi. Pizzas et pâtes autour de 8-10 $. Une pizzeria italienne sans prétention, avec une agréable terrasse donnant sur la baie, où l'on se pose sur des chaises taillées dans de vieux tonneaux.

Bonnes tables

◼ EGO Y NARCISO
Plaza Bolívar ☎ +507 262 2045
Ouvert de midi à 15h et de 18h à 22h en semaine. Samedi et dimanche de 18h à 22h ou plus.

Une ambiance lounge et cosy et de bonnes tapas ou salades autour de 10 $. Terrasse agréable et service impeccable.

◼ MOSTAZA RESTAURANTE BAR
C/3 y Ave. A ☎ +507 228 3341
Service le midi du mardi au jeudi, uniquement le soir du vendredi au dimanche. Entrées autour de 7 $, plats 15-20 $, desserts 6 $. Dans une belle demeure restaurée avec goût, un établissement soigné proposant une cuisine internationale de qualité. Concerts en fin de semaine, à la lueur des bougies.

◼ RENÉ CAFÉ
Plaza Catedral ☎ +507 262 3487
En semaine 11h30-15h, 19h-22h, le samedi 15h-22h. Repas de midi autour de 10 $, le soir 20 $. Un restaurant familial réputé avec des plats inventifs à base de produits frais accompagnés d'une bonne bouteille de vin (entre 20 et 30 $). Agréable terrasse devant la cathédrale.

Luxe

◼ LAS BÓVEDAS
Plaza de Francia ☎ +507 228 8058
lasbovedas@cwpanama.net
Ouvert de 18h à minuit ou plus du lundi au samedi. A l'intérieur des remparts de la vieille ville, une cuisine française et internationale élaborée, conseillée pour ses spécialités de la mer. Agréable terrasse et salles voûtées avec une partie bar. Compter environ 40 $ pour un bon repas. Concerts de jazz les vendredi et samedi soir vers 21h.

🍴 MANOLO CARACOL
Ave. Central y C/3 ☎ +507 228 4640
☎ +507 228 0109 – www.manolocaracol.net
manolo@manolocaracol.net
Ouvert midi et soir. Un restaurant réputé, tenu par Manuel Madueño, alias Manolo Caracol, d'origine andalouse. Une cuisine aux saveurs méditerranéennes et caïbéennes, délicieuse et généreuse. Le menu dégustation (30 $) varie quotidiennement selon les produits du marché. La salle est conviviale et le service excellent. Réservation conseillée.

Calidonia

🍴 MERCADO Y RESTAURANTE DEL MARISCO
Marché aux poissons, Ave. Balboa,
☎ +507 377 0379
Ouvert tous les jours de 11h30 à 17h30-18h. Entrées entre 4 et 6 $, plats autour de 10 $.

Un restaurant péruvien placé juste au-dessus d'un authentique marché aux poissons dont la devise est : *No le demos la espalda al mar* (« ne tournons pas le dos à la mer »). Grand choix de ceviche, poissons à toutes les sauces, soupes, araignées de mer ou cocktails de fruits de mer. Prix raisonnables, cuisine excellente et fraîcheur garantie. Il est possible d'acheter son poisson au marché et de le faire cuisiner au restaurant. Si vous êtes en groupe demandez une carafe (*jarra*) de pisco sower…

Centre moderne et l'est

Bien et pas cher

■ **FU YUAN**
Vía Veneto, au début de la rue, côté gauche au demi sous-sol en venant de Via España
✆ +507 223 8002
Ouvert du lundi au samedi de 11h30 à 22h30.
Un restaurant chinois bon et très économique (*chow mein, shop suey*... autour de 2,50 $) toujours plein. De bonnes soupes. Inutile de prendre une portion complète, la demi (*media orden*) est largement suffisante !

■ **NIKO'S CAFÉ**
À côté du supermarché Rey, Vía España
www.nikoscafe.com
Cette chaîne présente aux quatre coins de la capitale a beaucoup de succès chez les Panaméens qui apprécient son grand choix de plats à prix doux, du petit déjeuner au dîner. Pratique si vous avez un petit creux en sortant de boîte (ouvert 24h/24 !).

■ **LA TASCA DE DURÁN**
derrière Via Argentina
Calle Alberto Navarro
✆ +507 213 011
latascadeduran@hormail.com
Ouvert du lundi au samedi de 11h à très tard. Tapas à partir de 7,50 $, paella 14 $ par personne. Le bistro de Roberto Durán. Pour les fans de boxe et ceux qui veulent rencontrer le plus célèbre boxeur latino-américain en poids léger (presque 4 décennies sur les rings et champion du monde durant 13 ans !). « Mano de Piedra » a ouvert son resto pour fêter ses 60 ans en juillet 2011. Vous ne manquerez pas la cinquantaine de tableaux de « Cholo » Durán, des photos, des films de ses grands combats, des ceintures et son short fétiche aux couleurs du drapeau national. Roberto nous a conté que la salle du restaurant ainsi décorée lui rappelle la maison de son père et que les clients sont vraiment comme à la maison Durán. Il est presque tout le temps

là et signe des autographes sans problème. Et en cuisine alors ? Essentiellement espagnole : des tapas, paellas, calamars… avec des noms évocateurs… Vous reprendrez bien un crochet de gauche, non ?

Bonnes tables

■ **CAFETERIA MANOLO**
Vía Veneto y Ave. 1 Norte ✆ +507 269 4514
(À ne pas confondre avec le Manolo situé Vía Argentina à l'angle de l'Ave. 2a Norte, également très bien). Ouvert tous les jours de 6h à 1h. Entrées autour de 5 $, plats autour de 8-12 $.
En face du casino Veneto, sa grande terrasse animée fait le bonheur des Panaméens et des touristes étrangers. Bonne cuisine traditionnelle et copieux.

■ **CAFFÈ POMODORO**
Rez-de-chaussée
de l'appart-hôtel Las Vegas
À l'angle de la Calle 49 B Oeste
et de la Calle E. Morales
✆ +507 269 5836
Ouvert tous les jours de 7h à minuit. L'un des nombreux restaurants de la capitale de l'incontournable Willy Diggelman, chef suisse qui maîtrise aussi bien les pâtes et pizzas (Pomodoro), la cuisine française et les fruits de mer (1985), la fondue (Rincón Suizo) et propose de bons vins et fromages (Wine Bar). Caffè Pomodoro est agréable pour son patio arboré et tranquille. Large choix de pâtes pour ceux qui ne supportent plus le riz ! Petit déjeuner continental ou traditionnel (de 7h à 11h) autour de 5 $. Plats autour de 10 $. Bon rapport qualité/prix.

■ **CRÊPES & WAFFLES**
C/47, n°22, Bellavista
✆ +507 269 1574
www.crepesywaffles.com
Ouvert tous les jours, de midi à 22-23h, dimanche brunch de 9h à 13h. Une grande terrasse à l'étage d'un immeuble en briques et une salle climatisée. Des plats végétariens, des salades mais aussi des glaces « pour diabétiques » ! Sans oublier les généreuses crêpes salées ou sucrées et de savoureuses gaufres. Cette chaîne colombienne est également présente dans les malls Albrook et Multiplaza. Les prix sont assez élevés, mais la qualité est très satisfaisante. Un repaire des familles panaméennes fortunées et des expatriés.

■ **EL TRAPICHE**
Vía Argentina ✆ +507 269 4353
Ouvert tous les jours 7h à 23h. Plats de 8 à 15 $.

La salle est agréable, décorée d'objets traditionnels, dont un vieux trapiche en bois qui sert à extraire le jus de la canne à sucre. La terrasse est construite selon l'architecture des provinces centrales. Une bonne cuisine copieuse et typique del Interior. Service davantage au rythme de la péninsule d'Azuero qu'à celui de la capitale.

■ GAUCHO'S STEAK HOUSE

C/Uruguay y Ave. 5
Ouvert tous les jours de midi à 15h et de 18h à 22h30. Spécialités argentines. Pour un bon repas, comptez environ 25 $ par personne, sans le vin. Viande de bœuf grillée délicieuse. Salle chaleureuse et service excellent.

■ HABIBI'S LOUNGE & GRILL

C/48 y Uruguay ✆ +507 264 3467
www.habibislounge.com
info@habibislounge.com
Ouvert tous les jours de midi à 23h. Spécialités libanaises, grecques, halal, entre 7 et 20 $. Belle terrasse accueillant un écran géant lors des matchs de base-ball ou de foot. Ambiance soignée, tamisée, mais un peu gâchée par la circulation incessante des 4x4 de la rue le soir. Mezzé (assortiments de plats libanais), grillades, plats végétariens, menus exotiques aux combinaisons recherchées. C'est bon mais assez cher et les portions sont de taille modeste par rapport aux standards du pays.

■ LAS TINAJAS

C/51 n° 22 Bella Vista
✆ +507 263 7890 – +507 269 3840
www.tinajaspanama.com
Ouvert de 11h à 23h tous les jours. Des plats traditionnels panaméens, dans un décor « typique ». Spectacles folkloriques organisés du mardi au samedi à 21h (dîner sur réservation).

■ MADAME CHANG

Ave. 5A Sur y C/Uruguay
✆ +507 269 1313
Ouvert tous les jours. À partir de 15 $. Spécialités chinoises. Plus de trente ans d'expérience pour Siu Mee Chang et sa fille Yolanda. Sous une lumière tamisée, une sélection de plats raffinés : langoustines, tofu, spécialités thaïlandaises. Le crabe au gingembre (*centollo al gengibre*) et le canard (*pato estilo Pekín*) sont réputés. Service excellent.

■ MATSUEI SUSHI BAR

C/E. Morales n° 12, El Cangrejo
✆ +507 264 9562
✆ +507 264 9547

Ouvert de midi à 23h du lundi au samedi, de 17h à 22h30 le dimanche. Repas autour de 20-25 $. Un restaurant japonais digne de ce nom qui offre depuis 1977 une cuisine pleine de finesse et d'originalité, une atmosphère intimiste et un décor soigné. Un voyage parmi les saveurs du pays du Soleil levant, fortement conseillé.

■ OZONE CAFÉ

C/Uruguay ✆ +507 214 9616
www.ozonecafepanama.com
soheilsaidi@yahoo.com
Ouvert tous les jours midi-15h et 19h-22h. Plats entre 6 et 10 $. Un café-restaurant qui ne paye pas de mine de l'extérieur mais qui vaut la peine d'être connu. Placé entre un pub anglais (The Londoner) et un restaurant libanais (Habibi), Ozone ne pouvait faire que dans le mélange des saveurs du monde entier. Une salle chaleureuse avec une cuisine ouverte, d'où sortent des délices aux influences des cinq continents. Prix raisonnables et service attentionné. Pour la soif, offrez-vous une limonade ou un cocktail au comptoir.

■ RESTAURANTE BEIRUT

Calle 50 Este. À côté du Mariott
✆ +507 214 3815
Ouvert tous les jours de midi à 2h. Plats libanais et indiens à partir de 8 $. Une salle climatisée et une grande terrasse très agréable, dans un cadre oriental. De bons plats libanais mais aussi indiens, pour presque tous les budgets. Quelques plats végétariens. Le tout servi généreusement.

Luxe

■ TEN BISTRO

Multiplaza, Pacific Mall, Nivel Las Terrazas
Punta Pacifica ✆ +507 302 6273
www.tenbistro.com
fabien@tenbistro.com
Ouvert tous les jours de midi à 22h30 (21h le dimanche). Autour de 30-40 $ le repas sans le vin. Menu Ejecutivo entre midi et 15h en semaine à 15 $. Ce restaurant gourmet, à la décoration minimaliste moderne, propose chaque jour des plats raffinés, inventés par le chef Fabien Migny. Ce dernier a monté sa propre chaîne de restaurants « sans frontière ».

Amador, Albrook et l'ouest

Les restaurants et cafés (souvent des chaînes) qui ont dû batailler pour obtenir leur place bénéficient d'un site magnifique. On vient d'abord ici pour respirer l'air marin et jouir d'une ambiance plutôt joviale.

ALBERTO'S CAFÉ

Marina d'Isla Flamenco ✆ +507 314 1134
Ouvert tous les jours de midi à minuit. Pizzas et plats de pâtes de 6 à 20 $. Pour sa cuisine italienne, mais aussi pour contempler de sa terrasse la marina.

MI RANCHITO

Isla Naos ✆ +507 228 4909

✆ +507 228 0116
Ouvert tous les jours à partir de 11h. Réservation conseillée le week-end. Entrées 5 $, plats de 8 à 15 $. Un des premiers établissements installés sur le Causeway, spécialisé dans les poissons et fruits de mer mais qui sert également des viandes. En journée la foule vient s'y restaurer à toute heure ou se baigner dans la petite piscine. Service sympa.

SORTIR

Pour connaître les événements culturels, le plus simple est de consulter les pages « sortir » du quotidien *La Prensa* ou le journal *El Visitante/ The Visitor*. Sur Internet, visitez le site www. panapolis.com

Cafés – Bars

Les cafés ou bars se situent surtout dans le Casco Viejo autour des places, ou dans la Via Argentina, dans le quartier du Cangrejo.

Casco Viejo

Pour boire un verre dans San Felipe, nous vous conseillons les terrasses tranquilles de la Plaza Bolívar et celle de Las Bóvedas. Des concerts sont organisés en fin de semaine, notamment à Las Bóvedas (jazz) et Platea (jazz, salsa). Ne ratez pas le Panamá Jazz Festival, en janvier. Pour du roots reaggae, rendez-vous dans le patio au milieu des ruines, juste à côté du restaurant Bohemio's.

CASABLANCA BISTRO CLUB

Hôtel Colombia, Plaza Bolívar y C/4
✆ +507 212 0040
Ouvert tous les jours de 10h à 1h. Bières et bon choix de jus de fruits à partir de 2,50 $, cocktails à partir de 4 $. Un café-restaurant de cuisine internationale, possédant une salle soignée mais surtout une terrasse sous les arbres de la place Bolívar. Très agréable pour prendre un verre en fin d'après-midi.

HABANA PANAMA

Calle Eloy Alfaro y Calle 12 Este
✆ +507 2120 151
Concerts du jeudi au samedi à partir de 20h. Entrée autour de 10 $. Cours de danse le vendredi et samedi. Le lieu pour écouter de très bons groupes de salsa vieja, en vivo. Des lumières chaudes, des banquettes rouges, de la place pour danser, on se retrouve dans une atmosphère de Cuba années 1950. L'ambiance monte vers 23h. Venir si possible assez élégant.

LOS DEL PATIO

Calle 3a ✆ +507 832 6364
losdelpatio.org – info@losdelpatio.org
Ouvert du mardi au jeudi de midi à 22h et jusqu'à minuit le vendredi et samedi. Un café ouvert début 2011 qui est aussi un lieu d'échanges culturels, avec des ateliers d'initiation artistique et une petite boutique dans le patio vendant des articles de stylistes locaux. Prix raisonnables pour les boissons, snacks et salades. Bonne musique, service sympa, ambiance tranquille et décontractée.

MOJITO'S SIN MOJITOS

Calle 9 y Ave. A, Plaza Herrera
✆ +507 6855 4080
Ouvert à partir de 18h30, samedi, dimanche et lundi. Bière 1,50 $, cocktails à partir de 3 $. Un petit bar simple et chaleureux, avec un petit patio. Le rock est apprécié. Souvent des concerts en fin de semaine.

PLATEA LOCAL BAR

C/1, en face de l'ancien Club Union
✆ +507 228 4011 – +507 832 2721
www.scenayplatea.com
Ouvert du lundi au samedi de 18h à 3h. Dans une maison centenaire bien restaurée, une salle chaleureuse à l'ambiance jazzy. Repas et *musica en vivo* à partir de 19h. Le mercredi et jeudi le jazz est à l'honneur, vendredi plutôt salsa et le samedi c'est piano-bar ou rock sixties, seventies.

RELIC BAR

Calle 9na Este 3-28
Ouvert du lundi au samedi de 20h30 à 3h. Bière à 1 $, cocktails à partir de 2 $. Le bar du Luna's Castle. Un grand patio et un bar climatisé. Même clientèle anglophone, toujours du monde. Parfois des concerts et pièces de théâtre.

LA VIEJA HAVANA

Calle B ✆ +507 212 3873
Ouvert tous les jours de 10h à minuit ou plus.

Cocktails autour de 6 $. Le Casco Viejo a des petits airs de la Havanne, encore plus avec ce bar qui offre de la bonne salsa, des tableaux sympas et du rhum évidemment… La plupart des rhums d'Amérique centrale et des Caraïbes sont alignés derrière le bar. Les boissons ne sont pas données mais on vient surtout pour l'ambiance lors des concerts *en vivo* en fin de semaine.

Centre moderne et l'est

■ LA ESQUINA DE VAN GOGH
Un peu au-dessus de l'intersection Vía Veneto
Ave. E. Morales, à côté de Claro.com
Ouvert de midi à minuit. Assez touristique mais agréable pour boire un verre dans une salle chaleureuse ou sur la terrasse. Service efficace.

■ GREEN HOUSE LOUNGE CAFÉ
Via Argentina, en face de Subway
El Cangrejo
℃ +507 214 7475
www.greenhousepanama.com
Ouvert tous les jours dès midi jusque tard dans la nuit. Compter autour de 20 $ pour dîner. Happy hour entre 17h et 20h. Choix varié, spécialités de briques froides ou chaudes (wraps) à partir de 8 $. Bon choix de cocktails. Déco moderne avec lumières tamisées, parquet, bambous et palmes, terrasse. Musique électro lounge.

■ ISTMO BREW PUB
à côté du Sevilla Suites, Ave. E. Morales
℃ +507 265 5077
Ouvert tous les jours de 16h à 2h. Un bar à bières avec de nombreux breuvages brassés de façon artisanale. On vous propose une série de petits verres pour goûter la Veraguas, la Coclé, la Colón ou la Chiriquí, et choisir celle qui finira au fond de votre gosier. Blondes, brunes, rousses ou ambrées sont servies à la pression. Entre 3 et 5 $ la pinte. *Salud* !

🐸 LA RANA DORADA
Calle Arturo Motta y Via Argentina
El Cangrejo
℃ +507 269 2989
Ouvert tous les jours jusqu'à tard. Bière du monde autour de 3,50 $, cocktails autour de 6 $. Picadas 7,50 $. Un pub chaleureux de style irlandais, qui porte le nom de l'espèce de grenouille endémique la plus menacée du Panamá, ce qui est bien dommage car elle porte chance quand on la voit ! Elle aurait peut-être déjà disparue à cause d'un champignon arrivé sur les terres panaménnes depuis peu… Pour vous remettre de cette triste nouvelle, offrez-vous la délicieuse bière maison, la *cerveza* rana Dorada. La salle est chaleureuse avec de nombreuses boiseries. Une terrasse vous attend si vous n'aimez pas la clim mais, attention, elle se remplit vite !

■ TABERNA 21
en face du parc Andrés Bello
Vía Argentina ℃ +507 223 5320
Ouvert tous les jours jusqu'à très tard. Un petit bar-restaurant proposant des concerts certains soirs. La bière pression (de barril) et les tapas sont plus agréables sur la terrasse que dans la salle trop climatisée. Grand choix de tapas espagnoles à partir de 4 $. Paella autour de 12 $. Vin, sangria… Le repaire de nombreux Espagnols, surtout pendant les matchs du Barça ou du Real !

PROVINCE DE PANAMÁ

Las *chivas parranderas*

Les *chivas* sont à l'origine les vieux bus panaméens mais désignent aussi les *diablos rojos* réaménagés spécialement pour la fiesta ! Bariolées et ouvertes sur les côtés, les chivas parcourent la ville à partir de 21h avec à l'intérieur une *murga* (« fanfare ») explosive : saxo, trompette, trombone, percus… À défaut de concert *en vivo* vous aurez droit à une sono aux basses détonantes ! Les fauteuils ont un système de bar en bois pour placer les verres et bouteilles de seco ou de rhum national. On boit, on danse, on vacille… Pour 25 à 30 $ par personne, la soirée est arrosée sans limite. Retour vers minuit. Une expérience surprenante ! Appelez plusieurs jours à l'avance, les *chivas* ne circulant que lorsqu'un groupe suffisamment nombreux est formé.

■ CHIVA PACHANGUERA
C/E. Morales, El Cangrejo ℃ +507 223 3977
www.chivaspachangueras.com

■ CHIVA PARRANDERA
C/51, Bella Vista ℃ +507 269 8500

■ **THE LONDONERS**
À côté d'Ozone café, C/Uruguay
Ouvert du lundi au samedi à partir de 17h.
Un pub anglais typique, avec bière pression,
fish and chips, billard, rock anglo-saxon et
retransmission des matchs de foot ou de rugby.
Happy hours de 17h à 19h.

Clubs et discothèques

¡ A bailar ! Dépendantes des phénomènes de
mode, les discothèques peuvent être pleines
à craquer où désespérément vides. Elles sont
surtout concentrées dans la calle Uruguay et les
rues adjacentes mais une zone a émergé ces
dernières années à l'entrée du Causeway, c'est
la Zona Viva. Les clubs mentionnés ci-dessous
étaient « tendance » lors de notre passage
mais cela change très vite ! Dès que la discothèque passe de mode, on change de nom
ou de concept… Vous aurez le choix entre
musiques latines et tropicales (merengue,
salsa, reggaetón, bachata, socca, etc.) mais
aussi de plus en plus d'électro. Les Panaméens
font un effort vestimentaire, alors même si les
touristes sont rarement refoulés, essayez de ne
pas arriver en short… Les lieux se remplissent
après minuit et ferment au petit matin.

Centre moderne et l'est

■ **MANREY**
En face de Gaucho
Calle Uruguay y Ave 5a Sur, Bella Vista
✆ 507 203 0000
*Entrée autour de 20 $ pour les garçons, 15 $
pour les filles.* Dans l'hôtel du même nom, un
club ultra select où vient se montrer la jeunesse
dorée de Panamá. Musique électro et lounge
avec les DJ tendance du moment.

■ **PEOPLE ULTRA LOUNGE**
Calle Uruguay ✆ +507 213 1274
Ouvert à partir du mardi. L'un des derniers lieux
à la mode en 2011. Un espace minimaliste pour
de la musique lounge (pour changer !).

■ **S6IS**
C/Uruguay ✆ +507 264 5237
*Ouvert du mardi au samedi dès 21h. Entrée à 5 $
(chicas) ou 10-15 $ (chicos).* L'un des clubs les
plus anciens qui a su rester tendance. La terrasse surplombe une vaste piste de danse.

Amador, Albrook et l'ouest

La Zona Viva, rebaptisée « Zona Rumba » à
l'entrée du Causeway, est des plus populaire
auprès des plus jeunes. Il s'agit d'une succes-
sion de maisons transformées en bars-boîtes.

Chacun met la sauce de son côté, ce qui crée
une drôle de cacophonie et une ambiance
détonnante !

■ **CHILL OUT**
Zona Viva
Musique variée du rock latino au reaggaton,
en passant par l'électro. Bonnes vibes.

■ **PAXION**
Zona Viva ✆ +507 263 0104
L'une des plus grosses boîtes de la Zona Rumba.
N'oubliez pas de retirer le portable de la poche
si vous approchez de la piscine !

Spectacles

Casco Viejo

▶ **LA CASONA**
Calle 5a Oeste ✆ +507 6706 0528
*Ouvert du mercredi au samedi à partir de 20h.
Entrée libre ou à prix symbolique.* Un lieu à part
dans le paysage culturel de la capitale. Un
espace dédié aux arts graphiques, à l'audiovi-
suel, aux sculptures éphémères, à la musique,
à la danse ou au théâtre… Une programmation
musicale éclectique (jazz, calypso, salsa, hip
hop, reggae...), de nombreuses expos et une
atmosphère informelle et bohème unique, avec
vue sur la mer !

■ **EL TEATRO ANITA VILLALAZ**
Plaza de Francia, Las Bóvedas
✆ +507 211 4020
Petit théâtre de 250 places situé dans une dépen-
dance de l'Institut national de la culture.

■ **TEATRO NACIONAL**
Près de la place Bolívar, San Felipe
✆ +507 262 3582 – +507 262 3525
Au cœur de la vieille ville, ce lieu feutré accueille
aussi bien des troupes de théâtre ou de ballets
que des orchestres.

Centre moderne et l'est

▶ **Cinéma.** Les salles sont modernes et souvent
intégrées à de grands complexes commerciaux. On y passe essentiellement de grosses
productions nord-américaines. L'ironie veut
que la catégorie *Películas extranjeras* (« films
étrangers ») désigne tous les films étrangers
à l'exception de ceux produits aux USA !
Programmes dans La Prensa. Tickets autour
de 3-4 $. Prendre une petite laine pour ne
pas vous transformer en glaçon à cause de
la clim !

▶ **Théâtre.** Plusieurs théâtres se situent dans
la capitale. En voici une liste non exhaustive.

© IPAT PANAMA

Théâtre national.

Programmes dans la presse ou sur le site : www.teatrodepanama.com

■ **CINE ALHAMBRA**
Vía España ✆ +507 264 6585

■ **CINEPOLIS**
Multiplaza Pacific
✆ +507 302 6262
www.cinepolis.com.pa

■ **CINE UNIVERSITARIO**
Dans l'université nationale
✆ +507 264 2737 – +507 523 2096
Le « ciné U » qui projetait productions argentines ou japonaises, vieux films italiens ou français, documentaires, etc., était fermé lors de notre passage, en attente de rénovation. Renseignez-vous pour voir s'il a rouvert.

■ **EXTREME PLANET**
Ave. Balboa ✆ +507 214 7022
www.extremeplanetpanama.com

■ **TEATRO LA QUADRA**
C/Alberto Navarro ou « D », El Cangrejo
✆ +507 214 3695
www.teatroquadra.com
info@teatroquadra.com

■ **TEATROS LA HUACA & ANAYANZI**
Vía Israel, Centro Atlapa ✆ +507 526 7200

Amador, Albrook et l'ouest

■ **CINEMARK**
Albrook Mall ✆ +507 314 6001

■ **FIGALI CONVENTION CENTER**
À L'entrée du Causeway ✆ +507 314 1414
www.figaliconventioncenter.com
À la fois centre de conventions et centre culturel. C'est ici que sont organisés les megaconcerts des stars de la musique latine et internationale : Shakira, Miley Cyrus, Ozzy Osbourne...

Casino

Ils sont nombreux et poussent comme des champignons (le blanchiment d'argent de la drogue n'y est pas étranger...). La plupart des grands hôtels en sont pourvus. L'ambiance est surprenante en dehors des roulettes et machines à sous, avec souvent des spectacles de danse ou des orchestres de salsa. Parmi les plus importants en taille : Majestic, Fiesta, Crown, Veneto… L'entrée est généralement gratuite, mais vous risquez d'en ressortir un peu allégé !

▨ À VOIR – À FAIRE

Visites guidées

■ **OFICINA DEL CASCO ANTIGUO**
en face de l'Arco Chato, Mansión Obarrio
✆ +507 209 6300
✆ +507 209 6343

www.cascoantiguo.gob.pa
info@cascoantiguo.gob.pa
Bureau ouvert de 8h30 à 16h du lundi au vendredi. Pour tout renseignement sur le Casco Viejo. Visites guidées gratuites de 9h à 15h sur réservation préalable.

Sans réservation : rendez-vous devant la cathédrale le samedi et dimanche à 9h (susceptible de changement, passer au bureau pour vérifier). La plupart des guides sont bénévoles, des étudiants en tourisme, n'oubliez pas un petit pourboire.

■ **VIAJES Y DESTINOS – TRANVIATOUR**
Ave. A, Calle 4ta
PH Art Deco, Casco Antiguo
✆ +507 228 7309 – +507 6980 3195
www.viajesydestinos.com.pa
tranviatour@viajesydestinos.com.pa
Une agence qui innove avec la réplique d'un vieux tramway qui sillonne les rues stratégiques de la capitale entre Via Veneto, dans le centre moderne, et le Casco Antiguo. 5 $ le ticket valable une journée : vous descendez où vous voulez et pouvez remonter autant de fois que vous le souhaitez dans la journée, ce qui permet de découvrir différents sites, avec des informations touristiques en espagnol et anglais. Egalement deux circuits plus longs à 30 $ (moitié prix pour les enfants) : Ruta Histórica (Panamá la Vieja, Mi Pueblito, Cinta Costera, Casco Antiguo) et Ruta Canalera (Causeway, écluses de Miraflores, Cerro Ancón, Cinta Costera). Pour un groupe, la directrice de l'agence peut assurer la visite guidée en français. Tranviatour offre également différents circuits à travers le pays : villages emberás, Zone libre de Colón, Portobelo, écluses de Gatún, plages…

▌ **Autre adresse :** Via Veneto y Calle D, Edificio Romaney, Local 1 (El Cangrejo).

Détail d'une façade dans le Casco Antiguo.

Casco Viejo

Histoire d'atmosphères

Le Casco Antiguo ou Casco Viejo englobe le quartier colonial de San Felipe et une partie de celui de Santa Ana et du Chorillo. La zone touristique est concentrée dans San Felipe. C'est un lieu à part, dans une capitale bouillonnante où l'on s'arrache les dernières maisons centenaires pour les raser et planter des tours, et où l'automobile et les centres commerciaux sont rois. Le Casco Viejo est un havre de calme et de douceur. Ici le piéton conserve sa place, les enfants jouent encore au foot dans la rue et les vieux se réunissent toujours sur les bancs pour causer ou taper le carton… L'atmosphère du vieux quartier semble intemporelle et empreinte de romantisme. Mais San Felipe, dont les premières pierres furent posées après la destruction de Panamá La Vieja, vit et évolue sans cesse, comme le reste de la ville. Le quartier colonial fut pendant très longtemps le centre économique, politique et religieux du pays, malgré les incendies fréquents aux XVIIe et XVIIIe siècles. A la fin du XIXe siècle, l'élite est bien présente et les étrangers débarquent en masse faisant grimper les prix. Mais au cours du XXe siècle, le quartier va se paupériser petit à petit. A partir des années 1920, l'élite abandonne les luxueux immeubles particuliers pour des maisons plus grandes et modernes situées dans les quartiers résidentiels de La Exposición, Bellavista, et plus tard de El Cangrejo, San Francisco ou Paitilla. Les immeubles vacants sont rapidement fractionnés et mis en location. Mais ce phénomène de subdivision de l'espace va très loin et s'accompagne d'une augmentation de la population qui atteint des sommets dans les années 1970. Les immeubles ne sont plus entretenus et les autorités ne connaissent parfois même plus le nom du propriétaire… Les beaux immeubles se transforment alors en taudis surpeuplés. Le quartier devient dangereux et des gangs redoutés font leur apparition dans les années 1980 du côté de la place Herrera…

Si les autorités commencent à restaurer les églises et les plus belles demeures de San Felipe dans ces mêmes années, le changement radical intervient en 1997 quand l'Unesco inscrit l'ensemble du quartier sur la liste du patrimoine mondial. L'Etat et les investisseurs privés commencent alors d'importants travaux de restauration, devenus indispensables pour sauver ces immeubles délabrés mais d'une valeur architecturale inestimable. Au début des années 2000, le quartier redevient touristique et gagne progressivement en sécurité grâce à la présence d'une police du tourisme prévenante. Des cafés et restaurants chics s'implantent, souvent tenus par des Européens amoureux des vieilles pierres. Aujourd'hui, le Casco Viejo rentre dans un nouveau cycle, irrésistible, celui de l'embourgeoisement ou de ce que les sociologues désignent comme un processus de « gentrification ». Ce « quartier village » au charme incomparable devient un lieu branché. Les 4x4 rutilants sont désormais nombreux autour des vieilles places, tandis que les vieux rocking-chairs quittent les trottoirs… Les investisseurs se jettent sur les dernières maisons vétustes et parfois envahies pas la végétation. Ils y aménagent des appartements chics qu'ils louent au prix fort aux étrangers ou font simplement de la spéculation pour revendre plus tard sans même avoir réalisé des travaux de restauration… Les anciens locataires, des familles nombreuses sans grandes ressources, sont relogés… mais rarement dans le quartier. Ils ont souvent droit aux petits lots bon marché des lointaines villes-dortoirs du côté de Tocumen ou Arraiján ; une toute autre ambiance et qualité de vie pour ceux qui continuent à travailler dans le centre de Panamá ! Il faut espérer que les autorités résisteront aux pressions financières pour conserver un peu de mixité sociale dans le Casco Viejo. Sans quoi, ce quartier vivant et bohème pourrait se transformer très vite en une simple ville-musée.

Architectures

San Felipe va ravir les passionnés d'architecture : il y a peu de lieu aussi éclectique en Amérique latine ! Sur cette presqu'île rocheuse abritée par d'épaisses murailles, entre les églises et les rares maisons coloniales ayant traversé les siècles, se mêlent des demeures aux touches françaises, des maisons en bois de style caribéen, des édifices massifs néoclassique ou Art déco. Cette variété est à l'image du pays et reflète une histoire coloniale et républicaine dont la richesse découle du mélange des cultures né des migrations successives. Il ne reste pas grand-chose de l'architecture coloniale car le quartier a été dévasté par de nombreux incendies aux XVIIᵉ et XVIIIᵉ siècles. L'incendie de 1737, *el fuego grande*, détruit 95 % des maisons (il n'en restera que vingt-deux). De celui de 1756, *el fuego chico*, seule la moitié de ce qui avait été reconstruit sera sauvé… Dans les espaces vides, on décide d'aménager des places. A partir de la construction de la voie ferrée menant à Colón en 1855, la ville voit affluer les chercheurs d'or du monde

Musée du canal interocéanique.

entier. De nombreux étrangers (Américains, Espagnols, Français, Chinois…) restent et ouvrent des commerces ou des hôtels. Dans les années 1880, les touches françaises sont nombreuses (balcons, mansardes) et apparaissent également des maisons en bois similaires à celles que l'on peut trouver à la Nouvelle-Orléans ou aux Antilles. L'influence étrangère se fait de plus en plus présente après l'indépendance, en 1903, à une époque où la jeune République de Panamá entreprend un ambitieux programme de construction et de restauration de monuments publics (Théâtre national, Palais municipal et national…). L'inspiration néoclassique est importante dans les grands édifices mais le quartier garde sa trame coloniale originelle. On trouve ensuite quelques immeubles Art déco, plus nombreux du côté de Santa Ana et dans l'avenida Central.

⚓ MUSÉE DU CANAL INTEROCÉANIQUE

Place de la Cathédrale
☎ +507 211 1649
www.museodelcanal.com
Ouvert de 9h à 16h30-17h du mardi au dimanche. 2 $, 0,75 $ jusqu'à 12 ans. Le plus beau musée de la capitale, tant pour ce qu'il contient que pour son architecture. L'histoire de l'isthme retracée, depuis l'époque précolombienne jusqu'à nos jours.

L'accent est mis sur l'importance géostratégique de cette terre où ont transité les marchandises du monde entier, avant même la construction du canal. On peut facilement y passer deux bonnes heures pour apprécier les cartes, illustrations et films qui expliquent les enjeux passés et actuels de la voie interocéanique, la vie quotidienne au moment de la construction du canal, les relations passées entre les Etats-Unis et le Panamá, ou encore la pièce consacrée à l'histoire même de l'édifice. Ce musée ne fait pas double emploi avec celui des écluses de Miraflores, ils sont complémentaires. Le magnifique bâtiment qui abrite le musée date de 1875 et fut successivement le Grand Hôtel, le siège de la Compagnie universelle du canal interocéanique, puis de l'administration américaine du canal en 1904, et à partir de 1910, bureau central de la Poste.

Calidonia

■ MUSEO AFROANTILLANO
C/24 Oeste y, Ave. J. Arosemena
✆ +507 262 5348 – www.samaap.org
Ouvert du mardi au samedi de 8h30 à 15h30. Entrée à 1 $. De nombreux témoignages (photos et objets) rendent hommage aux travailleurs afro-antillais qui ont largement contribué à la construction du canal. Le petit musée est hébergé dans une église de 1910.

■ MUSEO DE CIENCIAS NATURALES
C/30 y Ave. Cuba ✆ +507 225 0645
Ouvert du mardi au samedi de 9h à 16h. 1 $. Animaux empaillés (jaguar, serpents, quetzal, aigle harpie) et collections d'insectes ou de coquillages. Salles consacrées à la géologie et à la paléontologie. Ce musée mériterait un bon rafraîchissement.

Centre moderne et l'est

■ LA CINTA COSTERA
Ce boulevard côtier représente une avancée de 26 ha sur la mer, le long de l'avenue Balboa qui en 2008 était encore au bord de l'eau. La fin des travaux date de 2009. La Cinta Costera dispose d'une route 4 voies reliée au Corredor Sur qui a bien fluidifié la circulation, mais aussi d'espaces verts et d'une voie piétonne et cyclable longeant la baie. La Cinta Costera est devenue un vrai lieu de promenade. La vue sur le Casco Viejo d'un côté et sur les gratte-ciel de Paitilla de l'autre est en effet inoubliable. Les gens y viennent faire du sport (course à pied, roller, basket…). Il n'y a pas de guinguettes mais quelques vendeurs de sodas si vous avez soif. Vous verrez un

monument dédié à Vasco Nuñez de Balboa. Ce dernier était autrefois plus proche de sa « mer du Sud » (qu'il a découverte en 1513), avant la construction de la Cinta Costera qui l'a englobé. Pour vous rendre compte de l'avancée sur la mer, cherchez les deux tours jumelles de l'hôtel Miramar, pas loin de la tour BBVA. Elles étaient autrefois juste au bord de l'océan ! Le sujet qui faisait débat en 2011 était la poursuite ou non de la Cinta autour du Casco Viejo, pour rejoindre Amador. La plupart des habitants de la capitale et l'Unesco étaient contre le projet de faire passer une route sous les beaux remparts de la vieille ville, mais le président Martinelli, comme d'habitude, ne semblait faire fi des protestations… En approchant du Casco Viejo, on arrive sur le marché aux poissons. Le *Mercado de mariscos* mérite absolument une visite, au moins pour goûter les délicieux ceviches ! Le restaurant au premier étage est aussi vivement conseillé. Vous pouvez d'ailleurs acheter du poisson au marché et le faire cuisiner au restaurant !

■ GALERIA ARTECONSULT
Calle 50 entre calle 72 et 73
✆ +507 270 3436
www.galeriaarteconsult.com

■ GALERIA HABITANTE
con calle 48 Este y Ave. 5B Sur
Calle Uruguay 11 ✆ +507 264 6470
www.galeriahabitante.com
habitante@galeriahabitante.com

■ GALERÍA MATEO SARIEL
Alle 74 San Francisco ✆ +507 270 2404
www.mateosariel.com
Ouvert en semaine de 9h à 18h, samedi de 10h à 16h.

■ PANAMÁ LA VIEJA
Vía Cincuentenario ✆ +507 226 8915
www.panamaviejo.org
Museo de Sitio. Ouvert du mardi au dimanche de 9h à 17h. 3 $, enfants 0,50 $. Mirador de la tour de la Cathédraledu mardi au dimanche de 8h30 à 18h30. 4 $, retraités 3 $, étudiants 2$. Museo de Sitio + mirador : 6 $, 5 $ pour les retraités, 3 $ étudiants. De la première cité fondée sur la côte Pacifique, il ne reste aujourd'hui que des ruines, derniers témoignages d'une histoire mouvementée qui finit de façon tragique par la destruction de la ville en 1671 par le corsaire Henry Morgan. Nuestra Señora de la Asunción de Panamá fut fondé le 15 août 1519 par Pedrarías Dávila, moins de six ans après la découverte de la mer du Sud par Vasco Nuñez de Balboa. Le nom Panamá

viendrait soit de la présence de nombreux arbres dénommés ainsi (arbres que l'on trouve toujours sur le site), soit du terme indigène qui signifie « abondance de poissons » (ou « de papillons »). Le site n'était sans doute pas le meilleur pour s'installer, à cause des marécages, de la mangrove et du manque d'eau potable (peu d'eau en été et de l'eau boueuse le reste de l'année, on a donc dû creuser des puits). Il n'était pas idéal non plus pour assurer la protection de la ville par laquelle transiteraient quelques années plus tard l'or et l'argent de l'Amérique andine. Qu'à cela ne tienne, les colons de Santa María la Antigua de Darién durent quitter leur bourgade atlantique pour s'établir sur la côte de ce qui sera bientôt rebaptisé « Pacifique ». L'objectif est alors de faire de cette ville le port de départ des explorations de la région pour trouver la route de l'Orient et de ses îles à épices… Quelques années plus tard, Francisco Pizarro découvrit les richesses de l'Empire inca. Panamá devint alors une ville de transit pour l'or, l'argent, les perles, les pierres précieuses à destination de Nombre de Dios (puis Portobelo à la fin du XVIe siècle) via le Camino Real (puis le Camino de Cruces), pour ensuite traverser les mers jusqu'en Espagne. La cité prit une importance considérable dans le système colonial et devint un centre commercial, ecclésiastique et politique de premier ordre. Elle subit un tremblement de terre en 1621 et un grave incendie en 1644, mais le pire était à venir. La population était d'environ 8 000 personnes lorsque le corsaire (ou pirate pour les Panaméens) Henry Morgan, à la tête de 1 200 hommes, attaqua Panamá le 28 janvier 1671. Ils prirent la ville par surprise après avoir détruit le fort San Lorenzo, remonté le Chagres puis emprunté le Camino de Cruces. La défense mal organisée ne résista guère, mais fit exploser la poudrière avant de fuir pour que les envahisseurs ne puissent pas tout voler… Un incendie ravagea alors presque toute la ville. Seuls les huttes des faubourgs et les couvents de La Merced et de San José furent épargnés. Morgan resta un mois avant de quitter la ville qu'il mit à feu et à sang. Il emporta tous les trésors et prisonniers qu'il put. Les survivants subirent la famine et les épidémies pendant deux ans, avant que la nouvelle ville de Panamá ne soit construite 8 km plus loin, dans une zone mieux protégée et plus saine. Ce qui restait des églises et couvents fut alors emmené pierre par pierre jusqu'à « Panamá La Nueva »… Les ruines de Panamá La Vieja ont été rattrapées par la ville moderne dans les années 1950.

PROVINCE DE PANAMÁ

Panamá la Vieja

Vers le Puente del Rey

250 m.

Musée
Marché
Église
Hôpital
Divers

Église de San José

Couvent de Santo Domingo

Couvent des Religieuses

Couvent de la Compañía — Casas Terrin

Casa de los Genoveses

Couvent de la Merced

Église des Religieuses

Cathédrale

Hôpital de San Juan de Dios

Marché artisanal

Casas Reales

Taller de Playa Prieta

Via Cincuentenario

Centre de visiteurs (et futur marché artisanal)

Fuerte de la Navidad et Puente el Matadero

Baie de Panamá

Corredor Sur

Heureusement le site a été préservé et l'ensemble architectural a été déclaré monument historique par le gouvernement panaméen en 1976. Reconnaissance importante, il a été inscrit en 2003 sur la liste du patrimoine mondial de l'Unesco. Des fouilles sont entreprises depuis de nombreuses années sur le site. Outre ses vieilles pierres, on a retrouvé de nombreux témoignages précolombiens qui sont exposés au centre de visiteurs situé à environ 600 m de l'entrée principale des ruines. Il est conseillé de commencer sa visite par ce musée très pédagogique.

▶ **Centro de Visitantes (museo).** Plusieurs salles où sont exposées de somptueuses pièces précolombiennes (céramiques, bijoux en or, pointes de flèches, reconstitution d'un tombeau…), mais aussi des cartes historiques très claires, une maquette de la ville telle qu'elle était au temps de sa splendeur, des explications (en espagnol et en anglais) sur la conquête et la piraterie… Une librairie intéressante à la sortie.

▶ **Ruines.** Vous trouverez à chaque fois des explications et un plan pour vous repérer sur chacun des sites : églises et couvents de plusieurs ordres religieux (franciscain, dominicain…), demeures royales, anciens lieux de pouvoir (Cabildo, équivalent de municipalité), l'hôpital San Juan de Dios, le pont du Roi (Puente del Rey) reliant la ville au Camino Real… L'édifice le plus emblématique et le mieux conservé est la tour de la Cathédrale, construite entre 1619 et 1626. Un escalier intérieur permet de monter au mirador, pour une vue panoramique magnifique (interdite au moins de 8 ans).

▶ **Marché artisanal.** Un grand choix d'artisanat à des prix corrects.

■ **PARQUE OMAR**
Via B. Porras
Ouvert tous les jours de 4h à 19h45. Piscine ouverte de 6h30 à 15h30, fermée le lundi. Bibliothèque ouverte en semaine de 9h à 18h, 17h le samedi. Ce parc municipal de 65 ha était autrefois un golf privé. En 1973, le général Omar Torrijos l'a converti en lieu public. On peut y faire son jogging, un tennis, piquer une tête, étudier ou faire la sieste…

Amador, Albrook et l'ouest

■ **CAUSEWAY OU CALZADA DE AMADOR**
Accès : le plus simple est de prendre un taxi (entre 5 et 10 $) mais on peut aussi s'y rendre en bus depuis la Plaza 5 de Mayo. Cette longue jetée de 6 km qui unit, à l'entrée du canal, les îles de Naos, Perico et Flamenco au continent, a été réalisée avec les terres et roches excavées de la passe Gaillard (1,25 milliard de mètres cubes !). La jetée est destinée à protéger l'entrée du canal des sédiments déplacés par les courants. A son origine, elle avait aussi une fonction de défense en cas d'attaques étrangères contre le canal (Isla Flamenco accueillait une base militaire américaine). Bien avant la construction de la jetée, pendant la période coloniale, l'île de Perico accueillait dans son port en eaux profondes les navires en provenance d'Amérique du Sud.

Les ponts au-dessus du Canal

Le pont des Amériques et celui du Centenaire, qui enjambent le canal, réunissent en quelque sorte l'Amérique du Nord et l'Amérique du Sud, séparées depuis un siècle par le canal. Depuis la création de la voie interocéanique, le pays est divisé en deux et la question du transport d'une berge à l'autre s'est longtemps posée. Les gens utilisaient de petites embarcations jusqu'à l'arrivée en 1931 de deux ferries, baptisés *Amador* et *Roosevelt*. En 1942, un troisième ferry et un pont mobile sont mis en service pour faire face aux allées et venues des militaires américains durant la Seconde Guerre mondiale. Ce n'est qu'en 1955 que les autorités nord-américaines s'engagent à réaliser un pont en arc, de 118 m de haut et 1,6 km de long, qui sera finalement inauguré le 12 octobre 1962. Les bouchons interminables ont motivé la création d'un second pont au-dessus du canal, à côté du village de Paraíso plus au nord. Ce magnifique pont suspendu de 80 m de haut pour plus d'1 km de long a été baptisé Centenario (« Centenaire ») le 3 novembre 2003, à l'occasion des célébrations du centenaire de la République. Son inauguration par la présidente Mireya Moscoso, le 15 août 2004 (deux semaines avant la fin de son mandat), donnera lieu à une belle polémique : le pont a coûté plus cher que prévu, mais surtout les sections d'autoroute y menant ne sont pas réalisées ! On a eu pendant plusieurs mois un joli pont au milieu de nulle part. Finalement, en septembre 2005, le nouveau président, Martin Torrijos, inaugurera une seconde fois l'ouvrage d'art… ainsi que ses routes d'accès !

Plaza de Francia.

Bâtiment municipal à Panamá Ciudad.

Plaza Simon Bolivar.

On y débarquait hommes, marchandises, or et argent que l'on emmenait ensuite vers la ville sur de petites chaloupes. Aujourd'hui, ce sont les bateaux de croisières qui s'y arrêtent car le site est magnifique… et les boutiques nombreuses ! Le Causeway est devenu en quelques années un haut lieu du tourisme et du loisir depuis sa rétrocession au Panamá à la fin des années 1990. Les restaurants et les galeries commerciales sont de plus en plus nombreux et peut craindre à terme une congestion des îles, tant leur essor est excessif ! Pour le moment, c'est une promenade très agréable. Une longue piste cyclable a été aménagée pour le plus grand bonheur des adeptes du roller ou de la bicyclette. Les Panaméens adorent s'y promener et boire un verre en admirant le pont des Amériques, le canal ou la ville.

■ **CENTRO DE RECHERCHE PUNTA CULEBRA**
Causeway, Isla Naos
✆ +507 212 8793 – www.stri.org
Ouvert du mardi au vendredi de 13h à 17 h, le weekend de 10h à 18h. Entrée 5 $. Ce centre géré par l'institut Smithsonian de recherche tropicale (STRI) présente, avec aquariums et salle de projection, les différents écosystèmes marins du pays et l'impact de l'homme sur cet environnement. On peut y voir des requins et des tortues marines notamment.

■ **CERRO ANCÓN ET MI PUEBLITO**
Ave. de Los Mártires
S'y rendre en taxi, car le quartier du Chorillo pas très loin est dangereux (pas d'inquiétude à

avoir à Mi Pueblito et pour la montée au Cerro). La colline verdoyante qui domine la ville est accessible au visiteur qui accepte de marcher une petite demi-heure dans le moiteur tropicale. Curieusement peu pratiquée, cette balade vaut vraiment la peine, tout d'abord pour la faune que l'on peut y croiser : agoutis, coatis, paresseux à trois doigts, singes titi ou à tête blanche, iguanes, boas, toucans, colibris… Mais le clou du spectacle est la vue panoramique qui se dévoile du sommet, à 199 m d'altitude. Le mieux est de partir tôt pour voir des animaux et ne pas trop souffrir de la chaleur.

▶ **Le Cerro Ancón** a toujours été un lieu public très apprécié des habitants du Casco Antiguo qui venaient s'y balader et y puiser de l'eau. En 1882, y fut installé l'un des tout premiers sismographes d'Amérique et un grand hôpital destiné à accueillir les ingénieurs et ouvriers du chantier du canal en construction. En 1904, la colline passa dans la Zone du canal et son accès se faisait au compte-gouttes pour les Panaméens. Durant la Seconde Guerre mondiale, l'armée américaine y creusa un immense bunker : 200 m de longueur, 40 pièces, des galeries qui montent et descendent… « The tunel » servait de base anti-atomique et de centre d'espionnage pour le commandement Sud. Le Cerro est redevenu propriété panaméenne en 1979, à la suite de la signature du traité de rétrocession de la Zone du canal. Un énorme drapeau panaméen (de la taille d'un terrain de basket !) flotte depuis au sommet.

▶ **Mi Pueblito.** En bas de la colline, ce centre touristique propose une reconstitution pittoresque des différents modes de vie et habitats traditionnels du Panamá : villages de l'« Intérieur » et afro-antillais du début du XXe siècle, villages amérindiens. Vous trouverez de nombreux stands d'artisanat aux prix raisonnables.

■ **MUSEO ANTROPOLÓGICO REINA TORRES DE ARÁUZ**
Intersection Diana Morán/Ave. A. Villalaz/Ave. Juan Pablo II
✆ +507 501 4740
Ouvert du mardi au dimanche de 9h à 16h. 3 $. Le musée anthropologique, dont le nom rend hommage à la célèbre anthropologue panaméenne, Reina Torres de Aráuz, est situé depuis 2006 dans un grand bâtiment moderne en face du parc métropolitain. Il présente plus de 15 000 pièces de céramique et d'orfèvrerie qui racontent l'histoire de l'isthme, depuis l'époque précolombienne jusqu'à l'arrivée des conquistadores au début du XVIe siècle.

© IPAT PANAMA

Palacio de las Garzas.

Vue de Panamá Ciudad.

PROVINCE DE PANAMÁ

▪ MUSEO DE ARTE CONTEMPORÁNEO (MAC)

C/San Blas, Ancón, Ave. de los Mártires
✆ +507 262 3380 – +507 262 8012
www.macpanama.org
Ouvert de 9h à 16h, fermé le lundi. 2 $. Très belle collection permanente d'œuvres panaméennes et latino-américaines. Pendant l'année, le musée organise plusieurs rencontres artistiques ou expos temporaires comme la biennale des Arts visuels.

▪ MUSEO DE LA BIODIVERSIDAD

Causeway – http://biomuseopanama.org
L'œuvre architecturale (en cours de construction en 2011) qui abritera le musée de la Biodiversité est le premier projet de Frank Gehry en Amérique latine. L'édifice d'acier et de ciment, connu sous le nom de « Puente de Vida », à la silhouette irrégulière et aux couleurs vives, sera visible de loin. Il aura certainement un impact touristique important pour la ville, comme on peut le constater avec le musée Guggenheim de Bilbao. Le bâtiment prétend représenter l'histoire géologique de l'isthme de Panamá et ses répercutions sur le climat et la biodiversité. Il sera situé au milieu d'un jardin botanique.

▪ PARC NATUREL MÉTROPOLITAIN

Ancón, Ave. Juan Pablo II final
✆ +507 232 5552 – +507 232 5516
www.parquemetropolitano.org
Ouvert de 6h à 17h tous les jours. Y aller de préférence tôt le matin pour voir plus d'animaux. Le ticket d'entrée (2 $) finance la fondation qui entretient le parc et propose des programmes d'éducation à l'environnement aux scolaires. Pour apercevoir plus d'animaux, d'insectes ou de plantes et connaître l'histoire du Castillo

(« château »), il est conseillé de prendre un guide, 5 $ par personne. Le parc a deux entrées éloignées de 700 m l'une de l'autre. Au centre des visiteurs, l'entrée principale, vous aurez un descriptif complet des balades à faire, une petite librairie spécialisée sur la faune et la flore du pays, et des commodités. C'est de là que partent les sentiers Los Momótides (900 m, 45 minutes), Los Caobos (900 m, 1 heure) et El Roble (700 m, 30 minutes). L'autre entrée se situe au niveau de la cabane de l'ANAM, d'où partent La Cienaguita (1,1 km, 1 heure) et Mono Tití (1,1 km, 1 heure). Tous les sentiers communiquent, et il y a des plans. Une forêt tropicale en pleine jungle urbaine ! Panamá est la seule capitale du continent à profiter en son sein d'une véritable forêt tropicale ! Ce parc protégé de 232 hectares est le poumon vert de la ville. C'est aussi la première partie d'un couloir biologique entre le sud et le nord de l'isthme, qui garantit aux animaux la possibilité de passer des forêts du Pacifique à celles de l'Atlantique (la forêt du parc naturel métropolitain se poursuit à travers les parcs nationaux Camino de Cruces, Soberanía et l'aire protégée du Fort San Lorenzo). Les sentiers du parc sont accessibles à tous et permettent de se plonger dans la végétation luxuriante des tropiques en 10 minutes depuis le centre-ville ! Même si le PNM n'appartient pas à la catégorie des « parcs nationaux », il en a l'allure avec ses grands arbres et la richesse de sa faune : on recense notamment 227 espèces d'oiseaux dont 46 migrateurs présents ici pendant l'hiver d'Amérique du Nord. Du mirador à 135 m d'altitude, la vue s'étend sur le canal, les forêts à perte de vue, le Cerro Ancón et les plantations de gratte-ciel. Attention les amoureux… paresseux et mono tití vous observent depuis les cimes !

BALADE

On pourrait s'arrêter devant chaque bâtisse de ce quartier captivant. Voici quelques demeures ou édifices immanquables. Pour compléter la présentation succincte qui suit, nous invitons les passionnés comprenant l'espagnol ou l'anglais à la lecture d'un bel ouvrage intitulé *El Casco Antiguo de la Ciudad de Panamá*, ainsi que le guide de l'Unesco : *Panamá La Vieja et le Casco Viejo* (Alfredo Castillero, Editions Unesco, 2004) contenant un livret, un DVD et des plans.

▶ **Bon plan :** l'*Oficina del Casco Antiguo* organise des visites guidées gratuites d'environ 1 heure 30, tous les jours de 9 h à 15h sur réservation, ou rendez-vous sans réservation, samedi et dimanche à 9h, devant la cathédrale.

▶ **La découverte de San Felipe** commence après avoir passé la place Santa Ana. Continuez tout droit sur l'avenida Central en suivant les rails de l'ancien tramway. Vous noterez plusieurs édifices Art déco avant d'arriver à la demeure Arias Feraud. Bien restaurée, cette maison bourgeoise accueille aujourd'hui les bureaux du maire. Le bâtiment est situé à l'emplacement des anciennes murailles qui entouraient la ville coloniale. Les murailles n'ayant plus grande utilité au milieu du XIXᵉ siècle, on décida de les démolir en 1856 pour gagner de l'espace. On peut contempler à l'intérieur les restes de la Puerta de Tierra, l'ancienne porte d'entrée de la vieille ville ouverte dans la muraille.

▶ **L'église de La Merced**, juste en face, conserve encore sa façade originale de style baroque, construite en 1680 avec les pierres de l'ancienne église du même nom de Panamá La Vieja. Deux tours massives couronnées par une coupole l'entourent.

▶ **En face de l'église, un immeuble imposant** considéré comme le premier gratte-ciel du pays ! Construit entre 1917 et 1921, cet édifice, dont une façade donne également sur la Plaza Herrera, possède autant de noms que d'histoires : El Castillo de Greyskull (« le château de Greyskull »), la Pensión García, la Casa Grande (« la Grande Maison »), La Mansión (« la Demeure ») ou La Reformada (« la Réformée »)… « El Castillo » illustre bien le phénomène de paupérisation du quartier au cours du XXᵉ siècle, l'immeuble passant de l'extrême richesse à l'extrême marginalité. Il abritait à l'origine des bureaux, une zone commerciale et des appartements de luxe. Des fêtes ou mariages étaient organisés ici pour la haute société jusque dans les années 1950. En 1970, le bâtiment changea de propriétaire pour devenir un hôtel. En quelques années, gagné par la vétusté, l'immeuble devint un énorme squat où la police n'osait plus rentrer, un gang de la capitale y avait son QG… L'immeuble était en cours de restauration courant 2011 après que les derniers occupants aient été expulsés.

▶ **En poursuivant sur l'**avenida Central en direction de la baie, on débouche sur la place de l'Indépendance (Plaza Independancia). C'est sur cette place, appelée également Plaza Mayor ou Plaza Catedral, qu'on déclara les deux

Détail de la cathédrale Metropolitana.

© IPAT PANAMA

indépendances du Panamá, en 1821 et en 1903. L'ancien centre religieux, politique et social de la cité coloniale est aujourd'hui un lieu de rencontre des enfants et des anciens. Le kiosque au centre nous invite à l'observation de la vie paisible du barrio. La Plaza Mayor était autrefois carrée et servait pour des représentations de théâtre, des défilés militaires, ou des corridas. Après l'incendie du couvent qui donnait autrefois dessus, elle a été agrandie en 1878 et aménagée en parc de forme rectangulaire, avec des arbres, des bancs et le kiosque. Un marché aux puces a lieu le dimanche.

▶ **La cathédrale** présente l'une des plus belles architectures religieuses du pays et c'est l'un des plus grands édifices religieux d'Amérique centrale (63 m sur 33 m). La première pierre fut posée en 1688 mais la cathédrale fut complètement détruite par un incendie en 1737 alors qu'elle n'était pas encore achevée. Les travaux reprirent dix ans plus tard pour se terminer complètement en 1762 (sa consécration date de 1796). La façade, encadrée par deux élégantes tours néoclassiques, est constituée des pierres de taille amenées de Panamá La Vieja, dont la palette de couleurs aux touches vert foncé passe de l'ocre au gris noir. Les clochers sont incrustés de coquilles de nacre qui brillent au soleil et permettaient aux navires de repérer la ville depuis le large. On raconte qu'une bague royale aurait été coulée dans le moule d'une des cloches et lui donnerait un son tout particulier… A l'intérieur, on pourra admirer le plafond en bois d'origine, de beaux vitraux et l'autel semi-circulaire d'inspiration néoclassique. A sa droite, un souterrain aujourd'hui fermé reliait la cathédrale à l'océan et à plusieurs églises et couvents.

▶ **Le Palais municipal (*Palacio municipal*).** Dessiné par l'architecte italien Gennaro Ruggieri, ce bâtiment de 1910 est de style néoclassique, avec sa couleur blanche et ses deux colonnes qui encadrent la porte et la grande baie. Il a remplacé le « Cabildo », l'ancienne construction à arcades et balcons où fut proclamée l'indépendance de 1903. Le conseil municipal y tient actuellement ses séances. On trouve à l'intérieur un petit musée d'histoire ouvert en semaine de 8h30 à 15h30.

▶ **Le musée du Canal interocéanique.** Construit en 1874-1875 par un hôtelier alsacien du nom de Georges Loew, le « Grand Hôtel » fut racheté par la Compagnie universelle du Canal interocéanique en 1881, pour en faire le siège de son administration. Les Etats-Unis l'acquirent en 1904 quand ils rachetèrent les parts de la nouvelle compagnie du canal. En

1910, il fut cédé au gouvernement panaméen, qui le convertit en bureau central des Postes. Restauré en 1997, il accueille aujourd'hui le musée du Canal. Cet immeuble élégant de trois étages est un bel exemple du style français avec ses mansardes, balcons et arcades. Pour un descriptif du musée, voir le chapitre « Points d'intérêt/Musées de la ville ».

▶ **L'Hôtel central donne sur la même place.** Edifié en 1874 puis dévasté par un incendie en 1878, il fut reconstruit en 1885 en se rapprochant de l'architecture du Grand Hôtel, avec des balcons individuels et des mansardes. C'était l'un des hôtels les plus luxueux des Amériques. Ingénieurs du canal et hommes d'affaires de passage appréciaient ses chambres confortables donnant sur la Plaza Mayor. Sa splendeur s'estompa peu à peu et l'hôtel ne devint plus qu'une simple pension qui finit squattée par ses clients, avant d'être définitivement fermé au début des années 2000. Ce qui était un magnifique bâtiment faisait l'objet d'une importante restauration lors de notre passage, que l'on pourrait qualifier de massacre architectural : démolition d'un superbe escalier escargot, surélévation, une façade différente de celle d'origine et, pour couronner le tout, la pose de fenêtres PVC ! Il est probable qu'il retrouve sa fonction originelle d'hôtel de luxe, le charme en moins.

▶ **Toujours sur la même place,** côté est, des maisons des années 1880 joliment restaurées et un immeuble massif de 1947, la Casa Alianza.

▶ **À proximité de la place,** les ruines du couvent de la Compagnie de Jésus. Construit en 1741, le couvent fut le siège de la première université de Panamá à partir de 1749. Abandonné après l'incendie de 1781, le couvent fut restauré deux siècles plus tard, après démolition de la maison qui s'était installée dans la nef…

▶ **En remontant l'Avenida A** en direction de la Plaza Herrera, on arrive à l'église San José, construite entre 1671 et 1677. Son retable recouvert de feuilles d'or (Altar de Oro) est célèbre. La légende veut qu'il aurait été sauvé du pillage de Panamá La Vieja grâce à l'ingéniosité des moines qui le dissimulèrent en le recouvrant d'une huile noire… Certains spécialistes affirment qu'il daterait en fait du XVIIIe siècle… Ses détails baroques en font l'une des plus belles œuvres religieuses de l'époque coloniale.

▶ **L'avenue débouche ensuite sur la tranquille Plaza Herrera** où s'élève la statue équestre du général Tomás Herrera, valeureux meneur d'un mouvement séparatiste de quelques mois en 1840.

Cette statue est l'œuvre du sculpteur français Auguste Denis. La place a été créée après l'incendie de 1781. Jusqu'en 1928, elle accueillait de nombreuses corridas. Parmi les immeubles autour vous verrez l'autre façade de l'immeuble « La Reformada » et l'ancien hôtel Herrera, édifié en 1923, ainsi que plusieurs maisons de la fin du XIXᵉ siècle et un grand bâtiment blanc datant de 1928.

▶ **À quelques mètres de la place,** la Mano de Tigre (« Main de Tigre »), se trouvent les restes de l'imposante muraille qui protégeait la ville jusqu'en 1856. Juste derrière, la Casa Boyacá, une maison en bois pittoresque en forme de quille de bateau.

▶ **L'église et le couvent de Santo Domingo.** A l'autre bout de l'Avenida A. Construits en 1678, l'église et le couvent étaient des plus somptueux jusqu'à l'incendie qui ravagea l'ensemble moins d'un siècle plus tard. L'ensemble est connu sous le nom de Arco Chato, en raison de la présence d'une « arche aplatie » très large, construite en brique et mortier pour soutenir le cœur. Au moment du choix du tracé d'un canal, alors que les Américains hésitaient encore entre le Panamá et le Nicaragua, l'arche, toujours debout malgré les siècles, était la preuve de la situation privilégiée du Panamá au niveau sismique. L'arche s'est finalement effondrée le 7 novembre 2003 sous les secousses… d'un marteau-piqueur ! Elle sera reconstruite à l'identique trois ans plus tard.

▶ **Dans la chapelle mitoyenne** se trouve le musée d'Art religieux colonial, qui expose peintures, sculptures et objets religieux de l'époque. De nombreuses pièces viennent de Panamá La Vieja. Le musée est ouvert du mardi au samedi de 9 h à 16 h.

▶ **En prenant la C/2 Oeste,** on peut faire une pause dans le petit parc aménagé en 2000 (à la place d'un terrain de basket) où trône le buste de Charles Quint, puis on longe la mer pour rejoindre la Plaza de Francia, l'ancienne place d'Armes réaménagée en 1922 pour rendre hommage à la tentative vaine du percement de l'isthme par les Français. Au fond de la place, un obélisque au sommet duquel trône un fier coq gaulois qui regarde vers le canal et la France ! Sa base est entourée des bustes de personnages ayant joué un rôle majeur dans « el esfuerzo francés » (« l'effort français », comme les Panaméens désignent le chantier engagé par les Français) : Ferdinand de Lesseps et les ingénieurs Armand Reclus, Napoléon Bonaparte Wise, Léon Boyer et le Panaméen Pedro Sosa

(quand le Panamá appartenait encore à la Colombie). Derrière eux, dans une galerie semi-circulaire dotée d'arcades, est gravée dans le marbre l'histoire du canal racontée par Octavio Méndez Pereira. Une plaque rend également hommage au médecin cubain Carlos Juan Finlay, qui identifia le moustique responsable de la transmission de la fièvre jaune et préconisa le contrôle des populations de moustiques comme lutte efficace contre la maladie. Un peu avant l'escalier se trouve l'endroit où fut fusillé en 1903 Victoriano Lorenzo, héros indigène de la guerre des Mille Jours. L'ambassade de France a le privilège d'être logée dans une jolie maison du début du XXᵉ siècle qui donne sur cette belle place. Juste derrière la maison de Ferdinand de Lesseps.

▶ **À proximité,** dans un immeuble néo-classique, on trouve l'Institut national de la culture (INAC). Au rez-de-chaussée sont exposées des œuvres d'artistes panaméens. En février 2008, le bâtiment servit de lieu de tournage de *Quantum Of Solace* (James Bond) : il avait été transformé pour l'occasion en un luxueux hôtel bolivien !

▶ **À côté,** *Las Bóvedas* (« les voûtes ») du XVIIIᵉ siècle abritent aujourd'hui une galerie d'art et le restaurant Las Bóvedas. Elles servaient autrefois de cellules de prison. Les sculptures montrent les vieux métiers, l'une d'elle représente María Ossa de Amador qui confectionna le premier drapeau panaméen.

▶ **En montant l'escalier,** on débouche sur le Paseo Esteban Huertas, ou Paseo de las Bóvedas. Le chemin de ronde a été aménagé en une très agréable promenade. La vue sur le Causeway avec, en second plan, le canal et le pont des Amériques, est superbe. Un beau point de vue aussi sur les hautes silhouettes de la ville moderne et sur les immeubles pastels du Chorillo. Ses bancs à l'ombre des bougainvilliers sont très appréciés des badauds et des vendeurs d'artisanat. L'éclairage nocturne confère à cet endroit une atmosphère des plus romantiques.

▶ **Puis on passe devant l'ancien Club Union** (aujourd'hui dans le quartier chic de Paitilla). Cet ensemble néoclassique date de 1917. Il a servi de club ou société privée, jusqu'en 1969, puis fut occupé par les forces militaires panaméennes, avant d'être bombardé lors de l'invasion nord-américaine de décembre 1989. Ce lieu surprenant, qui a également servi de décor pour l'agent 007, pourrait être réhabilité en hôtel de luxe. En contrebas, une petite plage où vous pouvez vous balader.

▌ Le *Teatro nacional.* Ce bâtiment néoclassique, aujourd'hui aux couleurs tarte à la crème, a été dessiné par Ruggieri et inauguré en 1908. Il accueille de grandes représentations théâtrales et des concerts (Bernard Lavillier le connaît bien !). A l'intérieur, ne manquez pas les peintures de Roberto Lewis, les balcons suspendus et les dorures. Derrière le théâtre se trouve le *Palacio Nacional* qui héberge le ministère du Gouvernement et de la Justice.

▌ **La Casa Góngora** à l'angle de la C/4 et de l'avenida Central est l'exemple le plus représentatif de la demeure coloniale, avec cinq ouvertures frontales sur chaque façade et de longs balcons. Cette maison, jadis propriété d'importants notables, fut détruite en 1756 mais reconstruite sur les mêmes fondations par un riche commerçant en perles. Elle fut habitée jusqu'en 1990 avant d'être acquise par l'Etat et restaurée.

▌ **La Plaza Bolívar** a vu le jour après l'incendie de 1756. Elle accueille en son centre un ensemble de statues rendant hommage à Simón Bolívar, héros de l'indépendance des colonies américaines. Les statues ont été érigées à l'occasion du centenaire du Congrès panaméricain de 1826 organisé par *el Libertador* pour tenter de constituer une confédération des peuples libérés de l'Espagne et de consolider ainsi l'indépendance. Les séances se sont tenues dans une ancienne salle du couvent franciscain, connu aujourd'hui sous le nom de Salón Bolívar, où l'on peut voir la copie d'une grande huile de Bolívar (l'original est à Caracas). La place est calme et offre de belles perspectives sur l'église néoclassique San Francisco de Asis. L'église et l'ancien couvent des Jésuites sont parmi les premiers édifices construits après la destruction de Panamá La Vieja. L'ensemble brûla à deux reprises (1737 et 1776) mais fut reconstruit immédiatement. En 1918, l'architecte Vilanueva Meyer entreprit une réfection totale de l'édifice qui se vit attribuer un haut clocher polygonal.

▌ **À côté de l'église,** le monument Bolívar, récemment restauré, accueille le ministère des Affaires étrangères. Donnant également sur la place, l'hôtel Colombia construit en 1937, ainsi que plusieurs maisons d'un étage datant des années 1880, et des immeubles plus hauts construits dans les années 1930.

▌ **En remontant l'Avenida B,** on remarquera la petite église de San Felipe Neri, l'une des premières églises de San Felipe dont les dates de construction et reconstruction sont inscrites

Intérieur du musée Religioso.

sur la façade. La tour du Clocher, visible de la Plaza Bolívar, est décorée de coquilles de nacre, comme sur la cathédrale. L'église n'ouvre ses porte qu'une seule fois par an pour les célébrations du saint le 26 mai.

▌ *Palacio de las Garzas* (Palais présidentiel). Après avoir abrité les gouverneurs espagnols pendant toute la période coloniale, le palais hébergea un temps la douane du Pacifique, avant de devenir à partir de 1872, la résidence présidentielle. L'édifice a été remodelé en 1922 par Leonardo Villanueva Meyer. Les loggias aux angles de la façade sont remarquables. Son nom, « Palais des Hérons », fait référence aux deux hérons que le président Belisario Porras reçut en cadeau dans les années 1920 et qu'il installa chez lui. La tradition perdure et de majestueux hérons gambadent toujours dans l'enceinte du palais et notamment autour d'une jolie fontaine d'inspiration andalouse. Le beau patio mauresque et les somptueux salons ne se visitent évidemment que sur rendez-vous et l'autorisation est difficile à obtenir. Renseignez-vous auprès du bureau du Casco Antiguo.

■ **OFICINA DEL CASCO ANTIGUO**
en face de l'Arco Chato, Mansión Obarrio
℡ +507 209 6300
Voir la rubrique « Visites guidées ».

SHOPPING

Dotée de supermarchés ouverts 24h/24, dont le plus célèbre est sans doute le Rey de la Vía España, la capitale est également truffée de boutiques bon marché, notamment sur l'avenida Central : vêtements, électronique, objets en tout genre à prix imbattables.

▌ *Malls.* Panamá Ciudad est la place privilégiée des touristes latino-américains en quête des dernières marques à la mode. Certains prétendent que les économies faites sur leurs achats leur payent le voyage ! On trouve de tout dans les *shopping centers* ou malls de la capitale. Les Panaméens adorent également se promener dans ces temples climatisés de la consommation qui accueillent, en plus des boutiques, de nombreux restaurants et des salles de cinémas. Les malls ouvrent généralement de 10h à 21h (11h-20h le dimanche).

▌ **Artisanat.** Avec le développement du tourisme, les boutiques d'artisanat fleurissent à travers la ville, comme les étals des Kunas sur les trottoirs de la Vía Veneto ou sur le Paseo Esteban Huertas dans le Casco Viejo. L'artisanat présenté s'est enrichi en finesse et en diversité ces dernières années. Pour les

amoureux de *diablos rojos*, un certain Foster Rivera fabrique des miniatures de ces vieux bus scolaires américains décorés de graffs colorés et de messages bibliques ou humoristiques. Les œuvres sont faites en bois, carton et peinture à l'huile. L'artiste vend ses créations dans le Casco Viejo. On peut aussi trouver ses œuvres dans les boutiques La Ronda et Artesanías Indígenas, dans le Casco Viejo. Compter entre 8 et 80 $ par pièce.

▇ ALBROOK MALL
Ave. Marginal Este
Le plus vaste d'Amérique centrale, situé juste à côté du terminal de bus d'Albrook. Un centre commercial mixte, avec des boutiques de luxe et d'autres moins onéreuses. Les restos sont tous fast-food, malheureusement, et c'est très bruyant.

▇ FLAMENCO SHOPPING PLAZA
Isla Flamenco, Causeway
Un mall apprécié des marins et des touristes descendant des bateaux de croisière. Plusieurs boutiques d'équipement nautique.

▇ METROMALL
Via Tocumen
Le nouveau centre commercial situé à proximité de l'aéroport de Tocumen (10 minutes). Des navettes gratuites sont proposées aux voyageurs depuis l'aéroport, avec une carte offrant des réductions dans les boutiques affiliées à l'opération.

▇ MULTICENTRO MALL
Ave. Balboa, Paitilla
Ce *mall* accolé à l'hôtel Radisson Decápolis se revendique d'un style plus « européen ». Nombreuses boutiques de luxe.

▇ MULTIPLAZA PACIFIC
Punta Pacífica
Un beau centre commercial de luxe avec des boutiques de couturiers et les prix qui vont avec. On y trouve une librairie et des restaurants assez variés, dont ceux du haut qui proposent une belle vue sur les tours du quartier chic.

Casco Viejo

▇ EL MACHETAZO
à côté de la Plaza Santa Ana
Avenida Central
Ouvert de 8h30 à 19h, du lundi au samedi. « El hombre crea, el mono imita y con El Machetazo

© IPAT PANAMA

Albrook Mall.

no hay quién compita » ; « Y hasta el gato compra en El Machetazo ». Deux slogans célèbres du Machetazo, l'une des grandes chaînes de supermarché, aux prix bas et où l'on trouve presque tout. Celui de l'Avenida Central est le plus populaire. Toujours beaucoup de monde aux caisses, ne soyez pas trop pressés !

■ ESPACIO VINTAGE
Ave. A y Plaza Herera
Ouvert du lundi au samedi de 10h à 19h. L'atelier de création et la boutique de Gisela Sanchez et Kristina Foguel. Des vêtements originaux qui vous plairont peut-être.

■ GALERIA INDIGENA
Calle 1, n° 844 ℰ +507 228 9557
Ouvert tous les jours. Une boutique proposant un choix d'artisanat panaméen et latino-américain, avec des choses souvent originales. De magnifiques paniers et masques emberá.

■ GALERIA KARAVAN
Calle 3ra, à côté de l'Arco Chato
ℰ +507 228 7177
caravangallery@gmail.com
Ouvert en semaine de 9h30 (10h-midi samedi et dimanche) à 17h. Un bel artisanat de la côte Caraïbes, en provenance de Portobelo et de Kuna Yala principalement.

Calidonia

■ LIBRERIA CULTURAL PANAMEÑA
Vía España n°16 face à la C/1ra, Perejil
ℰ +507 223 6267 – +507 223 5628
www.libreriacultural.com
lacultural@cwpanama.net
Ouverte du lundi au samedi de 9h à 17h50. L'une des plus anciennes librairies de la capitale : plus de 55 ans au service de la culture et de l'éducation au Panamá ! Vous y trouverez votre bonheur en matière de littérature panaméenne (romans, biographies, contes, poésies) et d'ouvrages consacrés à l'histoire et l'économie du pays.

■ MERCADO ARTESANAL DE LA PLAZA CINCO DE MAYO
Ouvert de 9h à 18h, le dimanche jusqu'à 16h. De nombreuses petites échoppes proposent un bon choix d'artisanat de toutes les provinces. On peut également s'y restaurer dans l'un des petits *comedores* (plat unique, poulet ou viande).

Centre moderne et l'est

■ EL HOMBRE DE LA MANCHA
Ave. F. Boyd, C/52,
Edificio Bolívar
ℰ +507 263 6218
www.hombredelamancha.com
Ouvert du lundi au samedi de 10h30 à 18h30. Une librairie conviviale dans une petite maison qui, nous l'espérons, ne sera pas rasée.

▶ **Autres adresses :** Multiplaza, Multicentro, Albrook Mall...

■ EXEDRA BOOKS
Angle Vías España et Brasil
ℰ +507 264 4252
www.exedrabooks.com
Ouvert en semaine de 9h30 à 20h, le samedi de 10h à 19h. Cette vaste librairie propose un rayon littérature, beaux livres touristiques et cartes. Le café cosy attenant, qui ouvre à partir de midi, a la wi-fi.

■ LIBRERIA ARGOSY
Au-dessus du croisement de Vía España
Vía Argentina
ℰ +507 223 5344
Un bon choix de livres en espagnol, anglais et même quelques-uns dans la langue de Molière.

Amador, Albrook et l'ouest

■ CENTRO ARTESANAL NACIONAL E INTERNACIONAL DE BALBOA
Ouvert de 9h à 18h, le dimanche de 10h à 17h. Tout l'artisanat du pays et d'ailleurs y est concentré : peintures d'Haïti, vêtements d'Equateur, chivas colombiennes ou hamacs nicaraguayens… Des objets intéressants. Attention car ce centre est très excentré, et situé dans le quartier de Balboa, au nord de la ville, et non le long de l'Avenue Balboa, le long de la mer.

■ CENTRO MUNICIPAL DE ARTESANIAS PANAMEÑAS BALBOA
À 10 minutes à pied du précédent. Ouvert tous les jours de 8h à 18h. Une quarantaine de petits locaux bien approvisionnés. Au fond des stands, les Kuna travaillent à leurs molas, ces pièces de tissu traditionnelles, ornées selon la technique dite de l'appliqué inversé.

PROVINCE DE PANAMÁ

SPORTS – DÉTENTE – LOISIRS

■ BUBBA SHRIMP CO
Playita de Amador
✆ +507 227 8146 – +507 993 2740
www.bubbagumpanama.com
bubbashrimp@cwpanama.net
Une idée originale : des sorties en mer de 3 ou 6 heures (en journée ou soirée) dans un authentique bateau de pêche à la crevette aménagé pour accueillir des touristes. A partir de 60 $ par personne. Et vous allez vraiment pêcher !

■ SPANISH PANAMA
en face du Subway, Via Argentina ✆ +507 213 3121 – www.spanishpanama.com
info@spanishpanama.com
Tarif de base d'une semaine de cours sans logement (4 heures par jour du lundi au vendredi) 250 $, 310 $ en cours particulier du lundi au jeudi. Nombreuses options avec logement et activités. Parfait pour vous familiariser avec l'espagnol avant de voyager dans l'intérieur…

■ SPANISH PANAMA
En face du Subway, Via Argentina
✆ +507 213 3121

www.spanishpanama.com
info@spanishpanama.com
Tarif de base d'une semaine de cours sans logement (4 heures par jour du lundi au vendredi) 250 $, 310 $ en cours particulier du lundi au jeudi. Nombreuses options avec logement et activités. Parfait pour vous familiariser avec l'espagnol avant de voyager dans l'intérieur…

■ TONI BIKE RENTAL
Playita de Amador,
Isla Naos
✆ +507 380 12000
Ouvert de 13h à 21h en semaine et de 9h à 21h le week-end. Location de vélos (2 $/heure) ou de drôles de voitures à pédales. D'autres loueurs sur Causeway.

■ TONI BIKE RENTAL
Playita de Amador, Isla Naos
✆ +507 380 12000
Ouvert de 13h à 21h en semaine et de 9h à 21h le week-end. Location de vélos (2 $/h) ou de drôles de voitures à pédales. D'autres loueurs sur Causeway.

GAY ET LESBIEN

La mentalité reste macho et conservatrice dans la capitale comme dans le reste du pays. Les établissements gay friendly restent très discrets. Comme les autres clubs, les bars et discothèques gay et lesbiens disparaissent du jour au lendemain ou changent de nom. Le mieux est de consulter Internet pour se tenir à jour, et notamment le site www.farrurbana.com

LES ENVIRONS

🏔 BURBAYAR LODGE
Nusagandi, route El Llano-Carti
✆ +507 236 6061 – +507 6949 5700
www.burbayar.com
reservas@greencitypanama.com
190 $ par personne puis 155 $ par nuit additionnelle, avec transport depuis Panamá, pension complète et randonnées. Au cœur de la forêt tropicale, sur les hauteurs de la Serranía de San Blas, sept *cabañas* en bois, pour une capacité maximale de 17 personnes. L'électricité est issue d'un petit générateur et de panneaux solaires, mais généralement les soirées se font à la lueur des bougies et bercées par les sons innombrables de la selva. Burbayar, ou « l'Esprit de la Montagne » en kuna, jouit d'une bonne notoriété chez les amoureux de la nature. Plusieurs sentiers balisés depuis le lodge.

Au cœur de la forêt du Burbayar.
© PIE PANAMA

La province de Panamá

La province de Panamá est la région la plus riche et la plus peuplée du pays. Elle est encadrée par les provinces de Coclé à l'ouest, de Darién à l'est, de Colón et de San Blas au nord et par l'océan Pacifique au sud. Ses attraits touristiques sont nombreux, à commencer par la capitale. Dans ses alentours, outre le canal, la province possède des parcs nationaux, des îles verdoyantes, des plages et une partie orientale moins touristique mais qui offre de belles possibilités d'aventures !

LE CANAL DE PANAMÁ

On ne peut évoquer le Panamá sans penser à sa fameuse voie d'eau. Même si le Panamá est bien plus qu'un canal, pour reprendre un slogan de l'Institut panaméen du tourisme, la voie d'eau est le fil directeur de l'histoire républicaine et de l'identité nationale. Il constitue aussi la clef de voûte de l'économie du pays. Voici quelques éléments sur le fonctionnement de l'ouvrage et sur les travaux d'agrandissement actuels, l'un des plus grands chantiers du continent aujourd'hui.

Quelques chiffres

▶ **Les 152 millions de mètres cubes** excavés lors du creusement du canal (la moitié dans la passe Gaillard) auraient permis la construction d'une réplique de la Grande Muraille de Chine traversant les Etats-Unis d'est en ouest ! Et si toutes ces excavations de terre et de roche étaient placées sur un train à plate-forme, la longueur du train serait égale à quatre fois le tour du monde !

▶ **Les portes les plus hautes et les plus lourdes** sont celles de l'entrée sud des écluses de Miraflores : 25 m de haut pour 730 tonnes !

▶ **La première traversée** est attribuée à la grue flottante Alexander La Valley, le 7 janvier 1913. Le premier transit officiel est celui du vapeur *Ancón*, le 15 août 1914.

▶ **La voie d'eau est ouverte 24h/24**, 365 jours par an. Le droit de grève est interdit aux 9 000 employés du canal. Son fonctionnement n'a été interrompu que 2 fois : le 20 décembre 1989, le jour de l'opération militaire américaine destinée à capturer le général Noriega ; et le 8 décembre 2011, après plusieurs jours de pluies diluviennes dans la région. Les portes des écluses restaient ouvertes aux deux extrémités

Larguez les amarres !

Si vous souhaitez traverser le canal gratuitement, tentez de proposer vos services comme *hand liner* sur un bateau de plaisance. Chaque bateau est tenu d'avoir à son bord, en plus d'un pilote de l'ACP, 4 équipiers chargés de lancer et d'attacher les bouts servant à stabiliser l'embarcation dans le passage des écluses. Les *hand liners* professionnels prennent entre 50 et 100 $ la traversée. Certains plaisanciers n'hésitent donc pas à prendre à bord des « amateurs ». Renseignez-vous dans les marinas pour trouver un bateau. La période la plus propice pour cette expérience inoubliable s'étend de fin novembre à mai, lorsque soufflent les alizés.

du canal pour évacuer le trop-plein d'eau, les barrages de Gatún et d'Alajuela ayant atteint leur capacité maximale historique.

▶ **Avec en moyenne 40 navires par jour** (plus de 14 000 par an), le trafic dans le canal représente 5 % de la flotte marchande mondiale. Un tiers de ces passages concerne des bateaux reliant l'Asie à la côte est des Etats-Unis. Un navire qui se rend du Japon à New York par le canal s'épargne plus de 5 600 km de voyage en évitant de longer les côtes d'Amérique du Sud et d'emprunter le redouté détroit de Magellan. De New York à Guayaquil (Equateur) : 13 700 km en moins !

▶ **On compte une quinzaine d'accidents** par an dans le canal. En 1981, le pétrolier *Arco Texas* transporta 65 000 tonnes de brut à travers l'isthme… sans accident, ouf !

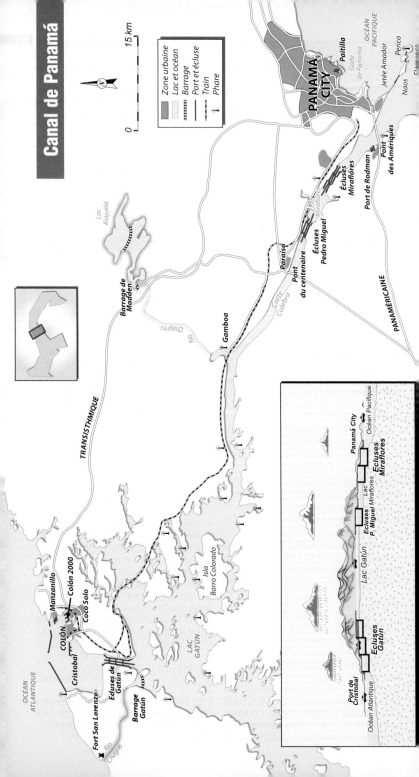

Canal de Panamá

Légende :
- Zone urbaine
- Lac et océan
- Barrage
- Port et écluse
- Train
- Phare

0   15 km

OCÉAN PACIFIQUE

Paitilla
PANAMA CITY
Golfe de Panamá
Perico
Jetée Amador
Naos
Pont des Amériques
Port de Rodman
Écluses Miraflores
Écluses Pedro Miguel
Paraíso
Pont du centenaire
Côte Culebra
PANAMÉRICAINE
Lac Miraflores

Lac Alajuela
Barrage de Madden
Río Chagres
Gamboa

TRANSISTHMIQUE

OCÉAN ATLANTIQUE
Fort San Lorenzo
Río Chagres
Barrage Gatún
Écluses de Gatún
Cristóbal
COLÓN
Manzanillo
Colón 2000
Coco Solo
LAC GATÚN
Isla Barro Colorado

Encadré (profil) :
Port de Cristóbal
Océan Atlantique
Écluses Gatún
Lac Gatún
Écluses P. Miguel Miraflores
Lac P. Miguel Miraflores
Écluses Miraflores
Lac Miraflores
Océan Pacifique
Panamá City

▶ **Les tarifs des péages augmentent** sans cesse. Ils sont fonction du type de navire et sont basés sur le tonnage, ou sur la taille pour les petits navires (600 $ pour un navire de moins de 15 m + caution de 150 $). Le coût de péage le plus élevé a été payé par le bateau *MSC Fabienne* le 7 mai 2008 avec 317 millions de dollars. Le plus faible, 36 centimes, a été réglé par Richard Halliburton, 75 kg, qui traversa le canal à la nage entre le 14 et le 28 août 1928 !

MIRAFLORES

Les écluses de Miraflores sont les plus proches de la capitale. Un centre de visiteurs, avec mirador, musée et restaurant, permet d'en savoir plus sur le canal et le fonctionnement d'une écluse. Il est aussi possible de voir les écluses de Gatún, côté atlantique (province de Colón).

■ **CANAL & BAY TOURS**
Marina de Fuerte Amador
Esclusas de Miraflores (Panama)
✆ +507 209 2000 – +507 209 2009
www.canalandbaytours.com
Traversées du canal avec guide et repas. Le premier samedi du mois, traversée complète d'océan à océan 165 $ (75 $ pour les moins de 12 ans). Départ à 8h. Traversée partielle entre Amador et Gamboa 115 $ (moins de 12 ans 60 $). Départ à 9h. Transfert gratuit depuis votre hôtel. L'agence est propriétaire de Isla Morada, un magnifique bateau en bois presque centenaire qui appartint un temps à Al Capone !

■ **CENTRE DE VISITEURS DE MIRAFLORES**
Esclusas de Miraflores (Panama)
✆ +507 276 8325 – +507 276 8449
www.pancanal.com
Ouvert tous les jours de 9h à 17h (la billetterie ferme à 16h). Tarifs pour les non résidents, visite complète (accès au mirador, film et musée) : adulte 8 $ (retraités 4 $, étudiants et - de 18 ans 5 $), sans le film et le musée : 5 et 3 $. Accès : au terminal d'Albrook prendre un bus indiquant « Gamboa » ou « Paraiso » et demander au chauffeur qu'il vous dépose aux écluses. Environ 12 $ la course de taxi depuis le centre-ville (20 minutes). Le centre de visiteurs offre une vue plongeante sur les écluses de Miraflores où transitent les navires de toute sorte. Allez-y plutôt l'après-midi pour être sûr de voir passer les gros navires qui sont partis tôt le matin depuis l'entrée atlantique. Plusieurs salles thématiques pour mieux comprendre les innovations technologiques ayant permis la réalisation du canal ; le rôle du bassin hydrographique ; le fonctionnement de la voie d'eau (documentaires, maquette topographique et simulateur de pilotage) ; la place du raccourci interocéanique dans le commerce maritime international. Enfin, un film raconte l'histoire du canal et les travaux d'agrandissement actuels (une version en français existe).

■ **PANAMA MARINE ADVENTURES**
N°106 Vía Porras y C/Belén,
Esclusas de Miraflores (Panama)
✆ +507 226 8917 – www.pmatours.net
info@pmatours.net
Traversées complètes ou partielles, généralement le samedi. Traversée partielle : départ de Flamenco Marina à 9h30 pour Gamboa. Traversée de la Corte Culebra, des écluses de Pedro Miguel et de Miraflores, avant de rejoindre le Pacifique. 115 $, 65 $ jusqu'à 12 ans. Traversée complète du Pacifique à l'Atlantique. Départ de Flamenco Marina à 7h30. Retour de Colón en bus en fin d'après-midi. Adultes 165 $, 75 $ jusqu'à 12 ans. Petit déjeuner et déjeuner inclus.

■ **RESTAURANT ET BAR MIRAFLORES**
Esclusas de Miraflores (Panama)
✆ +507 232 3120
Ouvert tous les jours de midi à 23h30. A partir de 9 $ à midi et 15 $ le soir. Un restaurant réputé pour ses poissons et fruits de mer. Réservation conseillée, surtout pour pouvoir manger en terrasse au-dessus des écluses.

ISLA BARRO COLORADO

Avant le remplissage du lac artificiel de Gatún, Barro Colorado était une colline. Les besoins du canal l'ont converti en île refuge pour les animaux de la vallée inondée. Très rapidement, les biologistes se sont rendus compte de l'importance scientifique de ce sanctuaire tropical. Fondée en 1923, la réserve de Barro Colorado a obtenu le statut de réserve naturelle en 1979, protégeant du même coup les péninsules alentours (Gigante, Peña Blanca, Bohío, Buena Vista et Frijoles), ce qui représente une réserve totale de plus de 5 400 ha au cœur du lac Gatún. Cet écosystème préservé attire chaque année des scientifiques du monde entier qui étudient l'évolution de la faune et de la flore de la forêt tropicale humide. Sur l'île cohabitent des milliers d'insectes de toute sorte, mais aussi plus de 120 espèces de mammifères, dont plus de la moitié sont des chauves-souris. Cette merveille de la biodiversité héberge plus d'espèces animales que toute l'Europe ! On recense enfin pas moins de 1 200 plantes différentes.

PROVINCE DE PANAMÁ

Fonctionnement des écluses et chantier d'agrandissement du canal

Les écluses présentent deux voies parallèles permettant aux bateaux de passer simultanément dans les deux sens. Lors de ces passages, les gros navires sont assistés par de grosses locomotives électriques de halage, auxquelles ils sont reliés par de solides câbles. Ces « mules » (*mulas*) travaillent par paires et se déplacent sur des rails situés le long des écluses. Pesant 50 tonnes et pourvues de deux tractions de 290 chevaux, elles remorquent les navires et les maintiennent dans l'axe des chambres. Les plus gros bateaux effleurent de quelques centimètres les bords et il est parfois nécessaire d'utiliser 8 mules. Les chambres des écluses se remplissent et se vident en 8 minutes grâce à un système d'aqueducs et de vannes qui fonctionne par gravité. A chaque passage de navire, environ 200 millions de litres d'eau douce sont rejetés dans l'océan ! L'eau provient du lac Gatún alimenté par un bassin hydrographique de plus de 552 000 hectares. Une tour de contrôle gère les ouvertures et fermetures des portes éclusières, les niveaux d'eau des chambres, la vitesse des navires, et coordonne les mules. A l'entrée et à la sortie des écluses ainsi qu'à bord des navires, un ou plusieurs pilotes de l'ACP (Autorité du canal de Panamá) dirigent la traversée.

Enjeux actuels

Avec le développement du transport maritime de marchandises lié à l'augmentation constante du commerce international depuis trois décennies, le canal doit faire face à un accroissement de la demande, ainsi qu'à une augmentation de la taille des navires. Les autorités panaméennes craignent la concurrence d'autres routes maritimes : Suez, cap Horn et peut-être, à terme, avec le réchauffement climatique, par l'Arctique. Les Panaméens se méfient également d'un vieux projet de canal au Nicaragua et plus sérieusement des projets de canaux interocéaniques « secs » (transport ferroviaire des conteneurs) à travers l'Amérique centrale, le Mexique ou les Etats-Unis. Le transport maritime a en effet beaucoup évolué depuis l'apparition des porte-conteneurs dans les années 1970 et leur généralisation sur tous les océans du globe. Ces navires permettent de transporter des charges très importantes tout en ayant des facilités de déplacement et d'en-

treposage des marchandises que n'offre pas le traditionnel cargo. Leur taille augmente sans cesse et, depuis 20 ans, de nombreux navires sortent des chantiers avec des dimensions supérieures aux normes « panamax » (32 m de large, 294 m de long, 12 m de tirant d'eau). Ils ne peuvent donc pas emprunter les écluses. Les navires post-panamax pourraient bientôt concerner la moitié de la flotte marchande mondiale ! Pour faire face à cette évolution, les autorités panaméennes ont décidé d'agrandir le canal, après un référendum en octobre 2006. Les travaux ont débuté le 4 septembre 2007. Le chantier devrait s'achever pour le centenaire du canal, en 2014.

Le chantier d'agrandissement

Le canal a subi de nombreux travaux d'entretien et de modernisation depuis 1914. Le programme d'agrandissement est estimé à 5,25 milliards de dollars. Il prévoit la création de nouvelles écluses aux extrémités du canal, dont les chambres seront plus grandes : 55 m de largeur (contre 33,5 m), 427 m de longueur (contre 305 m) et 18,3 m de profondeur (contre 12,8 m). Ce redimensionnement permettra l'accès à des post-panamax pouvant atteindre 49 m de large, 366 m de long et 15,2 m de profondeur de cale ou tirant d'eau, pour une capacité d'environ 12 000 conteneurs (les plus gros panamax en transportent 5 000 !)… Ces écluses comporteront 3 chambres (comme celles de Gatún). Leur originalité est la présence de bassins d'épargne, permettant de conserver une partie de l'eau du lac utilisée lors de chaque transit. Les bassins permettront de réutiliser 60 % de l'eau récupérée. Les nouvelles écluses devraient au final consommer 7 % de moins que les écluses actuelles. Autre nouveauté, les portes éclusières seront coulissantes et les mules utilisées pour positionner les bateaux dans les chambres seront remplacées par des remorqueurs. Le chantier prévoit aussi d'importants travaux d'excavations pour agrandir et approfondir les entrées et voies de navigations actuelles, et réaliser de nouvelles tranchées pour accéder aux futures écluses. Enfin, le lac Gatún devrait voir son niveau s'élever de 45 cm afin d'obtenir un volume d'eau suffisant pour réaliser 50 éclusages par jour, contre 40 aujourd'hui.

▨ STRI
℘ +507 212 8951
www.stri.si.edu
stribci@si.edu
L'institut Smithsonian de recherche tropicale (STRI) en charge de la conservation de l'île depuis 1946 organise des visites guidées pour un nombre limité de personnes. L'excursion coûte 70 $ (étudiants 40 $) et inclut le transport en bateau (45 minutes), une marche en forêt (3 heures), l'entrée du centre de visiteurs et le déjeuner. Réservez plusieurs semaines à l'avance car les demandes sont nombreuses. Le personnel vous indiquera à quelle heure arriver au ponton de Gamboa et comment vous y rendre depuis Panamá.

▤ LES ÎLES AU LARGE DE PANAMÁ

ISLA TABOGA

Taboga, surnommée l'île aux Fleurs, est parfaite pour s'échapper une journée (ou plus) de l'agitation de la ville. Au milieu des hibiscus et des bougainvillées, la vie est douce. L'histoire de cette île est pourtant tumultueuse, à partir du moment où les conquistadores s'y installèrent, en 1515, pour le plus grand malheur des Indiens... L'île fut le point de départ de l'expédition de Francisco Pizarro vers l'Empire inca, en 1526, mais fit également l'objet de violentes attaques des pirates anglais et français au XVIIᵉ siècle. En 1887, Paul Gauguin, alors terrassier sur le chantier du canal, y séjourna quelques mois pour se faire soigner du paludisme. A cette époque, Taboga accueillait les ouvriers souffrant des fièvres. Durant la Seconde Guerre mondiale, l'île servit de base militaire pour l'armée américaine. Aujourd'hui, Taboga n'est on ne peut plus paisible, vivant du tourisme, de la pêche et un peu de la culture d'ananas.

Transports

▨ BARCOS CALYPSO
La Playita de Amador
℘ +507 314 1730 – +507 314 1729
barcoscalypso@sisapanama.com
Lundi et vendredi, vers Taboga : départs à 8h30 et 15h, retour à 9h30 et 16h30. Mardi, mercredi, jeudi vers Taboga à 8h30, retour à 16h30.

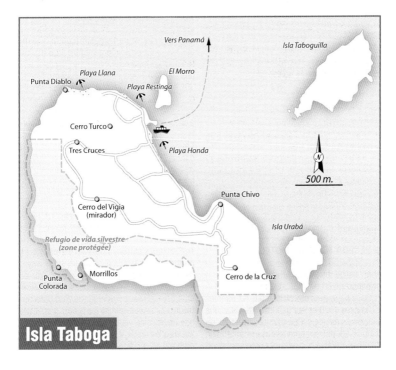

Isla Taboga

Samedi, dimanche et jours fériés, vers Taboga à 8h, 10h30 et 16h. Retours à 9h, 15h et 17h. Tarifs : 12 $ A/R, 8 $ pour les moins de 12 ans. Les horaires suivants peuvent changer, vérifiez avant de vous y rendre. Il est conseillé d'arriver 1 heure à l'avance pour acheter son ticket. N'oubliez pas votre crème solaire. La traversée jusqu'à Taboga dure 50 minutes.

Pratique

L'eau du robinet n'est pas potable (bouteilles en vente dans les épiceries). Centre de santé à 50 m de l'église. Pas de banque. Quelques cabines téléphoniques et réseau pour les portables.

Se loger

On peut trouver des chambres chez l'habitant pour entre 10 et 20 $ le lit double. Il est possible de planter sa tente sur les flancs du Cerro la Cruz ou du Cerro la Vigía, mais à éviter lorsque le temps est orageux. Inutile de penser à s'installer sur les plages à cause des marées…

■ HÔTEL CERRITO TROPICAL

Une maison jaune pâle en haut de l'allée qui part juste après l'hôtel Chú
℡ +507 390 8999 – +507 6489 0074
www.cerritotropicalpanama.com
info@cerritotropicalpanama.com
Chambre double à partir de 70 $, appartement pour 4 (2 chambres) avec cuisine à partir de 200 $. Petit déjeuner continental inclus. AC, wi-fi, eau chaude, infos touristiques. Dans les hauteurs du village, la maison bénéficie d'une belle vue depuis la terrasse. Un bed & breakfast chaleureux avec des chambres confortables et bien équipées.

■ TRES TERRAZAS

℡ +507 6579 9120 – www.tresterrazas.com
info@tresterrazas.com
De 75 $ la chambre double en basse saison, à 120 $ en basse saison (+ 20 $ par personne supplémentaire). Un gîte disposant d'une chambre avec AC, salle de bains, eau chaude, cuisine équipée et terrasse privée avec hamacs donnant sur la mer. Des sorties de pêche peuvent être organisées à partir de 60 $/h.

■ VEREDA TROPICAL HOTEL

℡ +507 250 2154
www.veredatropicalhotel.com
info@hotelveredatropical.com
Salle de bains avec eau chaude, TV, AC, Internet. Chambres doubles entre 72 et 99 $. Dans une maison à flanc de colline près du centre de village, 12 chambres confortables à la décoration soignée. Patio aux couleurs chaleureuses et

très fleuri. Le restaurant offre des plats raffinés. Depuis la terrasse, une belle vue sur le village et l'océan.

Se restaurer

En plus des restaurants d'hôtels, on trouve quelques établissements bon marché parfaits pour déguster du poisson frais.

■ ACUARIOS

℡ +507 6488 3285 – +507 6455 3308
Ouvert tous les jours de 8h30 à 21h. Un petit restaurant donnant sur la ruelle principale et Playa Onda, sur laquelle des ranchitos sont installés (on peut vous y descendre vos plats). Poissons et fruits de mer d'une grande fraîcheur, entre 5 et 10 $ selon la taille, filets copieux à 8 $, accompagnés de riz, frites ou patacones. Viande à 5 $. Une bonne cuisine locale.

■ RESTAURANTE DISCOTECA MIRADOR

Ouvert tous les jours jusqu'à 21h. Plats chinois et panaméens à partir de 4 $. Pescado frito con patacones entre 5 et 9 $ selon la taille du poisson. Bières fraîches à 0,75 $. Jolie vue sur la mer, la plage et le ponton.

À voir – À faire

L'ambiance paisible de l'île n'est pas le moindre de ses attraits. Sa petite église blanche est l'une des plus anciennes d'Amérique. A l'origine en bois, elle fut érigée peu après la fondation du village en 1524. On y vénère les saints patrons de l'île, San Pedro et la Virgen del Carmen. Devant l'église, la petite place constitue le cœur du village, on y joue au basket, on s'y arrête pour discuter en profitant de l'air frais du soir. Plus loin, la maison où vécut Paul Gauguin est en cours de restauration. L'absence de voitures, à l'exception des voiturettes de golf et deux ou trois pick-up, contribue pour beaucoup à la sérénité de l'île. Sur Taboga vivent environ un millier de personnes… et le double de pélicans ! Ce serait le deuxième refuge de pélicans noirs et gris au monde ! Les couples viennent se reproduire de janvier à juin dans la partie ouest de l'île, zone protégée depuis 1984. On peut apercevoir également des frégates, cormorans ou hérons.

▶ **Plusieurs sentiers partent du village.** Le premier mène à un bunker datant de la Seconde Guerre mondiale, converti en mirador du Cerro del Vigía (1 heure 30 de marche environ, emportez de l'eau). Regardez où vous posez les pieds pour ne pas écraser les petites grenouilles bleues, à peine visibles. En revanche, fermez les yeux en arrivant devant un flanc de colline converti en décharge. Au sommet, à 307 m, la vue est dégagée et l'air frais ravive ! Le Cerro la Cruz (169 m) est plus accessible, à une vingtaine de minutes de marche du village. Par beau temps, on distingue clairement la ville de Panamá.

» **Les plages** près du village sont agréables. A marée basse, la langue de sable qui part de Playa La Restinga peut vous conduire à la petite île verdoyante d'El Morro.

ARCHIPEL DE LAS PERLAS

Dans l'océan Pacifique, à 35 milles nautiques de la côte, l'archipel des Perles est constitué de plus de 90 îles et 130 îlots. Son nom provient de la présence des huîtres perlières qui servaient comme ornement ou monnaie d'échanges aux Indiens, et rendirent fous les conquistadores. Ces îles verdoyantes d'origine volcanique présentent des paysages variés et abritent de nombreux oiseaux et mammifères. L'archipel est également réputé pour la pêche au gros. Ses eaux bleu turquoise accueillent une incroyable faune marine. Il est assez facile de voir des tortues et des dauphins et on peut même approcher des baleines à bosse, en septembre octobre lorsqu'elles migrent vers le sud ! Côté météo, le climat est moins pluvieux que dans le reste du pays.

Les conquistadores ont exploré cette région peu après avoir « découvert » la mer du Sud (Pacifique). Après que les hommes de Gaspar de Morales et Francisco Pizarro aient tué les Indiens autochtones, les Espagnols importèrent des esclaves d'Afrique pour chercher les perles et les envoyer en Espagne. Certains s'enfuirent dans le golfe San Miguel tout proche. L'un de ces « marrons », un certain Felipillo, devint le chef redouté d'une communauté libre du Darién qui entra en rébellion contre les anciens maîtres. Aux XVIIe et XVIIIe siècles de nombreux pirates trouvèrent refuge dans les îles au large de la riche ville de Panamá où arrivent d'Amérique du Sud les trésors dérobés aux Incas. Aujourd'hui, l'archipel est paisible, habité majoritairement par les descendants de *cimarrones* dont certains perpétuent le commerce des perles qui se font de plus en plus rares. La pêche et le tourisme sont aujourd'hui les principales activités insulaires.

CONTADORA

Contadora est l'île la plus touristique de l'archipel. Son petit aéroport a vu défiler de nombreuses célébrités à commencer par le Shah d'Iran, en exil, qui y a séjourné quelques temps en 1980, Christian Dior y avait une maison, Julio Iglesias et Michael Bolton y viennent en vacances… Il n'y aurait qu'une trentaine d'habitants permanents sur l'île et entre 400 et 600 employés ! Contadora l'exclusive accueille de luxueuses résidences secondaires et quelques hôtels, dont la formule *todo incluido* de la plupart semble fonctionner à merveille en été ou en fin de semaine. Ici, les adeptes du naturisme pourront enfin se dévêtir : Playa Sueca est l'unique plage du pays où c'est autorisé ! Enfin, pour les assidus de télé-réalité sachez que *Survivor* et sa version française *Koh Lanta* ont installé leur base sur l'île pendant plusieurs saisons. Et pour un pèlerinage complet, rendez-vous sur l'île de Mogo Mogo !

Transports

Les compagnies aériennes Aeroperlas et Air Panamá desservent Contadora deux fois par jour – plus de vols le week-end – en 20 minutes depuis Albrook. Autour de 140 $ l'aller-retour.

■ **SEA LAS PERLAS**
✆ +507 6780 8000 – www.sealasperlas.com
Du jeudi au lundi uniquement. Départ de Brisas de Amador au Causeway, à 8h. Durée 1 heure 35. Embarquement pour retour à 14h45. arrivée Panamá entre 16h30 et 17h30. 39 $ l'aller (enfant 29 $). Téléphoner pour réservation et confirmation des horaires. Un service de ferry assez récent. Vous pouvez faire l'aller-retour dans la journée si vous ne souhaitez pas rester dormir sur place.

Pratique

Pas de banque donc prévoir suffisamment d'argent liquide pour les établissements n'acceptant pas la carte bleue.

■ **POLICE DU TOURISME**
✆ +507 250 4131

Se loger

L'île est très sûre mais aussi très exclusive : les campeurs ne sont pas bienvenus et sont immédiatement dénoncés ! Vous aurez le choix entre des établissements de type bed & breakfast ou de grands complexes avec piscines. Il est nécessaire de réserver à l'avance, vous serez ainsi accueillis dès votre arrivée à l'aérodrome.

■ **CONTADORA ISLAND INN**
✆ +507 6699 4614 – +507 250 4164
www.contadoraislandinn.com
melinda@contadoraislandinn.com
Entre 65 et 160 $ la chambre double ou triple. Petit déjeuner compris. Possibilité de louer des maisons entières à la nuit ou à la semaine.

PROVINCE DE PANAMÁ

Dans une zone résidentielle très calme, au milieu d'une aire boisée et à quelques minutes des plages, deux maisons de cinq chambres chacune accueillent les touristes en quête de tranquillité. Les chambres soignées sont très confortables.

■ **HACIENDA DEL MAR**
Isla San José ✆ +507 269 6634
www.haciendadelmar.net
info@haciendadelmar.net
Cabañas de 4 personnes, de 475 à 700 $ selon la saison et la catégorie de cabaña, petit déjeuner inclus. Le transport depuis Panamá Ciudad sera organisé à partir de votre réservation. Bordées par une forêt luxuriante, les 14 *cabañas* ont toutes vue sur l'océan. Après le farniente à la plage, vous pourrez vous prélasser dans la piscine ou le sauna… D'autres activités sont proposées en plus, sur l'île et en mer (pêche au gros). Un hôtel exclusif et raffiné.

■ **HÔTEL PUNTA GALEÓN**
✆ +507 250 4221 − +507 250 4234
www.puntagaleonhotel.com
48 chambres. 135 $ pour deux, petit déjeuner inclus. Un complexe très confortable, avec vue sur la mer, piscine, restaurants, bar, sans oublier la plage… Réservé aux aficionados des clubs de plage.

■ **VILLA ROMÁNTICA**
✆ +507 250 4067
8 chambres tout confort, à partir de 84/96 $ pour deux en basse/haute saison + 10 % de taxes. Organisation de tours de plongée notamment. Un petit hôtel de charme idéalement situé au-dessus d'une belle plage de sable blanc (Playa Cacique). La décoration des chambres est coquette et originale : vous aurez le choix entre le lit rond avec matelas à eau, le lit king size surmonté d'un cœur rouge ou la fresque murale représentant des châteaux allemands ! Vous n'aurez qu'à descendre quelques marches pour vous mettre à l'eau… ou au cocktail !

Se restaurer

■ **VILLA ROMÁNTICA**
✆ +507 250 4067
Viandes, poissons et fruits de mer à partir de 12 $. Dans l'hôtel du même nom, nous vous recommandons vivement le restaurant, pour sa situation unique mais surtout pour sa cuisine.

À voir − À faire

▶ **Plages.** Une douzaine de plages où l'on peut se baigner sans risque. L'eau est calme et chaude. Playa Sueca est la favorite des naturistes.

▶ **Excursions en bateaux.** L'archipel regorge de petites îles à explorer. On peut même observer le passage annuel des baleines en septembre-octobre. Les hôtels ont des contacts ou organisent eux-mêmes des tours.

▶ **Un golf** accueille les amateurs. Pour ceux qui préfèrent le grand large, la plongée et la pêche sont réputées (de nombreux records de pêche ont été battus dans ces eaux). La plupart des hôtels pourront vous mettre en relation avec des agences s'ils n'organisent pas déjà eux-mêmes les sorties.

■ LES PLAGES DE LA PROVINCE

À cheval sur les provinces de Panamá et de Coclé, les 73 km de côtes séparant Punta Chame de Playa Juan Hombrón (peu avant Antón) vous surprendront par la beauté de leurs paysages, même si le panorama tend à s'urbaniser de façon inquiétante avec le développement des grandes infrastructures hôtelières. Les plages ne sont vraiment fréquentées qu'en fin de semaine. Un contraste saisissant avec les autres jours où vous y serez souvent seuls. Il est souvent possible de louer un ranchito ou un bohío pour se protéger du soleil et se reposer dans un hamac. On peut même y passer la nuit si l'on a son propre hamac (avec moustiquaire) ou sa tente !

Transports

Les bus sont nombreux à desservir les plages du Pacifique. Départ d'Albrook toutes les 20 minutes environ, de 1 heure 30 à 2 heures de route, entre 2 et 4 $. Les arrêts se font sur le bord de la Panaméricaine, il faut ensuite marcher entre 15 et 30 minutes pour rejoindre les plages. Pour le retour, prévoyez un gilet car la clim des petits bus est souvent fatale après la chaleur de la plage.

Pratique

Les banques, postes de police et supermarchés sont regroupés sur la Panaméricaine. Des pancartes indiquent où tourner pour gagner les plages.

Si vous êtes en voiture, arrêtez-vous pour goûter aux *empanadas* de fromage (*queso*) de Queso Mily (peu avant Bejuco) et Queso Chela (à Capira). On y vend également de délicieux yaourts naturels à la fraise ou à l'ananas et aux noix de cajou ainsi que du chichème.

▶ **Accès.** Malgré la loi panaméenne stipulant que les plages sont du domaine public et libres d'accès à tous, de plus en plus de complexes hôteliers font désormais payer quelques dollars leur accès, sous le prétexte de fournir des douches et de ramasser les déchets.

PUNTA CHAME

La péninsule présente encore assez peu d'infrastructures touristiques, même si les terrains se vendent très chers. Il y règne une atmosphère particulière, un sentiment d'isolement intense, particulièrement en hiver. En été, Punta Chame est réputée pour son spot de kitesurf.

Transports

À environ 1 heure 30 en voiture depuis Panamá. Tournez à Bejuco. Les bus reliant la Panaméricaine à Punta Chame sont loin d'être réguliers (normalement toutes les heures de 7h à 17h30). Il vous en coûtera 2,70 $ contre 20 à 30 $ en taxi.

Pratique

Attention, prenez suffisamment d'argent liquide, il n'y a aucun point de retrait dans le village, le plus près se trouve sur la Panaméricaine. Dernier conseil, méfiez-vous des raies à marée basse.

Arraiján...

Le nom de cette ville viendrait d'un glissement linguistique de l'anglais vers l'espagnol. Du temps de la présence américaine, les *gringos* avaient pour habitude de désigner l'endroit en disant *at the right hand*. Ils se référaient alors à son emplacement géographique : « à droite » après le pont des Amériques. Plusieurs mots en usage aujourd'hui dans le vocabulaire courant panaméen auraient ce type d'origine. Camaroncito, qui désigne tout travail temporaire et occasionnel, viendrait de *come around* (« viens par ici »), l'expression utilisée par les Américains pour répondre aux Panaméens à la recherche de petits jobs.

Se loger

Confort ou charme

▪ **HÔTEL-RESTAURANT PUNTA CHAME**
℃ +507 223 1747 – +507 240 5498
70 $ pour 2, 80 $ pour 3, 90 $ pour 4 à 5 personnes. 11 *cabañas* très propres, bien équipées et à la décoration soignée. Le restaurant ouvert tous les jours est très agréable, avec un grand rancho au bord de la plage. Petit déjeuner complet à partir de 3,50 $. Fruits de mer et poissons autour de 8 $.

Luxe

▪ **NITRO CITY PANAMA**
Punta Chame
℃ +507 202 6875 – +507 223 1747
www.nitrocitypanama.com
info@nitrocitypanama.com
À partir de 140 $ la chambre double en basse saison (190 $ haute saison). Complexe thématique sports extrêmes et aquatiques.

PROVINCE DE PANAMÁ

Ojo ! Attention !

Chacune des plages est classée dans sa province : de Chame à Corona, dans la province de Panamá (Chame, Gorgona, Coronado, Malibú, Serena, Teta, El Palmar, Río Mar, Corona) et de Santa Clara à Farallón, dans celle de Coclé.

2 restaurants, piscine (avec bar) et activités pour enfants et adultes. Prix mascottes : 40$/ jour. De la main de l'intrépide Travis Pastrana, icône des sports extrêmes, est née Nitro City Panama. On est ici dans un resort qui dispose d'un hôtel-boutique avec des Suites exclusives où fusionnent une décoration moderne avec des inspirations de l'art Mola des Kunas. Situé sur la plage de Punta Chame, l'intérieur du complexe bouillonne d'activité et d'actions : kitesurf, stand-up paddle surf, équitation, circuit de motocross MX, skateboard et BMX (en construction). Le resort accueille souvent des athlètes et spécialistes, disponibles pour offrir une formation à ses clients. L'expérience Nitro City s'adresse aux intrépides et aux familles, et se complète avec une plage spectaculaire où l'on peut réaliser une multitude de sports aquatiques, deux restaurants de cuisine nationale et internationale, une piscine avec pool-bar et une piscine pour les enfants ainsi qu'une salle exclusivement destinée aux dernières nouveautés en terme de jeux vidéos. Visite pour la journée aussi disponible, avec tous les services et installations inclus. Le resort accepte les animaux domestiques.

Sports – Détente – Loisirs

■ **MACHETE KITEBOARDING SCHOOL**
✆ +507 6674 7772
✆ +507 6674 8458
www.machetekites.com
La saison s'étend de décembre à avril. Les cours coûtent 120 $ la session (2 heures 30). Location de matériel complet. Possibilité de camper pour ceux qui prennent des cours. Ce club fait figure de pionnier dans ce sport de glisse inventé au milieu des années 1980 et démocratisé récemment. L'école, affiliée à l'organisation internationale de kite, jouit d'une bonne réputation.

NUEVA GORGONA

Si l'on n'est pas motorisé, il faut plus d'une heure de marche pour rejoindre ces plages situées à environ 8 km de la Panaméricaine.

■ **CABAÑAS DE PLAYAS GORGONA ET NUEVA GORGONA**
✆ +507 269 2433 – +507 240 6160
www.propanama.com/gorgona
playagorgona@gmail.com
Constructions de plain-pied type motel. Des cabañas totalement équipées (AC, kitchenette) à 160 $ pour 2 mais nombreuses promotions sur le site Internet. Check-in à 18h mais check-out à 15h. Petite cafétéria le week-end. Piscine, terrain de volley. Une formule populaire parmi les Panaméens. Proche de la mer, mais cadre peut-être un peu triste hors saison.

■ **CABAÑAS VILLANITA**
Vers la plage Malibú ✆ +507 240 5314
De 70 à 80 $ selon la saison pour les 4 cabañas pour 6 personnes avec cuisine, hamacs… Un bon rapport qualité/prix pour ces bungalows qui ne donnent pas sur la mer mais qui n'en sont pas loin.

PLAYA CORONADO

Cette partie de la côte, à l'accès très exclusif, n'est pas pour vous si vous ne faites pas partie des clients des hôtels ou si vous n'y possédez pas une résidence secondaire. Toutefois, à voir la file de voitures à l'entrée le week-end, il semblerait que les gardes ne parviennent pas à contrôler tout le monde… Vous pouvez toujours prétendre que vous allez y retrouver un ami ! Là-bas, l'herbe est bien verte et la plage de sable fin, mais il faut savoir faire abstraction des allées et venues incessantes de quads et autres engins motorisés. Pour y accéder, bifurquez au supermarché Rey au bord de la Panaméricaine, la plage de Coronado est ensuite à une dizaine de minutes en voiture.

■ **CORONADO GOLF & BEACH RESORT**
✆ +507 264 3164
www.coronadoresort.com
hotelreservas@coronadoresort.com
Chambre double à partir de 250 $. Toutes les suites sont parfaitement équipées (climatisation, minibar, TV, téléphone). Plusieurs bars et restaurants, une piscine olympique, un 18-trous…

SAN CARLOS

Ce village de 3 000 habitants qui déborde sur la Panaméricaine possède des plages réputées pour le surf. Quelques restaurants et épiceries dans l'avenue principale. À l'emplacement de l'ancien Turicentro, on trouve un club de plage, avec piscine, bars, douches et ranchos. Ouvert à tous de 9h à 17h, 10 $ le week-end, moins en semaine.

EL CEVICHITO

Sur la Panaméricaine

Ouvert tous les jours. Une halte populaire pour déguster de bons *ceviches* (autour de 3 $) accompagnés de galettes salées et d'une bière fraîche.

RÍO MAR

À marée basse, ces plages sont propices à de longues balades. Le sable noir scintille au soleil et contraste avec les petits crabes oranges qui se déplacent à toute allure. Un grand complexe avec tours et villas a malheureusement transformé le paysage il y a peu. Dommage pour ce coin qui restait encore assez sauvage !

RIOMAR SURF CAMP

✆ +507 345 4010

✆ +507 6675 2526

www.riomarsurf.com

riomarsurf@hotmail.com

À quelques minutes de la plage, un complexe destiné aux surfeurs : lit en dortoir 18 $. Chambre double avec AC 50 $, 35 $ avec ventilateur. Bar et resto de cuisine internationale ou criolla. Location ou achat de planches et longboards, piscine, rampe de skate… Piscine. Un petit complexe agréable proposant des prestations très correctes, à des tarifs raisonnables.

EL PALMAR

La plage d'El Palmar est l'un des meilleurs spots de surf du pays, en particulier pour ceux qui débutent.

PALMAR SURF CAMP AND LODGE

El Palmar – Prenez à droite à l'intersection proche de la fin de la rue principale

✆ +507 240 8004 – +507 6615 5654

www.palmarsurfcamp.com

palmarsurfcamp@yahoo.com

Chambre double à partir de 55 $, pour 3 ou 4 personnes 77 $, appartement pour 4 avec cuisine 99 $. Les chambres ont une salle de bains privée avec eau chaude, AC, TV. Un surf camp dans un environnement tranquille. Les chambres sont propres et confortables. Possibilité de camper pour 5 $ par personne sous les bohíos. Cours et locations de surf.

PANAMA SURF SCHOOL

Rue principal jusqu'à la Calle 4ta Sur

✆ 507 6673 0820

www.panamasurfschool.com

Cours de surf à partir de 60 $ pour 2 heures d'initiation, 40 $ chacun si au moins 2 personnes. Ou 4 cours (6 heures de surf au total en plus de la théorie) pour 140 $. Réservation requise 24 heures à l'avance.

PARCS ET MONTAGNES

En poursuivant au-delà des écluses de Miraflores, les parcs nationaux Soberanía et Camino de Cruces vous accueillent sur leurs multiples sentiers. Au nord de Panamá Ciudad, le parc national de Chagres est également un bon but de promenade. Les communautés emberás qui vivent sur les berges du fleuve vous enchanteront. De nombreuses possibilités s'offrent également à l'ouest et à l'est de la capitale : Altos de Campana, Cerro Azul...

PARC MUNICIPAL SUMMIT

Km 18 carretera Gaillard sur la route de Gamboa, Panamá Ciudad ✆ +507 232 4854

www.municipio.gob.pa/es/parquemunicipalsummit.html

Ouvert tous les jours de 9h à 16h. 1 $. Aujourd'hui parc municipal, le jardin botanique fut créé par les Américains dans les années 1920, puis rétrocédé au Panamá après les accords Torrijos-Carter de 1977. En plus de ses activités de conservation et de recherche, Summit est un centre récréatif et éducatif, où familles et scolaires se rendent pour découvrir la faune et

la flore du pays. Des sentiers ont été aménagés au milieu de plus de 150 espèces d'arbres tropicaux originaires du monde entier. Vous pourrez admirer le célèbre aigle harpie dans son immense volière, ainsi que d'autres oiseaux et animaux d'Amérique centrale.

PARQUE NACIONAL ALTOS DE CAMPANA

C'est le premier parc national créé au Panamá (1966). En fin de semaine, les Panaméens aiment parcourir ses sentiers (La Cruz, Podocarpus, Panamá), respirer son air frais et admirer la vue sur les impressionnantes mangroves à l'embouchure du Río Chame. Ce fleuve prend sa source dans le parc, tout comme les Ríos Caimito, Perequeté ou Trinidad. A vos jumelles : la zone est un paradis de plus pour les amateurs d'oiseaux ! On en recense 267, dont 48 migrateurs. Le parc héberge également 92 amphibiens et 86 reptiles. Les zones les plus isolées du Cerro Campana sont le refuge de plusieurs espèces endémiques.

L'entrée du parc se trouve à moins d'une demi-heure de la Panaméricaine. La bifurcation se trouve peu après Capira (sur la droite en venant de la capitale). En bus, demandez au chauffeur qu'il vous laisse à la bifurcation. Il vous faudra ensuite faire du stop ou marcher courageusement. La cabane de l'ANAM est à l'entrée du parc (✆ +507 254 2848). Adressez-vous aux gardes forestiers si vous souhaitez passer la nuit sur place.

PARQUE NACIONAL SOBERANÍA

Déclaré zone protégée depuis 1980, le parc de Soberanía s'étend sur près de 22 000 hectares, dans le prolongement du parc Camino de Cruces. C'est l'un des plus accessibles du pays mais aussi l'un des plus riches : 105 espèces de mammifères, 79 reptiles et surtout 525 espèces d'oiseaux qui attirent des passionnés du monde entier. Pour s'y rendre, le plus simple est le taxi depuis Panamá (tarif à négocier). L'entrée des deux premiers sentiers indiqués ci-dessous se trouve en bordure de la Carretera Gaillard, peu après l'entrée du jardin Summit. Tous deux traversent l'épaisse forêt tropicale et sont correctement balisés. Vous y rencontrerez peu d'animaux sauvages, ils se cachent plus profondément dans la forêt, mais la végétation est spectaculaire.

▸ **Camino de Plantación (7 km).** Ce chemin, autrefois pavé, fut construit pour rejoindre la ferme agricole Las Cascadas, qui produisait caoutchouc, cacao et café dans les années 1910. C'était alors la plus importante ferme de la Zone du Canal (environ 1 200 hectares). Aujourd'hui, ce sentier débouche sur le Camino de Cruces (décrit dans le parc du même nom).

▸ **Sendero natural El Charco (0,8 km).** Ce sentier longe le Río Sardinilla et débouche sur une chute d'eau où l'on peut se baigner.

▸ **Camino del Oleoducto (11 km).** L'un des sentiers préférés des ornithologues. Une tour d'observation de 40 m de haut a d'ailleurs été construite au début de ce chemin, pour observer la canopée (accès tous les jours de 6 h à 16h, 20 $ l'entrée jusqu'à 10h quand on voit le plus d'oiseaux, 15 $ ensuite. 4 $/2 $ pour les moins de 12 ans). La tour est gérée par la fondation Avifauna.

■ **ANAM**
✆ +507 232 4291
La cabane de l'ANAM se trouve à l'embranchement de la route pour Gamboa. Les gardes forestiers sont à votre disposition pour vous guider mais il est préférable de les prévenir à l'avance. Des points d'informations, avec descriptif du site et cartes d'orientation, sont placés à l'entrée des sentiers.

■ **CANOPY TOWER**
✆ +507 264 5720 – +507 263 2784
www.canopytower.com
contactus@canopytower.com
Accès à la hauteur du Camino de Plantación
Suivre les panneaux sur la route
Réservation plusieurs semaines à l'avance. A partir de 220 $ par personne en haute saison, repas et tours d'observation des oiseaux inclus.
Cette tour qui s'extraie discrètement de la forêt tropicale n'est autre que la reconversion d'un radar de l'armée américaine, installé en 1965 et qui servit jusqu'en 1995 pour repérer les avions des narcotrafiquants. Le nouveau propriétaire de la tour, président d'une association d'ornithologie (Avifauna), l'a converti en paradis pour les ornithologues. Idéalement situé au sommet du Cerro Semáforo, le Canopy Tower est devenu un site incontournable pour les birdwatchers. Les douze chambres de cet écolodge original sont confortables et disposent de grandes fenêtres donnant sur la forêt. La salle à manger bénéficie d'une vue panoramique inoubliable sur la canopée. Sur le toit, c'est encore plus magique !

🐒 **MONKEY LODGE**
Puente Roque, Chilibre
Carretera Madden
✆ +507 216 6525
✆ +507 6781 3540
www.monkeylodgepanama.com
monkeylodge@aol.com
Chambre double avec ventilateur 70 $, 80 $ avec AC. Personne supplémentaire 35 $. + 10 % taxes. Petit déjeuner inclus. Plat du jour avec dessert maison et boisson 15 $. Package 10 jours tout compris avec activités 1 600 $ par personne.
Un bed & breakfast très agréable ouvert en 2010 par les sympathiques Sabrina et Fabrice. Trois *cabañas* en dur dans la nature sans télé pour plus de tranquillité ; une piscine et un coin hamacs pour se reposer après une bonne journée d'excursion. Des tours originaux sont proposés selon les envies de chacun, tous les jours, dans le canal et les parcs nationaux environnants, mais aussi dans les deux océans (San Blas, Las Perlas…). L'ambiance est familiale et la cuisine délicieuse. Pour couronner le tout, vous vivrez une expérience hors du commun avec trois singes femelles plutôt affectueuses : Papaye, Lula et Lili !

PARQUE NACIONAL CAMINO DE CRUCES

Ce parc fait la jonction entre le parc naturel métropolitain et le parc Soberanía. Son nom vient du célèbre chemin qui le traverse. Utilisé autrefois par les Espagnols pour le transport de l'argent et de l'or en provenance d'Amérique du Sud, entre Panamá Ciudad et Nombre de Dios ou Portobelo, le Camino de Cruces débouche sur le Río Chagres qui alimente le canal en eau. Il est recommandé de s'y aventurer avec un guide car le chemin est peu entretenu et vous êtes dans la jungle. Comptez entre 5 et 8 heures de marche. Vous rencontrerez singes hurleurs, paresseux, coatis et serpents… L'accès est indiqué sur la route qui mène au barrage de Madden. Ne laissez aucun objet de valeur dans la voiture.

CERRO AZÚL

Le Cerro Azúl (771 m) et le Cerro Jefe (1 007 m) sont deux autres buts de promenade situés à moins d'une heure de Panamá Ciudad. Ces montagnes sont très appréciées des Panaméens en raison de leur fraîcheur et des paysages verdoyants et brumeux. Il est nécessaire d'avoir son propre véhicule. En venant du Corredor Sur, suivre la route panaméricaine jusqu'à l'intersection de la « 24 de Diciembre », tournez à gauche juste avant le supermarché XTRA, puis suivez les panneaux indicateurs.

PARQUE NACIONAL CHAGRES

À cheval sur les provinces de Panamá et de Colón, le parc national Chagres protège près de 130 000 hectares de forêt tropicale et abrite une biodiversité très riche, avec de nombreuses espèces endémiques. Il est traversé par le Río Chagres et englobe la totalité du lac Alajuela formé par le barrage de Madden. Sa topographie est variée avec des altitudes comprises entre 60 et 1 007 m (Cerro Jefe). Le fameux Camino Real traverse le parc dans le secteur de Boquerón.

Les communauté emberá-wounaan du Río Chagres

À partir des années 1950, de nombreuses familles emberás et wounaans originaires du Darién et de Colombie ont fui les zones de conflits pour s'installer en communautés sur les rives du Chagres. La création du parc national en 1985 a permis de protéger la faune et la flore qui se trouvaient de plus en plus menacées, mais a transformé la vie des Amérindiens vivant

© IPAT PANAMA

Jeune Emberá.

au bord du fleuve. Emberá et Wounaan ont dû abandonner leur mode de subsistance traditionnel, basé sur la pêche, la chasse et la culture sur brûlis, pour se conformer aux contraintes environnementales du parc, qui interdisent ces activités ou les limitent très fortement. Pour continuer à vivre dans leurs villages et ne pas être obligés de migrer vers les faubourgs de Panamá, des communautés se sont organisées à la fin des années 1990 pour recevoir les touristes et vendre de l'artisanat. Aujourd'hui, les communautés de Parará Purú, Emberá Drúa, Tusi Pono, entre autres, vivent presque exclusivement de l'accueil des touristes. Au programme : danse de bienvenue, balades en pirogue, sentiers botaniques, baignade, repas traditionnel et vente d'artisanat… Vous craquerez sûrement, donc emportez suffisamment d'argent liquide en petites coupures.

▶ **Attention,** ne vous attendez pas à être les seuls touristes. De plus en plus d'agences proposent ce « tour » à la journée. Sachez qu'il est toujours possible de prolonger la rencontre en restant dormir sur place (ce que font rarement les groupes). Vous aurez alors tout le temps pour échanger et découvrir la culture de ce peuple attachant. L'hébergement se fait en général dans une hutte traditionnelle, ouverte et sur pilotis. On y accède par un escalier sculpté dans un tronc. Matelas et moustiquaires sont fournis. Si ces communautés sont habituées à recevoir des touristes, demandez toujours la permission avant de prendre des photos et ayez un comportement respectueux.

La *jagua*

L'arbre du nom de *Genipa americana* fournit aux communautés emberás et wounaans la base de leurs peintures corporelles. De son fruit, la *jagua*, est tiré un jus de couleur noire qui sert de teinture naturelle. La *jagua* (*k'ipaar* en langue wounaan et *kipar'a* en emberá) tient entre dix et douze jours à partir de son application sur le corps. Ce n'est qu'en la frottant qu'on la fait disparaître avec les cellules mortes. Certains se peignent le corps entier, jusqu'à la moitié du visage. Les motifs dessinés ont chacun leur signification et diffèrent selon l'occasion ainsi que l'âge, le sexe ou le groupe du sujet.

Quant au côté un peu « mise en scène » des danses de bienvenue qui gênent parfois les visiteurs, il ne faut effectivement pas se leurrer : la plupart des Indiens ne vivent plus à moitié nu dans leur vie quotidienne. Mais ils vous montrent leur mode de vie traditionnel et vous font honneur de cette façon. C'est le meilleur moyen de conserver une culture qui serait probablement déjà oubliée sans cela. Enfin, vous verrez qu'ils prennent beaucoup de plaisir lors de ces occasions et qu'ils savent le faire partager !

Transports

L'accès pour voir les communautés est assez simple (téléphonez à l'avance au contact de la communauté pour savoir si l'on peut vous recevoir). En voiture, depuis Panamá, prenez le Corredor Norte pour rejoindre la route transisthmique en direction de Colón. A Cabima, repérez le restaurant Pío Pío. Tournez à droite après la galerie commerciale. Poursuivez jusqu'à la cimenterie Bayano. Prenez à gauche sur la piste, jusqu'à la cabane de l'ANAM. Le fleuve n'est pas loin. Vous arriverez sur le « port » de Corotú où une pirogue vous attendra. Si vous n'avez pas de voiture, prenez un bus jusqu'à Cabima, puis un second pour le parc (les horaires sont variables).

Se loger

■ **EMBERÁ DRÚA**
☎ +507 6709 1233 – +507 333 2850
www.trail2.com/embera
emberachagres@yahoo.com
Autour de 60 $ par jour par personne avec repas, excursion, transport en pirogue.

🚤 **GAMBOA RAINFOREST RESORT**
☎ +507 206 8888
www.gamboaresort.com
À partir de 150/200 $, petit déjeuner inclus.
Un complexe hôtelier de 137 hectares, sur les rives du Río Chagres, jouissant d'une vue exceptionnelle et d'installations massives mais élégantes. La décoration est raffinée et le personnel aux petits soins. Séjours à thème proposés : pêche sportive sur le lac Gatún, thalasso, randonnées… Des guides professionnels sont également à votre disposition. Six restaurants, une discothèque, un Spa et une piscine complètent les équipements.

■ **PARARA PURÚ**
Contact : Claudio Chami, le Noko
(chef de village) ☎ +507 6615 1042
Compter environ 55 $ par jour par personne (repas, danse, excursion sur le fleuve). Plus cher via une agence mais plus simple pour l'accès.
C'est le village le plus touristique mais les gens restent toujours aussi accueillants.

La faune des différents parcs de la province de Panamá est très diversifiée et plutôt remarquable.

PROVINCE DE COLÓN

Plongez dans
les eaux
cristallines
de la province
de Colón !

© VILAINECREVETTE - FOTOLIA

Province de Colón

Située au nord de la province de Panamá et bordée par la mer des Caraïbes, la province de Colón abrite de magnifiques témoignages de l'histoire coloniale. Son nom (Colón signifie Colomb en espagnol) évoque les premières expéditions espagnoles en quête d'un passage vers les Indes. En parcourant les ruines de Portobelo ou du fort San Lorenzo, on songe aux attaques des pirates et corsaires du Vieux Continent, attirés par les innombrables richesses du Nouveau Monde qui transitaient à travers la jungle avant d'être envoyées en Espagne. Des noms de flibustiers célèbres comme Francis Drake ou Henri Morgan reviennent alors en mémoire. Les fameuses foires de Portobelo sont aujourd'hui remplacées par l'une des plus grandes places d'import-export au monde : la Zone libre de Colón. Mais, paradoxalement, ce temple de la mondialisation et du consumérisme est situé dans la ville la plus pauvre du pays… A l'extérieur de cette grande ville, la région regorge de sites naturels à la beauté exceptionnelle, de spots de plongée, de plages sauvages et de petits villages oubliés, où vous aurez l'occasion de découvrir la culture congo et ses danses surprenantes !

COLÓN ET SES ENVIRONS

COLÓN

Colón est situé à la sortie atlantique du canal, dans la baie de Limón, à 75 km au nord-ouest de Panamá. Avec presque 200 000 habitants, c'est la deuxième ville du pays. Depuis sa fondation en 1852, Colón se consacre au transit maritime et au négoce. Plusieurs grands ports aux infrastructures ultramodernes se trouvent dans les environs, ainsi qu'une enclave dédiée au libre échange de marchandises : la Zone libre de Colón (ZLC).

Colón est une ville où modernité et richesses côtoient le dénuement le plus total. Ici, le mur séparant riches et pauvres n'est pas qu'une image : on pénètre dans le monde du business, la ZLC, en présentant son passeport. A l'extérieur, les ruelles sales et les vieilles maisons en bois délabrées témoignent de l'abandon par les pouvoirs publics d'une ville jadis prospère. Au premier abord, Colón provoque donc un certain malaise et même un sentiment désagréable de voyeurisme tant la misère est perceptible.

Non, la capitale de la province n'est pas une ville pour touristes. Elle mérite cependant qu'on s'y intéresse, pour son histoire liée au chemin de fer et au canal, mais aussi et surtout, parce que, au-delà des problèmes d'insécurité très importants, gentillesse et humour sont fort répandus chez ses habitants, en majorité d'origine afro-antillaise, orientale ou chinoise. Et puis la ville dégage une atmosphère cosmopolite et marine qui a son charme. Sur le front de mer (depuis un lieu sûr comme l'hôtel Washington), ne manquez pas la vue sur la baie et sur les énormes cargos attendant leur tour à l'entrée du canal.

Histoire

En 1502, Christophe Colomb explore l'île marécageuse de Manzanillo, située à quelques dizaines de mètres du continent. Trois cent cinquante ans plus tard, profitant du déferlement de milliers de chercheurs d'or transitant par l'isthme pour rejoindre la Californie, une

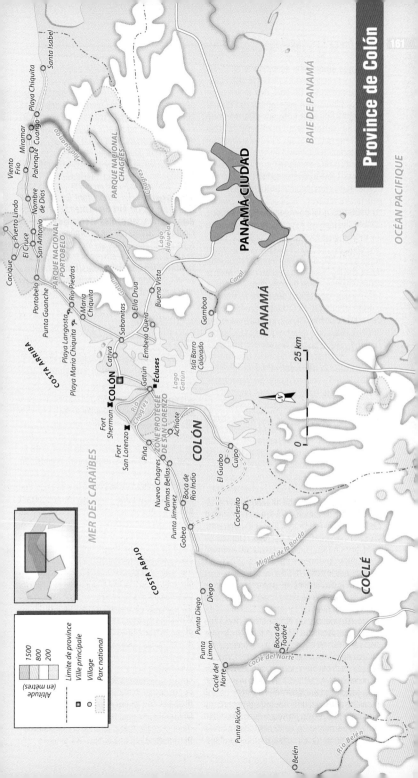

compagnie américaine aménage le terminus atlantique de la première voie ferrée interocéanique du continent. Un port, des maisons en bois, des hôtels, des commerces, un hôpital sont construits à la hâte sur l'île devenue péninsule (rattachée au continent par une jetée). Cette bourgade aux airs de Far West, un temps nommée Aspinwall du nom de l'un des fondateurs de la compagnie ferroviaire, devient vite un haut lieu du divertissement. On raconte que les rues où donnaient les bars étaient les plus faciles à paver : au fil des ans, la couche de bouteilles brisées répandue dans la boue était si épaisse qu'il n'était plus nécessaire d'y mettre du gravier ! Colón s'assoupit peu à peu dans les années 1870 depuis la mise en service en 1869 d'une voie ferrée concurrente traversant les Etats-Unis d'est et l'ouest. Mais la construction du canal français dans les années 1880 donne un second souffle à la ville. Le quartier moderne de Cristobal prend forme. Des milliers de travailleurs en provenance des Antilles (Barbade, Martinique, Guadeloupe, Trinidad…) et d'Europe (Espagnols, Français, Italiens…) s'installent, donnant une touche cosmopolite à la ville. Cette mosaïque de nationalités s'étoffe encore quand les Américains reprennent en 1904 le chantier abandonné par les Français. Après la destruction partielle de la ville par plusieurs incendies, de belles demeures à l'architecture néocoloniale sont édifiées ainsi que des restaurants, théâtres et cabarets où se produisent des artistes de renommée internationale. Les grands bazars font recette et la ville, pleine de vie, s'étend dans les années 1920-1930. Son développement s'accélère avec les grands travaux de l'armée américaine pendant la Seconde Guerre mondiale, puis par la création de la Zone libre en 1948, devenue en quelques décennies la zone franche la plus importante au monde, après celle de Hong-Kong. Mais depuis le début des années 1970, malgré la proximité du canal et les tonnes de marchandises qui transitent dans ses ports, la ville traverse une grave crise sociale. Les milliards qui s'échangent dans la ZLC ne sont malheureusement pas injectés à Colón, considéré comme une ville trop dangereuse pour y investir ou s'y installer. Les négociants préfèrent vivre à Panamá ou dans des quartiers sécurisés situés en périphérie. Actuellement, une bonne partie de la population est sans emploi stable, ce qui engendre une insécurité importante qui nuit au tourisme. Les récents travaux de modernisation des ports n'ont pour l'instant pas permis à la ville de sortir du marasme. Aujourd'hui,

c'est surtout le chantier de construction de l'autoroute menant à Panamá City qui fournit du travail. L'accueil des passagers des bateaux de croisière au port de Colón 2000 (devenu en 2008 un port de départ pour les *cruceros*) offre également de nouveaux emplois (personnel hôtelier, vendeurs d'artisanat, guides, chauffeurs, etc.) et pourrait peut-être bientôt motiver une réhabilitation du centre-ville dont le potentiel touristique est intéressant.

Transports

Comment y accéder et en partir

En voiture, depuis la capitale, comptez 1 heure, sans les embouteillages.

■ **AÉROPORT ENRIQUE A. JIMENEZ**
À l'est de la ville
en direction d'Isla Margarita
✆ +507 475 1002

■ **COLON 2000**
Calle Paseo Gorgas ✆ +507 447 3197
www.colon2000.com
Le port d'où partent les bateaux de croisière. Nombreux restaurants et boutiques d'artisanat.

■ **TERMINAL DE BUS**
Ave. Del Frente y Balboa y C/ 13
Les bus « express » Panamá (Albrook) – Colón partent toutes les 30 minutes de 4h à 21h30, de 1 heure 30 à 2 heures 30 de trajet, 3,60 $. Pour sortir/rejoindre le terminal, prendre un taxi même pour 100 m, vous êtes une cible privilégiée des voleurs !

■ **TRAIN PANAMÁ – COLÓN**
À côté du port de Cristobal ✆ +507 317 6070
www.panarail.com – info@panarail.com
Départ de Panamá (gare de Corozal) du lundi au vendredi à 7h15. Départ de Colón à 17h15 (coucher de soleil sur le canal !). Il est conseillé d'arriver 30 minutes à l'avance. Le trajet dure 1 heure (22 $, enfant 11$). Avant de vous rendre à la gare, téléphonez pour vérifier les horaires. Le voyage se déroule dans une ambiance de luxe et de confort : moquette, sièges en cuir, hôtesses et café offert. Un petit air de « Tropical Express » ! Vous remarquerez vite les habitués : la plupart sont des commerçants de la Zone libre qui se retrouvent pour jouer aux cartes. Si la climatisation vous glace, n'hésitez pas à prendre l'air à chaque extrémité des wagons, c'est d'ailleurs là que le spectacle est le plus beau. Les paysages de la forêt le long du canal et du lac Gatún sont un enchantement ; on regrette alors que le train file si vite !

Centre de Colón

BAHÍA DE MANZANILLO

BAHÍA DE LIMÓN

400 m

COLÓN 2000

Paseo Gorgas

Paseo Gorgas

Calle E

Calle 8

Calle 9

Calle 10

Hôpital Guerrero

Calle D

Calle C

Calle 18

Calle 11

Calle Portobelo

Calle B

Calle 17

ZONE LIBRE

Calle Limón

Avenida Santa Isabel

Parque Sucre

Calle 15

Puente Silvio Saldaza

Calle de Lesseps

Calle 13

Calle 14

Calle 16

Police

Ave. Melendez

Calle 5

Calle 6

Calle 7

Calle 8

Calle 9

Calle 10

Calle 11

Calle 12

vers 4 Altos,
Sábanitas, Panamá

Paseo Washington

Calle 15

IPAT

Calle 2

**Statue en hommage
à Christophe Colomb**

Avenida Central

Avenida Central

Calle 3

Avenida Justo Arosemena

Calle 4

Av. Amad y Guerrero

Gare ferroviaire

Av. Herrera

Cathédrale

Av. Bolívar

Avenida Balboa

Panama Canal Railway

Avenida Frente

CRISTOBAL

vers France Field

Port de Cristóbal

Marché
Poste
Divers
Gare routière
Hôpital
Police

163

Se déplacer

Les taxis sont fortement recommandés pour circuler en ville. Il y a deux catégories de taxis. Les taxis touristiques « SET » (*Servicio Especial de Turismo*), blancs avec une bande jaune. Ils attendent devant les grands hôtels, à Colón 2000, devant la ZLC… Comptez 3 à 5 $ par personne pour une course en ville. Les taxis ordinaires : 1 à 1,50 $ par personne la course.

■ **BUDGET**
Ave. Del Frente y C/11 ✆ +507 441 7161

■ **HERTZ**
Ave. Del Frente y C/11 ✆ +507 441 3272

Pratique

■ **ATP**
Calle primera,
au bout du Parque Washington
✆ +507 475 2301
Ouvert tous les jours de 9h30 à 17h30. En arrivant dans Colón par l'avenue principale (Ave. Centenario), prenez la rue qui part à droite juste après Cable & Wireless et poursuivre sur quelques dizaines de mètres.

■ **BANQUES**
Plusieurs banques dans la Zone libre. Sinon, Banco General, Ave. Del Frente y C/10. Banco Nacional de Panamá, Ave. Bolivar entre C/9 et 10, en face du restaurant Andros.

L'École des Amériques

Ce centre de formation militaire a vu passer sur ses bancs des milliers d'officiers latino-américains, parmi lesquels de sinistres personnages : Somoza, Pinochet, Banzer, Stroessner, Videla… Le centre fut créé en 1946 à Fort Amador dans la Zone du canal, puis déplacé en 1948 à l'autre extrémité du canal, à Fort Gulick. Les officiers US y enseignaient la lutte antisubversive et contre-révolutionnaire, en prônant l'usage de la torture et des disparitions ; autant d'enseignements mis en pratique sans scrupule par des élèves obéissants, futurs généraux des années 1970 et 1980 en Argentine, Chili, Brésil, Paraguay, Guatemala… Le centre a été transféré aux Etats-Unis en 1984, conformément au traité de rétrocession Torrijos-Carter de 1977. Les bâtiments ont été transformés il y a quelques années en un bel hôtel de luxe.

■ **HÔPITAL MANUEL A. GUERRERO**
Paseo Gorgas y C/11 ✆ +507 475 2211

■ **POLICE**
Ave. Meléndez ✆ +507 441 5255

Orientation

L'agglomération s'étend de plus en plus en périphérie, au nord-est vers l'aéroport et au sud-ouest vers l'ancienne zone américaine. En voiture, on pénètre facilement dans le centre-ville par l'avenida Central, appelée aussi Paseo del Centenario. Le centre n'est pas étendu et il est facile de s'y repérer, mais il est vivement recommandé de se déplacer en taxi.

Se loger

Plusieurs hôtels modernes, confortables et sûrs sont destinés aux hommes d'affaires. Quelques hôtels chics sont situés dans les alentours, à une vingtaine de minutes du centre-ville. Pour les budgets serrés, il n'est pas conseillé, pour des raisons de sécurité, de rester dormir à Colón, même s'il existe des pensions très économiques.

Confort ou charme

■ **MERYLAND**
À l'angle de C/7 et Santa Isabel
✆ +507 441 5309 – +507 441 7055
www.hotelmeryland.com
reservaciones@hotelmeryland.com
Chambre simple à 44 $, double à 55 $. Eau chaude, AC, TV, Internet, parking gardé. Cet hôtel massif situé un peu à l'écart du centre, plus au calme, propose 80 chambres confortables. Préférez celles avec vue sur le Parque Sucre et ses beaux arbres, plutôt que celles donnant dans la cour intérieure, sombres et tristes. Restaurant ouvert de 6h à minuit. Personnel jeune et sympa.

■ **NEW WASHINGTON HOTEL**
Au bout de l'Ave. Bolivar
ou Del Frente, C/1
✆ +507 441 7133
www.newwashingtonhotel.com
Chambres simple et double 55 $, suites entre 110 et 150 $. AC, TV, wi-fi, parking. Un cadre magnifique face à l'océan pour un grand hôtel qui a vu défiler de nombreuses personnalités historiques. La piscine et les jardins aérés sont reposants. Les chambres rococo sont confortables, même si vous pourrez avoir la mauvaise surprise de ne pas pouvoir ouvrir les fenêtres… c'est pour conserver l'air climatisé !

Luxe

■ HÔTEL MELIA PANAMA CANAL

Fort Espinar (Gulick), Lac Gatún
℃ +507 470 1100
Fax : +507 470 1916 – www.solmelia.com
Chambre double à partir de 106 $ la nuit, petit déjeuner inclus. Le groupe hôtelier espagnol a magnifiquement investi ce qui était jusqu'en 1984 l'Ecole des Amériques. Au bord du lac Gatún entouré d'arbres, un vaste bâtiment couleur de toscane abrite 285 chambres confortables. Grande piscine très agréable. Restaurant de cuisine internationale et locale avec des plats copieux. Piano-bar, casino, excursions organisées par l'hôtel...

■ RADISSON

Paseo Gorgas, Calle 13 ℃ +507 3010 1074
Fax : +507 446 2001 – www.radisson.com
Chambres doubles à partir de 150 $. A proximité de la zone libre et du port de Colón 2000, ce nouvel hôtel de luxe de plus de 100 chambres et suites sur 6 étages offre des équipements très modernes et attire essentiellement une clientèle d'hommes d'affaires et passagers des bateaux de croisière. Piscine, restaurant, salle de sport, écrans plats, wi-fi...

Se restaurer

Il est conseillé de se restaurer au restaurant de son hôtel. Celui de l'hôtel New Washington a notre préférence pour son charme un peu désuet et sa vue imprenable sur l'océan.

■ RESTAURANT WASHINGTON

C/ 1, Hotel New Washington ℃ +507 441 7133
Le restaurant de l'hôtel Washington. Ouvert de 7h à 22h. Petit déjeuner panaméen, américain ou continental et sandwiches entre 4 et 6 $, salades à partir de 5 $. Carte classique de viandes et poissons à partir de 8 $ ainsi que des spécialités libanaises (falafels, houmous, fatush...). Une cuisine internationale et pana-méenne avec des portions généreuses et un service impeccable. Jolie vue sur l'océan et les navires à l'embouchure du canal. Grande terrasse.

À voir – À faire

Jetez un œil sur les vieilles maisons en bois ornées de balustrades et de balcons (qui s'écrouleront sans doute bientôt...), la cathé-drale, la statue de Christophe Colomb et l'an-cienne maison de Lesseps. Si votre budget ne permet pas une nuit sur place, vous pouvez vous offrir un café à l'hôtel New Washington pour admirer son architecture Art déco. Ses dorures,

lustres et grands escaliers témoignages des splendeurs passées, et la vue sur les bateaux qui entrent et sortent du canal dans la douce brume marine (ou l'orage...). Mais on vient du côté de Colón surtout pour la Zone Libre, le fort San Lorenzo ou les écluses de Gatún.

■ ÉCLUSES ET BARRAGE DE GATÚN

À 10 km au sud-ouest de Colón
Ouvert tous les jours de 8h à 16h. 5 $. Les taxis peuvent vous y emmener et vous attendre le temps de la visite (payez au retour). On peut aussi prendre un bus, direction « Costa Abajo » ou « Cuipo » (toutes les 2 heures environ) et descendre au feu juste avant le pont qui traverse les écluses. Le mirador se trouve sur la gauche à 500 m. La vue des écluses est peut-être plus impressionnante ici qu'à Miraflores : elles sont plus longues et le centre de visiteurs est plus proche des énormes portes. Pour élever les navires à 26 m au-dessus du niveau de la mer, les écluses disposent de trois bassins sas de 330 m de long chacun et 33,5 m de large. Notez que pour traverser les écluses en voiture ou en bus, il faut attendre plus d'une 1/2 heure si un gros navire est en train de passer. A moins de 2 km des écluses, sur la gauche après le pont, se trouve un beau point de vue sur le lac de Gatún et le barrage qui lui donna naissance. Sa largeur atteint 30 m en son sommet, mais presque 800 m à sa base ! Coupant le cours du Río Chagres à 11 km de son embouchure, il a pendant longtemps été le plus gros barrage jamais réalisé dans le monde. 262 km² de forêt vierge et des dizaines de villages furent engloutis après évacuation de la population. La voie ferrée a même été déplacée. Les sommets des collines se transformèrent en îles. Le lac de Gatún a lui aussi été un temps le plus grand lac artificiel du monde, avec une superficie de 423 km².

■ FORT SAN LORENZO

Entrée 5 $. Situé sur un promontoire rocheux à 25 m au-dessus du niveau de la mer et envahi par la végétation, le fort de San Lorenzo el Real de Chagres domine l'embouchure du Río Chagres. La beauté du site, son calme et la vue sur le fleuve sont remarquables. Rien, excepté le fort lui-même, n'évoque ici les combats de l'ère coloniale entre les soldats espagnols et les flibustiers européens. San Lorenzo est l'un des forts les plus anciens et les mieux conservés d'Amérique. Les premières fortifications furent érigées à la fin du XVIe siècle pour protéger les bateaux espagnols, à la sortie du fleuve, contre les pirates attirés par les richesses transportées jusqu'à Portobelo.

Zona Libre

La Zone libre de Colón a été créée en 1948. Il s'agit d'une zone détaxée destinée à l'importation et à la réexportation de produits manufacturés (textile, électronique, parfums, etc.). Dans une enceinte de 400 hectares sont réceptionnées sans droit de douanes toutes sortes de marchandises et de marques en provenance d'Asie, d'Europe ou des Etats-Unis. Contenu et contenant arrivent souvent séparément dans de grands conteneurs, pour des gains de volume et de coûts. Les marchandises sont conditionnées, assemblées, emballées et groupées avant d'être réexpédiées dans des quantités adaptées aux commandes et de nouveau sans taxe, vers les ports d'Amérique latine principalement (Colombie, Venezuela, Equateur, Brésil...). Grâce à sa position à l'entrée du canal, la ZLC est la plus grande zone détaxée occidentale et la deuxième au monde après Hong-Kong. On croise dans ses allées des négociants panaméens, colombiens, israéliens, libanais, indiens, chinois ou français... Plus de 2 000 entreprises génèrent un volume total de transactions qui dépasse les 10 milliards de dollars par an.

Ces fortifications furent détruites au début de l'année 1671 par le capitaine Joseph Bradley pour le compte d'Henri Morgan, qui lui-même s'y reposa avant de remonter le Chagres et de mettre à sac la ville de Panamá la Vieja. Reconstruit en 1678, plus en hauteur, le fort fut à nouveau détruit en 1742, cette fois par l'amiral Vernon. Reconstruit en 1761, il joue son rôle de fort jusqu'à l'indépendance, en 1821, puis fait office de prison pendant quelques années. San Lorenzo est inclus dans la Zone du canal et reste dans l'enclave américaine jusqu'en 1999, avant d'être rétrocédé au Panamá. En 1980, il est inscrit, en même temps que Portobelo, sur la liste du patrimoine mondial de l'Unesco. Une quarantaine de canons se trouveraient sur le site. Autour du fort, dans la forêt tropicale humide, on recense de nombreux écosystèmes et près du tiers de l'ensemble de la faune sylvestre du Panamá : jaguars, boas, crocodiles, grenouilles vénéneuses ou araignées arborées aux yeux rouges... Vous aurez peu de chance d'apercevoir tous ces animaux fort sympathiques, mais vous rencontrerez facilement iguanes, singes ou coatis. Il est conseillé pour cela de venir tôt le matin. Pour l'observation des oiseaux, le Camino de Achiote est un site mondialement connu où ont été recensées 420 espèces d'oiseaux.

▶ **S'y rendre.** Le fort se trouve à 30 km de Colón, dans une zone protégée de 9 600 ha. Après le pont des écluses de Gatún, allez tout droit jusqu'à l'entrée de l'ancien fort Sherman (ex-centre d'entraînement nord-américain pour le combat en jungle !), où vous devez présenter vos papiers (le poste ouvre à 8h mais ferme à 16h, le retour est possible jusqu'à 18h). Continuez cette route agréable en suivant les indications jusqu'à la cabane de l'ANAM, puis encore 7,5 km pour arriver aux ruines.

Aspergez-vous de lotion anti-moustiques et évitez de marcher dans les hautes herbes à cause des serpents.

Shopping

◼ **ZONE LIBRE DE COLÓN**
www.zonalibredecolon.com.pa
À l'est du centre-ville. Présentation du passeport à l'entrée. Ouvert de 8 h à 17h, fermé le week-end.
Pour faire des achats, on pense évidemment à la Zone libre : des milliers de produits de toutes marques détaxés ! Si vous voulez acheter un appareil photo ou des lunettes de marque pour vos vacances au Panamá, eh bien non, vous n'êtes pas forcément au bon endroit... D'une part, de nombreuses boutiques ne vendent qu'en gros. D'autre part, les prix sont à peine plus intéressants que dans les boutiques de Panamá ou de Colón. Enfin, vous ne pourrez pas sortir avec vos achats qui doivent être envoyés à l'aéroport de Tocumen, où vous les récupérerez...

ESCLUSAS DE GATÚN

Se loger

◼ **LA CASA FRANCESA**
Sector La Candelaria, Cuipo, Casa n° 154
✆ +507 6762 5806 – champlat@yahoo.fr
www.lacasafrancesa.com
info@lacasafrancesa.com
7 chambres tout confort (air conditionné, piscine, cheval, promenade sur le lac). 75 $ par personne, petit déjeuner inclus. Restauration à disposition. Patrick savoyard de son état, donne bon nombre de personnages originaux sur cette planète, a fait son beurre dans la pub. Après avoir découvert Miami avant son explosion, il

a lancé l'un des premiers établissements de charme à Marrakech avec La Ferme. Son flair d'hommes d'affaires aventuriers l'on amené jusqu'au bord du lac Gatún, dans un écrin de verdure et de fleurs tropicales, la casa Francesa vous réserve un accueil paisible et chaleureux. Sur un terrain vallonné et ombragé Patrick propose 7 chambres tout confort dont une suite. Elles sont spacieuses, minimales, impeccables et équipées de l'air conditionné, d'une salle de bains avec toilettes individuelles. Piscine, balade à cheval, promenade sur le lac et repas sur une île au programme. Un véritable havre de paix au bord du lac Gatun, qui combine un séjour paisible pour le bien-être de votre corps et de votre esprit. Dans l'assiette les produits de la cuisine franco-panaméenne viennent des jardins et *fincas* (« fermes ») des voisins, les œufs le matin sont pondus le jour même.

ELLA DRUA

Ella Drua : « Le peuple de la colline et du rio » est situé sur les bords du Rio Gatún qui alimente le lac du même nom. Il s'agit d'une communauté embera et wounaan de 22 familles (une centaine de personnes) venues du Darién au milieu des années 1970 pour trouver des conditions de vie meilleures, avec accès à la santé et à l'éducation. Vous êtes invités à connaître le mode de vie de la communauté : musiques et danses traditionnelles, pêche, cuisine, connaissance des plantes médicinales, sentiers botaniques (prévoir chaussures de marche ou bottes) et bains dans les rivières et cascades des alentours, tatouages naturels à la *jagua* et artisanat (objets en cocobolo, tagua, vanneries…). Il est possible d'y passer une demi-journée mais nous vous recommandons de rester au moins une nuit pour avoir le temps de créer des contacts et apprendre beaucoup plus sur cette culture très riche.

Transports

Sur les bords du rio Gatún, à environ 10 minutes à pied ou en pirogue de la route reliant Panamá (1 heure) à Colón (20 minutes), entre Bella Vista et Las Sabanitas. Descendre à Escuela Rio Gatún, 10 km après Belle Vista. Contacter au préalable Isabel Carpio ou Mario Cabrera Chanapi (coordonnées ci-dessous).

Se loger

ELLE DRUA
📞 +507 6882 4715 – +507 6655 0892
www.elladruaembera.com
chanapi19@hotmail.com

Compter environ 80 à 100 $ par personne pour un séjour de deux jours en pension complète. Réservation impérative quelques jours à l'avance. Nuit dans un bohio sous moustiquaire (pas d'électricité), toilettes propres, repas traditionnels à base de platanos, riz, manioc, poisson, poulet… bien cuisinés. Cette communauté est beaucoup moins connue et visitée que celles du Rio Chagrès (province de Panamá), pourtant l'accès est plus simple. L'association La Route des Sens (www.larouteedessens.org) a appuyé le projet de développement touristique du village depuis 2006. Elle a récemment financé grâce à ses voyages solidaires le cadastrage des terres (menacées d'appropriation par les paysans voisins) et la reconstruction des bohios emportés par les inondations de décembre 2010.

EMBERÁ QUERÁ

Quelques familles emberás se sont installées sur les rives du lac Gatún, il y a quelques années, après avoir quitté la communauté de Parara Purú. Comme Ella Drua, Embera Quera est moins visité que les communautés du Río Chagres.

EMBERÁ QUERÁ
Lago Gatún
📞 +507 6703 9475 – +507 6728 5987

PROVINCE DE COLÓN

www.emberapanama.com
Sur les bords du Rio Gatún peu avant
le lac, départ en pirogue du pont
Contact : Atilano Flaco
Comptez autour de 40 $ par personne et par

jour incluant les repas et le transport en pirogue.
Excursions en pirogue pour observer la nature
au fil de l'eau et autres activités (cuisine,
peintures corporelles, artisanat…). Vous serez
accueillis par une danse traditionnelle.

COSTA ARRIBA

Costa Arriba, celle qui monte vers le nord-est,
est beaucoup plus touristique que celle qui
descend vers le sud-ouest (Costa Abajo). Les
infrastructures routières sont bonnes, au moins
jusqu'à Cuango. Cette région, dont les vestiges
de Portobelo nous racontent une histoire
coloniale mouvementée, conserve également
des traditions fortes héritées des esclaves
amenés d'Afrique. A découvrir lors des fêtes
religieuses, des festivals congos ou du carnaval.
En dehors de ces périodes, la population est
des plus tranquilles. Ici le stress n'existe pas.
On vit de pêche, d'agriculture et d'un peu de
tourisme. Plusieurs structures éco-touristiques
ou restaurants se sont montées ces dernières
années et la plupart sont tenues par des…
Français ! On compterait plus d'une vingtaine
de familles françaises dans le coin ! Un projet

gigantesque est prévu, à Maria Chiquita. Un
condo hôtel pour retraités américains dans le
même style que ceux que l'on peut trouver sur
les plages proches de Panamá, côté Pacifique…
Cela devrait changer pas mal la physionomie
de la côte et probablement attirer un peu plus
de monde vers Portobelo et ses environs dans
les prochaines années.

LAS SABANITAS

Las Sabanitas ou simplement Sabanitas se
trouve à une quinzaine de kilomètres avant
Colón en venant de Panamá. Rien de spécial
ici, sauf que c'est là où se trouve la bifurcation
pour Portobelo et toute la Costa Arriba. Vous
n'aurez pas de mal à repérer le supermarché
Rey. Il faut prendre à droite (en venant du sud) à
l'intersection. C'est aussi là qu'il faut changer de

Costa Arriba

bus pour gagner du temps et éviter le terminal de Colón. Vous pourrez tirer de l'argent dans le Rey et faire le plein à la station-service. Après le village, la route devient beaucoup plus agréable, longeant la côte ou sinuant dans les collines verdoyantes. Plusieurs sites méritent votre intérêt comme deux longues plages de sable noir, Playa Langosta et Playa María Chiquita, très appréciées des locaux le week-end. Pour l'instant, seuls quelques petits restaurants ou épiceries sont installés dans les villages aux maisons colorées, mais un projet immobilier important pourrait bientôt changer l'ambiance...

PORTOBELO

À 50 km de Colón et à une centaine de Panamá, Portobelo bénéficie d'un cadre de rêve au fond d'une étroite baie entourée d'une végétation luxuriante. Cette petite bourgade endormie possède parmi les plus beaux vestiges de l'histoire coloniale des Amériques. Tout comme les ruines du fort San Lorenzo, ses fortifications des XVIIe et XVIIIe siècles sont inscrites depuis 1980 sur la liste du patrimoine mondial de l'Unesco. Dans cette ville aujourd'hui des plus paisibles, la population vit de la pêche, du commerce et d'un peu de tourisme. La baie offre en effet des spots de plongée et de jolies plages accessibles en bateau. Mais cette tranquillité est rompue tous les ans, le 21 octobre, au moment des cérémonies du Cristo Negro à laquelle participent des milliers de pèlerins venus de tout le pays. On attribue en effet de multiples miracles à cette statue en bois représentant un Christ noir. Les autres fêtes, comme le carnaval et le festival des Diablos tous les deux ans, sont l'occasion de découvrir les traditions congos, vieilles de plus de quatre siècles, et notamment les danses théâtrales héritées des esclaves noirs révoltés qui se moquaient de leurs maîtres espagnols. Ces danses, rythmées par les tambours, durent des heures et impliquent tout le village, avec des personnages qui fuient et se cachent comme du temps des *cimarrones* (les « marrons » comme on appelait les esclaves fugitifs). Elles parodient la Cour royale en faisant intervenir la reine et son mari Jua Dio, ou leur messager parajito... Un spectacle que vous n'oublierez pas de si tôt !

Histoire

Christophe Colomb et toute son expédition sont les premiers Européens à explorer la baie en novembre 1502, lors du quatrième et dernier voyage en Amérique de l'amiral. Emerveillé par la beauté des lieux, il baptise la localité indigène du nom de « Porto Bello », « Joli Port » en italien, qui abrégé et hispanisé deviendra Portobelo. Colomb ne reste pas et c'est Diego de Nicuesa qui tente en 1510 d'implanter une colonie, lui aussi sans grand succès en raison de l'hostilité compréhensible des Amérindiens. Jusqu'à la fin du XVIe siècle, Portobelo n'est qu'un petit village mais la cité, officiellement fondée le 20 mars 1597 et baptisée San Felipe de Portobelo en l'honneur du roi Philipe II, va devenir en quelques années l'un des ports les plus riches du continent.

Après la destruction de Nombre de Dios par Francis Drake en 1596, la Couronne espagnole fait de Portobelo son nouveau comptoir colonial. La ville voit alors arriver en masse les richesses d'Amérique centrale et du Sud transportées par le Camino Real et le Camino de Cruces, ces chemins qui traversent l'isthme depuis Panamá. Les plus grandes foires du continent sont organisées ici, au fond de la baie. On y échange or, perles, pierres précieuses, argent des colonies, contre les marchandises fabriquées en Europe, mais également des milliers d'esclaves amenés d'Afrique de l'Ouest. En 1630, un poste de douane royale est aménagé afin de percevoir des taxes sur tous ces échanges. Portobelo grouille d'aventuriers, de commerçants, de soldats et de marins. Mais cette concentration de richesses attise les convoitises. Les galions espagnols sont harcelés par les pirates et corsaires du Vieux Continent, et les solides fortifications édifiées dans la baie ne résistent pas aux attaques des flibustiers anglais, notamment William Parker en 1602 ou d'Henri Morgan en 1668. L'ultime destruction de la ville par l'amiral Edouard Vernon (dit « Old Grog ») en novembre 1739 met en lumière la vulnérabilité des échanges commerciaux via l'isthme et les Caraïbes. La Couronne espagnole impose alors le contournement du continent par le cap Horn. Portobelo, définitivement privé de foires, redevient peu à peu une petite bourgade tranquille... Vous verrez peut-être plusieurs maisons en ruines à l'entrée du village. Le 8 décembre 2010, des pluies torrentielles, comme il n'y en a jamais eu, selon les services météo, ont entraîné des coulées de boue dévastatrices. Bilan : huit morts et de nombreux blessés. Un traumatisme encore bien perceptible, tout le monde se connaissant très bien dans ce village.

Transports

La route est désormais bonne jusqu'à Portobelo et les villes plus éloignées de la Costa Arriba (jusqu'à Cuango).

Compter entre 1 heure 30 et 2 heures 30 de trajet depuis Panamá pour rejoindre Portobelo.

▸ **En bus depuis Colón,** prendre la direction Portobelo ou Costa Arriba : toutes les demi-heures de 4h20 à 20h (18h le dimanche). 1,60 $. 1 heure 30 de trajet. Depuis Portobelo, le dernier bus part vers 18h.

▸ **Pas de bus direct Panamá-Portobelo :** prendre un bus pour Colón et descendre à Sabanitas au niveau du supermarché Rey, puis remonter dans un bus en provenance de Colón direction Portobelo ou Costa Arriba. Si les bus arrivent trop pleins et que vous êtes un petit groupe, il peut être intéressant de prendre un taxi jusqu'à Portobelo (environ 20 $).

▸ **Depuis Portobelo,** bus assez fréquents pour Nombre de Dios, Palenque, Miramar, Cuango. Pour Isla Grande, prendre un bus à destination de La Guaira.

◼ **CAPTAIN JACK VOYAGES PANAMA – COLOMBIE**
Calle Guinea, Hostel Captain Jack Portobelo
✆ +507 448 2009 – +507 6881 7339
www.captainjackvoyages.com
captainjackvoyages@gmail.com
Les voyages en voiliers charters sont devenus très populaires pour se rendre en Colombie, vers Carthagène surtout. Un voyage qui prend généralement 5 jours, dont 3 aux îles San Blas. Les tarifs commencent à partir de 450 $. L'agence Captain Jack basée est très populaire parmi les *backpackers*, qui peuvent rencontrer au bar-resto de l'hostel les capitaines avec qui ils vont passer plusieurs jours. Sur le site Internet une checklist du confort et surtout des mesures minimum de sécurité à vérifier avec le capitaine du bateau. L'agence met en relation une trentaine de voiliers à qui ils accordent leur confiance.

◼ **DARIÉN GAPSTER**
✆ +507 6696 1554 – +507 448 2009
✆ +57 32 1787 4934
www.thedariengapster.com
marcossailing@yahoo.com
279 $ (en 2011) tout compris avec nuit à l'hôtel San Blas (Nalunega), repas, formalités immigration, prêt de masques et tubas. Une *lancha* rapide assure la liaison Miramar ou Porvenir-Sapzurro ou La Miel (frontière de la Colombie), tous les 9 jours environ (peut varier selon la météo et le nombre de passagers, un minimum de 12). Le départ se fait de l'hostel Captain Jack de Portobelo (minibus jusqu'à Miramar). C'est le sympathique Marco, un Québecois, qui assure ce

transport, avec des dates que l'on peut consulter sur son site Internet. Au-delà d'un moyen de transport, c'est une superbe excursion le long de la côte à travers les San Blas. Arrêts toutes les 90 minutes environ sur des îles paradisiaques pour se reposer (cela peut remuer, surtout en été), logement en *cabañas* ou camping. Compter 3 jours de voyage. Marco est en train de construire un hostel à La Miel, au bord de la plage, où vous pourrez vous loger avant ou après ce voyage.

Pratique

◼ **BANCO NACIONAL DE PANAMA**
Rue principale, en face de la boulangerie *Distributeur.*

◼ **OFFICE DU TOURISME (CEFATI)**
À 100 m de la douane, en face de la muncipalité ✆ +507 448 2200
Ouvert de 9h30 à 17h30 tous les jours sauf lundi et samedi. Juste à côté, un bureau de l'immigration (même téléphone, ouvert en semaine de 9h à 16h).

Se loger

Plusieurs hôtels font clubs de plongée mais les formules d'hébergement sont ouvertes à tous. Ils sont situés sur la route menant à Portobelo, à quelques kilomètres. Pour ceux qui n'ont pas de voiture ou veulent rester au cœur du village, plusieurs options sont possibles.

Locations

◼ **LA MORADA DE PORTOBELO, CASAS DE ARTE**
À la douane, prendre la rue longeant la baie jusqu'à l'atelier de peinture
✆ +507 448 2266 – +507 6528 0679
lore7a@hotmail.es
sandraeleta@gmail.com
2 appartements pour 6 personnes (150 $ par nuit, 200 $ en haute saison) et 1 studio pour 4 (75 /100 $). Cuisine, salle de bains privée, AC, ventilateurs, TV, Internet, hamacs, canapés… Egalement un appartement plus simple, avec cuisine et ventilateurs, situé derrière l'église, à 50 $ (négociable) pour 4 personnes. Ils appartiennent à Sandra Eleta, une grande photographe panaméenne, originaire de Portobelo. On y voit quelques-unes de ses photos noir et blanc mais aussi des murs décorés de peintures congos, réalisées dans l'atelier situé juste derrière. Lumineux, chaleureux et confortable, on s'y sent très bien. Parfait pour une famille ou un groupe d'amis. La *Bruja* est côté rue tandis

que les *Casas Roja* et *Amarilla* ont une vue et un accès direct à la baie.

Bien et pas cher

■ **HOSPEDAJE ADUANA**
Sur la place, à côté de la douanne
℃ +507 6042 0963
4 chambres à 13 $, 15 $ (salle de bains privée) ou 20 $ (salle de bains privée et AC). Un petit établissement très bien situé, avec vue sur la douane et la place depuis une petite terrasse. Confort basique mais économique et propre, et surtout, on peut désormais y dormir tranquille depuis que la cantina qui était dessous s'est déplacée.

■ **HOSTEL CAPTAIN JACK**
Monter la rue qui part sur la droite depuis la rue principale, à côté d'Arith
℃ +507 448 2009 – +507 6881 7339
www.hostelportobelo.com
hostelportobelo@gmail.com
11 $ par nuit en dortoir. Internet et wi-fi (payant), salle télé, laverie. Mise en contact avec les voiliers pour San Blas et la Colombie (2 nuits gratuites à l'hostel si vous partez par ce biais via Captain Jack). Bar-resto. L'auberge d'un vieux loup de mer, Captain Jack, vous attend

un peu sur les hauteurs de Portobelo. Belle vue sur l'église et la baie, ambiance conviviale et décontractée. Les voyageurs y passent une nuit ou deux, le temps de trouver un bateau charter pouvant les accueillir pour les emmener à Cartagena ou Sapzurro. Les dortoirs sont propres et disposent de matelas neufs. Le bar est agréable, avec sa vue et ses longues tables conviviales où l'on peut manger des snacks et boire des bières fraîches. Beaucoup de capitaines de voiliers viennent s'y réfugier le soir, et l'ambiance est là presque tous les soirs. On y parle mer et voyage, mais révisez votre anglais !

Confort ou charme

■ **COCO PLUM**
℃ +507 448 2102 – Fax : +507 448 2325
www.cocoplum-panama.com
12 chambres avec salle de bains et AC. Chambre simple 55 $, double 65 $, triple 75 $, quadruple 85 $. Un hôtel agréable et calme au bord de l'eau, avec une petite plage privée (peu de fond pour se baigner) et un ponton où l'on peut manger ou faire la sieste. Les chambres sont de plain-pied, un peu sombres mais bien décorées. Des excursions sous-marines et cours de plongée peuvent être organisés.

PROVINCE DE COLÓN

El Cristo Negro de Portobelo

Le Cristo Negro, appelé aussi El Nazareño (de Nazareth), est une statue de bois noir que l'on peut admirer à l'intérieur de l'église San Felipe. Elle aurait été trouvée en 1658 par des pêcheurs du village, dans une caisse jetée à la mer par les marins d'un navire espagnol sur le point de faire naufrage. Il s'agissait de leur sixième tentative pour sortir de la baie. Le bateau qui devait se rendre à Carthagène en Colombie était à chaque fois repoussé par une tempête. Cette fois-ci, il réussit sa sortie… Pour les habitants c'est un signe : le Christ veut rester dans le village. On l'installe alors dans l'église. En 1821, Portobelo est l'un des rares villages à échapper à une épidémie de choléra qui touchait tout l'isthme. On attribua ce miracle au Cristo Negro et on célébra l'événement un 21 octobre, puis tous les ans à la même date. D'autres versions de l'arrivée du Christ noir à Portobelo existent, et de nombreux miracles lui furent attribués par la suite… Un musée lui est dédié dans la petite église San Juan de Dios. La couleur foncée sur les traits européens du Nazareño serait apparue au fil du temps en raison de la fumée des cierges qui brûlaient toute la journée sous le retable.

La veille des cérémonies du 21 octobre et même plusieurs jours avant, on peut voir le long des routes (notamment sur les bords de la transisthmique Panamá Colón) des centaines de pèlerins vêtus de tuniques violettes, certains portant une lourde croix en pénitence, se rendant à pied à Portobelo, parfois à genoux ! Le 21 octobre, les milliers de fidèles en liesse assistent ou participent aux processions en l'honneur du Christ noir, transporté par la foule dans les rues du village. Un événement spectaculaire à ne pas manquer si vous êtes dans la région. Mais attention… on raconte que le Nazareño est le saint des voleurs ! Mais il est aussi le patron des boxeurs et des salseros ! En 1974, le Portoricain Ismaël Rivera, sorti de la drogue depuis sa rencontre avec le Cristo Negro, lui dédie une chanson qui deviendra un tube, El Nazareño.

■ **THE SUNSET CABANS & SCUBA PORTOBELO**
℘ +507 261 3841 – +507 261 4064
Chambre individuelle avec lit double 48 $, cabaña avec un lit double et deux lits simples 58 ou 68 $, sans les 10 % de taxe. A la fois hôtel-restaurant et club de plongée. Les chambres disposent d'un petit balcon avec vue sur la mer, alors que les *cabañas* donnent sur une petite plage privée. Cours et location de matériel de plongée, kayak, balades en bateau peuvent être organisés.

Luxe

■ **EL OTRO LADO**
Dans la baie de Portobelo, en face du village ℘ +507 202 0111
www.elotrolado.com.pa
info@elotrolado.com.pa
4 maisons différentes à des tarifs pour 2 entre 390 et 770 $ en basse saison, sans les taxes. Petit déjeuner et transferts en lancha depuis Portobelo inclus. Une sélection d'activités est proposée : plongée, pêche, exploration de la mangrove… Restaurant uniquement sur réservation, 32 $ le déjeuner, 38 $ le dîner, sans le vin. Du très haut de gamme réservé à une clientèle exclusive, qui recherche confort et raffinement. Le luxe s'exprime dans le naturel, sans superflu, et dans le service personnalisé. Les chambres lumineuses disposent d'équipements modernes et de meubles faits dans l'atelier d'ébénisterie de l'hôtel. Quant à la décoration, de magnifiques tableaux d'artistes de Portobelo et des objets originaux. La piscine se fond dans la baie et le restaurant offre une cuisine fusion haut de gamme.

Se restaurer

Plusieurs restaurants de poissons très sympas sur la route avant d'arriver à Portobelo. En ville, nombreux *comedores* (beaucoup sont fermés le soir) et un restaurant à côté de la douane. Quelques pizzerias aussi, ouvertes en fin de semaine.

Pause gourmande

■ **PANADARIA EL NAZAREÑO**
Rue principale, un peu avant la place du village
℘ +507 6957 7088 – +507 6862 1712
Ouvert du mardi au dimanche de 7h à 21h (8h-20h le dimanche). Pâtisseries à moins d'1 $, sandwiches entre 2 et 4 $, pizzas de 8 à 12 $. Une boulangerie colorée tenue par Tatiana (de Portobelo) et Frederico (un Italien qui parle français). On y prépare du pain presque comme chez nous, des pâtisseries et des sandwiches et une quinzaine de pizzas différentes (en fin de semaine pour ces dernières). Egalement du bon café et des jus de fruits naturels. Une adresse appréciée des locaux comme des touristes.

Bien et pas cher

■ **LA CUEVA DE MORGÁN**
Dans la ruelle reliant la douane à l'église
℘ +507 448 2593
Ouvert tous les jours sauf le mardi, de 10h à 23h. Un resto-bar chaleureux où l'on mange des plats simples, locaux ou internationaux, le plus souvent à la plancha. Une terrasse à l'étage très agréable, avec une jolie vue sur les ruines et la douane.

■ **DON QUIJOTE**
La première pizzeria en venant de Portobelo
℘ +507 6697 9793
Ouvert de 8h à 21h du vendredi au dimanche et jours fériés. Ce restaurant chaleureux propose une belle carte de pizzas classiques (entre 6 et 9 $ la moyenne) et de la cuisine française : bœuf bourguignon, tapenade, etc.

■ **FONDA ARITH**
Rue principale, entre la place et l'église
Ouvert tous les jours de 7h30 à 17h. Plat de poisson et de crevettes autour de 5 $, de poulpe 8 $. Sous un modeste rancho, on se régale de plats de poissons et crustacés tout frais et bien cuisinés avec du riz coco, salade et petits oignons.

■ **PIZZA COMBO EXPRESS**
Intersection des routes menant à Isla Grande, Nombre de Dios et Portobelo
El Cruce ℘ +507 6980 0205
Ouvert en fin de semaine de 9h à 21h. Pizzas autour de 8-10 $. Un bon choix de pizzas délicieuses mais aussi des quiches, des gâteaux et du pain… Accueil sympa et décontracté.

Bonnes tables

■ **LAS ANCLAS**
5 km avant Portobelo, Hotel Cocoplum
℘ +507 448 2102
Ouvert tous les jours de 8h à 19h. Le resto de Coco Plum est spécialisé dans les poissons et fruits de mer, accompagné de riz coco et de *patacones*. Les prix naviguent entre 5 et 25 $. Salle agréable mais il est aussi possible de manger au bord de l'eau.

RESTAURANTE LOS CAÑONES
À côté de Scuba Portobelo
℡ +507 448 2980
Ouvert tous les jours de 11h à 18h. Plats autour de 10-15 $. Un grand restaurant ouvert sur la mer, agréable pour sa vue surtout. A goûter : l'*arroz al cañon*, des coques cuisinées aux petits oignons, céleri et citronnelle ou le poulpe au lait de coco !

À voir – À faire

DOUANES ROYALES
Dans le centre, Real Aduana de Portobelo *Ouvert tous les jours de 8h à 16h. Entrée 5 $*. Un des ouvrages civils les plus importants de la période coloniale en Amérique centrale. Construit entre 1630 et 1638, le bâtiment est en partie détruit en 1744 par William Kinghills, puis reconstruit quinze ans plus tard selon de nouveaux plans. En 1882, un tremblement de terre fait tomber sa façade nord et sa toiture. Les travaux de restauration, réalisés grâce à la coopération espagnole, s'achevèrent en 1997. Vous remarquerez les belles arcades. Le musée situé dans la douane est consacré à l'histoire de la ville ; y sont présentés boulets de canons, vieux fusils, sabres…

ÉGLISE SAN JUAN DE DIOS
L'église a été créée peu après la fondation de la ville, en 1598. Au XVIIᵉ siècle, les frères de Saint-Jean de Dieu y soignaient les soldats mais aussi les esclaves, pratique peu courante à l'époque. Détruite en 1744 et reconstruite au début du XIXᵉ siècle, l'église a été restaurée en 1998. Elle abrite depuis 2004 le musée du Cristo Negro, où sont exposés des crucifix, des tuniques du XVIIIᵉ, cousues de fils d'or et de velours, et des photos.

FUERTE BATERIA DE SANTIAGO
Le fort date de 1760 (après la destruction de la ville par Vernon en 1739) et est resté quasiment intact, ses canons toujours pointés sur la baie. De l'autre côté de la route, on peut prendre un petit sentier pentu pour rejoindre la Casa Fuerte de Santiago, le poste d'observation du fort encore assez bien conservé. De là, une vue magnifique s'étend sur la baie et la ville.

‣ **Il ne reste, en revanche, presque rien du Castillo Santiago de la Gloria.** Construit en 1600, il fut détruit une première fois en 1668 par Henry Morgan, puis en 1739 par Vernon. En face, de l'autre côté de la baie, se trouvent les fortifications de San Fernando, que l'on peut rejoindre en lancha (départ à côté du fort Santiago, 3 $ par personne). Après le départ des Espagnols à la suite de l'indépendance obtenue en 1821, l'ensemble des forts a fait l'objet de pillage de la part des habitants qui se sont servi des pierres, poutres ou ferrailles pour améliorer leurs propres maisons.

FUERTE BATERIA SAN JERONIMO
Ce sont peut-être les vestiges les plus impressionnants de Portobelo, avec en plus une jolie vue sur la baie et le bâtiment des Douanes. Le fort a été construit entre 1663 et 1670, et remanié pour la dernière fois en 1758. On remarquera sa jolie porte voûtée et sa batterie de canons.

IGLESIA SAN FELIPE
Cette église paroissiale, qui héberge le Cristo Negro, a été maintes fois détruite et reconstruite, la dernière fois en 1814. Le clocher date de 1945.

PLAGES
Pour rejoindre les plages situées de l'autre côté de la baie, les bateaux à moteur partent d'un ponton à côté de la douane, ou d'un autre proche du fort Santiago de la Gloria, à l'entrée du village. Il est possible de planter sa tente sur les plages. Dommage qu'elles ne soient pas toujours très propres.

‣ **Playa Huertas (« Playa primera »)** est la plage la plus proche de Portobelo. Ses eaux calmes en font un bon spot pour la baignade et le snorkeling (5 minutes en canot, aller-retour 25 $ pour 1 ou 2 personnes, au-delà 10 $ par personne).

‣ **Puerto Francès,** un peu plus loin, mêmes délices (15 minutes, aller-retour 30 $ pour 1 ou 2 personnes, au-delà 12 $ par personne).

‣ **Playa Blanca.** Belle plage du sable blanc beaucoup plus loin que les précédentes (30 minutes, 45 $ aller-retour pour 1 ou 2 personnes, au-delà 18 $ par personne).

Sports – Détente – Loisirs

Sports
Portobelo est l'un des meilleurs sites du pays pour la plongée sous-marine et le snorkeling. Les 53 espèces de corail et les nombreuses variétés de mangroves nourissent une faune très riche. Le spot de Salmedina Reef est l'un des plus réputés, avec ses canons et ancres enfouis dans les profondeurs. Le cercueil en métal contenant le corps de Francis Drake ne serait pas loin mais n'aurait toujours pas été localisé…

Plusieurs agences louent du matériel, offrent des tours et dispensent des cours. Elles ont leur base ou des relais dans certains hôtels. Période recommandée pour la plongée : d'avril à novembre.

◾ **SCUBA PORTOBELO**
Quelques kilomètres avant Portobelo
℗ +507 261 3841 – +507 261 4064
www.scubapanama.com
scubapanama@scubapanama.com
Des cours de plongée pour débutants et avancés. Location et vente d'équipement.

Activités

◾ **CANOPY**
Rio Piedra, sur la route de Portobelo,
5 minutes après Maria Chiquita
℗ +507 6030 9515
http://panamaoutdooradventures.com
50 $ par personne. Vous pouvez aussi rester camper sur place : 10 $ la tente (location possible) + 5 $ par personne. Après une route qui grimpe fort, on atteint un site magnifique dédié à l'accrobranche ; 12 plateformes dans les arbres et 9 câbles tendus à travers la forêt luxuriante, dont une longue tyrolienne de 220 m !

Shopping

🖊 **TAGUA DE PORTOBELO**
Derrière la douane,
à l'entrée des ruines
℗ +507 6655 5161 – www.sagapanama.fr
michel.lecumberry@gmail.com
Michel Lecumberry et sa compagne Coco sont deux grands voyageurs qui ont décidé de poser pied à terre à Portobelo, après trois ans passés dans l'archipel des San Blas en compagnie de leurs amis kunas. L'atelier se trouve dans une petite maison située derrière les ruines du fort San Jeronimo (demandez aux locaux de vous indiquer la maison). Michel a appris à sculpter la tagua avec les Emberá. Coco monte les pièces d'ivoire végétal en bijoux en y ajoutant de l'ébène ou de la coco, ce qui donne des créations tout à fait origi-

---

La *tagua*, racontée par Michel Lecumberry

Dans le monde, quinze espèces de palmiers produisent l'ivoire végétal. En Amérique du Sud et Amérique centrale, on trouve les six espèces du *Phytelephas* (du grec *Phyton*, « plante », et *Elephas*, « éléphant »). Au Panamá, sur les pentes de la forêt humide, pousse *Phytelephas seemannii*. Ce palmier à tronc court d'où émergent de longues palmes en forme d'éventail est appelé ici arbre à *tagua* (se prononce « tagouá »). A la différence des autres palmiers le *phytelephas* porte ses fruits près du sol. De la taille d'un petit ballon chaque fruit est formé par cinq ou six gousses rigides et épineuses contenant chacune de quatre à dix graines de forme et de taille variables. La graine est constituée d'une coquille rigide sous laquelle une peau marron protège le germe et l'albumen (liquide visqueux et blanc). Au cours de la maturation, l'albumen s'épaissit peu à peu. Lorsqu'un fruit est mûr, il se détache du tronc et les gousses éclatent répandant les graines. Certaines, retenues par des obstacles, vont pouvoir germer et prendre racine, les autres peuvent êtres récoltées et mises à sécher, l'albumen va alors finir de durcir tout en restant très blanc et donner ainsi l'ivoire végétal (appelé en français le corozo).
En 1798, les explorateurs espagnols Ruiz et Pavón décrivent pour la première fois ce palmier que les indigènes utilisent à plusieurs fins. Notamment ils boivent l'albumen liquide et sculptent de petits objets dans l'ivoire végétal. Vers la fin du XIXᵉ siècle, les Allemands seront les premiers à importer des *taguas* pour fabriquer des boutons. La construction du canal de Panamá va permettre à d'autres pays européens et aux Etats-Unis d'importer directement l'ivoire végétal. En 1910, l'Equateur et la Colombie exportaient plus de 40 000 tonnes de *taguas*. Dans les années 1930, l'arrivée des matières plastiques devait quasiment réduire à zéro l'utilisation de boutons en ivoire végétal, seuls quelques grands couturiers européens font encore réaliser à la main de superbes boutons. Pour relancer l'exploitation de la *tagua*, des entreprises de Colombie et d'Equateur se sont tournées vers la réalisation semi-industrielle de bijoux fantaisie. Au Panamá, dans le Darién, depuis une trentaine d'années, les Wounaans et les Emberás utilisent les noix de tagua pour sculpter des animaux de la jungle, certains sont de véritables artistes qui signent leurs réalisations. On peut trouver de très belles pièces, blanches ou colorées dans les boutiques spécialisées proposant de l'artisanat de qualité.

nales, que l'on s'arrache dans les boutiques de Panamá City. Michel a également entrepris d'importantes recherches sur les Kuna d'une part, et sur Portobelo et le fort San Lorenzo d'autre part, avant d'écrire deux ouvrages très intéressants que l'on peut trouver dans les bonnes librairies panaméennes (Exedra Books et Libreria Cultural) et chez eux bien sûr. Michel tient également un blog très intéressant : « sagapanama ».

PUERTO LINDO

Six kilomètres avant La Guaira et Isla Grande, un petit village de pêcheurs situé peu avant La Guaira, où l'on trouve de petits restaurants pas chers, une tienda, une station-service et une marina aux nombreux services.

Se loger

Bien et pas cher

EL CABALLO LOCO
Au bord de la route principale sur la droite en venant de Portobelo, quelques kilomètres avant Puerto Lindo
✆ +507 6980 0205 − +507 6512 8664
info@flordecafe.com
Restaurant ouvert du vendredi au dimanche de 9h à 21h. Entrées 3 $, plat principal à partir de 5,50 $, dessert à partir de 2,50 $. Cabañas pour 4 ou 6 personnes 30 $ (si repas au resto, sinon un peu plus). Salle de bains privée, terrasse, ventilateurs et moustiquaires. Sur une terrasse couverte, dans un jardin luxuriant, vous dégusterez une cuisine locale et française délicieuse agrémentée de saveurs réunionnaises : canard à la vanille, porc caramel, rougails, gratin dauphinois, pâtes… Le Caballo Loco fait salon de thé l'après-midi (avec glaces et pâtisseries). Egalement deux jolies *cabañas*, pour passer une nuit confortable au bord de la rivière.

HOSTEL WONDERBAR
Sur la route principale, à 5 minutes à pied du centre
✆ +507 448 2426 − +507 6626 8455
www.hostelwunderbar.com
info@hostelwunderbar.com
En dortoir, lits superposés 11 ou 15 $. Chambre double 25 ou 30 $. Cuisine. Un hôtel *backpacker* constitué de bâtiments en dur et d'une maison construite dans le style kuna. L'hostel est situé à proximité du Río Pino et à 300 m de la mer. Nombreuses activités et excursions. C'est surtout un endroit où vous pourrez prendre contact avec des skippers pour des excursions en voilier dans l'archipel de San Blas et rejoindre la Colombie.

Confort ou charme

BAMBU GUEST HOUSE
À l'entrée de Puerto Lindo
✆ +507 448 2247 − +507 6710 0168
www.panamaguesthouse.com
info@panamaguesthouse.com
Chambres à 60, 70 et 80 $ (1, 2 ou 3 personnes) petit déjeuner complet inclus (+ 10 % de taxe). Chacune des trois grandes chambres dispose d'une sortie indépendante et d'une salle de bains. 1 chambre avec AC, 2 chambres avec ventilateurs. Sur le flanc d'une colline verdoyante, une maison confortable avec un jardin, dotée d'une jolie vue sur l'océan depuis la terrasse du bar-restaurant. Un endroit reposant, avec les singes pas loin. Les propriétaires hollandais organisent des tours en voilier sur la côte Caraïbes et peuvent vous mettre en contact avec des guides pour des excursions en forêt.

FINCA DON PEDRO
Juste avant le village sur la droite
✆ +507 6980 0205
2 chambres pour deux à 65 $. Ventilateurs, eau chaude, moustiquaires. Cela grimpe un peu, donc déconseillé aux personnes ayant des difficultés pour monter des escaliers. La finca porte le nom d'un perroquet parti dans les montagnes, à El Valle… Une belle maison rustique à flanc de colline, avec deux chambres simples mais confortables, disposant d'un balcon commun offrant une superbe vue sur la baie de Puerto Lindo et un magnifique jardin tropical.

PANAMARINA
Entre Puerto Lindo et Cacique
✆ +507 600 65449 − +507 6005 8879
✆ +507 6687 7747
www.panamarina.net
panamarina1@yahoo.com
Bar-restaurant ouvert du mardi au samedi de 10h à 14h et de 18h à 21h. Plats entre 6 et 10 $. Cette marina créée par Jean-Paul et Sylvie Orlando offre tous les services nécessaires aux marins (laverie, douches, bibliothèque, carénage, hivernage…) et des informations sur la région. Un restaurant offre une cuisine familiale variée et des plats typiques caribéens. Pour s'y rendre depuis la route El Cruce-La Guaira, tournez sur la gauche en direction de Cacique et de José del Mar, à la seule intersection avant Puerto Lindo. La marina est située à 3 km de cette intersection et à 600 m avant Cacique.

PROVINCE DE COLÓN

PARQUE NACIONAL PORTOBELO

D'une superficie de 35 929 ha, le parc est constitué de 23 % de zones maritimes. Avec 53 espèces de corail recensées (dont la *Dendrogyra Cylindrua*, espèce unique dans les Caraïbes) et une très grande variété de mangroves, la biodiversité dans le parc est l'une des plus riches au monde. Sur terre, on relève environ 15 000 ha de forêt primaire et différentes zones de vie : forêt tropicale humide et très humide, forêt humide pré-montagneuse et forêt pluvieuse pré-montagneuse. Des randonnées sont possibles, se renseigner au bureau de l'ANAM situé à Nuevo Tonosi.

■ **ANAM**
Nuevo Tonosi ✆ +507 448 2165
Le bureau est indiqué
sur la route de La Guaira
Ouvert de 8h à 16h mais les gardes du parc sont normalement présents 24h/24.

ISLA GRANDE

La « Grande Ile », 5 km de long pour 1 de large, est si populaire chez les Panaméens qu'elle est tout simplement appelée « l'île » (*la Isla*).

Située à peu de distance de la côte, elle est recouverte d'une épaisse végétation et dispose de quelques plages. Dans sa partie sud, un petit village d'environ un millier d'habitants vit traditionnellement de la pêche et de la culture de coco. Depuis quelques années, la beauté des lieux, les eaux cristallines et la relative facilité d'accès du site a permis le développement d'un tourisme essentiellement national. En semaine, vous vous rendrez compte que bon nombre de restaurants et petits hôtels sont vides ou fermés. Mais lors d'un long week-end de pont (*los puentes*) ou au moment du carnaval, vous verrez débarquer des centaines de touristes panaméens, en famille ou en groupes d'amis, venant profiter de la plage ou faire la fête au bord de l'eau.

Les premiers habitants de l'île furent probablement les Kunas, à la recherche de langoustes ou de cocos. Les conquistadores la baptisèrent Isla Bastimento (à ne pas confondre avec Bastimentos à Bocas del Toro), puis elle prit le nom d'Isla Grande. Dans les années 1880, pendant la construction du canal, les Français furent nombreux à s'y installer. Ils construisirent un phare qui entra en service en 1897 et aidera par la suite les bateaux à s'orienter à l'approche du canal (la « lumière » de Gustave

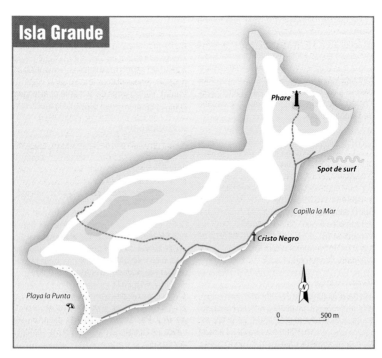

Eiffel est conservée aujourd'hui dans le hall du musée du Canal, à Panamá City). L'île abrita une base militaire américaine pendant la Seconde Guerre mondiale mais redevint un lieu paisible le conflit terminé. Les Panaméens vous parleront de la Isla avec les yeux qui brillent. Mais ne vous attendez pas à de grandes plages ou à des fonds époustouflants. C'est avant tout une bourgade hospitalière et décontractée. Les principales fêtes célébrées, la Saint-Jean et la Vierge Carmen (16 juillet), donnent lieu à de spectaculaires processions sur l'île et en mer.

Transports

◗ **Voiture.** La route est aujourd'hui très bonne pour se rendre à Isla Grande. A La Guaira, le village en face de l'île, vous pouvez faire garder votre voiture au niveau des embarcadères pour quelques balboas, notamment chez Doña Eme (3 $/jour).

◗ **Bus.** De Colón ou Portobelo, prendre un bus direction La Guaira. Départs de Colón de 9h30 à 17h30 toutes les 2 heures. 2 heures 30 de trajet pour Colón (3 $), 1 heure pour Portobelo (1,20 $). Retours de La Guaira à 5h30, 6h30, 7h30, 9h et 12h30 (16h le dimanche). Comme partout, horaires et tarifs sujets à modifications.

◗ **Barques à moteur entre La Guaira et Isla Grande.** Les *lanchas* relient l'île et le continent en 5 minutes. Tâchez d'avoir déjà une petite idée de l'hôtel où vous souhaitez passer la nuit, afin que le *lanchero* vous emmène au plus près. Entre 2,50 et 3,50 $ selon l'endroit où l'on vous dépose (pour le Bananas voir directement avec l'hôtel). Les tarifs sont inscrits sur la cabane de l'embarcadère.

Pratique

Pas d'office du tourisme ni de banque (derniers distributeurs à Las Sabanitas). Les téléphones publics fonctionnent parfois. Pas de cybercafé. Il y a bien quelques épiceries mais l'approvisionnement est variable. Côté hygiène, ne buvez pas l'eau du robinet, même si les locaux le font, achetez de l'eau en bouteille (pour les budgets serrés, emportez avec vous de l'eau en gallon). Prévoyez aussi une lampe de poche, les coupures d'électricité sont fréquentes.

Orientation

Une ruelle longe la mer du sud-ouest au nord-est, face au continent. La petite plage, La Punta, est au bout de cette rue côté ouest. Le phare est situé à l'est, en haut d'un petit sentier. Le point de repère souvent utilisé est la Bodega Rey

Guacamayas.

Jackson, à côté de l'embarcadère où arrivent les bateaux en provenance de La Guaira.

Se loger

◗ **Chez l'habitant.** Pendant les fêtes, quelques résidents louent des chambres (*Se alquila habitación*) autour de 30 $ la nuit pour deux. Le confort est parfois rudimentaire. Le camping est possible. Si vous plantez la tente sur la plage (La Punta), méfiez-vous de la marée et attendez-vous à passer une nuit bruyante le week-end, en cas de fête *cerveza-ron* improvisée !

◗ **Hôtels.** Pour un séjour au moment des fêtes ou durant un week-end de haute saison, attendez-vous à ce que les prix indiqués ci-dessous augmentent sensiblement. Il existe également quelques cabañas au village de La Guiara juste en face de l'île au cas où tout serait complet.

Bien et pas cher

■ **CABAÑAS SUPER JACKSON**
Juste à côté du principal
quai d'arrivée des bateaux
derrière la Bodega Jackson (épicerie)
✆ +507 448 2311
Six chambres de plain-pied pour 2 à 6 personnes, avec salle de bains, ventilateur ou AC, à partir de 40 $. Pas de vue sur la mer mais l'un des hôtels les moins chers de l'île, souvent complet le week-end.

Confort ou charme

▪ CABAÑAS LA CHOLITA
Côté est, en face du Christ noir
☏ +507 232 4561
☏ +507 6653 9056
http://hotellacholita.com
Plusieurs petites maisons avec des chambres doubles avec AC, salles de bains privées, terrasses avec hamacs. 60 $ pour 2 ou 4 personnes, 70 $ pour 5, 80 $ pour 6. Chambres un peu sombres mais propres. Les cabanes du fond sont plus au calme quand il y a du monde en haute saison. Joli jardin de palmiers et de fleurs, rehaussé de ravissantes mosaïques. Restaurant agréable.

▪ HÔTEL SISTER MOON
Dans l'est de l'île
à 15 minutes à pied du centre
(de nuit, prendre une lampe de poche,
le sentier n'est pas éclairé)
☏ +507 6948 1990
☏ +507 6674 1403
www.hotelsistermoon.com
info@hotelsistermoon.com
10 cabañas pour 2 à 5 personnes. 69 $ petit déjeuner inclus (prix pour 2 personnes, basse saison), sans les 10 % de taxe. Tarifs dégressifs pour plusieurs jours et promotions sur le site Internet. Le cadre est magnifique et les cabanes à flanc de colline ont toutes une vue mer. Elles disposent d'une salle de bains privée assez grande avec une douche et des toilettes, et une terrasse avec un hamac pour se balancer inlassablement en harmonie avec la danse des vagues et des palmiers environnants, en mode caraïbes total. Un bar, un billard et, surtout, la petite piscine qui donne sur la mer, contribuent à l'agrément du séjour. Situé juste en face du meilleur spot de surf de l'île, le Sister Moon est souvent envahi les jours de grosses vagues. Restaurant qui propose une variété gastronomique de la région.

▪ POSADA VILLA ENSUEÑO
Côté est, en face du Christ Noir
☏ +507 448 2964
☏ +507 6640 5995
www.hotelvillaensueno.com
info@hotelvillaensueno.com
Chambre double à partir de 45 $ par personne en pension complète (3 repas). AC, laverie, location de masque et tuba, hamacs… Camping : 25 $ par personne en pension complète. Jolies maisons colorées. Chambres chaleureuses et soignées. Pour le calme (le week-end), préférez les plus éloignées du bar-restaurant.

Luxe

▪ HÔTEL BANANAS RESORT
☏ +507 263 9510
Fax : +507 264 7556
www.bananasresort.com
info@bananasresort.com
Chambre double à partir de 139 $, petit déjeuner inclus. AC, TV. Les options font varier sensiblement les prix (consultez le site Internet). Situé de l'autre côté de l'île, le Bananas profite d'une jolie petite plage, environnée de bananiers et cocotiers. Les maisonnettes couleur jaune banane sont confortables et s'harmonisent bien dans ce paysage verdoyant. Pour vous rafraîchir, vous avez le choix entre la piscine et la plage.

Se restaurer

Presque tous les bars et restaurants possèdent des terrasses aérées en bord de mer très agréables. Certains n'ouvrent qu'en fin de semaine, d'autres tous les jours mais avec des horaires variables en fonction de l'affluence. La cuisine proposée est similaire presque partout : pagre, poulpe, langouste ou crabe *centollo*, accompagnés de riz à la coco.

▪ BAR RESTAURANTE CONGO
Peu après Jackson côté est
Ouvert tous les jours. Petit déjeuner autour de 4 $, plats de la mer (cambobia, burgoa…) à partir de 8 $. Une terrasse sur pilotis très agréable pour ce resto familial. La mama aux fourneaux prépare des calamars, poulpes, palourdes et autres fruits de mer en sauce rouge ou à l'ail. Baby lobster (4 petites langoustes) pour 9 $. Le plus ancien des serveurs est souvent en état d'ébriété, restez attentif, n'hésitez pas à passer la tête dans la cuisine pour suivre votre commande. Petit bar avec musique locale, à partir de 22h la température monte !

▪ EL NIDO DEL POSTRE
Dans l'ouest,
peu avant l'hôtel Isla Grande
☏ +507 448 2061
☏ +507 6655 4439
www.elnidodelpostre.com
nidodelpostre@hotmail.com
Ouvert tous les jours de 8h à 22h. Entrées de 4 à 20 $, plats de 17 à 35 $, desserts à partir de 4 $. Menu du jour à 12 $. Le meilleur restaurant de l'île. Les sympathiques Olga et François vous invitent à déguster une cuisine raffinée, aux saveurs méditerranéennes et tropicales. Le tout est joliment présenté. A la carte, coquillages

et poissons, mais aussi canard à l'orange, couscous, langoustes au cognac… et des plats végétariens. Pour le dessert ou le goûter, les pâtisseries vous feront chavirer ! Quelques chambres à louer, dans le même esprit simple et élégant, à partir de 75 $ pour 2 personnes.

◾ PUNTA PROA
(CHEZ PUPY)
Plats de poisson autour de 8 $. Le restaurant de Bob Marley, ou de son plus grand fan, Pupy (un monsieur sympathique mais qui a ses humeurs…). On mange ce qu'il a pêché le jour même et les prix varient selon la taille du poisson. L'accompagnement de riz coco est un régal, mais il ne faut pas être pressé : il faut couper le coco, la râper… Les pieds dans le sable, les amateurs pourront déguster un petit rhum, le choix est immense. L'ambiance reggae roots toute la journée n'est pas du marketing, Pupy ne peut tout simplement pas se passer de Bob !

◾ RESTAURANTE MILLY MAR
À côté des Cabañas Jackson (même famille)
Plats de viande ou de poisson entre 3 et 10 $. Crevette, pagre rouge, poulpe… Prix raisonnables et service sympa.

À voir – À faire

◾ BALADE
JUSQU'AU PHARE
L'un des premiers du continent. Un quart d'heure de montée sur un joli sentier (parfois boueux) qui grimpe juste avant l'entrée de l'hôtel Sister Moon (suivre au départ le câble électrique). Le phare de 26 m de haut n'a pas grand intérêt en soi et aucun effort ne semble fait pour son entretien, mais la vue depuis le mirador est magnifique et il y souffle une brise rafraîchissante !

◾ EXCURSIONS
EN LANCHAS
Plusieurs excursions possibles avec les *lancheros* (demandez à votre hôtel de vous mettre en contact), dont le tour de l'île en bateau et la

visite des mangroves. Le tour de l'île qui dure de 20 à 30 minutes coûte autour de 30-40 $ pour 5 personnes. Pour le « Tunel del Amor » à travers la mangrove, la « passe » dure entre 30 minutes et 1 heure : autour de 40 $ pour 5 personnes (le prix du carburant influera forcément sur ces tarifs). Pour rejoindre des spots de snorkeling, tarifs variables en fonction de la distance et de la durée du tour.

Sports – Détente – Loisirs

▸ **Plages.** Une seule véritable plage dans le village : La Punta. Agréable, avec son sable blanc et la vue sur les collines verdoyantes du continent, mais pas très grande (elle rétrécie de plus en plus). Déserte la semaine, beaucoup moins les week-ends estivaux. Une petite paillote conviviale propose des plats de poisson et des bières fraîches. Parfois le soir ont lieu d'indéterminables matchs de foot entre locaux au bord de l'eau. Très bon niveau de jeu, pieds nus et bousculades amicales au rendez-vous ! L'hôtel Bananas dispose d'une plage agréable mais réservée à ses clients. En face le village de la Guaira dispose également de petites plages agréables.

▸ **Surf.** Un spot réputé devant l'hôtel Sister Moon.

▸ **Snorkeling.** Devant l'hôtel Villa Ensueño notamment.

NOMBRE DE DIOS
Située à une vingtaine de kilomètres de Portobelo, la petite ville de Nombre de Dios est une étape agréable sur la route de Palenque et Miramar. Le tourisme n'y est pas encore développé et les meilleures possibilités d'hébergement se trouvent plutôt dans les alentours. Environ un millier d'habitants peuple cette bourgade tranquille que longe une plage de sable gris noir. Nombre de Dios est le point de départ idéal pour Playa Damas, nommée ainsi en raison des deux plages, une de sable blanc, l'autre de sable doré, qui font penser à un jeu de dames.

PROVINCE DE COLÓN

Histoire

À l'époque des premières explorations du continent en 1510, Diego de Nicuesa, gouverneur désigné de Castille d'Or, arrive dans une baie qui lui semble bien accueillante comparée à Veragua, où il fut surpris par la tempête, et à Portobelo d'où il fut chassé par les indigènes. Fatigué de ses errances, le gouverneur se serait exclamé : ¡ *Detengamos aquí en Nombre de Dios !* (« Arrêtons-nous ici au nom de Dieu »). Le village construit à la hâte gardera ce nom de Nombre de Dios, ce qui ne le protégera guère des attaques des indigènes... Les conquistadores sont forcés d'abandonner les lieux et s'implantent plus à l'est où ils fondent Santa María la Antigua del Darién (aujourd'hui en Colombie – localité considérée comme le premier établissement espagnol durable en Terre ferme). Revenus à Nombre de Dios en 1519, les Espagnols commencent à renforcer un sentier indigène pour en faire un véritable chemin menant jusqu'à la ville de Panamá côté pacifique : le Camino Real. Plus tard, les Espagnols subissent les attaques de Francis Drake, en 1572 puis en 1596. Le corsaire anglais y laissera d'ailleurs sa peau peu après, tué par la dysenterie. Son corps déposé dans un cercueil de métal sera plongé dans la baie de Portobelo. Il serait toujours au fond...

Transports

On peut venir en bus depuis Colón, Sabanitas ou Portobelo. Les bus continuent ensuite jusqu'à Cuango via Palenque et Miramar. Bus depuis Colón toutes les 1 ou 2 heures, de 8h à 17h45. De 4h et 15h depuis Nombre de Dios. 3,80 $.

Se loger

■ CARIBBEAN JIMMY'S DIVE RESORT
www.caribbeanjimmys.com
Le trajet est organisé lors de la réservation qui se fait via le site Web (pas de téléphone). 130 $ la simple, 160 $ la double. Forfaits 4/6/7 jours avec sorties plongées pour 2 à 524/814/959 $. Une rangée de *cabañas* colorées sur la plage, à quelques pas de l'eau. Un lieu agréable destiné aux amateurs de plongée.

✓ CASITA RIO INDIO
11 km avant Nombre de Dios en venant de Portobelo, juste après San Antonio
✆ +507 6650 6634 – +507 6807 3193
casitarioindio@yahoo.fr
Chambre double à 15 $. Petit déjeuner autour de 3 $, dîner autour de 5 $. Annick et Sébastien ont construit leur univers en pleine nature et accueillent les touristes de passage dans une maisonnette en bois sur pilotis, avec deux chambres doubles. Camping possible. Ils pourront vous proposer de belles excursions dans le coin. Location de chevaux, sorties nocturnes à la découverte des caïmans, excursions vers les plages isolées de Río Indio, Playa Damas ou Majagual... Une adresse économique, tranquille et conviviale que nous recommandons vivement !

PALENQUE

Ce village aux maisons colorées est situé peu après Viento Frío, à 32 km de « El Cruce ». Une halte pittoresque au bord d'une belle plage de sable clair. Mêmes bus que ceux qui passent à Nombre de Dios.

PROVINCE DE COLÓN

▪ RESTAURANTE EL PUERTO

Au bord de l'eau, dans la rue principale
Un petit restaurant simple, ouvert sur la plage
proposant poissons et fruits de mer, accompagnés de riz coco et de *patacones*, à partir de
5 $. Si vous devez passer la nuit à Palenque,
demandez au restaurant, des habitants louent
des chambres. Ne vous attendez pas à du
grand confort.

MIRAMAR

L'étape suivante est Miramar, à 4 km. Aussi
paisible et charmant que Palenque, c'est le
dernier port avant San Blas, que l'on peut
rejoindre sans trop se ruiner, à condition de
savoir patienter. Attention, il s'agit de voyages
aventureux où les conditions de sécurité sont
loin d'être garanties, surtout quand la mer est
agitée, notamment en décembre, janvier et
février… Vous avez le choix entre des bateaux
de marchandises, des bateaux de pêche, ou
une navette (grosse pirogue à moteur). Tarif
touriste autour de 20 $. On trouve plusieurs
petit restos où manger du poisson frais et des
chambres chez l'habitant.

CUANGO

Au-delà de Miramar, à la fin de la route (un
projet de route goudronée jusqu'à Sta Isabel a
été avancé…). Un village encore plus paisible
que les précédents, au bord d'une longue plage
de sable dans les tons jaune-vert sombre,
bordée de cocotiers. Rien de particulier à visiter,
juste une ambiance bout du monde des plus
reposantes…

SANTA ISABEL

Santa Isabel est un petit village isolé qui accueille
l'un des hôtels les plus exclusifs du pays.

Se loger

▪ CORAL LODGE

✆ +507 836 5434 – +305 395 5700
www.corallodge.com
reservations@cunadevida.com
105 $ par personne (sur la base de 2 personnes)
en basse saison, 115/155 $ en haute saison.
Taxes, repas et transport non inclus. Formules
3 nuits minimum, repas, tours, Spas, taxes :
à partir de 322 $ par personne. Skype :
cunareservations. A proximité du village de
Santa Isabel, un lodge exclusif dans un site
de rêve. Accès en bateau depuis Porvenir ou
Miramar. 6 petites maisons sur pilotis très
confortables dans une ambiance rustique et
raffinée avec piscine, billard et un resto-bar qui
offre le meilleur des cuisines caribéennes, latine
et méditerranéenne… Mais le plus intéressant
est d'être au milieu des poissons multicolores !
De nombreuses autres activités possibles :
kayak, balades à cheval sur la plage…

▪ COSTA ABAJO

Au-delà du barrage de Gatún, on pénètre dans
une nouvelle ambiance : des petits villages
côtiers peuplés d'agriculteurs et de pêcheurs
descendants de Marrons ou d'ouvriers afro-
antillais du canal, les belles plages sauvages
de Majagual, Punta El Medio, Anibal, Palmas
Bellas… Ne se lance pas sur la costa abajo qui
veut ! Vu l'absence d'infrastructures d'accueil
et l'état de la route, cette région s'adresse
au voyageur expérimenté ! C'est au village
de Chagres, à 48 km des écluses, que vous
trouverez les derniers services (épiceries, téléphone, poste de police, mais aucune banque). La
route s'arrête à Río Indio, le plus grand village de
la zone. Pour se rendre dans les villages plus à
l'ouest, seule la voie maritime est envisageable.
L'un d'entre eux, éloigné, fait le lien entre deux
provinces, Coclé et Colón, et mérite que les
« aventuriers » s'y intéressent : il s'agit de Coclé
del Norte, village du bout du monde…

COCLÉ DEL NORTE

Ceux qui ne reculent pas devant les longues traversées et ne craignent pas les imprévus apprécieront ce périple jusqu'à un village côtier très isolé, où résident environ 500 familles, principalement de la pêche et du travail de la terre… On y vit un peu au ralenti, on s'y sent comme au milieu de nulle part. Mais si, par chance, vous vous y trouvez au moment d'une fête, cette population chaleureuse, à dominante noire, vous enchantera par ses danses, les *bailes congos*. Des tout-petits aux plus anciens, le feu les habite !

Transports

Deux accès.

◗ **Première possibilité depuis Colón :** bus direction « Costa Abajo » jusqu'à Río Indio ou Gobea. Autour de 5 $. De là, prenez une barque pour Coclé del Norte. 5 heures de voyage éprouvant, environ 20 $ par personne. Attention, les sorties ne sont pas régulières. Il est même fréquent qu'il n'y en ait aucune ou très peu entre les mois de novembre et février, en raison de la mauvaise humeur de la mer.

◗ **Deuxième possibilité, depuis la province de Coclé :** transport collectif, en général en pick-up, de Penonomé à Coclesito (minimum 3 heures). Une route goudronnée devrait à terme améliorer l'accès. De là, prendre une pirogue pour Coclé del Norte (minimum 3 heures). Ce trajet est absolument magnifique mais requiert une bonne logistique.

Et en ce qui concerne la météo ?

◗ **De fin août à début novembre :** précipitez-vous ! C'est la meilleure saison, la mer est tranquille et les journées ensoleillées. Dès le mois de décembre, la pluie régulière s'installe.

◗ **À partir de janvier,** le soleil est de retour et les vagues aussi ! Le vent qui souffle du nord réveille la mer. Deux petites accalmies suivent vers le carnaval, en février, et au moment de la semaine sainte.

Pratique

Dans le village : aucune banque, cabine téléphonique parfois en fonctionnement, de l'électricité entre 18 et 22h, plusieurs *cantinas*, quelques épiceries et un *comedor*.

Se loger

Pas d'hôtel mais la population sera ravie de veiller sur votre tente si vous souhaitez installer votre campement dans le village. Il vous faudra arpenter le village pour trouver le comedor ouvert…
N'hésitez pas à demander et à chercher, il y aura toujours quelqu'un pour vous servir, si vous savez patienter. Nous vous conseillons cependant de venir avec vos propres victuailles (achetées avant de partir, ne comptez pas sur les épiceries de Coclé del Norte) ou de pêcher.

PROVINCE DE COLÓN

© IPAT PANAMA

Il n'est pas rare de tomber nez à nez avec une tortue sur le littoral panaméen.

PROVINCES DE COCLÉ ET VERAGUAS

Canyon de
La Angostura dans
la province
de Coclé.
© IPAT PANAMA

Province de Coclé

Au centre de l'isthme, Coclé est une terre de contrastes. On y pratique l'agriculture extensive (riz) et l'élevage, mais la spécialité de la région reste ses productions agro-industrielles (sucre et sel). Réputée pour son marché artisanal d'El Valle et ses longues plages de sable blanc, cette province a cependant beaucoup plus à offrir. A l'intérieur des terres, au-delà de sa capitale Penonomé, les habitants ont su préserver leurs richesses culturelles et folkloriques. La province de Coclé est aussi la terre natale de nombreuses personnalités de la vie républicaine, dont certaines eurent une carrière politique remarquée entre 1918 et 1968 : Arnulfo Arias Madrid, Marco Aurelio Robles, Harmodio Arias Madrid, Rodolfo Chiari, Ramón Maximiliano Valdés.

EL VALLE

Situé dans le cratère d'un volcan, dont la dernière éruption remonte à plusieurs millions d'années, El Valle fait partie de ces endroits où il fait bon respirer. Vous vous en rendrez compte dès que vous quitterez la Panaméricaine, en parcourant la trentaine de kilomètres qui vous séparent de ce village situé à 600 m d'altitude. Au terme de cette route sinueuse, vous serez récompensés par la fraîcheur des montagnes ; ici les températures oscillent entre 20 et 26 °C toute l'année. Il serait donc dommage de n'y passer qu'une journée et de n'avoir pas le temps de visiter son marché artisanal, car c'est aussi le point de départ de nombreuses excursions. N'oubliez donc ni vos chaussures de marche ni un bon pull !

Transports

Comment y accéder et en partir

▶ **Bus.** Panamá (Albrook) - El Valle (place du marché) : départs toutes les 20 minutes de 6h à 18h, 4,25 $; 2 heures 20 de trajet. El Valle-Panamá de 4h à 16h (retours du dimanche soir souvent embouteillés). Si vous venez d'autres villes, pas la peine de revenir sur Panamá : demandez à descendre sur la Panaméricaine au *Cruce* pour El Valle et prendre un minibus fréquent (souvent chargé) assurant la liaison San Carlos-El Valle (45 minutes). Des bus urbains circulent toute la journée. Ils s'arrêtent devant la station Texaco, en face du marché. Le bus indiqué « La Pintada » dessert l'hôtel Campestre ainsi que le sentier qui mène aux pétroglyphes et à la « India dormida ». Le bus indiqué « La Mesa » fait le tour de la ville et conduit à l'entrée du parc national de Cerro Gaital.

▶ **Voiture.** La bifurcation pour El Valle est à 4 km au nord de San Carlos sur la Panaméricaine. Comptez ensuite 30 km environ. Route en très bon état.

Se déplacer

La course en taxi coûte entre 1 et 2 $ selon la distance.

Pratique

■ **BIBLIOTHÈQUE**
À côté de l'église,
en face de Bruschetta

Les immanquables des provinces centrales

▶ **Le marché artisanal** coloré d'El Valle et les randonnées dans ses environs.

▶ **L'excursion** dans les hautes terres de Coclé à la rencontre de la communauté Cucua.

▶ **La plage infinie** de Santa Clara.

▶ **Le savoir-faire** des fabricants de chapeaux de La Pintada.

▶ **La nature exubérante** de Santa Fé, peu explorée.

▶ **La biodiversité marine** de Coiba, véritable paradis préservé.

▶ **Les vagues puissantes** de Santa Catalina.

▶ **Le carnaval aquatique** de Penonomé et le Carnavalito de La Pintada.

Provinces de Coclé et Veraguas

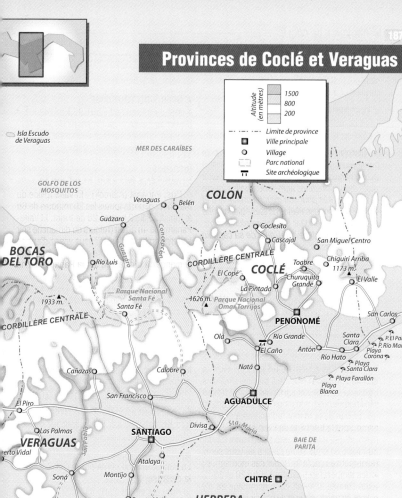

Altitude (en mètres)
1500
800
200
Limite de province
Ville principale
Village
Parc national
Site archéologique

Isla Escudo de Veraguas

MER DES CARAÏBES

GOLFO DE LOS MOSQUITOS

Veraguas
Belén
COLÓN

Guázaro

BOCAS DEL TORO

Río Luis

Coclesito
Cascajal
San Miguel Centro

CORDILLÈRE CENTRALE

Toabre
Chiguiri Arriba
1173 m.
El Valle

El Copé
COCLÉ

Churuquita Grande

La Pintada

1933 m.
Parque Nacional Santa Fé

Santa Fé
1626 m.
Parque Nacional Omar Torrijos

San Carlos

CORDILLÈRE CENTRALE

PENONOMÉ

Olá
Río Grande
Santa Clara
P. El Palmar
P. Río Mar

Cañazas
Calobre
El Caño
Antón
Playa Corona

Natá
Río Hato
Playa Santa Clara

San Francisco
AGUADULCE
Playa Farallón

El Piro
Playa Blanca

Las Palmas
Divisa
Sta. María

VERAGUAS
SANTIAGO
BAIE DE PARITA

erto Vidal

Soná
Atalaya

Montijo
CHITRÉ

Guarumal
Puerto Mutis
HERRERA

Guararé

LAS TABLAS

El Suày

Isla Leones
Golfo de Montijo

El Tigre
Hicaco
Llano de Catival

Playa Gorgona
Sta. Catalina
Playa Sta. Catalina

a Ranchería
Isla Gobernadora
Isla Cébaco

LOS SANTOS

Morrillos

Isla de Coiba

Arenas
Cerro Hoya
1559 m.

Cacao

Parque Nacional Cerro Hoya

Isla Jicarón
OCÉAN PACIFIQUE
0   40 km

Isla Jicarita

Ouvert en semaine de 8h30 à 16h30 et jusqu'à 14h30 le samedi. Fermé le dimanche. Bien pour ceux qui restent plusieurs jours, ou veulent se connecter à la wi-fi.

▪ DISTRIBUTEUR BANCAIRE
Point de retrait
À côté de la station-service dans le centre

▪ HÔPITAL
Derrière l'église, Centro de Salud
✆ +507 983 6112

▪ POLICE
C/ Arosemena Guardia ✆ +507 983 6216

▪ POSTE
Après le commissariat de police

Tourisme
Plusieurs excursions peuvent se passer de guide. Vos premiers guides seront les enfants ! Dès qu'un touriste démarre sur un sentier, il est rejoint par un enfant qui lui propose une promenade. Contre une petite pièce, il vous guidera volontiers sur le chemin des cascades ou des pétroglyphes…

▪ AVENTURAS TURÍSTICAS EL CHACAL
✆ +507 6607 5174
Rodolfo Méndez, dit « le Chacal », se trouve généralement vers le marché artisanal quand il n'est pas dans la montagne. Il propose des excursions en VTT jusqu'au Cerro Guaital (5 heures de montée à vélo puis le final à pied, 30 minutes de descente) : 40 $ par personne. Sorties birdwatching (3 heures environ) ou rando à la India Dormida (2-3 heures selon la forme), compter 20 $ par personne. Location de vélos (2 $/heure).

▪ OFFICE DU TOURISME
À côté du marché ✆ +507 983 6474
Ouvert du mercredi au dimanche de 9h à 16h. Renseignements sur les excursions, mise en contact avec des guides locaux…

Internet
La bibliothèque et plusieurs restaurants et hôtels ont la wi-fi, notamment Bambusillo. Postes Internet à côté de Aprovaca ouvert jusqu'à 16h et dans l'avenue centrale.

Orientation
Une longue avenue centrale conduisant au marché et plusieurs embranchements menant aux hôtels et autres centres d'intérêt : il est très facile de se repérer, d'autant plus que l'office du tourisme a fait installer des panneaux indicateurs à chaque coin de rue.

Se loger
El Valle, de par sa proximité de la capitale, son climat et son paysage qui donnent le sentiment immédiat de dépaysement total, est l'une des destinations de week-end et jours fériés privilégiées des *capitaliños* (habitants de la capitale). La réservation est impérative en fin de semaine surtout l'été. Avis aux frileux, tous les établissements ont l'eau chaude !

Bien et pas cher

▪ CABAÑAS GYSELL
El Hato & Central n° 69 ✆ +507 983 6507
Cabañas à 30 $ pour 2, 35 $ pour 3, 50 $ pour 4, 80 $ pour 6. salle de bains privée, TV. Chaque maisonnette est divisée en plusieurs chambres et donne sur le jardin. Accueil très chaleureux. Décoration kitsch mais chambres confortables et spacieuses ; petites terrasses privées.

▪ HOSTAL LA CASA DE JUAN
Calle Cocorron
(indiqué depuis la rue principale)
✆ +507 6453 9775
✆ +507 6807 1651
www.lacasadejuanpanama.blogspot.com
lacasadejuanpanama@hotmail.com
10 $ dans lit en dortoir. Camping 5 $ par tente. Chambre pour 2 de 15 à 25 $. TV, laverie, wi-fi, appareils de musculation… Location de vélo 5 $ la demi-journée. Un peu à l'écart du village, vous êtes les bienvenus dans la maison de Juan, un personnage original et d'une grande gentillesse.

La India dormida

En y regardant de plus près, vous remarquerez que cette montagne dessine le profil d'une femme allongée. La légende raconte que la fille du chef indien Urracá, Flor de Aire, s'était éprise d'un conquistador espagnol, pour le plus grand malheur de Yaravi, son prétendant. Parce que son aimée ne voulait plus de lui, Yaravi s'est suicidé devant elle et en présence de tout le village. Désespérée et pour éviter de trahir son peuple, Flor de Aire est partie cacher son chagrin dans la montagne. Elle s'y est allongée, regardant les cieux, et la mort est venue figer à jamais sa silhouette sous la forme d'une montagne… C'est aussi, pour les hispanophones, le sujet d'un joli petit livre, *La India dormida* de Julio B. Sosa (Editorial Manfer, 1948).

Arboles
Cuadrados

Vers la Panaméricaine

Cerro
Guacamaya ▲

Calle El Hato

Calle El Ciclo

Avenida Central

Jardins d'orchidées

Calle El Gaital

Calle Emboscadero

Central

Cerro
Gaital

El Níspero
Jardin botanique
& Zoo

AV. 1

Calle del Mercado

Marché

Río Antón

Calle Los Millenarios

AV. Central

Musée El Valle
de Antón

Calle Los Pozos

Río Guayabo

Los Pozos de
Aguas Termales

Calle del Macho

Vers Canopy Tour's
& Chorro El Macho

Calle La Reforma

Vers Chorro las Mozas

Río Antón

Río Pintada

Campo
Deportivo

Petroglito

Vers Piedra del Sapo

Vers La India Dormida

Chorro de
Las Mozas

Eglise
Musée
Curiosité
Police
Banque
Poste
Station service
Divers
Parc zoologique

Ne vous attendez pas à du grand confort, c'est du roots avec les poules et des matelas qui ont vécu, mais la chaleur humaine est bien là et vous aurez plein d'infos pour des balades et un grand jardin arboré où aller chercher des herbes pour vos tisanes, ou planter votre tente. Une adresse sympa pour rencontrer d'autres *backpackers* et faire des parties de ping-pong ou de billard sur la vaste terrasse.

Confort ou charme

■ ANTON VALLEY
Ave. Central,
☏ +507 983 6097
www.antonvalleyhotel.com
Chambre double à partir de 87 $ en basse saison, 107 $ en haute saison. Compter 30 $ de moins en réservant par Internet ou téléphone. Wi-fi dans le salon. Un petit hôtel d'une douzaine de chambres bien équipées, confortables et décorées avec goût. Très bonne réputation et bien placé.

⚡ CASA MARIPOSA
Ave. Central, sur la gauche,
environ 200 m avant le petit pont
(repérer les papillons dessinés)
☏ +507 983 5062 – +507 6883 7543
www.casalasmariposas.blogspot.com
casa.mariposa@hotmail.com
2 chambres à 45/50 $ (basse/haute saison) pour 1 personne, 50/60 $ pour 2 (2 lits simples accolés) et tarifs dégressifs à partir de 2 nuitées ; un appartement avec cuisine et 3 lits (270 $/semaine, 750 $/mois - 290/800 $ en haute saison). Wi-fi. Au fond d'un jardin tropical traversé par un ruisseau, une maisonnette avec deux chambres lumineuses. Egalement un appartement tout équipé qui se loue à la semaine ou au mois, avec un agréable patio qui se partage avec les propriétaires, un couple de grands voyageurs d'origine suisse (Ursula et Harry) qui pourra vous organiser de belles excursions, notamment vers le lodge río Indio. Une terrasse sur le toit, avec hamacs et vue sur la India Dormida.

■ HÔTEL CAMPESTRE
Calle El Hato
☏ +507 983 6146
Fax : +507 983 6460
www.hotelcampestre.com
40 chambres, à partir de 70 $ en basse saison. Situé en pleine nature au pied du Cerro Caracoral, ce grand chalet est aussi l'hôtel le plus ancien de la vallée (1939). Il a été rénové récemment pour gagner en confort. C'est sur ses terres, également refuge des petites grenouilles dorées, que poussent les fameux arboles cuadrados. Ces arbres uniques au monde, à la base du tronc carrée, atteignent jusqu'à 15 m de haut. Piscine, Spa, cheminée, restaurant.

■ HÔTEL RESIDENCIAL EL VALLE
Ave. Central,
en plein centre juste avant le marché
☏ +507 983 6536 – +507 6615 9616
www.hotelresidencialelvalle.com
residencialelvalle@hotmail.com
Lit double à 50 $, 2 lits simples à 60 $, 2 lits doubles ou junior suite 75 $, familiale pour 5 95 $, suite avec lit king size 110 $. Wi-fi et café du matin inclus. Site Web en français. Un hôtel aux couleurs vives que vous ne pourrez rater car il est en plein centre. Des chambres confortables avec une décoration différente dans chacune, faisant toujours appel à l'artisanat du pays. Une grande terrasse au dernier étage avec hamacs et salon avec une très belle vue sur les montagnes et agréable pour observer la vie du village. Accueil très sympathique.

■ HÔTEL-RESTAURANT LOS CAPITANES
C/ de la Cooperativa (panneau indicateur dans la rue principale)
☏ +507 983 6080 – +507 6687 8819
www.los-capitanes.com
capitanes@cwpanama.net
Chambre simple 45 $, double 66 $, Jr suite 90 $, suite 120 $, familiale (pour 6) 130 $. Petit déjeuner inclus. Wi-fi. Camping-cars acceptés. Dans un grand jardin, un hôtel aux chambres spacieuses et confortables dirigé de mains de maître par un capitaine allemand à la retraite ! Le restaurant aux spécialités panaméennes et allemandes est ouvert de 7h30 à 20h ou plus.

■ POSADA LOS ARAMOS
Ave central (panneau),
un peu avant Les 3 Tikis
☏ +507 6671 1313 – +507 6671 2900
Chambre simple ou double à 60 $ avec AC et TV, certaines équipées d'une kitchenette. Egalement en location, 2 maisons indépendantes pour 8 personnes (voir tarifs avec Carlos). Bar, restaurant. Dans un cadre agréable et reposant, cette posada est le lieu idéal pour se ressourcer.

■ RIO INDIO LODGE
45 minutes de voiture de El Valle
Rio Indio
☏ +507 6883 7543 – +507 6687 8819
www.rio-indio-lodge.com
Tarifs par personne (groupe de 4 minimum, 12 maxi) : excursion (aller-retour El Valle, guide,

repas) 55 $ + 35 $ nuit sur place. Forfait 6 jours (3 nuits à Los Capitanes et 3 nuits au lodge, sans les repas) 335 $. Un projet tout récent : une maison confortable en pleine nature, sans électricité, sans ondes téléphoniques, sans pollution, juste un gigantesque écran de télévision naturel ! De là des sentiers pour la cascade du río Boca la Mina pour un bain inoubliable. Renseignements détaillés auprès des propriétaires de Casa Mariposa (parlent français) ou de Los Capitanes.

⚡ LES TROIS TIKIS

juste avant le pont avant le centre Ave Central ✆ +507 983 6679 – +507 6671 8219 – mgbcombava@hotmail.com *Une chambre avec lit king size, salle de bains privée, TV câblée, prêt de vélos, wi-fi. Petit déjeuner complet et 30 minutes de Spa inclus. 100 $ pour 2. Devant la maison, un rancho pour 2 à 30 $, sans petit déjeuner.* Au bord de la rivière qui traverse le village, dans une belle maison en pierre vous serez accueillis par trois petits tikis, deux perroquets et un couple de marins français qui ont décidé de respirer ensemble l'air frais des montagnes. Envie de partager votre voyage autour d'un rhum arrangé, de vous reposer dans un hamac (et peut-être bientôt devant la cheminée), voire de méditer dans un jardin tropical, ce lieu est pour vous ! Spa, massage. Motards bienvenus.

Luxe

⚡ LOS MADARINOS BOUTIQUE-SPA & HÔTEL

Calle Del Ciclo ✆ +507 983 6645 www.losmandarinos.com info@losmandarinos.com *31 chambres réparties en 5 catégories de confort. Entre 125 et 205 $ la chambre double (+10 % de taxe), petit déjeuner inclus. Internet, AC.* Dans un décor de Toscane raffiné et une ambiance un peu feutrée, vous trouverez tout le confort souhaité (piscine, jardin). N'oubliez pas de faire un tour au Spa pour y découvrir les bienfaits de la chromothérapie. Egalement un restaurant, Casa de Lourdes, présenté dans la rubrique correspondante.

Se restaurer

Pour les pique-niques, plusieurs *mini-supers* dans l'avenue principale, des boulangeries et surtout le marché de fruits et légumes. La majorité des hôtels mentionnés ci-dessous ont leur propre restaurant, et vous trouverez de nombreux comedores pratiquant une cuisine et des tarifs similaires dans l'avenue principale.

Bien et pas cher

⚡ BAMBUSILLO VEGGIE CAFÉ & ART SHOP

Ave. Central, à côté de Mi Farmacia, à 100 m du supermarché Hong Kong ✆ +507 908 7060 sentimientovallero@gmail.com *Ouvert du mercredi au dimanche de 9h30 à 18h30 (parfois plus tard le week-end). Snacks, jus et licuados à partir de 3 $. 2 postes Internet (1$/h) + wi-fi gratuit.* Un local chaleureux qui fait à la fois expo-vente d'artisanat, de tableaux et sculptures, et snack végétarien (avec une exception pour les inconditionnels de poulet !). Il est tenu par un collectif d'artistes et de personnes engagées dans un développement local et écolo. Tout n'est pas forcément bio (avec certification, etc.), mais les produits cuisinés sont locaux et cultivés de façon naturelle. Goûtez le hamburger de bananes plantains ou le ceviche de citrouille !

▪ FONDA NELLA

Presqu'en face du marché ✆ +507 908 7005 *Ouvert tous les jours de 5h30 à 15h30. Petits déjeuners entre 2 et 3 $, plats de midi autour de 3,50 $.* Une salle propre et des meubles en cañas qui rendent l'atmosphère chaleureuse. Un grand choix de plats panaméens à prix raisonnables pour El Valle. Service plutôt sympa.

▪ RESTAURANTE Y PIZZERIA PINOCCHIO'S

Calle El Hato, en direction de l'hôtel Campestre ✆ +507 983 6715 *Ouvert du jeudi au dimanche de midi à 21h en basse saison, tous les jours sauf le mardi en haute saison, jusqu'à 22h. Pizzas autour de 8 $, pâtes et lasagnes autour de 6-7 $.* On vient ici surtout pour les pizzas copieuses (essayez la spéciale Pinocchio's !) mais aussi pour des plats de cuisine panaméenne, grecque (*giros*) ou mexicaine (*tacos*). Salle ou terrasse.

Bonnes tables

▪ BRUSCHETTA

Ave. Centrale, à côté de l'église et de l'hôtel Antón Valle ✆ +507 6518 4416 bruschetta2005@hotmail.com *Ouvert tous les jours de 7h à 9h30 et de 11h30 à 21h30. Entrées et salades autour de 5 $, pâtes entre 7 et 10 $, poissons à partir de 11 $, desserts autour de 4 $.*

Un restaurant italien dont la réputation n'est plus à faire, même au-delà du cratère ! Une belle carte de plats internationaux et panaméens, avec de nombreuses spécialités italiennes et quelques options végétariennes (falafels, tartes…). Une petite salle décorée avec goût et une terrasse couverte donnant sur la rue. Le chef Mario vous reçoit le plus souvent personnellement quand il n'est pas trop occupé en cuisine.

Luxe

▪ RESTAURANT LA CASA DE LOURDES

Carretera El Ciclo, dans l'enceinte de l'hôtel Los Mandarinos ✆ +507 983 6450
Ouvert tous les jours de midi à 15h puis de 19h à 22h. Compter autour de 25-30 $ par personne sans le vin. Savoureux mariage entre ingrédients locaux et touche occidentale. Quant aux desserts, gardez une petite place, vous ne le regretterez pas !

Sortir

On se couche tôt à El Valle et le dernier endroit avec de la musique latine en live le soir, « La Casita de Daniel », venait de fermer lors de notre passage. On espère que quelqu'un prendra prochainement la relève, renseignez-vous !

À voir – À faire

Flâner, marcher, se baigner… dans la ville ou dans les environs, un bel éventail de possibilités vous est offert. Pour les randonnées, prévoyez de partir tôt le matin. Comme souvent dans les montagnes panaméennes, il est fréquent qu'une bruine chasse le soleil en début d'après-midi, surtout en hiver.

▪ LES CASCADES
DE CHORRO LAS MOZAS

À un peu plus de 3 km du centre. Tourner à gauche au pont après l'église. Continuer tout droit jusqu'à la signalisation de l'ATP. La légende raconte qu'un vendredi saint, trois sœurs allèrent se baigner dans la rivière d'Antón, malgré l'interdiction de leur père. En punition de leur désobéissance, elles y restèrent pétrifiées à jamais. Les trois cascades principales représenteraient chacune des sœurs…

▪ CERRO GAITAL (1 185 MÈTRES)

Accès 5 $. Ce site fait partie des zones protégées de l'ANAM. Vous y découvrirez une flore abondante, notamment une grande variété d'orchidées, car il s'agit des flancs de l'ancien cratère du volcan de El Valle. A faire de préférence avec un guide.

▪ LA INDIA DORMIDA

Le point de départ de la randonnée est à la Piedra pintada. Il existe trois sentiers différents, selon la longueur souhaitée, du nombril à la tête de l'Indienne (environ 3 à 4 heures aller-retour pour le plus long). Demandez votre chemin pour éviter de tourner en rond (nombreuses bifurcations). Après la Piedra pintada, on commence l'ascension en passant à côté de jolies cascades – dont celle des amoureux – et la Piedra del Sapo (« la pierre du crapaud » : un rocher au bord du sentier, un pétroglyphe grand comme une main). Du sommet, très belle vue sur la vallée et le volcan.

▪ JARDIN BOTANIQUE
ET ZOO EL NÍSPERO

C/ Arosemena Guardia
✆ +507 983 6142
Ouvert tous les jours de 7h à 17h. Entrée adulte 3 $, moins de 6 ans 2 $. Perroquets, singes araignées ou capucins, faisans ou paons, vipères ou boas, tapirs… vous croiserez, tout au long d'un parcours fleuri, de nombreux animaux. Quant à la fameuse grenouille endémique *rana dorada*, de plus en plus difficile à apercevoir à l'état sauvage, vous la verrez dans un tout nouveau centre de conservation qui vaut le détour. On raconte qu'à l'époque précolombienne les autochtones croyaient qu'une fois morte, elle se transformait en or (d'où l'appellation de « grenouille dorée »).

▪ JARDIN D'ORCHIDÉES

En venant du centre, prendre la rue à gauche avant l'école primaire (panneau)
✆ +507 983 6472
aprocaca@hotmail.com
Ouvert tous les jours de 9h à 16h. 2 $ pour les adultes. L'association de producteurs d'orchidées de El Valle et de *cabuya* (agave) – APROVACA – cultive des espèces endémiques en voie d'extinction. Vous verrez une grande variété d'orchidées mais également la fleur nationale (*Peristeria elata*). La vente d'espèces non endémiques et des excursions culturelles et écotouristiques dispensées par l'association permettent de financer ses activités environnementales.

▪ MUSEO EL VALLE DE ANTÓN

À côté de l'église San José
✆ +507 6592 5572
Ouvert uniquement le dimanche de 10h à 14h. 0,75 $. Donne un bon aperçu de l'art précolombien et religieux. Pêle-mêle : céramiques, pétroglyphes, instruments aratoires utilisés par les paysans d'autrefois, artisanat, cos-

tumes folkloriques (dont celui des Cucuas, en écorce d'arbre). Une belle toile « Alegoría Vallera », allégorie élégante de la légende de l'India dormida.

▮ LA PIEDRA PINTADA

Depuis le centre-ville, on rejoint le sentier en 30 minutes de marche, ou en bus. 1,25 $. Après avoir quitté la route goudronnée, il faut 15 minutes pour arriver aux pétroglyphes où les enfants pourront vous en dire plus sur l'histoire du lieu. Les dessins sur la pierre représente-raient la carte de la région et raconteraient la résistance, au XVIe siècle, des habitants de la vallée contre les Espagnols. Mais en vérité, on n'a peu de certitudes.

▮ SERPENTARIO MARAVILLAS TROPICALES

Calle Sangre de Toro
✆ +507 6569 2676
www.el-valle-panama.com/serpentario
Ouvert tous les jours de 8h30 à 17h du lundi au jeudi, 19h vendredi et samedi et 16h le dimanche. Parfois fermé en basse saison... *Adulte 1 $, 0,50 $ jusqu'à 12 ans.* 14 espèces de serpents sont présentées, dont le célèbre boa constrictor. Un biologiste vous donnera des informations précieuses.

▮ SOURCES THERMALES (POZOS DE AGUAS TERMALES)

Prenez la 2e à gauche après l'église
✆ +507 983 6645
Ouvert tous les jours de 8h à 17h. Adulte 2 $, enfant 1 $. Dans un cadre naturel luxuriant, environné de grands arbres, vous serez invité tout d'abord à vous enduire le visage de boue aux propriétés curatives reconnues, puis vous vous délasserez dans un bassin d'eau chaude naturelle à 36 °C. Recommandé en fin de jour-née après une marche sur la India dormida.

Sports – Détente – Loisirs

▮ CANOPY ADVENTURE & CHORRO EL MACHO

Tout droit sur le pont
après l'église (fléché)
✆ +507 263 2784
✆ +507 983 6547
www.canopylodge.com
contactus@canopytower.com
Accès 3,75 $ à Chorro El Macho. La petite mar-che (10 minutes aller-retour) à la fameuse cas-cade de 35 m peut s'avérer frustrante puisqu'il n'est parfois pas possible de s'approcher de l'eau, ni de se baigner, pour des raisons de

sécurité. En revanche, Canopy Adventure pro-pose des activités accrobranches parfaitement sécurisées, à partir de 16 $ pour le petit forfait (une plateforme) et 53,50 $ pour l'intégrale (5 plateformes). Mieux vaut avoir le cœur bien accroché pour voltiger dans les airs… Si votre cœur préfère la terre ferme, deux excursions gui-dées de 3 heures (4 km) vous sont proposées, pour observer la vie sauvage ou la botanique : 37 $ chacune.

Shopping

El Valle est réputé pour son marché artisanal et de nombreux stands s'installent en haute saison le long de la route qui monte au village. Dans l'avenue principale plusieurs boutiques vendent un grand choix d'objets en tout genre, dont les 80 % sont de l'artisanat panaméen (plus cher qu'au marché), le reste étant importé d'Equateur, Colombie, Nicaragua, Guatemala… Pour des choses originales, rendez-vous au resto végétarien Bambusilla.

▮ BAMBUSILLO VEGGIE CAFÉ & ART SHOP

À côté de Mi Farmacia,
à 100 m du supermarché Hong Kong
Ave. Central
✆ +507 908 7060
Si les recettes sont originales, l'artisanat présenté (colliers, bracelets en matériaux naturels ou recyclés) est tout aussi créatif et change de ce que l'on peut voir ailleurs. Une terrasse côté rue et une autre sous une pergola côté jardin.

▮ LE MARCHÉ ARTISANAL

Tous les jours mais surtout le dimanche, de 7h à 18h. Céramiques, objets en pierre à savon, sculptures en bois, hamacs, chapeaux, sta-tues des borrachos (à l'origine, des sculptures d'hommes ivres semblant dormir, assis, jambes et bras repliés sur eux-mêmes), bijoux… un artisanat très coloré qui vaut le déplacement en raison du large choix (marchandez !). Vous pourrez également vous approvisionner en fruits et légumes, ou encore acheter des plantes.

SANTA CLARA

Un endroit très prisé des Panaméens aisés qui s'y sont fait construire de somptueuses rési-dences secondaires. La plage de Santa Clara, à moins de 2 heures de la capitale, est parmi les plus jolies de cette côte : de la végétation, du sable fin sur des kilomètres et une mer calme. Malheureusement, c'est aussi l'une des plus fréquentées en fin de semaine, avec son lot de scooters des mers et de quads…

Transports

Comment y accéder et en partir

Depuis la capitale, prendre n'importe quel bus pour Penonomé, Aguadulce, Santiago… et demandez que l'on vous arrête au croisement pour Santa Clara. Ensuite 20 minutes à pied depuis la Panaméricaine ou 1,50 $ par personne en taxi.

Se déplacer

■ **TAXI INTERAMERICANA**
✆ +507 993 5050

Se loger

■ **BREEZES RESORT & SPA**
✆ +507 366 9191
www.breezes.com/resorts/breezes-panama
294 chambres, compter 310 $ pour deux tout inclus. Un grand ressort, assez esthétique avec vue sur l'océan et la végétation tropicale derrière. Tous les services que l'on peut attendre de ce genre de lieux *all inclusive* dédié à la plage et à la bronzette : piscines, restaurants, bar discothèque, activités touristiques optionnelles.

■ **LAS SIRENAS**
✆ +507 993 3235 – +507 223 0132
www.lasirenas.com – info@lasirenas.com
Accès fléché depuis la Panaméricaine. 131 $ par nuit pour une maisonnette pour 4 personnes, 180 $ avec 2 chambres pour 8 + 10 % de taxe. Les cottages sont situés sur les hauteurs de la colline parmi les bougainvillées, ou directement sur la plage, dans les deux cas face à la mer ! Tous sont très joliment aménagés, avec cuisine équipée et clim dans les chambres. Les terrasses privées, accueillantes, sont idéales pour se détendre dans un hamac ou autour d'un barbecue. Recommandé.

Se restaurer

■ **BALNEARIO PLAYA SANTA CLARA**
✆ +507 993 3664
Situé sur la plage, rien de mieux pour se reposer : location de rancho (abri au toit de palme) avec 2 hamacs 10 $ par jour. Accès au vestiaire + douche 1 $ en semaine, 2 $ le week-end (parking payant).

▷ **Pour ceux qui souhaitent camper sur la plage :** 5 $ par personne (apportez votre tente). Accès à la douche. Le gardien se charge de la surveillance. Mais dès 7h le week-end, vous serez priés de plier votre tente… si des clients arrivent pour louer les ranchos à la journée.

▷ **Restaurant ouvert tous les jours :** plats de poisson frais et copieux à partir de 8 $.

■ **XOKO**
À l'entrée de Santa Clara,
sur la Panaméricaine ✆ +507 302 3230
Ouvert tous les jours. Tapas 3 $, plats de poissons autour de 10 $. Prononcer *Choco*. Un restaurant de cuisine espagnole (paella, tapas, tortillas…) tenu par le sympathique Rolando, un chef panaméen qui a appris la cuisine à Barcelone. Excellente réputation.

FARALLÓN

Il faut désormais passer l'énorme complexe hôtelier du Decameron pour découvrir, caché, ce tranquille village de pêcheurs. Environné de longues et belles plages, de Playa Blanca à Río Hato, Farallón a attiré quantité d'investisseurs étrangers et les projets de resorts et résidences exclusives sont encore nombreux. Qui sait ce qu'il restera de la tranquillité de ce village dans quelques années ? N'oubliez pas que la plage est libre d'accès pour tous et que l'on ne peut juridiquement pas vous refuser de poser votre serviette même devant les grands hôtels.

Pratique

■ **OFFICE DU TOURISME – ATP**
Vía Farallón ✆ +507 993 3241
Sur la route qui mène au Decameron depuis la Panaméricaine. Ouvert en semaine de 9h à 18h.

Se loger

■ **HOSPEDAJE FARALLÓN**
✆ +507 993 3484 – +507 6611 3472
www.hospedajesfarallon.com
consultas@hospedajesfarallon.com
10 chambres avec AC et salle de bains privée à 27,50 pour 1 personne, 38,50 $ pour 2, autour de 50 $ pour 3 à 6 personnes. L'un des rares hôtels avec accès direct à la plage à prix abordable. Accueil sympa. Le restaurant propose un menu à 3 $ et le bar-discothèque peut rester ouvert toute la nuit selon l'affluence le week-end, ce qui peut occasionner quelques nuisances sonores pour les couche-tôt.

■ **HÔTEL ROYAL DECAMERON BEACH RESORT**
Playa Blanca ✆ +507 993 2255
www.decameron.com
contactus@decameron.com
Tarif normal autour de 119 $ par personne mais il est possible de trouver des tarifs promotion-

nels autour de 50 $ par personne, en semaine hors saisons. Tout est inclus pour le futur client de l'une des 840 chambres : nuitées, repas, boissons alcoolisées et même les clopes… Piscines, terrains de volley, courts de tennis, 10 restaurants, 11 bars, garderie pour les enfants, discothèque, agences de tours, etc. Très prisé des Panaméens hors saison, ce sont surtout les Canadiens qui s'y bousculent en été. Pour ceux qui aiment la foule et les formules tout inclus.

▪ PIPA'S BAR RESTAURANTE

✆ +507 233 6235

✆ +507 6575 7386

Sur la plage, tout au bout du village… vous pourrez y dormir, vous y restaurer (à partir de 5 $) ou jouer au volley. Ouvert tous les jours sauf le mardi, de 10-11h au dernier client. Cabañas très simples et économiques à partir de 30 $ pour 4 personnes. Campeurs, vous êtes les bienvenus et… gratuitement (plutôt rare dans ces contrées !).

▪ PLAYA BLANCA RESORT

Accès fléché depuis la Panaméricaine

✆ +507 264 6444

www.playablancaresort.com

Tarifs normaux autour de 120 $ par personne, nombreuses promotions, en semaine hors saison. Dans le même esprit que le Decameron, ce complexe de 220 chambres propose des formules *todo incluido.* Plus besoin de penser à rien, si ce n'est plage, piscine, plage, piscine, tennis, golf…

Se restaurer

▪ RESTAURANTE-BAR RANCHO RÍO

✆ +507 993 2740

Accès fléché après le Decameron. Ouvert du mardi au dimanche de midi à 20h environ. Dans un cadre très agréable, sous un grand rancho, dégustation de fruits de mer et poissons autour de 8 $.

ANTÓN

C'est au moment des fêtes qu'il est intéressant de visiter Antón, quand la ville revêt ses plus belles couleurs. Chaque mois d'octobre depuis 1964, y est célébré le festival folklorique Toro Guapo. C'est l'occasion de découvrir notamment quelques danses folkloriques du coin, dont celle du fameux *toro guapo* (ou taureau brave et courageux) propre à la ville d'Antón. Accompagné d'un groupe de musiciens, l'exécutant habillé d'une sorte de carapace, en bois et canne, pourvue d'une tête de taureau et de

Santo Cristo de Esquipulas

On raconte qu'un jour, alors qu'ils rentraient leurs filets, deux pêcheurs ont vu flotter sur les eaux une caisse portant l'inscription « Esquipulas, Guatemala ». Intrigués, ils ont traîné la caisse sur le sable, pensant qu'elle contenait un trésor. Mais c'est une statue du Christ crucifié grandeur nature qu'ils découvrirent. Ils coururent alors au village où la nouvelle provoqua une vive émotion. Profondément croyante, la population d'Antón se sentit honorée d'un tel miracle. Quand le vicaire décida qu'il convenait d'installer le Christ à Penonomé, capitale de la province, tous s'y opposèrent. Mais le vicaire tenta de passer outre et envoya des hommes chercher la caisse. Cependant, au moment de la soulever, ceux-ci sentirent que la caisse leur opposait une étrange mais insurmontable résistance. Averti de ce second miracle, le vicaire s'inclina et la statue fut installée dans l'église du village. Depuis, les Antoneros, à jamais reconnaissants, célèbrent leur Christ chaque année.

petits miroirs, se mêle à la foule et, tout en dansant, asticote les femmes qui se trouvent sur son passage. Parmi les fêtes religieuses, celle de Santo Cristo de Esquipulas attire chaque année le plus grand nombre de fidèles. Les cérémonies sont aussi de longues processions débutent par le bain donné à la statue du Christ le 6 janvier, et se poursuivent 10 jours durant.

Transports

Comment y accéder et en partir

Toutes les 20 minutes à partir du terminal d'Albrook de 5h30 à 20h. Durée 2 heures 30.

Pratique

La banque et la police se trouvent en face de l'hôtel Rivera, sur la Panaméricaine.

▪ BANQUE

Banco Nacional de Panamá (distributeur) en face de l'hôtel Rivera.

Se loger

▪ HÔTEL-RESTAURANT RIVERA

Sur la Panaméricaine, km 131

Fax : +507 987 2245

Chambre double à partir de 35 $. Restaurant ouvert de 7h à 15h, le week-end jusqu'à 21h. Chambres avec salle de bains, climatisation, TV. Piscine. Sans charme mais récent et bien tenu.

PENONOMÉ

Selon la légende, la ville aurait été baptisée ainsi suite à l'assassinat par les Espagnols du cacique indien Nomé. Et *Aquí penó Nomé* (« Ici tomba Nomé ») donna Penonomé. Une légende qui s'inscrit dans le cadre de la polémique concernant la date de création de la ville. Si cette création est attribuée à Diego López Villanueva de Zapata en 1581, des vestiges archéologiques permettent de penser qu'une population s'y serait établie dès 3 000 av. J.-C. Capitale de la province de Coclé, cette ville d'environ 20 000 habitants a également été la capitale temporaire de l'isthme après la destruction de Panamá La Vieja en 1671, jusqu'à la reconstruction de la nouvelle Panamá. Aujourd'hui, c'est une cité animée, et vous y passerez certainement en allant voir les artisans de La Pintada ou le Spa de la Posada Cerro La Vieja, ou encore au moment du carnaval en février. C'est également la porte d'accès à San Miguel Centro, où vivent les Cucuas, une petite communauté authentique et dynamique.

Transports

Comment y accéder et en partir

▶ **Bus.** Toutes les 30 minutes à partir du terminal d'Albrook de 4h45 à 22h45. 4,35 $, durée 1 heure 15 (arrêt sur la Panaméricaine, au terminal d'Utratep où l'on peut reprendre un bus pour Chitré, Las Tablas…).

▶ **Du terminal situé dans le centre,** à côté du marché, liaisons avec Churuquita Grande, Chiguiri Arriba, La Pintada, El Copé, Aguadulce…

Pratique

▪ ANAM
✆ +507 997 9805
Sur la Panaméricaine à la sortie de Penonomé, côté gauche en venant de la capitale peu après le Centro de Salud, en face de Pannito's. Ouvert du lundi au vendredi de 9h à 15h30-16h. C'est à M. Hellington Ríos ou Nery Arosemena qu'il faut s'adresser, sur place ou par téléphone, pour l'accès au parc Omar Torrijos. Il est nécessaire de le prévenir quelques jours à l'avance. Très sympathiques et compétents, ils sauront vous donner toutes les informations utiles pour que votre visite du parc soit un succès et pourront vous orienter vers d'autres sites en dehors du parc, comme le Chorro Las Yayas (une belle cascade), par exemple.

▪ BANQUES
Nombreuses dans la rue principale et sur la Panaméricaine

▪ HOSPITAL AQUILINO TEJEIRA
Vía Interamericana
✆ +507 997 9386

▪ POLICE
✆ +507 997 9333

Internet
On en trouve plusieurs dans la rue principale, compter 0,75 $/h en moyenne.

Orientation

La Panaméricaine sépare la zone urbaine de Penenomé en deux parties. L'une au sud, très résidentielle ; l'autre au nord, plus commerçante et où se trouve le centre religieux et politique de la cité, autour du parque central, avec la basilique San Juan Bautista, la mairie, la police et la *gobernación* de Coclé. Les deux artères principales sont l'*avenida* Juan Demostenes Arosemena et la *calle* Damian Carles. Toutes deux se rejoignent au parc central. Du parc, à deux cuadras au sud-ouest, on arrive dans le quartier colonial, où se trouvent de magnifiques maisons bien restaurées (dont un beau musée) et de petites places arborées. Le marché et le terminal de bus principal ne sont pas très loin de cette zone.

Se loger

Vous aurez le choix entre des pensions très basiques dans le centre-ville, des hôtels confortables mais impersonnels le long de la route panaméricaine, un petit hostal tranquille avec jardin et piscines dans un quartier résidentiel, ou des hôtels en pleine nature dans les environs.

Bien et pas cher

▪ HOSTAL DON MENE
Chirigui Arriba,
peu avant Posada Cerro la Vieja
✆ +507 6427 5910 – +507 6456 4043
✆ +507 6865 4190
linethcam@hotmail.com
hostaldonmene@hotmail.com
Chambres simples ou double à 23 $ par personne, avec petit déjeuner. Accès libre à la cuisine, mais, si vous le souhaitez, la propriétaire sera ravie de vous concocter ses spécialités

sur commande. Egalement à votre écoute pour vos envies de balades ! Une alternative économique à la Posada Cerro La Vieja pas très loin. Une petite maison chaleureuse en bord de route, à la déco soignée. Vous vous y sentirez chez vous.

▥ HÔTEL DOS CONTINENTES
À l'angle de la Panaméricaine
et de l'avenue Arosemena
✆ +507 997 9325
www.hoteldoscontinentes.net
ventas@hoteldoscontinentes.com
60 chambres. Lit double 28 $, 2 lits 35 $, triple à 40 $. AC, wi-fi, restaurant. Des chambres sans charme mais d'un bon rapport qualité/prix.

▥ LA IGUANA VERDE
Sur la route de Churuquita grande,
à 14 km de Penonomé
✆ +507 6623 7480 – +507 6787 7550
www.laiguanaresort.com
laiguanaecoresort@yahoo.com
Comptez 25 $ pour 2 personnes + 5 $ par personne supplémentaire la cabaña pouvant accueillir 5 personnes, avec ventilateur (AC + 5 $). Camping pour 4 $ avec sa propre tente ou 12 $ sans. Chambres en duplex avec baie vitrée et hamacs donnant sur la nature, dans un parc où cohabitent de nombreuses variétés d'arbres fruitiers, iguanes… Une piscine naturelle pour enfants et adultes environnée de grands arbres, des sentiers écologiques, un terrain de sport, des tours guidés dans la région : les activités ne manquent pas !

Confort ou charme

🏅 HOSTAL VILLA ESPERANZA
Quartier Villa Esperanza
Calle 1ra Norte
✆ +507 6499 9858 – +507 997 8055
http://hostalvillaesperanza.blogspot.com
hostal1villaesperanza@yahoo.com
Depuis la Panaméricaine en venant de Panamá, prendre la rue à gauche, après l'hôpital, au pont piétonnier, puis la 2e à droite. L'hôtel se trouve au bout de la rue (10 minutes à pied de la Panaméricaine)
Chambre simple 38 $, double 50 $, triple 57 $, quadruple 64 $. Petit déjeuner inclus. Wi-fi, TV, eau chaude, gymnasium, restaurant. Dans un quartier calme, à l'écart de la Panaméricaine, un hôtel familial de neuf chambres propres et confortables. Elles donnent sur un jardin pourvu d'une piscine pour adulte, d'une autre pour enfant et d'un Jacuzzi. Beaucoup plus de charme que les hôtels le long de l'Interamericana. Accueil très sympa de Jacinto et de sa famille.

Luxe

🏅 POSADA CERRO LA VIEJA
Chirigui Arriba
✆ +507 983 8900
✆ +507 263 4278
✆ +507 6627 4921
www.posadalavieja.com
info@posadalavieja.com
Sur les flancs du Cerro La Vieja à 30 km de Penonomé. Facilement accessible en bus ou en voiture. Chambre double standard 89 $ (79 $ en basse saison), catégories supérieures à partir de 135 $ pour deux. 25 $ par personne supplémentaire. + 10 % de taxe. Petit déjeuner inclus. Restaurant avec buffet 12 $. Egalement des forfaits spéciaux incluant pension complète, excursions, Spa… Vous serez enchantés par cette auberge, un havre de paix dans la nature que nous vous recommandons vivement. A 1 heure de marche, la cascade El Távida de 53 m de haut, est l'un des nombreux buts de randonnée. Des excursions à pied ou à dos de mule avec guide sont organisées à la demande à partir de 20 $ par personne. Difficile de résister, d'autant plus qu'au retour vous aurez le choix entre massages, bains de boue, sauna, Spa… Les tarifs du Spa commencent à partir de 20 $. Les huiles essentielles sont fabriquées localement avec les plantes des environs. Et si vous ne souhaitez pas y séjourner, venez juste passer la journée, bénéficier des soins, déjeuner et repartir… mais ce serait dommage de ne pas en profiter au maximum !

Se restaurer

Ce ne sont pas les *comedores* qui manquent, mais il vaut mieux dîner tôt (avant 18h !) si l'on veut avoir la chance de trouver un établissement ouvert dans le centre-ville. Un restaurant de charme a ouvert pas très loin du musée, une bonnes surprise !

▥ GASTRONOMIA MAR DEL SUR
à 3 km de la Panaméricaine
Via El Coco,
✆ +507 997 9973
✆ +507 997 9952
Ouvert tous les jours, midi et soir. Plats à partir de 9 $. Un peu à l'écart de Penonomé, dans un drôle de décor d'hacienda mexicaine, avec de grandes sculptures de chevaux, un restaurant de cuisine péruvienne réputé dans la région. La déco qui vient du Mexique (comme Mesón de Santa Cruz, c'est le même propriétaire) nous semble un peu chargée et kitsch, mais beaucoup de gens apprécient l'endroit. A découvrir !

MESÓN DE SANTA CRUZ & PASEO ANDALUZ

Calle Damián Carles, à côté du terminal de bus ✆ +507 908 5311
Ouvert tous les jours de 9h à 21h. Plats de viande ou de poisson autour de 8-10 $. Pour se plonger dans l'époque coloniale ! El Mesón de Santa Cruz et le Paseo Andaluz sont un seul et même restaurant, avec deux grands patios qui communiquent. Tout est décoré comme il y a quelques siècles sous la domination espagnole, avec des sculptures d'anges, de grands tableaux religieux, de beaux meubles (en provenance du Mexique). La maison est plus que centenaire, c'était à l'origine une librairie, et on lui a donné un cachet colonial. On peut manger dans une salle fraîche à l'intérieur ou dans l'un des patios arborés. Cuisine espagnole (*paella, gaspacho, tortillas...*) et panaméenne, à prix raisonnables. On peut aussi juste venir boire un verre dans un des salons ou au bord d'une fontaine. Très agréable.

RESTAURANTE GALLO PINTO

Ave. Juan D. Arosemena
(à l'entrée de la ville)
Ouvert tous les jours dès 7h. A partir de 2 $.

Février à Penonomé : El Carnaval !

C'est dans sa rivière que les gens du coin viennent se baigner et danser pendant le carnaval. Un spectacle incroyable, une foule innombrable, de la musique et les fameux culecos, ces citernes surmontées d'une plate-forme depuis laquelle la reine du carnaval ou ses acolytes, armés d'un immense tuyau d'arrosage, aspergent la foule au rythme des « discothèques » ambulantes (*disco móvil*). Une bénédiction sous la chaleur torride des matinées estivales, acclamée par la foule (*Agua ! Agua ! Agua !*). C'est l'occasion d'apprendre à vous déhancher sur les derniers tubes de reggaetón, qui vous poursuivront ensuite pendant tout le reste de votre voyage. Ces tubes étant diffusés avant et après le carnaval par toutes les radios locales, vous en connaîtrez les paroles par cœur, comme tous les Panaméens ! Prenez note du programme : le samedi pour admirer le défilé des chars sur l'eau, le dimanche pour le défilé des *polleras*, le lundi pour les déguisements et le mardi pour le défilé des chars dans la rue !

Petits déjeuners typiques, cuisine panaméenne classique, sancocho, sandwiches, hamburgers. L'occasion de goûter le *gallo pinto* à la mode costaricienne, un mélange de riz et de haricots noirs (*frijoles*). Plusieurs autres restos du même nom en ville.

À voir – À faire

MUSEO DE PENONOMÉ

Barriada San Antonio, à deux cuadras du parque central ✆ +507 997 8490
museopenonome@gmail.com
Ouvert du mardi au samedi de 9h30 à midi et de 13h à 16h. Le dimanche de 9h à midi. Entrée adulte 1 $, enfant 0,25 $. Alberto Huete, l'un des fondateurs et actuel responsable de ce petit musée intéressant, dans une magnifique maison coloniale, sera ravi de vous guider et de vous commenter (en espagnol) ses richesses. Plusieurs salles thématiques pour apprécier des céramiques originales précolombiennes trouvées sur le site archéologique de Sitio Conte et d'El Caño (certaines reproduites en braille), des urnes funéraires, des sculptures religieuses, du mobilier ou des manuscrits de l'époque coloniale... Une salle d'exposition temporaire présente les artistes en herbe. Recommandé.

RÍO ZARATÍ

Egalement connu sous le nom de Balneario Las Mendozas, c'est un joli coin pour se baigner et profiter de la fraîcheur de la rivière (mais à éviter en saison des pluies, car l'eau devient alors marron et peu tentante). Très prisé par la population locale les fins de semaine et particulièrement au moment du carnaval aquatique !

Shopping

▶ **Artisanat.** Le long de la Panaméricaine, quelques stands regroupés ouverts tous les jours de 8h30 à 16h30. L'artisanat traditionnel agrémenté des douceurs de la région : *manjar blanco* (crème de lait), *suspiro* (petit gâteau), *merengue* (meringue)...

▶ **Marchés publics.** Les halles Victoriano Lorenzo Ave. Cincuentenario ; le marché de fruits et légumes au Terminal de bus haut en couleur ! Malheureusement, il est menacé de démolition pour reconstruction dans les normes sanitaires actuelles.

LA PINTADA

Ce petit village très propre et environné de montagnes est connu pour le fameux sombrero pinta'o, un chapeau magnifique, et son *Carnavalito*

El sombrero montuno

La qualité d'un chapeau se reconnaît à son tissage et à la variété des motifs du talco. Plus le nombre de tours (*vueltas*) nécessaires à la confection du chapeau est important, plus l'ouvrage sera fin. Pour vous faire une idée, prenez un chapeau et comptez le nombre de bandes horizontales tissées cousues ensemble. Un chapeau de sept tours nécessite quatre à cinq jours de travail et coûte autour de 15 $ (25 $ pour neuf tours). Un chapeau de vingt tours peut atteindre les 500 ou 600 $. En observant les différents modèles, vous vous rendrez compte que certains ont des petits dessins marron foncé ou noirs de 2 cm de long : il s'agit des *talcos*. Il en existe une grande variété et, autrefois, on disait que celui qui portait un sombrero avec beaucoup de talcos était amoureux (*el enamorado*). Aujourd'hui encore, le chapeau est porté par de nombreux Panaméens. Ils le portent différemment selon la province d'origine du propriétaire, mais surtout selon son caractère. Ainsi, si le bord arrière du chapeau est relevé, on sera autorisé à penser que l'on a affaire à une personne stable et de confiance. En revanche, si les deux bords sont relevés, il conviendra de se méfier du tempérament de celui qui le porte !

qui se déroule la semaine suivant le carnaval. Le nom La Pintada (« la Peinte ») viendrait du fait qu'autrefois les gens des montagnes descendaient faire leurs provisions dans une épicerie qui avait la particularité d'être la seule maison de couleur du village. On allait à la *casa pintada*, à la maison peinte, et le nom est resté !

Transports

Comment y accéder et en partir

Bus très fréquents depuis/vers Penonomé (terminal à côté du marché), de 6h à 21h (mais parfois jusqu'à 19h seulement…). 20 minutes de trajet. 1,05 $. Descendre à l'église ou au terrain de foot.

Se restaurer

■ **RESTAURANTE CASA VIEJA**
Rue principale, en face de l'église
✆ +507 983 0646 – +507 6460 4101
casaviejalapintada@gmail.com
Ouvert tous les jours de midi à 20h, 21h le samedi, 19h le dimanche. Plat du jour à 5 $.
Dans l'une des plus anciennes demeures du village, devant le parque central, un restaurant très bien tenu et réputé pour la viande grillée (porc, bœuf, poulet autour de 10 $). Mais on peut aussi y manger du poisson et des plats plus économiques. Un bar aux couleurs chaleureuses pour ceux qui veulent juste boire un verre (cocktails autour de 3,50 $). Service agréable.

Shopping

■ **ARTESANÍAS REINALDO QUIROZ**
À côté du terrain de foot
et de l'antenne Télécom

Ouvert tous les jours de 8h à 13h et de 14h30 à 19h30. Chapeau ! Depuis longtemps déjà, Reinaldo Quiroz nourrit une passion pour les chapeaux panaméens. Très attaché à son métier, il tente de faire revivre les anciens modèles de quelques couvre-chefs traditionnels du pays. Il les confectionne lui-même, mais ne participe pas à la préparation et au tissage de la fibre, bien qu'il maîtrise également ce savoir-faire : la sélection et le traitement, selon un procédé naturel, des feuilles de trois plantes (*bellota*, *junco* et *pita*). Le *sombrero ocueño* (chapeau de la région d'Ocú) est blanc crème complètement uni ; d'autres sont décorés de quelques motifs discrets, à l'aide de teintures également naturelles. Quant aux prix, cela dépend de la finesse, de 10 $ à 600 $ pour des couvre-chefs d'une excellente facture. Victime de son succès, Reinaldo est invité sur de nombreux salons internationaux. Il travaille aussi avec d'autres artisans dont il présente les travaux, toujours de qualité ! Les prix augmentent depuis quelques années, car de nombreux artisans sont partis travailler dans la mine d'or dans les environs de La Pintada, alors que la demande est en constante augmentation.
Notez que les 15 et 16 octobre a lieu le festival du sombrero dans le village, et le 19 du même mois a été déclaré au niveau national Jour du *sombrero pintao* !

■ **FABRIQUE DE CIGARES JOYAS DE PANAMÁ**
✆ +507 6622 1151
✆ +507 6660 8935
✆ +507 6896 7120
www.joyasdepanamacigars.com
joyapan@yahoo.com

À l'entrée de la ville, un panneau indique le chemin à suivre (10 minutes à pied). Ouvert tous les jours de 8h à 17h mais venir de préférence entre 9h et midi pour avoir plus de chance de voir les ouvriers au travail et admirer leur dextérité. La fabrique existe depuis les années 1980. Sa fondatrice, Miriam Padilla, est une Guatémaltèque passionnée par son métier, et son fils Braulio représente la relève. La fabrique compte une trentaine d'ouvriers lors des grosses commandes. Certains fabriquent jusqu'à 600 cigares par jour ! A partir de 1 $ le cigare en vrac et le choix est vaste. Churchill, Extra Corona, Torpedo, Robusto, Coronita, Panatela…

SAN MIGUEL CENTRO

Dans le cadre d'un projet d'écotourisme solidaire, avec l'aide de l'organisation Ecobiosfera, les Cucuas accueillent les voyageurs au sein de leur petite communauté, isolée sur les flancs de la cordillère centrale. La visite de San Miguel Centro s'adresse à tous ceux qui éprouvent un intérêt particulier pour les autres cultures. Ceux-là devront par ailleurs savoir qu'ils n'y trouveront aucun confort (souvent un simple matelas sous une tente), la communauté n'ayant pas beaucoup de revenus extérieurs, à l'exception de ceux tirés de son artisanat. Mais les visiteurs auront la grande satisfaction de participer à un véritable échange. Le but de cette collaboration entre l'organisation panaméenne et la communauté est justement de valoriser le tourisme solidaire, notamment grâce au reversement des principaux bénéfices aux Cucua. Sur place, vous recevrez un accueil chaleureux de cette population. Le groupe de femmes qui travaille au projet artisanal se fera une joie de vous enseigner son savoir-faire. Il s'agit de l'*Asociación ecológica y cultural-artesanal cucua*. Sous le toit de la maison communale, construite avec le soutien d'une ONG hollandaise, vous pourrez apprécier à loisir les différents vêtements et objets réalisés à partir de l'écorce de l'arbre cucua.

Transports

Comment y accéder et en partir

Prévenir la communauté de votre venue. Ils vous diront si la route est praticable (parfois des inondations qui coupent la route). Les pick-up bus ou *chivas* partent des pompiers (*Bomberos*) vers 4h, 9h, midi, 15h, parfois après (très variable), 1 heure 30 de route, 3,50 $. En taxi, compter environ 60 $ depuis Penonomé.

Pratique

■ **CONTACTS DANS LA COMMUNAUTÉ**
✆ +507 6852 2171 – +507 333 2221
✆ +507 6702 1221
danzacucua@hotmail.com
nmarisol-26@hotmail.com
Contacts : Emilio Morán, María Rodriguez ou Marisol. Laisser un message, le réseau téléphonique est mauvais.

Cucua : une communauté et un arbre

Selon la région, il existe différentes façons d'appeler cet arbre : *barrigón* vers El Copé, *poncho* vers Coclé del Norte, *ñumi* vers Veraguas. A San Miguel Centro, on l'appelle l'arbre *cucua*. De son écorce est extraite une fibre que les Cucuas travaillent pour obtenir, au terme d'un long processus, une matière textile. Le résultat final, d'une grande finesse, peut être observé au Musée anthropologique de la capitale et aux musées d'El Valle ou de Penonomé. Il s'agit d'un costume de couleur crème constitué d'une veste et d'un pantalon sur lesquels des motifs ont été peints à l'aide de teintures naturelles. La tenue est complétée par un masque surmonté de bois de cerf, confectionné selon la même technique. Aujourd'hui encore, ces ensembles sont portés par les hommes du groupe de danse de la communauté. L'un de leurs objectifs est en effet de faire connaître et de populariser la danse des Cucuas, un travail que s'impose depuis une quinzaine d'années Juan, le « chorégraphe » du groupe. Ainsi, chaque année, la communauté participe aux différentes manifestations folkloriques du pays, comme le défilé des mille *polleras* ou la fête de Corpus Christi. En 2004, la communauté a remporté le premier prix du concours de danse du festival de La Mejorana ! Les Cucuas sont les derniers à travailler l'écorce de cet arbre, autrefois très usitée chez la majorité des indigènes de la région occidentale. Aujourd'hui, pour trouver ces arbres, il est nécessaire de pénétrer de plus en plus profondément dans la forêt. Aussi, un projet de reproduction de l'arbre *cucua* et de reforestation est en cours. Dans ce cadre, chacun des visiteurs est invité à planter son propre arbre et à l'étiqueter avec son nom. Un symbole fort !

PARQUE NACIONAL OMAR TORRIJOS

Créé en 1986, sur la cordillère centrale entre le Pacifique et l'Atlantique, c'est l'un des parcs les plus accessibles et les mieux aménagés du Panamá. Chacun de ses deux sommets a sa particularité : du mirador Calvario sur le Cerro Peña Blanca (1 314 m), on peut admirer les deux océans (aucun souci pour le Pacifique, mais pour l'Atlantique, c'est en réalité plus rare : la période la plus propice se situe entre janvier et mars) ; quant au Cerro Marta (1 046 m), ce sont sur ses flancs que l'avion de l'illustre général Torrijos s'est écrasé en 1981. Les possibilités d'exploration de la faune et de la flore sont nombreuses : des sentiers d'interprétation ont été aménagés, mais les plus aventuriers pourront composer un véritable circuit de randonnée de plusieurs jours avec l'aide de l'ANAM. A tenter ! Vous pouvez par exemple rejoindre La Pintada en quelques jours de marche…

Transports

Comment y accéder et en partir

▌ **Bus pour El Copé.** Départs d'Albrook à Panamá toutes les heures de 6h à 18h. Tarif : 6 $; 2 heures 30 de trajet. Penonomé (départ à côté de Melo au terminal du marché) - El Copé de 6h à 18h30, toutes les 20 minutes. El Copé-Penonomé de 4h45 à 17h30. 1 heure de trajet, 2 $.

▌ **Une fois à El Copé, rejoindre Barrigón :** marcher 2 km, prendre un bus (30 minutes, 0,50 $) ou un 4x4. De Barrigón aux installations de l'ANAM, la piste est rocailleuse et en mauvais état : 4x4 plus que nécessaire, ou 1 heure 45 à pied. Si vous souhaitez bénéficier des services de « transporteurs » locaux, demandez à voir messieurs Faustino Ortega ou Joël Santana.

▨ **FAUSTINO ORTEGA**
✆ +507 983 9189 – +507 983 9265

Pratique

Tourisme

▌ **Pour visiter le parc national,** avertir de votre venue le bureau régional de l'ANAM à Penonomé. L'entrée est de 5 $ par personne.

▨ **AGLAC ÉCOTOURS**
El Copé - Barrigón ✆ +507 6874 7853
✆ +507 6652 1922 – +507 6874 7853
www.explorebarrigon.com/aglac-eco-tours.html
bodoque1113@yahoo.es

Compter environ 15-20 $ par jour d'excursion par personne, pour un groupe de 1 à 3 personnes, moins pour un groupe de 6. L'Association des guides locaux pour la conservation environnementale propose des excursions dans le parc national et dans les environs. Les tours sont à thèmes et de difficultés variables, d'une demi-journée à 1, 2, 3 ou 4 jours (Río Blanco, Chorro Tifé, Las Yayas, Cerro Marta, Peña Blanca, Chorro Tigrero…). Les guides sont expérimentés et originaires de la région. Recommandé.

Se loger

▨ **ALBERGUE NAVAS – EL RINCÓN DE LAS AVES**
Barrigón ✆ +507 983 9130
La formule inclut la pension complète et le service de guide pour seulement 35 $ par personne. Une chambre d'hôtes tenue depuis quelques années par la sympathique famille Navas. L'hébergement est simple mais chaleureux. La famille est adorable et connaît très bien le parc national. Ils ont d'ailleurs une petite maison à 3 heures de marche plus loin dans la montagne, pour ceux qui veulent rester quelques jours en pleine nature.

▨ **CABAÑA DE VISITANTES**
15 $ pour les touristes étrangers, réductions pour étudiants et résidents. Eau courante, accès aux commodités, à la cuisine… Réservation 15 jours avant auprès de l'ANAM de Penonomé (Hellington Rios ou Nery Arosemena). A proximité de jolies cascades, le confortable refuge peut accueillir jusqu'à 8 personnes (lits superposés). N'oubliez surtout pas votre sac de couchage, vous êtes à environ 1 100 m d'altitude et les nuits peuvent être très fraîches ; en janvier, les températures baissent jusqu'à 12 °C en raison des vents du nord. Electricité solaire.

▨ **CASA DE GUADAPARQUE**
Pour les étrangers : 15 $ en dortoir, 10 $ pour les étudiants. 10 et 5 $ pour les nationaux. La deuxième alternative est de partager la cabane des gardes forestiers. Apporter également son sac de couchage et de quoi manger, il y a une cuisine.

NATÁ

Fondée le 20 mai 1522, Natá est l'une des premières villes du pays. Son vrai nom, Santiago de Natá de Los Caballeros, proviendrait des cavaliers (caballeros) envoyés par le roi d'Espagne pour soumettre la population locale et leur chef indien Natá.

Héritage de ce passé colonial, l'église, que vous ne manquerez pas de visiter, serait la plus ancienne des Amériques côté Pacifique.

Transports

Comment y accéder et en partir

▸ **Bus.** Tous les bus empruntant la Panaméricaine (6 $ depuis Albrook) peuvent vous laisser au croisement pour Natá. Il faut ensuite marcher 10 minutes pour arriver à l'église.

Pratique

▪ BANQUE
BNP (distributeur) sur la Panaméricaine

Se loger

▪ HÔTEL REY DAVID
À l'angle de la Panaméricaine et de la route pour Natá, après le restaurant Vega
✆ +507 993 5149
Chambre double à 22 $, triple à 28 $. Salle de bains privée, clim, TV.

À voir – À faire

▪ L'ÉGLISE
Si la porte est fermée, renseignez-vous auprès des habitants, ils vous diront où trouver le curé.
On ne connaît pas avec exactitude la date de la construction de cette église, déclarée monument historique en 1941 et restaurée en 1998. Derrière sa belle façade coloniale, elle cache notamment un admirable autel (1751) d'influence amérindienne, ainsi qu'un tableau de 1758 représentant la Sainte Trinité. Cette œuvre de l'Equatorien José Samaniego a tout d'abord été rejetée par les autorités ecclésiastiques, sous prétexte que sa représentation de la Trinité (trois visages identiques) ne correspondait pas aux canons de beauté de l'Eglise. La visite de l'église sera aussi l'occasion de s'imprégner de l'atmosphère tranquille de cette petite ville qui ne s'anime que pendant la semaine sainte et le 25 juillet, lors de la célébration de Santiago el Apóstol.

▪ SITE ARCHÉOLOGIQUE EL CAÑO
✆ +507 6596 5047 – +507 6946 5902
Ouvert de 9h à 16h, jusqu'à 13h le dimanche. Fermé le lundi. Entrée adulte 1 $, enfant 0,25 $. Aucun bus ne dessert le site. Reste la voiture (se renseigner au préalable sur l'état de la route, risque d'inondation en hiver), le taxi (minimum 3 $ depuis Natá), négociez l'aller-retour et l'attente) ou la marche (1 heure). Suivez la piste qui part à gauche de l'église de Natá. Véritable patrimoine historique, ce site découvert en 1924 par l'Américain Haytt Verrill apporte la preuve qu'une population indigène vivait sur ces terres il y a 1 500 ans et il reste encore beaucoup de travail pour les archéologues... Monticules de terre révélant la présence de tombeaux de grands chefs indiens et alignement de grandes pierres (funéraires ?) ramenées avec on ne sait quelle technique des montagnes distantes de plus de 20 km du site. L'intérêt suscité est grand et plusieurs équipes d'archéologues se succèdent au gré des financements. Une partie des résultats des premières fouilles de 1928 se trouve malheureusement dans deux musées de New York. Les Panaméens espèrent un jour les récupérer ! A suivre...

© PAT PANAMA

Site archéologique El Caño.

AGUADULCE

San Juan Bautista de Aguadulce a probablement été fondé vers la fin du XIXᵉ siècle. Malgré le doute qui plane sur le jour exact de sa création, on lui a attribué une date officielle, celle du 19 octobre 1848, afin de pouvoir célébrer chaque année, trois jours durant, son anniversaire. Une fête immense qui fait d'Aguadulce un véritable carrefour de musiques, de jeux, de danses et de défilés… Si vous appréciez les ambiances euphoriques, vous n'y manquerez pas non plus le carnaval, ni la célébration du saint patron de la localité le 24 juin.

Cette ville d'environ 8 000 habitants dans la zone urbaine, aux attraits et à la vitalité étonnants, est surnommée *tierra del sal y del azucar* (« terre du sel et du sucre »), denrées dont elle a longtemps été la plus grande productrice du pays.

Si les raffineries de sucre continuent à fonctionner, la férocité de la concurrence étrangère a entraîné la fermeture des salines. Quant au port, son activité a également fortement diminué. Mais le souhait de la municipalité étant de relancer son activité, un appel d'offre a été publié pour le privatiser et lui permettre de recouvrer une nouvelle jeunesse, avec pourquoi pas un jour l'accueil de bateaux de croisière.

Transports

Comment y accéder et en partir

▌ **Bus.** De la capitale, départs toutes les 25 minutes de 4h15 à 21h (dernier bus au départ d'Aguadulce à 18h). 6,35 $. Durée 3 heures. Il est aussi possible d'attraper un bus pour Panamá sur la Panaméricaine (mais ils sont souvent pleins).

▌ **La station des bus** au départ d'Aguadulce (pour Penonomé, Panamá…) se trouve face au parc central : le Parque 19 de Octubre.

▌ **Taxis.** À côté de l'église. Entre 1 et 2 $ la course.

Pratique

▨ ANAM
Ave. R. Chiarry
✆ +507 997 4561
Ouvert du lundi au vendredi de 8h à 16h.

▨ BANQUES
Nombreuses sur l'Ave. Rodolfo Chiari, la principale artère.

▨ CYBER X VIDEO
Ave. R. Chiarry,
en face de Global Bank

Ouvert tous les jours de 8h à 22h. 0,75 $/h. Pas d'inquiétude par rapport à son nom, il s'agit bien d'un cybercafé et non d'un vendeur de vidéos pornographiques !

▨ FARMACIA GLOBAL
Face au parc central,
dans la maison
de la poète Stella Sierra
✆ +507 986 0866
Ouvert de 8h à 20h du lundi au samedi, jusqu'à midi le dimanche.

▨ INTERNET BRIANA
En face de l'hôtel Sarita
Ouvert tous les jours de 8h à 21h. 0,75 $/h.

▨ POLICE
Vía Interamericana
✆ +507 997 4060
✆ +507 997 6491

Orientation

Pour entrer en ville, tourner à gauche en venant de Santiago, à l'arrêt de bus La Tablita, jusqu'à l'avenue Alejandro Tapia. Prendre à gauche jusqu'à arriver au Parque Rodolfo Chiari, puis prendre à droite l'avenue du même nom qui mène jusqu'au parc 19 de Octubre, le Parque Central. C'est là que se trouvent l'église et le musée, et d'où partent la plupart des minibus pour les villes environnantes.

Se loger

▨ HÔTEL SARITA
Angle de C/ José Maria Calvo
et Pablo Arosemena à une cuadra
du petit parc Rodolfo Chiari
✆ +507 997 6704
www.hotelsaritapanama.com
fccosme@yahoo.com
Chambre simple 19 $, double 27 $, triple 32 $ avec ventilateur. 25, 45 et 43,50 $ avec AC. Toutes les chambres ont leur propre salle de bains et télévision. Wi-fi. Un établissement familial, propre et calme, qui date de la construction du port, pour héberger les marins et commerçants de passage et tous ceux qui, traversant le pays par la panaméricaine, avaient besoin d'une pause à mi-parcours, en raison du mauvais état de la route. La gérante, Fatima, est adorable et passionnée par sa région. Vous pourrez la rencontrer dans la boutique voisine, elle pourra vous donner de bons plans sur Aguadulce si vous parlez espagnol. Toujours pleine d'énergie, elle active un collectif de femmes qui s'est récemment lancé dans l'artisanat.

Se restaurer

Dans le centre, nombreuses cafétérias-boulangeries-pizzerias, 3 en 1. Plats typiques panaméens, pizzas, glaces... Dans le quartier del Salao, où vivent les pêcheurs, on trouve plusieurs restos de poissons et fruits de mer, très appréciés des habitants d'Aguadulce qui s'y retrouvent le week-end.

Bien et pas cher

▪ EL JARDÍN DE SAN JUAN

Plaza 19 e octubre
✆ +595 997 2849
Ouvert tous les jours de 8h à 15h et de 18h à 21h. 4 $ le plat du jour, poissons et crustacés autour de 9 $, viandes autour de 5 $. Un restaurant tenu par la Señora Nelva Real, offrant une carte fournie en produits de la mer, et un cadre agréable : salle climatisée ou petite terrasse donnant sur un jardinet calme et sous la protection de saint Jean-Baptiste.

▪ MAR NATHY

Vía Salado,
accès fléché après les salinas
Ouvert du mardi au dimanche de 10h à 22h. Les prix varient selon la pêche mais restent toujours économiques. Grande terrasse et déco sympa. Comptez 10 $ la livre de *langostina.* Quantité et qualité sont au rendez-vous ! Hamac pour se reposer après le repas ou plage pas très loin.

▪ PANNITO'S CAFÉ

Calle Abelardo Herrera,
à côté de l'église
✆ +595 997 5555
Ouvert du lundi au samedi de 8h à 21h30. Petits déjeuners complets entre 2 et 4 $, viennoiseries à partir de 0,25 $. Une grande salle propre et chaleureuse, avec une belle fresque murale évoquant l'Aguadulce d'antan. C'est bon et le service est efficace. Goûtez l'omelette *especial Pannito's* avec du fromage, jambon et champignons.

▪ RESTAURANTE REINA DEL MAR

À l'entrée du village de pêcheurs del Salao
Ouvert tous les jours jusqu'à tard. Plats de poissons ou de crustacés à partir de 5 $. Un restaurant apprécié des locaux, très simple mais où l'on mange des plats de la mer très frais et bien cuisinés. Prévoir l'anti-moustique le soir !

▪ RESTAURANTE Y REFRESQUERIA LOS FAROLES

Angle Ave. Rodolfo Chiari et C/ Lasso de La Vega ✆ +507 997 4176
Ouvert de 7h à 23h tous les jours. Plats entre 2,50 et 7 $. Un café-restaurant simple et convivial, avec un grand bar circulaire au milieu. Toujours du monde du matin au soir.

Sortir

▪ PUB LA CASONA

Ave. Rodolfo Chiari
Ouvert tous les soirs du jeudi au samedi. C'est ici que cela se passe si vous voulez tout savoir sur la vie nocturne d'Aguadulce.

À voir – À faire

▪ LAS SALINAS & LAS PISCINAS

Via el Salado
On y accède en voiture ou en taxi (6 $ pour 1 à 4 personnes ; aller-retour ou attente sur place à négocier). Depuis le Parque 19 de octubre, suivre jusqu'au bout la route qui part à gauche du Restaurante Jenny. Vous êtes sur la Vía El Salado. Les grandes étendues qui vous entourent sont les salines. Il est préférable de s'y rendre en été, de janvier à avril, quand elles sont exploitées (février est le mois idéal). Si vous souhaitez en savoir plus, le musée peut vous mettre en relation avec l'une des personnes qui y travaille.

▶ **Pour rejoindre *Las Piscinas*,** poursuivre la Vía El Salado jusqu'à la mer. A 500 m de la plage s'offre à vous le spectacle inattendu de quatre piscines construites par l'homme. C'est à marée montante qu'on pourra le mieux apprécier les mangroves, le paysage et voir

Playa Gambute dans la province de Coclé.

ces bassins se remplir. A marée haute, ils disparaissent presque. Le degré de salinité de l'eau confère au bain que vous prendrez de grandes propriétés thérapeutiques. Les locaux aiment s'y baigner l'été, leur eau trouble ne vous séduira peut-être pas. Il vous reste la mer… N'oubliez pas vos lotions contre le soleil et les moustiques. Prenez garde à la marée qui monte très vite et peut vous surprendre.

▪ MUSEO REGIONAL STELLA SIERRA

(Plus connu sous le nom de Museo de la Sal y el Azúcar)Parque 19 de Octubre
✆ +507 997 4280
Ouvert en semaine de 9h à 15-16h. Gratuit lors de notre passage (pourrait ouvrir à partir de 2012 du mardi au dimanche, avec un tarif de 1 $ pour les adultes). La maison où se trouve le musée était à l'origine le bâtiment de la poste. Elle a été dessinée par l'architecte italien Eduardo Pedreschi en 1924. Ce musée a changé d'appellation depuis peu afin d'honorer Stella Sierra (1917-1997), une poète d'Aguadulce qui vécut non loin de là (la belle maison où se trouve la pharmacie Global). Les objectifs sont là : informer sur l'histoire de la région (archéologie, personnages illustres, le mode de vie) et valoriser le patrimoine. Tout le processus de transformation et de production du sel et du sucre y est retracé. Il s'agit pour le moment d'un modeste musée qui devrait être rénové prochainement.

▪ RAFFINERIE DE SUCRE

Ingenio de azúcar Santa Rosa,
Azucarera Nacional,

El Roble
✆ +507 987 8101
Pour visiter la raffinerie, nous vous conseillons de contacter le personnel du musée, qui peut se charger d'organiser les rendez-vous. Fondée en 1911 par la famille Delvalle, la raffinerie n'a jamais cessé son activité. Miel, *raspadura* ou *panela* (ces blocs, marrons et compacts, qui remplacent nos morceaux de sucre), alcool, mélasse… Les produits dérivés de la canne à sucre sont nombreux. Jusqu'à la mécanisation de la récolte et de la production, la culture de la canne à sucre a été l'une des principales sources de revenus de la population. Le *trapiche*, l'instrument en bois utilisé pour extraire le jus de la canne à sucre, est aujourd'hui une pièce de musée. A noter que la meilleure période pour se rendre compte de l'activité sucrière s'étend, tout comme le sel, de janvier à avril.

▪ VILLAGE DE POCRÍ

De l'autre côté
de l'Interamericana
À 2 km d'Aguadulce, compter environ 2 $ en taxi depuis le centre. L'arrondissement de Pocrí, du nom d'un cacique indigène de la région, est un peu le Casco Viejo d'Aguadulce. On retrouve de vieilles maisons du XIXe et début du XXe siècle, autour et dans les rues proches du Parque Central. La plupart des demeures sont en attente de restauration. La fête de la Virgen del Carmen, célébrée du 8 au 16 juillet, donne lieu à des processions et des concerts de tipico. Pour l'ambiance saloon, les hommes pourront aller boire une bière à la cantina Vietnam qui fait face au Parque central !

Province de Veraguas

L'origine du nom de Veraguas serait antérieure à l'époque des conquistadores et viendrait des mots indigènes veracuá *ou* viragua, *signifiant « les eaux vertes ». Mais, selon certains Panaméens, Veraguas serait tout simplement la contraction de* ver-aguas *(voir-eaux), rappel de sa position géographique. Il s'agit de l'unique province qui englobe les deux côtes de Panamá ! D'une part la côte caraïbe, dont la dense végétation et ses innombrables dangers empêchent toute pénétration. D'autre part, le Pacifique, ses vagues indomptables et ses quarante îles, dont celle de Coiba, la plus grande du pays. Dotée d'une grande richesse naturelle et aurifère, Veraguas est aujourd'hui pourtant l'une des régions les moins développées du pays. Mais peut-être pas pour longtemps ?*

SANTIAGO

À mi-chemin entre Panamá et David, Santiago, capitale de la province d'environ 60 000 habitants, ville de passage, ne présente pas d'abords très engageants mais elle est des plus paisibles dès que l'on s'écarte un peu de la Panaméricaine. Santiago peut constituer une bonne base pour découvrir les alentours. Envie de forêts, de fraîcheur et de sentiers sauvages ? Dirigez-vous vers Santa Fé... Soif de surf et de vagues ? Allez à Santa Catalina... Sans oublier la belle Coiba dont les départs peuvent se faire de Puerto Mutis à une petite heure de bus de Santiago.

Transports

Comment y accéder et en partir

▶ **Les bus assurant la liaison Panamá-David** font une pause repas sur la Panaméricaine à l'entrée de Santiago au terminal « Piramidal » (où l'on trouve restaurants, café Internet et distributeur d'argent) ou à celui du restaurant routier Los Tucanes pour les bus de la compagnie Padafront. Il est possible de monter dans ces bus toutes les heures de 9h à 23h en ayant pris soin de réserver à l'avance (9,50 $; 3 heures 30 de trajet pour la capitale, à peu près autant pour David).

▶ **Les bus Santiago-Panamá** partent du terminal situé en ville, Calle 10. Départs pour la capitale toutes les 30 minutes de 5h à 21h. 9,10 $. 3 heures 30 à 4 heures de trajet. On trouve à l'étage une consigne à bagages, *Guarda equipajes,* ouverte 24h/24 (1,70 $ par jour pour un sac à dos).

▪ **Pour les autres destinations** (Santa Fé, Soná...), se référer aux localités correspondantes.

Se déplacer

Le tarif de la course de taxi en ville est généralement de 1,75 $.

▪ **THRIFTY**
Barriada 5 de Mayo, Via Interamericana
✆ +507 958 8928
www.thrifty.com

Pratique

▪ **ANAM**
Vía Interamericana ✆ +507 998 0615
✆ +507 998 4387 – www.anam.gob.pa
Ouvert du lundi au vendredi de 9h à 16h.

▪ **BANQUES**
De nombreux points de retrait d'argent dans l'Ave. Central et le long de la Panaméricaine, ainsi qu'à la gare routière.

▪ **INTERNET**
Plusieurs dans l'Avenida Central et en face du terminal de bus, avec des tarifs autour de 0,75 $ de l'heure.

▪ **OFFICE DU TOURISME - ATP**
Ave. Central, dans la galerie
de Plaza Palermo ✆ +507 998 3929
Ouvert du lundi au vendredi de 8h30 à 16h30.

▪ **POLICE**
Vía Interamericana, avant d'entrer dans Santiago ✆ +507 998 1027

Se loger

▪ **HOSTAL VERAGUAS**
Bariada de San Martín, 5 cuadras derrière l'université ✆ +507 958 9021
✆ +507 6669 6126
http://hostalveraguas.com
info@hostalveraguas.com

4 $ en hamac, 5 $ sur un matelas dans une tente, 6 à 10 $ en dortoirs, chambres de 14 à 20 $ pour 2. Tarifs dégressifs pour plusieurs jours. Dans un quartier résidentiel, un hostel calme cuisine, wi-fi, échanges de livres, jeux, infos touristiques, laverie… L'hostal est économique, propre et l'atmosphère très familiale, tout comme la déco. Vous pourrez y trouver des pistes pour du travail volontaire dans les écoles ou les communautés rurales de la région. Un restaurant pas cher et une épicerie juste à côté.

▪ HÔTEL-RESTAURANT GRAN DAVID

Vía Interamericana,
en face de l'hôtel Hong
✆ +507 998 4510 – +507 998 2622
info@hotelgrandavid.com
54 chambres avec AC, TV. Chambre simple 33 $, double 38,50 $, triple 35,20 $, quadruple 44 $. Restaurant ouvert tous les jours de 6h30 à 22h. Petit déjeuner à partir de 2,50 $, repas à partir de 5 $. Gymnase, Internet, wi-fi. Confortable et calme malgré la proximité de la Panaméricaine. Un plongeon dans la piscine fait un bien fou après la route. Les travaux d'agrandissement et de rénovation en cours lors de notre passage devraient être terminés fin 2011.

Se restaurer

▪ ASADO EL PARQUE'O

Ouvert de 14h à 22h. A partir de 3 $. Une agréable terrasse couverte donnant sur le Parque Central pour se rassasier le soir de viandes grillées et de boissons fraîches. N'oubliez pas de goûter les hojaldres et les bohíos.

À voir – À faire

La petite place centrale de Santiago est très agréable le soir, quand la chaleur tombe et que les jeunes skaters se lancent dans des pirouettes spectaculaires. Pour la rejoindre à pied du terminal de bus, compter plus de 20 minutes. En sortant du terminal, prendre à droite et remonter l'Avenida Polidoro Pinzon jusqu'à tomber sur l'Avenida Central qu'il faut emprunter vers la droite jusqu'à la cathédrale et le parc municipal.

▪ ESCUELA NORMAL JUAN DEMOSTENES AROSEMENA

C/7 y C/8
✆ +507 998 4295
Construite entre 1936 et 1938, cette ancienne Ecole normale, à la belle façade baroque, est aujourd'hui un collège. Parcourez ses salles de classe, dont la plus grande a été décorée par le peintre du palais présidentiel, Roberto Lewis.

▪ MUSEO REGIONAL DE VERAGUAS

Calle 2da y Ave. J. Arosemena
en face du parc Arosemena
✆ +507 998 4543
En semaine de 8h à 16h. Gratuit. Le musée présente actuellement de petites collections de fossiles, pétroglyphes, céramiques et orfèvrerie précolombiennes trouvées dans la province de Veraguas. Il est situé dans un bâtiment datant de 1855 entièrement restauré en 2001.

SAN FRANCISCO

San Francisco héberge l'une des plus célèbres églises du pays et un magnifique autel restauré récemment. Datant de 1727, ce joyau de l'art baroque est l'œuvre anonyme d'Européens et Indiens alors venus exploiter l'or des rivières Belém et Veraguas.

Transports

À 30 minutes de bus de Santiago. Prendre un bus « Santiago-Santa Fé », toutes les 30 minutes de 5h à 19h. 30 minutes de trajet, 2,10 $.

SANTA FÉ

Le capitaine Francisco Vásquez fonda cette ville en 1557, dans le but de démanteler la résistance des indigènes, de les convertir au catholicisme et de permettre le passage des convois vers les mines d'or de la région.
Santa Fé est à 470 m d'altitude, ce qui suffit pour que l'atmosphère y soit totalement différente de celle de Santiago. Ici, on est entouré par les montagnes, la bruine et la verdure. De longues excursions, des rencontres avec la vie sauvage, chaque saison a ici son charme. Un séjour rafraîchissant et revigorant !
Cette petite ville de montagne, peuplée majoritairement de Ngöbe Buglé, vit au rythme des cultures et des saisons. Les hommes se rendent le matin dans les fincas environnantes pour y travailler et ne rentrent qu'à la tombée de la nuit. Seules les notes de musique qui s'échappent des quelques *cantinas* du coin troublent alors ce silence…

▸ **Deux fêtes sont organisées tous les ans à Santa Fé :** la fête des orchidées (*Feria de las Orchídeas*) mi-août et la fête agricole (*Feria Agropecuaria de la Candelaria*) début février.

Transports

▸ **Bus.** Du terminal de Santiago, départs toutes les 30 minutes de 5h à 19h. De Santa Fé, départs de 4h40 à 18h20. 2,90 $. 1 heure 30 de trajet.

▷ **Voiture.** Route en parfait état tout le long.

▷ **Le dénommé « Cholo » loue des 4x4.**
Demandez à le voir si vous êtes intéressé,
tout le monde sait où il habite.

▷ **Taxi.** 25 $ l'aller depuis Santiago.

Pratique

Pas d'office du tourisme officiel, seul un bureau
de *Real estate* sur la route en entrant dans le
village donne quelques informations. Ce sont
surtout les gérants des hôtels qui pourront vous
indiquer les balades et vous mettre en contact
avec des guides locaux. Poste, police, centre de
santé, téléphones publics… mais pas encore
de banque ni de station-service.

▪ INFOPLAZAS
Fundación Hector Gallego,
peu avant Café Tute,
2 minutes à pied de la Qhia
✆ +507 954 0737
*Cybercafé ouvert de 8h à 20h du lundi au
samedi, jusqu'à 17h le dimanche. En principe
0,75 $/h mais c'était gratuit depuis quelques
mois lors de notre passage ! Photocopieuse
et imprimante.*

Tourisme

Edgar Toribio et César Miranda sont deux guides
naturalistes très compétents qui ont chacun
leur spécialité. Leurs tarifs sont intéressants.
Vous pouvez les contacter directement ou par
l'intermédiaire des hôtels.

▪ AVENTURAS CESAMO
✆ +595 954 0807
✆ +595 6792 0571
aventurascesamo@hotmail.com
César Miranda est un agriculteur amoureux des
fleurs et notamment des orchidées. Il propose
des promenades à pied ou à cheval pour
découvrir de façon originale la forêt tropicale,
sa faune et sa flore.

▪ EDGAR TORIBIO
✆ +507 954 0740 – +507 6713 2074
edgar_toribio@yahoo.es
santafeexplorer@hotmail.com
Edgar vous emmène pour des expéditions d'un
à plusieurs jours à pied dans la jungle de la
cordillère, et pourra vous parler des heures durant
de papillons (il a identifié plusieurs espèces
endémiques et accompagne régulièrement des
scientifiques de l'institut Smithsonian). Edgar
propose aussi des excursions nocturnes en forêt
à la découverte notamment de grenouilles aux
couleurs surprenantes.

Orientation

L'hôtel Santa Fé est situé sur la gauche en s'approchant de Santa Fé. Le cœur de ville, à côté
de l'église, se trouve plus haut, on y accède
par la route principale. L'hôtel Tierra Libre est
à proximité du terrain de foot situé à côté de
l'église. L'hostal La Qhia est un peu plus haut
à côté de la coopérative et du terminal de bus.
Tout est parfaitement fléché et au cas où vous
ne vous y retrouvez pas, les hôtels disposent
généralement d'un plan dessiné de la localité
et des sites environnants.

Se loger

Trois bons hôtels à Santa Fé. Les gérants de
l'actuel Hostel Tierra Libre devraient ouvrir
un hôtel-boutique d'ici 2012, à environ 1 km
du terminal de bus, avec des prestations haut
de gamme et une piscine. Les tarifs devraient
tourner autour de 50 $ la chambre pour deux. En
tout cas, l'accueil de ce jeune couple hollando-
cambodgien était charmant et nous n'avons
entendu que du bien d'eux. En plus Sineth
serait une merveilleuse cuisinière…

▪ HOSTAL LA QHIA
Vers le fond du village
après la coopérative,
suivre les petits panneaux
✆ +507 954 0903
www.panamamountainhouse.com
hostal_laqhia@yahoo.es
*Lit en dortoir à 11 $, 3 chambres pour 2 avec
salle de bains partagée à 27,50 $, chambre
pour 2 avec salle de bains privée 33 $. Cuisine
ouverte sur le jardin à disposition. Eau chaude.
Pas d'air conditionné ni de télé. Les tarifs des
chambres pourraient augmenter légèrement la
prochaine saison. Petit déjeuner entre 2,5 et
5 $, dîner autour de 8 $.* Entourée d'un jardin
splendide, la montagne brumeuse au loin,
cette maison aérée avec une grande terrasse,
allie parfaitement la pierre et le bois. C'est le
lieu idéal pour se reposer après une longue
randonnée. Pour vous requinquer, Stéphanie
vous préparera des repas délicieux qui sortent
de l'ordinaire. Cette Belge connaît parfaitement
la région et pourra vous indiquer en français
les randonnées à faire de façon autonome,
ou vous mettre en relation avec des guides
locaux. L'hostal était en vente lors de notre
visite mais Stephanie devrait continuer de le
gérer encore un moment, même si elle a déjà
d'autres projets en tête, comme un restaurant
végétarien avec une communauté de femmes
du village. A suivre…

■ HOSTEL TIERRA LIBRE

Derrière l'église de Santa Fé,
à côté du terrain de foot
✆ +595 6911 4848
www.santafepanama.info
10 $ en dortoir, 25 $ la chambre double avec
salle de bains privée et eau chaude. Petit déjeu-
ner 5 $. Cet hostel aura peut-être changé de
nom quand vous viendrez à Santa Fé, puisque
les gérants, Marnix et Sineth, avaient le projet
d'ouvrir un hôtel-boutique dans le village.
L'hostel Tierra Libre était en cours d'agrandissement avec un mirador à la vue panoramique
sur les montagnes. Les chambres actuelles
en bas sont grandes, propres et confortables
mais un peu sombres. Le restaurant ouvre
selon l'affluence.

■ HÔTEL RESTAURANT SANTA FÉ

Route principale, sur la gauche,
500 m avant le village ✆ +507 954 0941
www.hotelsantafepanama.com
info@hotelsantafepanama.com
Chambre avec deux lits doubles 7,50 $ par
personne, chambre double 20 $, 36 $ avec AC,
TV. Chambre triple 25,50 $. Wi-fi 15 minutes
avec une clef. Bar-restaurant ouvert tous les
jours dès 6h30. Petit déjeuner panaméens
2,25 $. Déjeuner et dîner autour de 5 $. Cet
établissement a changé d'administrateur en
2011 et d'importants efforts ont été faits pour
améliorer aussi bien son confort, que son
esthétique. Un très bon rapport qualité/prix avec
des chambres confortables et un service très
attentionné de la part de Les et Greg, qui parlent
espagnol et anglais tous les deux. Magnifique
vue sur les sommets Sapo, El Alto et El Salto.
Réveil-matin par les oiseaux qui adorent l'arbre
central ! Le restaurant est réputé. Organisations
de tours (balades à cheval, randos, etc.) et
boisson de bienvenue offerte à votre arrivée,
avec le sourire !

Se restaurer

Plusieurs petits restaurants ouverts dès le
petit déjeuner. Ils offrent les mêmes plaisirs
gastronomiques (*pollo* ou *carne*, riz, haricots,
pour des tarifs autour de 2 à 3 $). Pour plus
de diversité, on mange très bien dans chacun
des hôtels de Santa Fé.

■ RESTAURANTE DE LA COOPERATIVA « LA ESPERANZA DE LOS CAMPESINOS »

Près de la coopérative,
au sous-sol d'une maison en bois
Ouvert tous les jours de 5h à 20h. Petit déjeuner
autour de 1,70 $, comida corriente à 2,50 $.
Des plats sans prétention et une salle donnant
sur un jardin verdoyant.

■ RESTAURANTE LA TERMINAL

Au petit terminal de bus
Ouvert tous les jours de 4h30 à 20h. Petits
déjeuners à 1,50, comida corriente à 2 $. Les
avis des locaux sont unanimes : un restaurant
économique où l'on mange de bons plats panaméens. Parfait pour patienter avant de prendre
son bus, ou pour ceux qui partent très tôt faire
une randonnée.

À voir – À faire

■ FERME BIOLOGIQUE EL SALTO

Une ferme familiale où tous les légumes sont
récoltés à la main. L'excursion prend la journée
avec le transport. Pour la visiter, adressez-vous
à Stéphanie de l'hôtel La Qhia.

■ EL ORQUIDEARIO (JARDIN DES ORCHIDÉES)

✆ +507 954 0916
Jardin privé. Pour visiter, il est conseillé de pré-
venir à l'avance. Madame Berta de Castrellón
est depuis longtemps une passionnée des
orchidées.

Cerro Tute

Au début des années 1950, en réaction à la domination nord-américaine, un groupe de jeunes
idéalistes panaméens, qui aspirait à faire tomber le gouvernement, forma le Mouvement
d'action révolutionnaire (MAR). Inspirés par la révolution cubaine, ils choisirent les flancs
du Cerro Tute pour établir leur quartier général, leur « Sierra Maestra » en quelque sorte.
Mais la garde civile s'empressa d'envoyer ses hommes, dont le capitaine Omar Torrijos,
pour disperser les rebelles. Deux opposants furent tués dans les affrontements et les
autres durent déposer les armes. Curieusement, au même moment, a circulé la rumeur
d'un débarquement cubain sur les côtes panaméennes : un groupe de personnes a été
arrêté et plusieurs armes destinées au Panamá ont été confisquées. L'histoire s'arrête là.
Pure coïncidence ? Ou réelle tentative d'invasion ? Toujours est-il que le mystère continue
à planer et que Fidel Castro n'a jamais voulu se prononcer…

C'est elle qui est à l'origine de la fête qui leur est consacrée mi-août. Elle vous guidera gentiment parmi ses fleurs. On a identifié plus de 350 espèces d'orchidées autour de Santa Fé !

◼ VISITE DES PLANTATIONS DE CAFÉ
Fabrique El Tute, en haut du village,
après l'hôtel Qhia
✆ +595 954 0801
Si vous souhaitez en savoir plus sur la culture du café et visiter les plantations, c'est possible par l'intermédiaire de la coopérative, ou par la Fábrica de Café El Tute (5 $).

◼ VISITE D'UNE FINCA BIO
La Mula, El Pantano
✆ +507 6525 4832 – +507 6020 5945
Visite guidée 5 $ par personne. Déjeuner 3 $.
Mario-José et Chong sont un couple assez âgé qui vous fera visiter leur ferme située à 45 minutes en chiva de Santa Fé (départ de la coopérative du village), dans un bel endroit. Le tour dure normalement 2 heures mais on y reste facilement toute l'après-midi si on parle espagnol, tant les histoires qu'on vous raconte sont passionnantes ! Sur réservation uniquement, on vous donne un rendez-vous sur la route en général vers 11h. Vous pouvez aussi passer par Stéphanie de La Qhia pour la mise en relation.

Sports – Détente – Loisirs

Ce n'est pas pour rien que le territoire de Santa Fé a le statut de parc national depuis 2001 (70 000 ha). Les excursions sont multiples, de la randonnée (vers Cerro Tute, Cerro Sapo, Cerro Mariposa, Alto de Piedra, la visite de mines d'or abandonnées…), aux balades et baignades dans les rivières environnantes (Río Santa María, Río Buraba et ses cascades)… Vous ne le regretterez pas et cela restera probablement l'un des meilleurs moments de votre séjour ! Une précaution toutefois : munissez-vous d'une excellente lotion anti-moustiques (et *chitras* !) et badigeonnez-vous surtout au lever du soleil et à la tombée de la nuit !

◼ DESCENTE DE RIVIÈRE
EN « TUBBING »
Départ du pont Bulaba, à 2 km de Santa Fé
✆ +507 6583 5944
William loue des chambres… à air (*llantas*) pour descendre la rivière Santa María. Comptez 1 heure 30 environ pour une balade au fil de l'eau de 3 km. Tarif 5 $ sans le transport (gilet de sauvetage fourni). Contacter à l'avance William qui n'est pas en permanence sur place. La descente se fait sans accompagnement et

est assez aventureuse. A faire plutôt en été, quand la rivière n'est pas trop forte.

Visites guidées

◼ BALADES À CHEVAL
César « Césamo » Miranda
✆ +507 954 0807 – +507 6792 0571
Excursions à cheval de 4 à 5 heures et de 6 à 8 heures, dans les montagnes environnantes. Chevaux dociles, débutants et confirmés bienvenus.

Shopping

◼ LA CASITA DE ANAYANSI
Vía El Pantano,
une petite cabane en caña blanca
✆ +507 954 0881 – +507 6708 3598
anayansivernaza@gmail.com
La boutique est indiquée depuis la rue principale. Ouvert tous les jours de 7h à 17-18h. Anayansi, un joli prénom pour cette femme qui s'est lancée dans la confection de bijoux à base de graines ramassées dans la forêt. Colliers, boucles d'oreilles, bracelets à base de *choclito, corotu, jamoncillo, eliconia, mocuna, ojo venao, acacia*… Des sacs à mains originaux également et des objets en matériaux recyclés. Une douzaine d'artisans travaillent avec elle aujourd'hui et les prix restent très raisonnables.

◼ COOPERATIVES LA ESPERANZA
DE LOS CAMPESINOS
Ouvertes tous les jours de 6h à 21h. Deux magasins qui vendent de tout, y compris du café El Tute, production de la région. Egalement bien approvisionnés, plusieurs petits supermarchés sur la route principale. Vous y trouverez tout ce qu'il faut pour les pique-niques.

◼ MERCADO AGRICOLA Y ARTESANAL
Ouvert tous les jours jusqu'à 18h. Les délicieux fruits et légumes frais du coin côtoient l'artisanat local : *chácaras* (sacs fabriqués par les Ngöbe Buglé), chapeaux, hamacs, miel, etc.

ATALAYA

Fondé entre 1614 et 1620, Atalaya est un village modeste dont la basilique constitue la principale attraction. Fierté de ses habitants, sa représentation de Jésus de Nazareth attire chaque année les pèlerins de tout le pays pour une longue procession le dimanche de Carême. Quant au saint patron du village, San Miguel Arcángel, il est célébré le 29 septembre, de façon plus festive, par l'ensemble des habitants : bals, courses de taureaux, feux d'artifice, etc.

MONTIJO

Le district de Montijo, au sud de la Panaméricaine, possède de grandes richesses naturelles dont plusieurs zones protégées. Si la réputation de l'île de Coiba n'est plus à faire, en revanche le parc national de Cerro Hoya (traité dans la partie « Azuero ») ou bien le golfe de Montijo restent à explorer. En raison du manque d'infrastructures touristiques et de la difficulté d'accès, il faudra attendre encore quelques années pour que ces deux joyaux connaissent la renommée qu'ils méritent.

Transports

▶ **Bus** de Santiago à Puerto Mutis (1 heure de trajet) via Montijo (40 minutes), toutes les 20 minutes de 6h à 22h en semaine, de 6h à 20h50 le samedi, et de 6h30 à 19h30 le dimanche. Tarifs : 0,95 $ pour Montijo, 1,30 $ pour Puerto Mutis.

À voir – À faire

▣ HUMEDAL DEL GOLFO DE MONTIJO

Cette zone dite humide fait partie des zones protégées du Panamá depuis 1994. 89 452 ha, dont un cinquième de mangroves (10 % du total du pays). Lieu d'alimentation et de reproduction d'oiseaux tant migrateurs que résidents comme les pélicans, hérons ou ibis, et de mammifères tels que les loutres, les paresseux à trois doigts, les lézards, les caïmans ou les tortues, c'est aussi l'une des zones de pêche les plus importantes du pays. Le golfe de Montijo fait partie depuis 1990, tout comme San San Pond Sak (Bocas del Toro) et Punta Patiño (Darién), des zones humides d'importance internationale reconnues par la convention de Ramsar (Iran, 1971), qui sert de cadre à l'action nationale et à la coopération internationale pour la conservation et l'utilisation rationnelle des zones humides et de leurs ressources. Pour l'accès, prendre contact avec l'ANAM à Santiago.

LAS PALMAS

À 77 km à l'ouest de Santiago, le petit village de Las Palmas offre au visiteur une belle chute d'eau d'une trentaine de mètres de hauteur. Un site peu connu mais très agréable pour une après-midi de baignade. Dans le village, on trouve de petits restaurants et épiceries, et un poste de police.

Transports

Bus Santiago-Palmas de 5h30 à 19h, Palmas-Santiago de 5h à 18h. 3,15 $, 1 heure 30 de trajet.

SONÁ

Que vous voyagiez en transport en commun ou en voiture personnelle, Soná sera une étape obligatoire sur votre route vers Santa Catalina. Située au sud de la Panaméricaine, cette ville de plus de 10 000 habitants fait partie de l'une des régions les plus dynamiques sur le plan agricole, en terme de production de lait et de riz. Malgré la grande activité qui y règne, son intérêt touristique demeure limité (pour les fans de *Prison Break*, un épisode de la série s'y déroule…). Pourtant, nous vous indiquons un hôtel, au cas où il vous arriverait d'y être bloqué après avoir raté votre correspondance de bus… En outre, nous vous conseillons vivement d'y faire vos provisions si vous envisagez de passer quelques jours sur la côte. Et enfin, surtout, n'oubliez pas de tirer de l'argent (distributeur à 200 m du terminal dans la rue principale) car il n'y avait en 2011 encore aucun point de retrait à Santa Catalina et très peu d'établissements acceptaient la carte de crédit.

Transports

▶ **De Panamá Albrook :** départs à 8h20, 10h20, 12h45, 14h20, 16h20, 17h45. De Soná à Panamá : 1h30, 4h, 8h30, 10h30, 13h30 et 16h. Tarif : autour de 10 $, durée 4 heures 30 environ.

▶ **De Santiago,** bus toutes les 20 minutes de 5h40 à 21h20. 1 heure de route. 2,10 $.

▶ **Entre Soná et Santa Catalina,** 3 bus par jour.

En taxi, comptez entre 30 et 40 $. En auto-stop, cela se fait bien mais à éviter en pleine journée où peu de véhicules circulent.

Se loger

▣ HÔTEL ÁGUILA

Calle del Santuario (à côté de l'église) et 300 m du terminal de bus
✆ +507 998 8547
Chambre double 20 $ avec salle de bains privée et AC, 15 $ avec ventilateur, 10 $ avec salle de bains commune. Pas le grand confort mais tout à fait acceptable pour un dépannage.

SANTA CATALINA

De renommée internationale, les vagues de Santa Catalina mettent en extase les surfeurs confirmés. La meilleure saison se situe en principe en février et mars, mais il est tout à fait envisageable de travailler des vagues de près de 6 m en dehors de cette période.

Plusieurs spots sont accessibles entre Santa Catalina et Punta Brava, mais il est souvent préférable d'être accompagné de quelqu'un du coin, en particulier vers Punta Brava, car le passage entre les rochers, pour atteindre le pic, y est difficile et dangereux quand les vagues sont grosses. Si c'est le cas, vous aurez sûrement la chance de voir « Cholito » ou d'autres grands surfeurs panaméens ou étrangers en action.

La joie de vivre est bien présente dans ce village où se mêlent locaux et étrangers amoureux de la vague, qui ont monté des établissements en général de très bonne qualité pour pouvoir rester vivre ici. Mais Santa Catalina est aussi un point de départ pour aller dans le parc national Coiba, à une heure de bateau. Les amateurs de plongée sont de plus en plus nombreux à débarquer pour voir de gros poissons et les agences offrent des excursions à des prix encore assez raisonnables.

Transports

▶ **Bus.** Les bus partent de Soná à 5h15, 14h20 et 16h. 1 heure 30 de trajet. 4,80 $. Attention, dernier bus pour repartir de Santa Catalina à 14h. Les bus ne déposent pas les voyageurs aux hôtels mais ces derniers peuvent venir vous chercher au terminus sur demande.

▶ **Voiture.** La route est désormais en bon état.

■ SANTA CATALINA BOAT TOURS
✆ +507 6767 0749
www.santacatalinaboattours.com
ricardo@santacatalinaboattours.com
Isla Cébaco : 200 $ pour 6, Isla Coiba : 300 $ pour 6, Isla Octavia : 200 $ la demi-journée de pêche. La première agence d'organisation de tours en mer, présente depuis 2002.

Pratique

Les services sont limités : pas de station-service, pas de banque et deux téléphones publics qui ne fonctionnent pas toujours à la principale intersection du village…

Internet

Les connexions Internet n'étaient pas courantes et très lentes en 2011. Il n'y avait qu'un cybercafé à l'entrée du village (20 minutes à pied depuis le centre). Les hôtels proposent du temps en temps la connexion avec un modem USB à connecter à son ordinateur personnel. Il est probable qu'avec le développement touristique la connexion soit meilleure à l'avenir. Il y a peu, il n'y avait ni route goudronnée, ni réseau téléphone…

■ LOS TECALES
Sur la route principale, en arrivant dans le village, repérer le gros caillou peint en blanc
✆ +507 6736 3173
Ouvert de 8h à 21h en principe. 3 $/h.

Orientation

La route qui arrive de Soná va jusqu'à l'océan. Les bus s'arrêtent ou partent à l'intersection située devant l'hôtel Costa America et son épicerie. De là, en prenant la rue à gauche – la route qui monte –, on rejoint la plupart des hôtels et restaurants, et la Playa El Estero de l'autre côté d'un *río* (environ 25 minutes à pied, route sans arbre pour se protéger du soleil). De cette route, avant d'arriver à Playa El Estero, partent plusieurs rues vers la droite rejoignant des établissements situés au bord de l'eau. Un plan de ville est situé à l'intersection principale entre la route de Soná et la route menant à Playa El Estero.

Se loger

Tous les établissements, du plus simple au plus luxueux, sont en relation avec les *lancheros* et les agences de plongée. Ils proposent des tours à des tarifs assez similaires : sorties ou cours de plongée, pêche, de surf, la location de matériel de surf ou de kayak (10/15 $ par jour). Peu avaient une connexion Internet en 2011.

Bien et pas cher

■ BLUE ZONE
À 15 minutes à pied du centre par la route, 5 minutes par la plage
✆ +507 6981 9679
www.bluezonepanama.com
surf@bluezonepanama.com
Chambre simple 12 $, double 22 $. Tenu par un couple d'Américains, un hostel situé sur les hauteurs du bord de mer. Cinq jolies chambres avec ventilateur et moustiquaire, cuisine et douche partagées. Lieu chaleureux et simple.

■ CABAÑAS LAS PALMERAS
À côté de Blue Zone
✆ +507 6627 8177
✆ +507 6783 4555
Lit en dortoir 10/12 $ par personne, chambre double salle de bains partagée 18 $, 25 $ avec salle de bains privée (30 $ avec AC). Sept maisons en dur autour d'un grand jardin avec des cocotiers, et une belle vue plongeant sur l'océan. Les chambres sont correctes et économiques. Possibilité de manger sur place de la cuisine locale autour de 4 à 5 $. Accès cuisine 5 $.

▦ CABAÑAS ROLO

Rue principale à 30 m de la plage
✆ +507 6598 9926
✆ +507 6494 3916
www.rolocabins.net
cabinasrolo@yahoo.com
*Chambres avec deux lits simples à partir de
10 $ par personne, salle de bains commune.
Chambres plus confortables à partir de 40 $
pour 2. Cuisine commune. Egalement une
maison plus loin à côté de la plage « Cabañas
Rolo 2 » avec AC, eau chaude, frigo mais sans
cuisine : 40 $ pour 2, 50 $ pour 3. Des chambres
simples mais très correctes se faisant face
autour d'un petit jardin. Chaises et hamacs
pour discuter vagues. Une grande pièce ouverte
et une cuisine sous la maison de Rolo Ortega,
surfeur émérite. Ambiance conviviale et pas
trop frime.*

▦ CASA MAYA

1ʳᵉ rue à droite sur la route menant à Playa
El Estero, derrière la pizzeria Jamming
✆ +507 6604 3910
✆ +507 6447 1373
✆ +507 6772 6780
www.santacatalinacasamaya.com
paola3373@yahoo.it
santacatalinacasamaya@hotmail.com
*2 maisons à louer pour 12 personnes maximum,
à 10 minutes du village, 3 minutes de la mer.
1 semaine pour 2 personnes, 280 $, et pour
4-6 personnes 400 $. Equipées avec Internet
wi-fi.* Situé sur un emplacement privilégié, Casa
Maya est suffisamment éloigné pour retrouver
la tranquillité, tout en étant proche de toutes les
commodités. Casa Maya propose deux petites
maisons multicolores, très confortables et bien
équipées, situées dans un cadre naturel au bord
de l'eau. Ce qui en fait un site idéal pour les
couples et les familles qui cherchent le repos
et en même temps réaliser quelques activités
puisque les maisons sont situées à 5 minutes
seulement du spot de surf et d'un centre de
plongée. Le bon goût de Paola (italienne bien
sûr) s'apprécie à tout instant ; décoration agréable, atmosphère chaleureuse… mais surtout
les délicieuses pizzas au feu de bois qu'elle sert
chaque soir à la pizzeria Jamming !

🏄 OASIS SURF CAMP

Directement sur la plage,
face au premier spot de Santa Catalina
✆ +507 6670 5636
✆ +507 6588 7077
www.oasissurfcamp.com
surfoasis@hotmail.com

*Camping 6$ par personne. 11$ ou 15$ (été) en
dortoir. Chambre double 35 $, triple 40 $, pour
6 personnes 80 $. (+10 $ avec AC). Salles de
bains privées avec eau chaude, rancho avec
chaises. Souvent fermé en septembre-octobre.
Joli restaurant sous un toit de penca ouvert au
petit déjeuner (3,50 $), au déjeuner et au dîner
(pâtes de 5 à 13 $, langouste 15$).Egalement
prochainement un hostel du même nom dans la
rue principale avant le terminus de bus. Lits en
dortoir autour de 10 $. Cuisine, centre d'infos
touristiques…* Une adresse tenue par des
Italiens vivant depuis longtemps au Panamá.
Très prisé pour sa situation au bord de Playa
El Estero, parfaite pour apprendre le surf.
Chaque *cabaña* dispose d'un petit rancho avec
hamac. C'est propre, coloré, chaleureux. Un bar
ouvre en été sur la plage et attire beaucoup
de monde.

▦ RANCHO ESTERO

✆ +507 6415 6595
www.ranchoestero.com
info@ranchoestero.com
*4 cabañas en bois, pour 1, 2 ou 6 personnes
(3 lits doubles) : 15/40/60 $ (beaucoup moins
en basse saison). Petit déjeuner 4 $. Cuisine.*
Un lieu très agréable, idéal pour se relaxer ou
prendre des cours de surf.

51875

CASA MAYA

*Se sentir chez soi sur
la plage de Santa Catalina*

*Juste à côté des spots
de surf et de plongée*

www.santacatalinacasamaya.com
+507 6604 3910
+507 6447 1373

■ SANTA CATALINA SURF POINT
Playa El Estero
℃ +507 6923 6695 – +507 6550 5555
www.santacatalinasurfpoint.com
santacatalinasurfpoint@gmail.com
Juste avant la rivière
qui mène à l'Oasis Surf Camp
10 $ en dortoir, 20 à 24 $ la chambre double. AC en supplément. Projet de cuisine et de chambres supplémentaires. Wi-fi, location de vélos et de surfs. Yann, le Breton et Julia, panaméenne, laissent à leurs clients le rez-de-chaussé de leur maison. Sur les hauteurs, dominant ainsi le spot de surf, ils possèdent un excellent restaurant, et louent surf et vélos.

■ SURFER'S PARADISE CAMP
℃ +507 6709 1037 – +507 6444 4102
surfcatalina@hotmail.com
Des chambres à partir de 25 $ et des lits en dortoirs de 5 à 10$. Petit déjeuner 5 $ et déjeuner du jour entre 5 et 10 $ selon la pêche. Un hostal un peu éloigné à pied mais on peut venir vous chercher à l'arrêt de bus. Belle vue sur l'océan, hamacs, *rancho* convivial et profitant de la brise. Accueil sympa.

Confort ou charme

■ CASA KENIA
℃ +507 6544 1806
www.casakenia.com
javier@casakenia.com
Maison à louer pour 6 personnes, à côté de l'intersection principale. 2 chambres et cuisine. Internet wi-fi. 60/70/80 $ pour 4/5/6 personnes. Prix dégressifs à la semaine. Javier Elizondo, le propriétaire, organise des tours rando birdwatching à Coiba, par exemple 2 jours et la nuit sur place 155 $ par personne sur la base d'un groupe de 6, inclus l'entrée du parc et logement. Une maison simple mais bien équipée, idéale pour une famille ou un groupe d'amis.

◢ COCO MANGO LODGE
Playa Gorgona, Madre Vieja
℃ +507 6827 7282 – +33 6 82 29 79 09
www.panama-lodge.com
6 maisons pour 6 à 8 personnes. Chambre double ou triple à 35 $ par personne, 50 $ pour une personne seule. 15 $ par personne dans une grande chambre contenant plusieurs lits. Accès à la cuisine possible. Le restaurant offre des repas entre 3,50 $ (poisson) et 8 $ (langouste). Accès en bus simple depuis Panamá ou Santiago. On peut aussi venir vous chercher (payant). Coco Mango porte bien son nom, avec deux magnifiques manguiers plus que centenaires et des forêts de cocotiers qui camouflent les maisons et le restaurant, idéalement placés face au Pacifique, avec deux jolies plages au sable noir où gambadent les crabes rouges. Les six maisons sont simples et décorées de matériaux naturels ramassés sur la plage ou dans la forêt juste derrière, d'où vous observent oiseaux et singes. Pour les nostalgiques des cabanes dans les arbres, demandez la chambre des amoureux… Pour ajouter au confort, une piscine d'eau douce et des hamacs, avec le bruit des vagues et de la jungle mélangé en permanence ! Différentes activités sont proposées : kayak, excursions dans la mangrove ou à Coiba, plongée, surf et pêche (un club est basé ici). Bruno et sa fille, des Basques de Ciboure, ont monté un hôtel très agréable, sans doute le plus proche de la belle Coiba. Les tarifs restent raisonnables et il serait dommage de se priver de quelques nuits dans ce lieu parfait pour déconnecter et pratiquer des activités marines inoubliables.

■ HÔTEL RESTAURANTE SOL Y MAR
Sur la route principale côté droit,
à l'entrée du village (10 minutes à pied du centre) ℃ +507 6920 2631
www.solymarpanama.com
catalinaluis@hotmail.com

53612
Coco
Mango
Lodge
Tél France : +33 6 82 29 79 09
Tél Panama : +507 6827 7282
www.panama-lodge.com
Madre Vieja Playa Gorgona

6 chambres pour 4 personnes maximum (2 lits doubles). AC, TV, modem USB pour Internet. 2 cuisines extérieures pour les 6 chambres. 60,50 $ pour 2, 72,60 $ pour 3, 84,70 pour 4 (promotions sur le site Web). Ping-pong, billard. La réception ferme à 23h. L'un des premiers hôtels du village, tenu par Luis Manuel da Silva, un Portugais qui parle français. Les petites maisons à flancs de colline (escaliers déconseillés aux personnes ayant des difficultés pour se déplacer) ont des chambres assez grandes et soignées, et disposent de terrasses individuelles avec hamac et une belle vue sur l'océan au loin. Le resto propose des plats de poissons et fruits de mer autour 10 $ (fermé pour le déjeuner). Un projet de piscine.

▧ HÔTEL SANTA CATALINA

Juste avant Playa El Estero
✆ +507 6781 4847
www.hotelsantacatalinapanama.com
info@hotelsantacatalinapanama.com
6 chambres pour 2 à 4 personnes, avec salle de bains privée et eau chaude. 70 $ pour 1 ou 2 personnes, 75 $ pour 3, 80 $ pour 4 en semaine (+5 $ le week-end et 10 $ les jours fériés). AC, réfrigérateur, coffre, classeur d'informations touristiques, service de laverie, terrasse avec hamacs, lap top avec Internet à disposition, table de ping-pong. Un hôtel récent avec des chambres très soignées et un service attentionné. Il donne juste devant le canal menant au spot de La Punta et est donc parfait pour les surfeurs recherchant un certain confort. Les maisons sont construites avec des matériaux naturels : murs à la chaux, bois de canalu d'El Valle, et jolis toits en tuiles traditionnelles de la péninsule d'Azuero. Un bon restaurant, ouvert pour le petit déjeuner et le déjeuner. Projet de piscine et de quelques maisons supplémentaires. Un établissement agréable et bien administré.

▧ LA BUENA VIDA

À l'entrée du village sur la route principale, côté gauche, après Sol y Mar
✆ +507 6572 0664 – +507 6635 1895
www.labuenavida.biz
info@buenavida.biz
4 cabañas de 4 à 6 personnes de 50 à 100 $ selon le confort et la saison. AC, ventilateur, eau chaude, wi-fi, paiement par carte possible. Calme et propre. Sur 2 niveaux, des chambres joliment décorées avec des mosaïques. Tenu par des Américains grands amateurs de surf et de yoga. Ils administrent également l'établissement juste à côté, Boarder's Heaven, avec 3 chambres simples pour deux et des lits à 10 $ par personne.

▧ **Également un resto.** Petit déjeuner avec pancakes 4 $ ou salade de fruits… Pour le déjeuner, quelques spécialités mexicaines ainsi que des salades entre 3 et 8 $.

Se restaurer

On peut manger pas cher dans les *fondas* tenus par les locaux, ou dans les restaurants tenus par les Italiens, Argentins, Américains… Un bon resto espagnol devrait ouvrir d'ici 2012 : nous avons déjà goûté les talents culinaires de Juan et Cris un dimanche après-midi !

Pause gourmande

▧ PANADERIA LA SEMILLA

Sur la droite, en arrivant, en face de la Buena Vida ✆ +507 6585 1046
Ouvert de 7h à 13h30 du lundi au samedi. Une boulangerie proposant du bon pain mais aussi des plats espagnols simples : tapas, tortillas (3,50$), ou encore des quiches, empanadas (1,30 $), madeleines, batidos (1,50 $)… Une petite terrasse pour prendre son petit déjeuner ou bouquiner avec un jus de fruit ou un café (la bibliothèque est juste derrière).

Bien et pas cher

▧ CHILI ROJO

Route vers Playa El Estero, à 200 m de l'intersection ✆ +507 6872 3117
www.santacatalinainn.com
De 6h30 à 22h. Egalement 5 chambres à louer autour de 45 $. Sous un grand rancho, un restaurant de cuisine internationale tenu par un Maltais, proposant surtout des plats de poissons et fruits de mer (environ 12 $) et de copieux petits déjeuners (7 $).

▧ JAMMING

1re rue à droite sur la route menant à Playa El Estero
✆ +507 6604 3910 – +507 6447 1373
Ouvert à partir de 18h30 du mardi au dimanche. Pizzas au feu de bois entre 6 et 10 $. Une pizzeria au feu de bois tenue par une Génoise, Paola. Le lieu est simple et convivial. Des hamacs pour digérer. Ambiance très sympa quand il y a un peu de monde.

▧ LOS PIBES

Ouvert à partir de 18h30. Fermé un jour par semaine (pas fixe, cela dépend de l'approvisionnement !). Sympathique établissement tenu depuis 2002 par un cuisinier argentin. Cuisson au feu de bois. *Hamburguesas, choripan,* autour de 5 $. Plats entre 6 et 10 $. Pâtisseries maisons. Table de billard.

■ PINGUINO CAFÉ
Au bout de la rue principale, sur la droite, le rancho au bord de la plage
℮ +507 6478 7023
lucamocci@hotmail.com
Pâtes entre 7 et 15 $, plats panaméens autour de 5 $. Poissons autour de 8 $. Un restaurant italien très agréable tenu par les sympathiques Luca dit « Pinguino » (une histoire de parapluie…) et Jamilet, sa femme panaméenne. On mange au bord de la plage, sur des rythmes de vieille salsa cubana. Pas de pizza mais de bonne pastas. Attention aux poutres pour les grands !

Sortir
Et bien non, c'est assez surprenant mais Santa Catalina n'est pas réputée pour sa vie nocturne et la vente d'alcool est interdite après 22h. Mais il y a de bonnes ambiances dans les surfcamps et vous allez tout de même vous amuser !

Sports – Détente – Loisirs

▶ **Plongée.** Que vous soyez débutants ou confirmés, les 3 clubs de plongée du village proposent des sorties identiques, snorkeling ou plongée avec bouteilles, dans les eaux profondes du parc national de Coiba ou de ses environs. Vous y verrez toutes sortes de grosses créatures : requins, raies mantas, tortues géantes… Pour le *snorkel*, le mieux est la saison estivale, mais n'hésitez pas à vous lancer en hiver quand il n'a pas trop plu les derniers jours, quand les eaux ne sont pas trop troubles. Les tarifs sont similaires entre les agences de plongée : autour de 105 $ par personne pour 2 plongées, 135 $ pour 3 plongées. Entre 55 et 65 $ la journée de snorkeling. Avec un panier-repas et tout l'équipement. Il faut ajouter 20 $ pour l'entrée au parc national Coiba (5 $ pour les résidents). Départ de Santa Catalina vers 8h30, retour vers 16h30. 1 heure de *lancha* pour les premières plongées à Coiba. Si vous souhaitez absolument un instructeur parlant le français, demandez si vous pouvez être emmené par le sympathique Christophe Mangano, qui travaille en free-lance avec les agences.

■ COIBA DIVE CENTER
Rue principale ℮ +507 6780 1141 – +507 6565 7200 – www.coibadivecenter.com
info@coibadivecenter.com
Bureau ouvert de 7h30 à midi et de 14h à 18h. L'agence est tenue par le Canadien (non francophone) Glen Masingham.

■ PANAMA DIVE CENTER
Rue principale, en face des cabines téléphoniques ℮ +507 6665 7879

www.panamadivecenter.com
Bureau ouvert tous les jours de 7h à 13h et de 14h à 19h. Une nouvelle agence tenue par un Colombien.

■ SCUBA COIBA
À côté des Cabañas Rolo
℮ +507 202 2171 – +507 6980 7122
www.scubacoiba.com
info@scubacoiba.com
Une agence tenue depuis plusieurs années par un Autrichien, Herbie Sunnk (parle français). Des tours de 3 jours pour plongeurs confirmés sont proposés autour de 200 $ par jour avec hébergement, et repas.

Sport

■ COURS ET LOCATION DE SURF
Il serait dommage de venir dans la Mecque panaméenne du surf et de ne pas vous lancer. Presque tous les propriétaires ou gérants d'établissements toutistiques sont de très bons surfeurs, et proposent des cours ou de la location de planches. Compter environ 25 $ /h de cours avec la *tabla*. La location de long board 15$/jour, de short board 10 $/jour en moyenne. Les prix peuvent augmenter en haute saison.

Loisirs

■ PANAMA-PÊCHE
Cocomango, Playa Banco
℮ +507 6852 4798 – +33 6 60 43 89 59
℮ +33 4 68 51 09 75
www.panama-peche.com
info@panama-peche.com
Journée de pêche sportive environ 550 $, demi-journée 330 $. Jean-Luc Bréant vous propose des sorties pêches dans des sites exceptionnels. Carpes rouges, mérou de 20 à 50 kg, poisson coq vous attendent. Consultez le site pour vous mettre en appétit. Hébergement à Cocomango, Playa Banco.

Shopping

■ SURF & SHAKE
Rue vers El Estero, à 100 m de l'intersection ℮ +507 6451 9939
www.surfandshake.com
Ouvert tous les jours de 9h à 18h. Une boutique tenue par deux jeunes Allemandes, vendant des planches et du matériel de surf. Location à des tarifs intéressants (10 $ par jour la planche ou 7,50 le body-board). Egalement des T-shirts sympas, de l'artisanat et de délicieux jus de fruits (2 $), comme ce mélange fruits de la passion, ananas et gingembre…

ISLA GOBERNADORA

Une île sauvage magnifique, avec des plages de sable noir, de la mangrove et un petit village de pêcheur sur la pointe est. Ici de belles promenades vous attendent sur des sentiers à travers la forêt jusqu'au point culminant de l'île, le Cerro Zapote (300 m environ). Pour les emplettes quelques ateliers d'artisanat tenus par les locaux qui ont pour certains été formés par un couple de Français à l'origine d'un écolodge original.

Transports

L'île se trouve en face de Cebaco et à 30 minutes de *lancha* du continent. On y accède par Santa Catalina, Puerto Mutis ou le plus souvent par Hicaco.

Se loger

🐟 **ART LODGE LAND ART**
Isla Gobernadora face à Cebaco
✆ +507 663 65 180
www.artlodgepanama.com
artlodgepanama@hotmail.com
100 à 120 $ par jour par personne, en pension complète, avec aller-retour sur l'île et activités comme la pêche. Minimum 3 nuits pour des questions de logistiques. Réservation obligatoire. Capacité 8 personnes (4 ranchos). Un lodge que ses créateurs, Valérie et Yves Leblet, souhaitent le plus durable possible, avec un impact limité sur l'environnement et un projet de reforestation. Les constructions type *rancho*, semi-ouvertes, sur une colline au bord de l'océan, sont réalisées uniquement avec les matériaux naturels de l'île (caña brava, bois flottés, palmes et bambous) tout comme les lits ou les tables, et l'électricité vient uniquement des panneaux solaires. On mange du poisson, des fruits et légumes bio et des plats végétariens pour ceux qui le souhaitent. La déco à base de calebasses, coquillages, bois flotté, etc., est inventive :

Valérie et Yves sont deux artistes français qui se consacrent au land art. Leur galerie : la nature et ses nombreux trésors ! Vous l'aurez compris, ce lodge est destiné aux voyageurs en quête d'un tourisme différent. On y vient pour se ressourcer ou pratiquer le yoga. Ceux qui aiment la pêche seront servis et, pour les plages, il y en a quelques-unes sur l'île de sable noir, mais on pourra vous emmener sur de plus belles en bateau, encore plus isolées.

PARQUE NACIONAL COIBA

Du nom de l'île principale, ce parc national représente environ 270 000 ha. D'origine volcanique, Coiba, qui s'est séparée de la terre ferme depuis environ 15 000 ans, est aussi la plus grande île du pays. Un écosystème terrestre surprenant, de nombreux cours d'eau, dont le río Negro, long de 20 km et qui possède huit affluents... Bref, à côté des 50 314 ha de Coiba, les îles voisines paraissent nettement moins importantes : Jicarón (2 002 ha), Jicarita (125 ha), Canal de Afuera (240 ha), Afuerita (27 ha), Pájaros (45 ha), Uva (257 ha), Brincanco (330 ha), Coibita (242 ha), Cébaco... De 1919 à 2004, Coiba a hébergé une prison (les derniers prisonniers en sont partis dans les années 1990) ce qui a certainement freiné son développement touristique. Protégée depuis 1991 par son statut de parc national et par son intégration au Couloir biologique marin qui s'étend aux îles Galápagos, Cocos, Malpelo et Gorgona, l'île continue d'abriter forêt primaire, forêt tropicale humide ainsi que de nombreuses espèces endémiques. Mais on peut se demander quel est l'avenir de l'île, maintenant qu'il n'y a plus de détenus. La pression touristique est de plus en plus forte. Autre point important : l'avenir de l'île est également lié au développement de la pêche. Celle-ci est pratiquée de façon trop intensive.

Poursuivie à son rythme actuel, elle risque de mettre en danger une grande partie de la richesse marine de Coiba et de ses environs. Une crainte partagée par tous ceux dont c'est l'unique revenu. Après vous être promené sur les sentiers tracés par l'ANAM, après avoir plongé dans une eau cristalline, avec masque et tuba, pour admirer les multiples coraux de granito de oro, après vous être imprégné de la tranquillité et de la beauté du paysage, n'oubliez pas les gestes écologiques essentiels : rapportez l'essentiel de vos déchets sur la terre ferme…

Transports

Vous serez surpris par les tarifs, mais ne va pas qui veut à Coiba ! Essayez donc de vous réunir à plusieurs pour partager les frais. Il est difficile de donner le tarif exact de la traversée en raison des nombreuses augmentations du prix du galon d'essence, mais compter au moins 300 $ pour 6 passagers depuis Santa Catalina. On peut s'y rendre depuis Puerto Mutis (2 heures de *lancha*), Playa Banco (1 heure) ou Santa Catalina (1 heure). Vous trouverez facilement par l'intermédiaire de votre hôtel des transporteurs (pêcheurs ou clubs de plongée). N'oubliez pas de vous entendre au préalable sur les conditions du retour !

Pratique

▶ **Formalités.** Pour visiter seul Coiba, il est recommandé de téléphoner à l'ANAM de Santiago ou aux rangers sur l'île pour savoir si vous pouvez loger sur place (le camping est interdit et le nombre de places limité à environ 70 personnes dans les 6 maisons de l'ANAM). Le plus simple est de se renseigner auprès des transporteurs, clubs de plongée ou de pêche de Santa Catalina, Playa Banco ou Puerto Mutis. Ils sont en contact permanent avec les rangers. Il faudra vous acquitter de 20 $ pour l'entrée dans le parc national (5 $ pour les résidents).

■ **STATION DE RANGERS DE L'ANAM**
✆ +507 999 8103

Se loger

■ **CABAÑAS ANAM**
20 $ par jour et par personne, 15 $ pour les résidents. Les 6 cabañas en dur peuvent héberger jusqu'à 60 personnes. Apportez vos draps ou votre sac de couchage au cas où il n'y en aurait plus de disponibles. Hébergement rustique mais dans un cadre idéal. Apportez votre gaz et victuailles pour la cuisine (5 $ la location), vous ne trouverez rien sur place.

Parque Nacional Coiba

À l'église
de Las Mercedes
à Los Santos.

© IPAT PANAMA

Province de Herrera

Les immanquables de la péninsule d'Azuero

▸ **Les festivités de la péninsule,** centre folklorique du pays.

▸ **Les paysages arides** du parc de Sarigua.

▸ **La Arena** et ses céramiques.

▸ **Las Tablas** et l'allégresse de son carnaval haut en couleur.

▸ **L'Isla Iguana** et sa sérénité.

▸ **La Playa Venao ou Cambutal** et leurs vagues indomptables.

▸ **La reproduction des tortues** sur la longue plage d'Isla Caña.

▸ **Les concerts** de *típico*… ou de rock des chitreanos Los Rabanes.

Située au sud des provinces centrales, la péninsule d'Azuero est le cœur folklorique de la nation. Elle est constituée de deux provinces limitrophes, Herrera et Los Santos. La première, la plus petite du pays, est probablement celle par laquelle vous arriverez, prêt à vous plonger dans une ambiance différente du reste du Panamá. Dans les deux, vous découvrirez un peuple travailleur, festif et fier de ses coutumes et de ses traditions. Nous avons choisi de vous présenter l'ensemble de la péninsule sans tenir compte du découpage administratif. Une logique qui, par ailleurs, est en totale adéquation avec l'histoire de ces deux régions, dont les frontières furent sans cesse modifiées jusqu'à la première moitié du XXe siècle.

Les festivités de la péninsule

C'est une région où les nombreuses manifestations folkloriques attirent une foule immense, mais dont la diversité naturelle réserve également au voyageur des sites véritablement magiques où s'isoler. Nous vous proposons ici quelques-uns des nombreux temps forts des festivités locales, dont les dates varient sensiblement d'une année sur l'autre.

▸ **Macaracas :** janvier, fête de l'Epiphanie.

▸ **Ocú :** mi-janvier, fête patronale San Sebastián de Ocú.

▸ **Las Tablas, Chitré, Pedasí, etc. :** courant février, carnaval.

▸ **Pesé :** vendredi saint, mise en scène de la crucifixion du Christ.

▸ **Los Santos :** fin avril-début mai, foire internationale d'Azuero.

▸ **Los Santos :** 60 jours après Pâques, Fête-Dieu ou Corpus Christi.

▸ **Las Tablas :** 3e semaine de juillet, fêtes patronales – 22 juillet : fête nationale de la Pollera.

▸ **Ocú :** 2e ou 3e semaine d'août, festival du Manito.

▸ **Guararé :** 3e semaine de septembre, festival de La Mejorana.

▸ **Chitré :** 19 octobre, anniversaire de la fondation de la ville.

▸ **Los Santos :** 10 novembre, anniversaire du Premier Cri de l'Indépendance, *El Grito* (également célébré dans d'autres villes de la péninsule).

CHITRÉ

Chitré sera peut-être votre premier contact avec la péninsule. Tâchez de vous y trouver au moment d'un festival, pour apprécier l'atmosphère de folie qui y règne. Très fiers de leurs traditions, les habitants vous entraîneront parmi les défilés de costumes et charrettes, les concours de tambour, violon ou mejorana, les courses de taureaux et les points de vente de rhum Seco Herrerano… Le reste du temps, cette ville est tranquille, malgré son statut de chef-lieu de la province de Herrera.

Il existe différentes versions quant à l'origine du nom de cette ville fondée le 19 octobre 1848.

Retrouvez le sommaire en début de guide

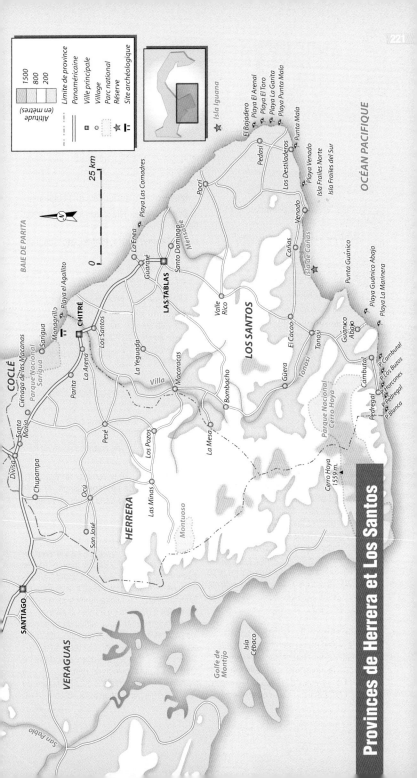

Provinces de Herrera et Los Santos

221

Légende

Altitude (en metres)
- 1500
- 800
- 200

- Limite de province
- Panaméricaine
- Ville principale
- Village
- Parc national
- Réserve
- Site archéologique

0 — 25 km

OCÉAN PACIFIQUE

BAIE DE PARITA

VERAGUAS

COCLÉ

HERRERA

LOS SANTOS

Golfe de Montijo

Isla Cébaco

San Pablo

Santiago

Divisa
Santa María
Chupampa
Parita
La Arena
Ocú
San José
Pesé
Los Pozos
Las Minas
La Mesa
Los Santos
La Yeguada
Villa
Macaracas
Bombacho
Güera
Tonosí
Tonosí
Pedregal
Cambutal
P. Cambutal
Los Buzos
P. Horcones
P. Pedregal
P. Blanca
Guánico Abajo
Punta Guánico
Playa Guánico Abajo
Playa La Marinera
El Cacao
Valle Rico
Santo Domingo
Guararé
Mensabé
La Enea
Playa Las Comadres
Pocrí
Pedasí
El Bajadero
Playa El Arenal
Playa El Toro
Playa La Garita
Playa Punta Mala
Punta Mala
Los Destiladeros
Playa Venado
Isla Frailes Norte
Isla Frailes del Sur
Venado
Cañas
Isla de Cañas
Isla Iguana

CHITRÉ
LAS TABLAS

Monagrillo
Playa el Agallito
Sarigua
Parque Nacional Sarigua
Ciénaga de las Macanas

Montuoso
Parque Nacional Cerro Hoya
Cerro Hoya 1559 m.

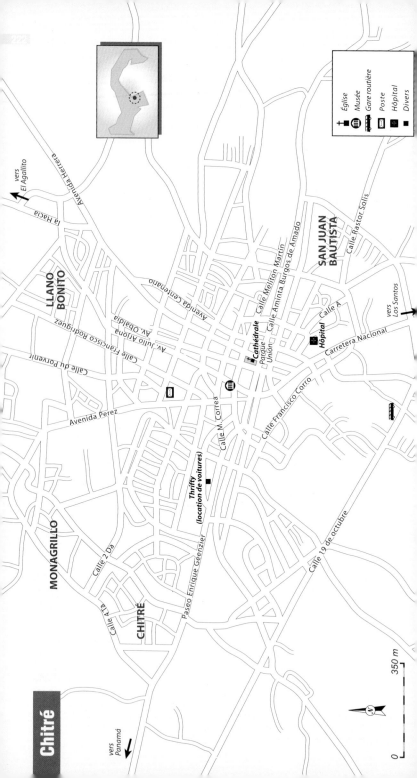

Chitré

222

vers
El Agallito

la Hacia

Avenida Herrera

LLANO
BONITO

Av. Julio Arjona

Av. Obaldia

Calle Francisco Rodriguez

Calle du Porvenir

Avenida Perez

Avenida Centenario

Calle Meliton Martin

Calle Aminta Burgos de Amado

SAN JUAN
BAUTISTA

Calle Rastor Solis

Cathédrale

Parque
Union

Hôpital

Calle A

vers
Los Santos

Carretera Nacional

Calle M. Correa

Calle Francisco Corro

**Thrifty
(location de voitures)**

Calle 2 Da

Calle 4 Ta

MONAGRILLO

CHITRÉ

Paseo Enrique Geenzier

Calle 19 de octubre

vers
Panamá

Église
Musée
Gare routière
Poste
Hôpital
Divers

350 m

0

S

Chitré aurait été le nom d'un cacique d'une tribu de la région, celui d'un célèbre guérisseur indigène ou encore, en langue indigène (mais laquelle ?), Chitré signifierait « lune ».

Transports

Comment y accéder et en partir

❱ **La gare routière** est excentrée, au sud de la ville. Liaison en bus 0,15 $ ou taxi 1,40 $. Panamá-Chitré : 20 bus par jour, toutes les 45 minutes de 6h à 23h, durée 4 heures, tarif 9,05 $. Chitré-Panamá : idem de 4h à 18h (1 bus à 1h30).
Santiago-Chitré : toutes les 30 minutes de 5h à 21h. Durée 1 heure 30, 3 $. De Chitré bus de 4h à 18h30.
Las Tablas-Chitré : toutes les 10 minutes de 6h à 21h, durée 45 minutes, 1,40 $.
Départs fréquents pour Los Santos, Ocú, Macaracas (2,40 $, 1 heure 10 de trajet) et Tonosí. Il est possible de prendre les bus pour Playa El Agallito, Playas Monagre et El Rompío, Los Santos, La Arena depuis le Parque Unión (C/ Manuel M. Correa). Tarifs : entre 0,30 et 0,60 $.

▪ **AEROPUERTO VALDERRAMA**
Vía El Agallito ✆ +507 996 4432
Liaisons régulières avec l'aéroport d'Albrook, avec Air Panamá trois fois par semaine. Durée 35 minutes.

Se déplacer

▪ **BUDGET**
Sur la route de Los Santos,
non loin de l'hôtel Hong Kong
✆ +507 996 0027

▪ **HERTZ**
✆ +507 996 2256
Ouvert du lundi au samedi de 8h à 17h.

▪ **THRIFTY**
À l'entrée de la ville
en venant de la Panaméricaine
✆ +507 996 9565
www.thrifty.com

Pratique

▪ **ANAM**
Vía Los Santos ✆ +507 996 7675
Ouvert du lundi au samedi de 8h30 à 16h30.

▪ **BANQUES**
Un distributeur face au parc central, derrière l'église. Nombreuses banques avec distributeurs sur le Paseo Enrique Geenzier.

▪ **HOSPITAL GENERAL CECILIO CASTILLERO**
Ave. Carmelo Spadafora
✆ +507 996 4444

▪ **POLICE**
Vía La Arena
✆ +507 996 4333

▪ **SANCHI COMPUTER**
Ave. Herrera,
à 20 m du Parque Central
✆ +507 996 2134
Ouvert de 8h30 à 23h30. 0,60 $/h.

Se loger

Tous les hôtels pratiquent des prix plus élevés pendant les fêtes et tout se remplit très vite. La majorité des hébergements « bien et pas cher » se situent dans le centre, Avenida Herrera. Un hôtel de luxe devrait être construit à proximité de l'hôtel Les Guayacanes.

Bien et pas cher

▪ **HÔTEL BALIPANAMA**
Ave. Herrera
✆ +507 996 4620
www.hotelbalipanama.com
cjaen@balipanama.com
28 chambres avec AC et eau chaude, simple à 25 $, double à 33 $, triple à 41 $. Parking gardé, Internet, wi-fi. Un établissement sans prétention, propre et convivial avec une agréable terrasse pour déguster une boisson fraîche ou une spécialité indonésienne, tout en observant l'activité de la rue. Personnel très accueillant.

▪ **HÔTEL HAWAII**
À côté du supermarché Machetazo
C/ San Pedro,
✆ +507 996 3524
✆ +507 996 5393
hotelhawaii@machetazo.com
Chambre simple à 29 $, double à 40 $, triple à 45 $. Eau chaude, AC, TV, Internet, wi-fi. Hôtel de 33 chambres, tranquille, bien tenu et confortable.

▪ **HÔTEL SANTA RITA**
Ave. Herrera et C/ Manuel M. Correa
✆ +507 996 4610
Fax : +507 996 2404
20 chambres. Simple 17,60 $, double 19,80 $ (22 et 24 $ avec AC). Wi-fi. Préférez les chambres avec balcon, plus lumineuses, sauf si vous craignez le bruit de la rue. L'hôtel qui date de 1930 est propre et d'un bon rapport qualité/prix.

PROVINCES DE HERRERA ET LOS SANTOS

■ MIAMI MIKE'S

À côté de la Panaderia Chiquita,
au-dessus de la pharmacie Variedades
℡ +507 910 0628 – +507 6603 9711
www.miamimikeshostel.com
mmhostel@hotmail.com
10 $ la nuit, 13 $ la chambre privée. Petit déjeuner léger, thé, café inclus. TV, Wi-fi, infos touristiques. Un des premiers hostels de la péninsule. Central et disposant d'une terrasse sur le toit et d'un balcon, c'est un lieu convivial, bien pour rencontrer d'autres voyageurs ou des volontaires travaillant dans la région. L'hostel est parfois loué au mois à des groupes.

Confort ou charme

■ HÔTEL REX

C/ Meliton Martín, Parque Unión
℡ +507 996 4310 – +507 996 2408
Fax : +507 996 2391
hotelrex@hotmail.com
33 chambres à 33, 44 et 55 $ la simple, double et triple. Eau chaude, AC, TV. Petit déjeuner inclus du lundi au jeudi, sinon 3,50 $. Internet et wi-fi. Restaurant-bar ouvert tous les jours de 7h à 22h. Un hôtel assez confortable, d'un bon rapport qualité/prix et très bien placé, face au parc central.

■ HÔTEL VERSALLES

Paseo Enrique Geenzier, à l'entrée
de la ville en venant de la Panaméricaine
℡ +507 996 4422 – Fax : +507 996 2090
www.hotelversalles.com
reservaciones@hotelversalles.com
Standard simple 37 $, double 50 $. Deluxe 46 et 60 $, suite 72 et 85 $. Gratuit pour les moins de 12 ans. Wi-fi. Restaurant ouvert de 6h30 à 22h30. Ouvert en 1963, il a longtemps été l'hôtel le plus chic de la ville. Une agréable piscine et un bon restaurant.

Luxe

■ GRAN HOTEL AZUERO

Paseo Enrique Geenzier ℡ +507 970 1000
www.hotelazuero.com
reservas@hotelazuero.com
108 chambres très bien équipées (écran plasma, clim silencieuse, minibar…) sur deux étages autour d'une piscine. Deluxe 60,50 $, premium 71,50 $ en semaine, 71 et 85 $ les nuits de vendredi et samedi. Restaurant, bar. Certaines chambres de plein-pied (Deluxe), d'autres avec balcon (Premium). L'ensemble est moderne et élégant, et le personnel très attentionné. Un joli hall d'entrée.

Se restaurer

■ EL ANZUELO

À côté de l'hôtel Azuero
Rue principale
℡ +507 910 1030
Ouvert tous les jours, de midi à minuit voire 1h en fin de semaine. midi-15h et 19h-22h le dimanche. Entre 7 et 15 $ le plat. Un restaurant agréable, sous une paillote, pour manger du poisson (*anzuelo* signifie « hameçon ») mais aussi des viandes. Egalement un bar à cocktails et une cave à vin dans le petit bar moderne et climatisé juste derrière avec des lady's night le jeudi et karaoké certains soirs.

■ RESTAURANTE CAFÉ CHIQUITO

À 100 m du Parque Unión
Ave. Herrera
℡ +507 996 0408
Un restaurant chaleureux ouvert de 7h à 2h du matin pour des plats locaux entre 2,50 et 4 $ (possibilité de demander son plat sin grasa *o* sin sal, « *sans matière grasse » ou « sans sel »*). Notez que les bus pour Los Santos font un arrêt juste devant le restaurant tous les quarts d'heure.

■ RESTAURANTE EL AIRE LIBRE

Parque Unión
Ave. Antonio Burgos
℡ +507 996 3639
Ouvert tous les jours de 6h30 à 22h. Petit restaurant servant une cuisine ordinaire et typique. Economique et agréable.

■ RESTAURANTE Y PANADERIA CHIQUITA

Ave. Herrera
℡ +507 996 2411
Ouvert tous les jours de 5h à 22h30. Boulangerie, glacier, pizzeria… Fritures panaméennes et empanadas, ces dernières sont particulièrement savoureuses (0,40 $), tout comme les *chichas* (jus coupés d'un peu d'eau). La salle, ouverte sur l'extérieur, est agréable.

Sortir

■ CINEMA – CINES MODERNOS

Paseo Enrique Geenzier
℡ +507 996 6121
4 salles. Séances vers 17h, 19h et 21h (entre 2,50 et 3,50 $). Dans le même complexe, le bar « Memories » ouvert jusqu'à 2h en fin de semaine avec une terrasse agréable à l'étage.

À voir – À faire

▣ CATHÉDRALE DE CHITRÉ

Construite au XIXᵉ siècle, restaurée en 1988, cette cathédrale est remarquable de simplicité. Accueillante, avec ses grandes portes ouvertes sur la rue, elle dispense la fraîcheur de sa nef aux fidèles de la ville. Le son électronique de ses cloches est particulièrement surprenant.

▣ LA CIENAGA (MARÉCAGE) DE LAS MACANAS

Bureau de l'ANAM ✆ +507 976 1040
Ouvert du lundi au vendredi de 8h à 16h. Sur la route principale menant à Chitré depuis la Panaméricaine, bifurquer vers Rincón de Santa María. Continuez tout droit sur près de 3 km et prenez à droite à l'intersection suivante. Arrivé au poste ANAM, arrêtez-vous, avec un peu de chance une personne viendra vous accompagner. C'est un peu compliqué, la route n'est pas en très bon état mais le résultat est surprenant. Un petit sentier a été balisé à l'intérieur de la zone protégée. Un mirador permet d'apprécier l'étendue des marécages : près de 2 000 hectares, dont 1 200 sont sous l'eau. Au loin, des vaches paissent, à moitié dans l'eau. C'est encore plus beau à l'approche des orages, quand le ciel s'assombrit et que les éléments se déchaînent.

▣ MUSEO DE HERRERA

Ave. Manuel M. Correa ✆ +507 996 0077
Ouvert du mardi au samedi de 9h20 à 16h. 1 $, enfant 0,25 $. Ancien Bureau des Postes, cet édifice néoclassique a été transformé en musée en 1984, à l'initiative de l'historien Fabio Rodríguez Ríos. Riche en collections archéologiques et en informations ethnographiques, ce musée est d'autant plus à valoriser que les moyens financiers manquent et que les sites archéologiques du pays sont laissés à l'abandon. C'est le cas de Monagrillo, dans les environs de Chitré, dont les vestiges découverts en 1952 et 1975 attestent de la présence de groupes indigènes entre 2 400 et 1 000 ans avant J.-C. Un guide se tient à votre disposition pour vous fournir un complément d'informations. Une belle collection d'instruments folkloriques et d'outils agricoles évoque également, de façon très vivante, les traditions d'autrefois et la vie des habitants de la région.

▣ PARQUE NACIONAL SARIGUA

Bureau de l'ANAM
✆ +507 996 8216 – +507 996 7679
Ouvert du lundi au vendredi de 8h à 16h. Entrée parc 5 $. Toujours sur cette même route

Museo de Herrera.

principale, un panneau indique où tourner pour rejoindre le parc de Sarigua. Créé en 1984, ce parc national est une vaste étendue rougeoyante de 8 000 hectares qui correspond à la zone la plus aride du pays, que l'on pourrait confondre avec un désert et qui autrefois était couvert de forêt sèche côtière et de mangroves il y a encore quelques décennies.
Les précipitations annuelles n'y sont que de 1 100 m et la température moyenne tourne autour de 27 °C. L'état de l'écosystème, déjà fragilisé naturellement en raison des inondations successives d'eau salée à l'époque où l'isthme émergea de l'océan, a été aggravé par la déforestation et par l'action des populations colonisatrices de la région pendant la deuxième moitié du XXᵉ siècle. La vue depuis le mirador construit par l'ANAM est enchanteresse. Prenez garde aux vents qui, de janvier à mars, peuvent être violents. Un guide est parfois à votre disposition pour vous donner de plus amples informations, notamment au sujet des élevages de crevettes qui se sont développés dans la zone.

▣ PLAYA EL AGALLITO

À 7 km de Chitré. Accès en bus ou en taxi (3 $). C'est une plage artificielle, populaire surtout parmi les locaux qui y viennent en famille l'été. Les mangroves des alentours ont heureusement échappé à la main destructrice de l'homme.

© IPAT PANAMA

Plaza Simon Bolivar à Chitré.

LA ARENA

Peu avant Chitré, vous ne pourrez pas manquer ce village pittoresque, célèbre pour ses céramiques aux motifs d'origine précolombienne. Avant de devenir un art décoratif, le travail de la terre glaise (céramiques, tuiles, etc.) faisait partie des activités quotidiennes des habitants. C'est en 1936 que fut créé le premier atelier artisanal. Aujourd'hui nombreux sont les vendeurs en bordure de route qui exposent leurs travaux colorés et attrayants. Les *tinajas* sont les pots qui servaient à l'origine pour conserver l'eau fraîche. Leur usage est aujourd'hui le plus souvent décoratif.

Transports

▶ **Les bus** peuvent se prendre au parc central de Chitré. Départs toutes les 10 minutes de 6h à 23h en semaine, 20h le samedi, 19h30 le dimanche, 0,30 $, 10 minutes.

▶ **Environ 2 $ en taxi** depuis le centre-ville de Chitré.

Pratique

■ **AUTORIDAD DE TURISMO DE PANAMÁ**
Sur la route principale,
à gauche en venant de Chitré
℡ +507 974 4532
Ouvert du lundi au samedi de 8h à 16h. Une salle d'exposition présente la culture et l'histoire de la province : habitat, fêtes, costumes, économie...

OCÚ

Ocú signifierait « barbe de maïs », en raison de l'abondance de cette céréale dans les environs. Ce village, situé à moins d'une heure à l'ouest de Chitré, est peu visité par les touristes, si ce n'est lors du festival du Manito (*de mano*, signifiant « poignée de main entre paysans »), qui s'y tient les ans fin août, durant quatre jours. C'est l'occasion d'en apprendre plus sur les coutumes passées grâce à diverses représentations : le semis de maïs, la récolte du riz, la junta de embarra (travaux communautaires), etc. A ne pas manquer, « La Boda Campesina », les noces fictives d'un couple de paysans mises en scène dans les rues du village. Un moment d'euphorie généralisée que tous les spectateurs sont invités à partager ! Egalement au programme, les concours de danse, de costumes, de chants et de musique... ainsi que le très attendu « Duelo del Tamarindo ».

Une aubaine, car elles constituent l'habitat naturel de nombreux crustacés et mammifères. Par ailleurs, la station biologique voisine Alejandro Humboldt est réputée comme poste d'observation des oiseaux. On peut y voir des espèces communes comme la grande aigrette (*Casmerodius albus*), le chevalier semi-palmé (*Catotrophorus semipalmatus*), le héron tricolore (*Egretta tricolor*), le gravelot semi-palmé (*Charadrius semipalmatus*), l'ani à bec lisse (*Crotophaga ani*), etc. On y distingue aussi des espèces de rapaces comme les cathartes aura, les buses de Harris, les faucons migrateurs et le balbuzard pêcheur. Parmi les oiseaux migrateurs les plus nombreux, figurent l'huîtrier d'Amérique, le pluvier argenté, le gravelot semi-palmé, le pluvier de Wilson, le bécassin à bec court ou « bécassin roux », le bécasseau sanderling, semi-palmé, d'Alaska ou minuscule, l'échasse américaine, la mouette atricille, la mouette de Franklin, la guifette noire et la sterne royale.

■ **REFUGIO DE VIDA SILVESTRE CENEGON DEL MANGLE**
Vous serez peut-être intéressé, à la hauteur de París, par le panneau indiquant cette autre zone protégée. La remise en état du site est progressive, ainsi que l'aménagement de sentiers. Les 1 000 hectares de terrain hébergeraient de très nombreux oiseaux migrateurs, ainsi que plusieurs variétés de mangroves et des piscines naturelles à l'eau alcaline.

« El Duelo del tamarindo »

Autrefois, les paysans et habitants des campagnes environnantes ne « descendaient » à Ocú que pour les fêtes de Santa Rosa. Ainsi, tous se retrouvaient avec bonheur ou presque… puisqu'il y a toujours des animosités entre voisins ! C'est alors que commençait la ruée sur la *chicha* (boisson alcoolisée à base de maïs fermenté). Et la fête démarrait vite, pour souvent se terminer en bagarre. On raconte que tout débutait gentiment, l'un asticotant l'autre, jusqu'à ce que les choses prennent une tournure bientôt tragique et que les deux parties se défient au sabre à l'ombre des tamariniers, jusqu'à la mort de l'un des protagonistes. De nos jours, un combat au sabre, heureusement fictif, est organisé à la tombée de la nuit. C'est le « duel du tamarinier ».

Transports

❭ **Les bus** arrivent ou partent du Parque Central. Toutes les 30 minutes. 45 minutes de trajet. 2,50 $. De Chitré, de 6h à 19h. De Ocú, de 4h à 17h. Depuis Santiago, bus toutes les 20 minutes, de 5h à 19h en semaine, de 6h à 21h le week-end. 2 $. Durée 40 minutes. Egalement 8 bus en provenance de Panamá de 7h à 17h.

Se loger

▨ **LA POSADA SAN SEBASTIÁN DE OCÚ**
Rue principale à 2 minutes du Parque central en direction de Santiago ✆ +507 6570 9659 *12 $ la chambre pour 2, avec salle de bains privée. Restaurant ouvert de 6h à 20h. Bar jusqu'à minuit (peut être bruyant en fin de semaine).* Un hôtel en pierre en forme de château médiéval avec deux tours décoratives, qui daterait de la fin des années 1940. Sept chambres assez basiques et un restaurant donnant sur un grand patio.

Se restaurer

▨ **RESTAURANTE PUNTO OCUEÑO**
Rue principale, face au Parque Central
Self-service à partir de 2,50 $ pour une assiette bien garnie, du petit déjeuner au dîner. Une plongée dans la vie locale. Souvent plein à l'heure du déjeuner.

À voir – À faire

▨ **ARTESANÍAS OCUEÑAS**
Route principale, à environ 1 km du centre
À 15 minutes à pied du centre. En bus direction Los Llanos (de 5h à 16h30), ou en taxi (1,25 $). La confection des vêtements panaméens typiques, le *montuno* pour les hommes ou la *pollera* pour les femmes, ainsi que du chapeau, *sombrero pintado*, a été pendant longtemps l'une des activités traditionnelles du peuple *ocueño.* Une activité qui demande des qualités de délicatesse et de finesse, et que vous pourrez observer dans cet atelier artisanal créé en 1994 par une vingtaine de femmes.

Détail d'une maison coloniale.

© PAT PANAMA

PROVINCES DE HERRERA ET LOS SANTOS

Province de Los Santos

LOS SANTOS

C'est le Río La Villa, coulant entre les deux provinces, qui sépare Chitré de Los Santos, situées à une dizaine de kilomètres l'une de l'autre. Avec ses allures de petite bourgade tranquille, Los Santos peut être fière de devenir, à plusieurs reprises dans l'année, le théâtre de manifestations reconnues à l'échelle nationale. Depuis 1944 s'y tient la Feria de Azuero, une foire qui depuis une vingtaine d'années s'emploie à se donner un caractère international en accueillant également des exposants étrangers : www.feriadeazuero.com – Tous les secteurs économiques y sont représentés : artisanat, agriculture, élevage, commerce et industrie, sans oublier les buvettes, les stands de nourriture typique, les concerts et les concours de Miss ! Ce « salon agricole » version panaméenne se déroule pendant quinze jours au mois d'avril.

▶ **La fête n'ayant pas de secret pour les Santeños,** nous vous conseillons plus particulièrement d'assister à la célébration du Corpus Christi. Les rues deviennent alors une véritable salle de spectacle en plein air ! Les acteurs des huit danses traditionnelles du Corpus Christi déambulent autour du Parque Central sous des masques aux motifs zoomorphiques et anthropomorphiques, destinés à éloigner les mauvais esprits et le diable. L'une des danses les plus réputées est celle des diablicos sucios, facilement repérable à la tenue noire et rouge rayée des danseurs. Rouge pour le feu de l'enfer, noir pour son côté obscur… A l'origine, ces couleurs étaient obtenues par des teintures naturelles, extraites respectivement du roucou (achiote) et du charbon. A force de gesticuler et de sauter dans tous les sens, les diables transpiraient, ce qui faisait couler les couleurs, et ils prenaient un aspect de plus en plus sale, d'où l'appellation de « petits diables sales ». Ces diables, de nos jours moins sales, armés de cornes de taureau pour cogner sur les mauvais esprits, poursuivent les spectateurs… Quant aux masques, ce sont tous des créations en papier mâché des artisans locaux, et les danseurs, uniquement des hommes. Une seule femme y participe, jouant le rôle de la Mamá Grandé dans la danse du Zaracundé qui symbolise la fuite des Noirs, victimes de maltraitance et d'esclavage, vers les montagnes.

Transports

▶ **Bus.** Les bus au départ de et pour Chitré (0,30 $ toutes les 10 minutes de 6h à 21h) s'arrêtent sur la place centrale. Pour les autres destinations, rendez-vous au terminal de Chitré, même s'il est toujours possible de prendre un bus pour Pedasí ou Las Tablas sur la route, à 5 minutes à pied du parc. 5 bus par jour de/vers Panamá de 8h30 à 15h30. Durée 4 heures pour 9,40 $.

Pratique

Les services suivants sont tous placés autour de la place Bolivar.

■ **BANCO NACIONAL DE PANAMÁ**
(Distributeur). Ouvert de 8h à 15h, le samedi de 9h à midi.

■ **FARMACIA HNOS MORENO**
Ouvert de 7h à 22h, le dimanche jusqu'à midi.

■ **POLICE**
✆ +507 966 8824

Se loger

■ **HÔTEL LA VILLA**
Barriada Don Marcel
panneau indicateur sur la route
en venant de Chitré
✆ +507 966 9321
✆ +507 966 8201
www.hotellavillapanama.com
info@hotellavillapanama.com

Clôtures vivantes

Les sols sont fertiles au Panamá. Vous remarquerez à la campagne que les clôtures sont bien verdoyantes… Ce ne sont au départ que des troncs ou branches coupées que l'on a enfoncé dans le sol, et où on a fixé des fils barbelés. Les troncs et branches repoussent naturellement offrant de véritables haies d'arbres en quelques semaines !

Corpus Christi, fête du Saint Sacrement (Fête-Dieu)

Avec la conquête du Nouveau Monde, les Espagnols importèrent nombre de croyances et coutumes religieuses. C'est au Mexique en 1521 que les conquérants, dans le but de convertir la population locale, encouragèrent les indigènes à participer aux fêtes instituées par l'Eglise catholique. Cette pratique se généralisa par la suite à l'ensemble de l'Amérique centrale et du Sud.

De nos jours, la fête de Corpus Christi, qui commémore l'institution du sacrement de l'eucharistie, continue à être célébrée avec ferveur à Los Santos, mêlant croyances catholiques et rites traditionnels. Elle se déroule 60 jours après Pâques, soit début juin.

34 chambres avec AC. 26,40 $ la double, 40 $ la triple, 55 $ la quadruple. Un peu isolé (700 m de la route de Chitré-Las Tablas) mais vous apprécierez les installations confortables, la piscine, le restaurant et le bar. Une très bonne adresse, parfaite pour se reposer.

▧ VOYAGER

Derrière l'église, face au parc Bolivar
✆ +507 6106 6952
✆ +507 966 6587
www.voyagerhostellossantos.es.tl
peraltany2@yahoo.com
7,50 $ le lit en dortoir, avec petit déjeuner continental. Internet, wi-fi, eau chaude, laverie, infos touristiques… La propriétaire, la charmante Guadalupe, a monté le premier hostel du pays, qui s'appelait également Voyager. Elle est partie au vert dans une vieille maison dans le centre de Los Santos. C'est très simple et roots mais l'accueil est toujours aussi agréable et aidant. Un grand jardin où gambadent les poules. Une projection de films est proposée en fin de semaine sur un grand écran et l'accès est ouvert aux habitants du village. Belle initiative.

Se restaurer

▧ LIBRERÍA Y REFRESQUERÍA YONELL

Parque Central,
à côté du palais municipal
✆ +507 966 8430
Ouvert du lundi au samedi de 7h à 21h. Une terrasse agréable, au cœur de la vie du village, où siroter une chicha accompagnée d'une *empanada*.

▧ PLANET CAFÉ INTERNET

Parque Central
À quelques mètres de Yonell. Sodas, cafés, batidos, empanadas et sandwichs à prix modique. Comptoir sympa avec des hauts tabourets à l'espagnol et photos du vieux Los Santos au mur. A l'arrière du café, les ordinateurs (accès de 9h à 21h, 0,60 $/h).

À voir – À faire

▧ ÉCOLE DE FOLKLORE « DORA PÉREZ DE ZÁRATE »

C/ José Vallarino
1er étage y Ave. Dr Sergio González Ruiz
✆ +507 966 8334
Cette école et centre d'études du folklore se propose de sauvegarder la musique, la danse et les traditions de son peuple. Une petite salle expose d'anciens instruments aratoires et objets qui faisaient partie de la vie quotidienne des agriculteurs. En allant y faire un tour, vous aurez peut-être la chance d'assister à une répétition.

▧ ÉGLISE

L'église de San Atanasio, achevée en 1773 et héritée de l'époque coloniale, a été déclarée monument national en 1938. Ses murs blancs mettent en valeur la richesse du retable de l'Immaculée Conception (1721) aux ornements or, rouge et bleu. Levez les yeux vers le plafond aux boiseries ouvragées.

▧ MUSEO DE LA NACIONALIDAD (MUSÉE DE LA NATIONALITÉ)

Parque Central
Ouvert de 9h20 à 16h, fermé dimanche et lundi. Entrée 1 $, enfant 0,25 $. Ce musée inauguré par le général Omar Torrijos a ouvert ses portes le 10 novembre 1974, jour anniversaire du « Cri de l'Indépendance ». Quartier général des libéraux pendant la guerre des Mille Jours, école publique, dépôt de sel ou maison privée, cet édifice, plus ancien que l'église, a eu plusieurs vies avant sa reconversion ! La tradition orale veut que ce soit entre ses murs qu'ait été proclamée en 1821 l'indépendance du Panamá par rapport à l'Espagne. Les collections, dont celle consacrée à l'histoire du mouvement indépendantiste, ou bien la reconstitution d'une cuisine typique d'Azuero, gagneraient à être quelque peu enrichies et accompagnées de légendes.

Cathédrale San Juan Bautista dans la province de Los Santos.

L'église Santo Domingo de Guzman dans la province de Los Santos.

▪ SITE ARCHÉOLOGIQUE
CERRO JUAN DIAZ
Vous entendrez certainement parler de ce site, qui, hélas, ne mérite pas vraiment le détour. La nature y a repris ses droits depuis que les fouilles ont été abandonnées, faute de moyens. Le projet d'excavation mené par l'institut Smithsonian et le National Geographic n'est plus à l'ordre du jour, même s'il paraîtrait que des études en laboratoire continuent…

GUARARÉ

Guararé est un joli village aux maisons colorées. Sous le porche qui court tout autour de ces accueillantes demeures traditionnelles en brique aux toits de tuiles, les Guarareños se réunissent pour converser ou se reposer. Mais chaque année au mois de septembre, à l'approche du festival de La Mejorana, une ferveur s'empare des habitants. Chacun se pare de sa plus majestueuse *pollera* ou revêt son plus beau *pintao*. Des gens accourent de tout le pays afin d'assister aux manifestations folkloriques et au défilé des chars, le dernier jour du festival. Aussi importante dans un orchestre que le violon ou les tambours, la mejorana est une petite guitare à la sonorité toute particulière.

Transports
Prendre un bus reliant Las Tablas (10 minutes) et Chitré (30 minutes) et demander à descendre à l'intersection pour le Parque Central. Depuis Las Tablas, bus La Enea (7 par jour de 6h à 18h30, 45 cents).

Se loger

▪ HÔTEL-RESTAURANT LA MEJORANA
Carretera Nacional ✆ +507 994 5796
✆ +507 994 5794
hotellamejorana@yahoo.com

20 $ la chambre simple ou double, 28 $ pour 2 lits séparés, 39 $ la triple. 23 chambres confortables avec eau chaude, AC, TV et téléphone. Restaurant ouvert tous les jours de 7h30 à 23h (petit déjeuner complet pour 3,50 $, plats entre 5 et 10 $).
Cadre agréable car un peu à l'écart de l'agitation des jours de fête (sinon, la ville est extrêmement tranquille). Bonne adresse.

À voir – À faire

▪ MUSEO MANUEL F. ZÁRATE
Ouvert du mardi au samedi de 9h20 à 16h. 1 $. Don Manuel F. Zárate (1899-1968), grand spécialiste du folklore, auquel il a consacré trois ouvrages, fut à l'origine du premier festival de La Mejorana en 1949. Le village de Guararé lui rend hommage dans ce musée ouvert en 1969 et que toute la population a aidé à construire. Vous y trouverez photos, masques, costumes et autres nombreux témoignages des festivals antérieurs.

LAS TABLAS

Sur la route qui vous conduit vers les plages et les îles du sud de la péninsule, vous pourrez vous arrêter dans cet accueillant village, réputé pour son carnaval qui débute le vendredi précédant le mercredi des Cendres. Cette tradition remonterait au XVIIe siècle. Les anciens parlent avec nostalgie de « leur » carnaval, qui n'attirait alors que les communautés voisines de Las Tablas, pour un rassemblement où l'on tournoyait autour de la reine, au son des violons et des tambours, jusqu'à ce que la nuit tombe et que les bougies illuminent le bal. De nos jours, cette tradition n'est plus l'apanage de Las Tablas seul ; elle s'est étendue à Penonomé, Pedasí, Los Santos, Chitré, La Chorrera…

La Reina del Festival
Le couronnement de la reine, que ce soit dans une discothèque, une fête de collège ou un festival, est une véritable institution au Panamá. Mais certaines élections nécessitent un sacrifice plus particulier de la part des participantes.
Dans le cas de la Mejorana, c'est à la fin du festival que l'on choisit la reine de l'année suivante et, si personne ne se présente, l'élection est repoussée. Etonnant dans ce pays où les jolies filles ne manquent pas. C'est que l'élue est celle qui réussit à réunir la plus grosse somme d'argent pour financer l'organisation des festivités. Et ce n'est pas si facile. Son rôle ne se limitera pas à cet apport puisque la demoiselle choisie présidera ensuite l'ensemble du festival. Vêtue d'une *pollera* différente à chacun des temps forts qui rythment la manifestation, elle sera tour à tour auditrice des concours de tambours, violons et chants, spectatrice des courses de taureau et active participante à l'*atolladera*. *Atollar* signifiant « s'embourber », elle devra, habillée de blanc, défiler dans une arène remplie de boue…

L'embarras du choix ! Et il n'est pas question de manquer le spectacle. Il est ainsi fréquent que les entreprises donnent congé à leurs employés pendant ces quatre jours de fête. Peu à peu, les orchestres ont été remplacés par des discothèques ambulantes et les traditionnels seaux d'eau dont les gens s'arrosaient gentiment sont devenus d'énormes citernes (*culecos*) du haut desquelles on arrose la foule à grands jets ! Ces mojaderas (du verbe *mojar*, « mouiller ») font partie des temps forts du carnaval, vous aurez tout intérêt à prévoir des vêtements légers et qui sèchent vite !
Et comme tout bon festival, les reines sont de la partie ! C'est vers les années 1950 que chaque rue a commencé à présenter sa propre reine, encourageant une compétition qui, à chaque carnaval, se fait de plus en plus féroce, particulièrement entre la Calle Arriba (rue haute) et la Calle Abajo (rue basse). Chaque rue se mesure à l'autre à coup d'orchestres (tunas), de reines aux costumes dignes du carnaval de río de Janeiro, de feux d'artifice, de pétards et de reggaetón… Quant au défilé des chars allégoriques, il donne aussi lieu à d'innombrables rivalités.

▌ **Dans un genre moins profane, ne manquez pas la Fête de Santa Librada.** Vers la troisième semaine de juillet, la ville rend hommage à sa sainte patronne. Au cœur de ces festivités, une journée (22 juillet) est consacrée au festival national de la Pollera. Une occasion supplémentaire d'admirer le travail fin et coloré des couturières locales !

Transports

Il n'y a pas de gare routière à proprement parler. Les bus s'arrêtent à différents endroits de la ville selon leur destination. Pour Pocri, Pedasí, Santo Domingo et San José, rendez-vous avenida Belisario Porras face à refresqueria Praga. Les bus pour Chitré stationnent environ 500m plus loin dans la même rue, vers la station-service. Ils passent dans la rue principale, à 2 cuadras du parc mais sont souvent pleins à cet endroit. Les bus pour Panamá sont en face du poste de police au terminal Coosvetras (durée 4 heures 30, 9,70 $), à 7 minutes du Parque Central. Pour Guararé et La Enea, vous les trouverez en face de la station Delta : Paseo Carlos L. López y Avenida Rogelio Gaez.

Pratique

◼ ANAM
A 2 km sur la route de Pedasí
✆ +507 994 7313 – +507 994 6676
Ouvert du lundi au vendredi de 9h à 16h.

◼ BANQUES
Nombreux distributeurs le long de l'avenue Belisario Porras et autour du Parque Central.

◼ CENTRO MÉDICO LOS SANTOS
Ave. Belisario Porras,
face à Texaco
✆ +507 994 7997
24h/24.

◼ CYBERWORLD
Ave. 8 de Noviembre,
à 50 m du Parque Central
✆ +507 923 1996
Ouvert en semaine de 9h à 22h, le week-end de 10h à 21h. 0,75 $/h.

◼ FARMACIA LAS TABLAS
A côté de l'église
✆ +507 994 6936
Ouvert de 8h à 21h, le dimanche jusqu'à midi.

◼ POLICE
Paseo Carlos L. López
✆ +507 994 6333

Se loger

À moins de réserver très à l'avance ou, mieux encore, d'une année sur l'autre, vous ne trouverez pas de logement pendant le carnaval. Même les maisons des particuliers sont louées. Il est cependant toujours possible de rencontrer une âme charitable qui vous propose un bout de jardin pour camper. Mais restez vigilants avec vos affaires !

◼ HÔTEL RESTAURANTE PIA MONTE (EX MANOLO)
Ave. Belisario Porras,
à 1,5 cuadras du Parque Central
✆ +507 923 1903 – +507 923 1603
hotelpiamonte@hotmail.com
Chambre simple 26,40 $, double 32,45 $, triple à 36,30 $. 29 chambres avec eau chaude, climatisation, TV. Internet. Restaurant ouvert tous les jours de 7h à 23h. Cuisine panaméenne autour de 2 $ le plat du jour en semaine ; soirs et week-end à la carte. L'hôtel récemment rénové est constitué des deux immeubles qui se font face, la rue au milieu. Une adresse propre et confortable.

◼ HÔTEL SOL DEL PACÍFICO
C/ Agustín Cano y J. Pablo Franco
✆ +507 994 1280
hsoldelpacifico@hotmail.com
46 chambres : simple ou double 30 $, triple 35 $ + 10 % de taxe. Eau chaude, AC, TV. Hôtel tranquille, à l'écart de l'artère principale.

Se restaurer

■ PANADERÍA PAN CALIENTE
Parque Central, à côté du musée
✆ +507 923 2100
Ouvert tous les jours de 6h à 22h. Pain, sandwiches, pastelitos de carne, desserts typiques (tres leches...), glaces, chichas savoureuses (avoine, riz et ananas) à moins de 50 cents.

■ RESTAURANTE LOS PORTALES
Ave. Belisario Porras, à 1 cuadra du parc
✆ +507 994 7908
Ouvert de 7h à 14-15h. Plat du jour entre 2,50 et 3,50 $. Notre adresse préférée, dans une belle maison plus que centenaire. Y venir tôt car l'endroit a du succès.

■ RESTAURANTE Y PIZZERIA EL CASERÓN
Ave. Moises Espino y Agustín Batista
✆ +507 994 6066
À 3 cuadras du parque central
Ouvert tous les jours de 7h à 23h. Petit déjeuner (œufs, pancakes...) à 3/4 $, soupes, ceviche 3,5 $, viandes et poissons entre 5 et 8 $. Egalement des lasagnes et des pizzas. Un lieux chaleureux avec une salle décorée de boiseries. Egalement une terrasse agréable, souvent prise d'assaut. Effort de présentation dans les plats. Une adresse tranquille et au service très correct.

■ RESTAURANTE Y REFRESQUERÍA PRAGA
Ave. Belisario Porras ✆ +507 994 6360
Ouvert de 8h à 19h. Fermé le dimanche. Sandwiches à partir de 1 $, tacos, sodas... Rien d'exceptionnel mais pratique quand on a un petit creux en attendant le bus pour Pedasí.

Sortir

■ BAMBÚ
À côté de l'église
Ouvert le soir. Cocktails à partir de 4 $. Plats à la carte autour de 8 $. Un des seuls endroits pour boire un verre dans le centre (en dehors des cantinas), un bar à cocktails au cadre agréable, avec une terrasse dominant le Parque central et une déco faite avec des bambous, on pouvait s'en douter !

À voir – À faire

■ ÉGLISE
L'église de Santa Librada, qui a terriblement souffert du tremblement de terre de 1802, a été par la suite reconstruite selon le schéma traditionnel des églises coloniales panaméennes. En 1950, un incendie lui a causé également de nombreux dommages... Malgré tout, son retable, qui serait doré à la feuille, continue d'impressionner fidèles et visiteurs, tout comme la procession des fêtes patronales fin juillet.

■ MUSEO DE BELISARIO PORRAS
Parque Central
✆ +507 994 6326
museobelisarioporras@hotmail.com
Ouvert de 9h20 à 16h, fermé le lundi. 1 $. Le musée rend hommage au président Belisario Porras, natif de Las Tablas. Toute sa vie y est retracée à grand renfort de photos et d'objets personnels : l'uniforme qu'il a porté à la convention de La Haye, décorations, mobilier, vêtements... Au centre de l'unique salle, on pourra voir le sarcophage dans lequel n'a pas encore été transportée sa dépouille.

Dr Belisario Porras (1856-1942)

Figure historique du Panamá, trois fois président de la République (1912-1916, 1918-1920, 1920-1924), ce natif de Las Tablas fut à la tête de la révolution libérale de l'Isthme en 1901 et s'opposa vivement à l'Acte séparatiste entre la Colombie et le Panamá. Ce fut le premier président à envisager la réforme du traité Hay-Bunau-Varilla, afin de favoriser la consultation des Panaméens sur le sujet du canal. Homme de nombreuses initiatives, Belisario Porras fut à l'origine de la construction du télégraphe, de l'organisation de l'instruction publique, de la construction du chemin de fer dans le Chiriquí, etc. Il participa activement à l'urbanisation de la capitale, en y faisant construire la place de Francia et les monuments dédiés à la mémoire de Vasco Nuñez de Balboa ou à Cervantes. Il décida également de la conversion de l'île de Coiba en pénitencier. S'essayant à la littérature, il laisse plusieurs témoignages de son époque (en espagnol uniquement). Ainsi, *El Orejano* retrace la vie quotidienne et les particularités des paysans de sa province natale, tandis que ses *Memorias de la Campaña del Istmo* racontent son expérience en tant que chef des libéraux durant la guerre des Mille Jours (1899-1902).

Autel de l'église de Santa Librada à Las Tablas.

■ EL PAUSÍLIPO

À la sortie de Las Tablas, comptez 4 $ pour l'aller-retour en taxi. Ouvert de 9h20 à 16h du mardi au dimanche. 1 $. L'ancienne demeure de Belisario Porras est aujourd'hui un musée. Son nom, d'origine grecque, signifie « silence » : le président aimait s'y retirer pour réfléchir, écrire et se reposer dans la plus grande tranquillité.

■ PLAYA LAS COMADRES

Il est bon de savoir que non loin de Las Tablas (8 km), se trouve une belle et longue plage facile d'accès. Vous pourrez y déjeuner dans le resto-rancho en haut de la plage, mais si vous souhaitez lézarder sur le sable, prévoyez un parasol ou de quoi vous abriter du soleil, car rien ne vous y fera de l'ombre !

■ SANTO DOMINGO

Le bus se prend devant la Farmacia Praga, toutes les 20 minutes en semaine de 6h à 19h, 13h le dimanche, au prix de 0,35 $ À 5 minutes en bus ou en taxi de Las Tablas en direction de Pedasí. La visite de ce village est vivement recommandée à ceux qui souhaitent rencontrer les brodeuses de pollera. N'hésitez pas à demander au chauffeur de bus de vous conduire chez l'une d'elles. Vous recevrez un accueil chaleureux de ces artistes, fières à juste titre de leurs ouvrages. Et vous serez à même de mieux apprécier la finesse de leurs dentelles

et broderies. Les polleras, qui peuvent atteindre des sommes astronomiques, sont vendues ou bien louées. Vous pouvez aussi pousser jusqu'à San José (15 minutes de trajet), également réputé pour ses couturières !

PEDASÍ

Ce gros village de pêcheurs est aussi le lieu de naissance de l'ex-présidente Mireya Moscoso et on ne vous permet pas de l'oublier. Dès l'arrivée, on est accueilli par un immense panneau avec sa photo en pied et par un petit square dont la plaque vous confirme que Pedasí est bien le berceau de la première femme présidente du pays (1999-2004). Enfin, son buste, inauguré le 21 août 2004 quelques jours avant la fin de son mandat, trône sur la place centrale devant l'église. Mais le village possède bien d'autres attraits, à commencer par ses jolies maisons traditionnelles. Point de départ idéal de nombreuses excursions, il vous réserve en outre de belles plages toutes proches, ainsi que des eaux propices à la plongée, à la pêche et au surf. Sans oublier l'incontournable Isla Iguana.

Transports

Les bus s'arrêtent dans la rue principale et tournent parfois dans la petite ville pour déposer ou prendre les gens.

▶ **Depuis Las Tablas,** bus toutes les 45 minutes de 6h30 à 19h. 45 minutes de trajet. 2,40 $.

▶ **Pedasí-Las Tablas :** de 6h à 17h.

▶ **Pedasí-Cañas :** 2 bus par jour, vers 7h et midi. 2,40 $, durée 1 heure 15.

Pratique

■ ANAM

℡ +507 995 2883
Ouvert de 9h à 16h, quand les agents ne sont pas en mission sur le terrain.

■ BANQUE BNP

Distributeur à l'entrée de la ville.

■ CENTRE DE SANTÉ

℡ +507 995 2127

■ LAVOMÁTICO

2 laveries : à la station-service Accel à l'entrée de la ville et à côté de l'ANAM.

■ MULTINET PEDASÍ

Calle Malvinas
Ouvert de 9h à 20h fermé dimanche matin. 0,75 $/h. Le local était à louer, il est donc possible

qu'un autre commerce remplace prochainement le cybercafé. Vous pouvez également tenter votre chance au Residencial Moscoso dans la rue principale (1$/h).

■ OFFICE DU TOURISME
À l'entrée de la ville
derrière le panneau de Mireya Moscoso
℃ +507 995 2339
Ouvert tous les jours de 9h à 16h. Pour des informations sur les excursions à faire dans les environs. Mise en contact avec les *lancheros* pour Isla Iguana.

■ POLICE
À l'entrée de la ville
℃ +507 995 2122 – +507 366 8824

Orientation

Pedasí bénéficie d'une excellente signalisation qui vous évitera de vous perdre. La plupart des restaurants et hôtels se trouve en bordure de la rue principale qui traverse le village. Le journal El Pedasíto distribué gratuitement dispose en général d'un plan actualisé de la ville et de ses établissements touristiques.

Se loger

Locations

Renseignez-vous auprès de Caroline de la boutique Artemania, elle a parfois un joli studio à louer, à la semaine ou au mois, juste derrière la boutique.

Bien et pas cher
Peu d'adresses abordables ici.

▷ **Il est possible de camper** sur les plages, en particulier sur celles de El Toro. Monsieur Arturo Cabeza et sa famille se feront un plaisir de vous inviter à planter votre tente ou installer votre hamac gratuitement, tout simplement pour partager de bons moments dans la simplicité, sur une plage, El Toro, encore sauvage (jusqu'à quand ?). Et pour vous rincer après la baignade, profitez du puit d'eau douce !

■ HOSPEDAJE FRANCISCA
Rue principale, maison sur la droite
en venant de Las Tablas
℃ +507 995 2773 – +507 995 2768
http://hfpedasi.com
info@hfpedasi.com
5 chambres le long d'un couloir. Salles de bains privées, AC, wi-fi. 35 $ + 10 $ par personne supplémentaire. Une auberge familiale dans une vieille maison bien restaurée. Central, bien équipé et propre.

■ HÔTEL RESIDENCIAL PEDASÍ
À l'entrée de la ville, en face de la BNP
℃ +507 6747 5363 – +507 995 2490
19 chambres. 30 $ la simple, 30/40 $ la double, 50$ la triple. AC, eau chaude et wi-fi. Propre et coloré, rénové récemment, on craque pour une sieste dans le hamac.

■ RESIDENCIAL MOSCOSO
Ave. Central
℃ +507 995 2203
Chambres avec AC et salle de bains privée : double 27,50 $, triple 40 $, quadruple 50 $. Chambres avec ventilateur : simple 10 $, double 15 $, salle de bains et toilettes partagées. Une adresse simple, propre et économique, bien tenue depuis de nombreuses années par la charmante Señora Esilda Moscoso.

Confort ou charme

■ DIM'S HOSTAL
Rue principale, en arrivant dans Pedasí
depuis Las Tablas
℃ +507 995 2303 – +507 6664 1900
www.amarillasinternet.com/dimshostal
mirely@iname.com
9 chambres. Chambre simple 30 $, personne supplémentaire à 15 $ + 10 %. Petit déjeuner inclus. Chacune des chambres peut accueillir 4 personnes. Eau chaude, AC, TV câblée, wi-fi. Vélo à disposition. Charmant hôtel tenu depuis 1990 par Mirna Batista. Le cadre est agréable avec un jardin où se trouve un rancho accueillant autour d'un arbre, et des hamacs. C'est là que l'on prend le petit déjeuner sous forme de buffet. Vous pouvez aussi y pique-niquer mais Mirna peut également vous concocter un dîner pour 10-12 $. Vente des créations artisanales de la patronne, sacs, maillots de bain et bonnets au crochet… Des tours peuvent être organisés aux îles Iguana et Cañas.

■ DOÑA MARÍA BED AND BREAKFAST
Rue principale,
à l'entrée de la ville, sur la gauche
℃ +507 995 2916
℃ +507 6507 8772
www.hostaldonamaria.com
hostaldonamaria@hotmail.com
6 chambres à l'étage d'une maison familiale. Simple 40/50 $, double 55/65 $, triple 70/80 $. Petit déjeuner inclus. AC, eau chaude, TV, Internet. Un Bed and Breakfast récent et bien tenu, par la Sra María. Chambres propres et confortables. A l'arrière, une grande terrasse au rez-de-chaussée, et un jardin où se trouve un rancho avec des hamacs et un barbecue.

■ PEDASI SPORT CLUB

En face de la police nationale,
à l'entrée de la ville
✆ +507 6684 7244
www.pedasisportsclub.biz
*55 $ pour 1 personne avec petit déjeuner, 66 $
pour 2, 77 $ pour 3... Restaurant ouvert de
7h30 à 10h et de 16h à 22h.* Un mini-complexe
à l'entrée de la ville, parfait pour les pêcheurs,
plongeurs et autres amants de l'océan. Les
chambres sont grandes, propres et confortables.
Le restaurant sous un rancho est tenu par un
couple de Slovaques qui ont vécu un peu partout
en Europe et proposent des plats internationaux,
avec bien évidemment du goulasch (autour
de 7 $). Une grande piscine accueillante est
ouverte aux clients de l'hôtel, comme à ceux du
restaurant. Des tours de pêche, de plongée ou de
kayak sont organisés, c'est d'ailleurs le gros de
l'activité du complexe. Egalement une boutique
d'accessoires de pêche et plongée.

⚡ LA ROSA DE LOS VIENTOS

À 5 minutes à pied de Playa El Toro
✆ +507 6530 4939 – +507 6778 0627
www.bedandbreakfastpedasi.com
info@bedandbreakfastpedasi.com
Site web en français
*44 $ pour 2, 55 $ pour 3. 5 $ pour un petit
déjeuner complet. 3 chambres avec salle de
bains et eau chaude. Capacité maximum 10 personnes. Wi-fi.* Isabelle et Robert, un couple
vraiment adorable, d'origine suisse francophone
et arménienne, vous accueillent dans une belle
maison à 5 minutes de Playa El Toro. C'est le
seul établissement de Pedasí avec vue sur
l'océan. C'est aussi le seul qui n'a pas la télé
et la clim (la maison est construite pour s'en
passer), ce qui ne retire rien au confort, bien
au contraire ! Cadre des plus reposants, loin de
la ville, de la pollution sonore et visuelle, dans
une atmosphère paisible avec un joli jardin et
des chambres confortables et lumineuses.
A 1,5 km de Pedasí (20 minutes à pied ou
2,50 $ en taxi). Prêt de vélos.

Luxe

⚡ CASA DE CAMPO

À l'entrée de la ville
dans la rue principale
✆ +507 6780 5280 – +507 995 2733
www.casacampopedasi.com
contact@casacampopedasi.com
*5 chambres à 93,50 $, 110 $ ou 137,50 $ la
Master Suite. Petit déjeuner complet inclus.
Dîner sur réservation.* Une maison mêlant architecture traditionnelle et décoration artistique

contemporaine. Chaque chambre a son propre
caractère et on s'y sent presque comme à la
maison. L'ensemble est spacieux et convivial.
Une piscine et un grand jardin tropical pour
vous relaxer. Vos hôtes sont un jeune couple
de Panaméens très attentionné. Un excellent
choix !

■ POSADA LOS DESTILADEROS

Playa Los Destiladeros,
à quelques kilomètres de Pedasí
✆ +507 995 2771
✆ +507 6673-9262
www.panamabambu.net
panamabambu@hotmail.com
*De 60 à 200 $ la nuit. Les cartes bancaires ne
sont pas acceptées.* 15 bungalows aménagés
au cœur d'un magnifique terrain arboré aux
essences tropicales, donnant directement sur
une plage sablonneuse. Possibilité de dîner sur
place (25 $). Piscine.

■ VILLA CAMILLA

Playa de los Destiladores
✆ +507 994 3100
www.azueros.com
villacamilla@azueros.com
*Les chambres 225/300 $ (basse/haute saison),
supérieures 250/350 $, Hibiscus 325/450 $.*
L'un des hôtels-boutiques les plus exclusifs
du pays, dessiné par Gilles Saint-Gilles. Un
havre de paix et de confort, sur les hauteurs,
face à l'océan.

Se restaurer

Pause gourmande

■ MAUDY'S CAFÉ

Angle rue principale et Calle Policia
✆ +507 6700 8497
✆ +507 6030 7722
Ouvert de 7h30 à 18h (20h en été). Wi-fi. Un
petit local avec deux ou trois tables très sympa,
tenu par Maudy, une jeune Hollandaise qui vit
au Panamá depuis quelques années. Café, thé,
capuccino, mocaccino, jus de fruits naturels mais
surtout une quinzaine de sortes de smoothies
(de 2,25 à 3,50 $). Les prix restent légers pour
que tout le monde puisse en profiter. Un bon
endroit pour prendre son petit déjeuner.

■ THE BAKERY

Rue principale,
entre Casa de Campo et Dim's Hostal
✆ +507 995 2878
thebakery@darna.com.pa
Ouvert tous les jours dès 7h. Cette boulangerie
a ouvert le jour de notre passage ! Elle est tenue

par une Israélienne qui gère également plusieurs boulangeries dans la capitale. Du pain artisanal (entre 3 et 5 $ la livre), des croissants (1 $ l'unité), des jus de fruits et *batidos*, mais aussi des petits déjeuners panaméens ou américains de 2,75 à 4,50 $ et des plats panaméens classiques (poulet, riz, lentilles, plantain) autour de 3,50 $. Salle ou terrasse.

Bien et pas cher

✔ DULCERÍA YELY
Rue O. Reluz à côté
de la rue principale
✆ +507 995 2205
Ouvert tous les jours de 8h30 à 21h. Vente à emporter ou sur place dans une salle dont les murs sont couverts de photos de reines de carnaval, de surfeurs, pêcheurs, d'amis et de l'incontournable Mireya. Gâteaux à la carotte, aux noix, aux amandes, à la pomme… ou flans caseros autour de 0,50 $ la part. Côté salé, hamburger (2 $), *empanadas* et sandwiches maison, poulet ou viande. Tout y est délicieux. Quant aux jus (0,40 $), ils sont tous naturels. Goûtez la spécialité, la *chicheme* (maïs et lait). Dalila, la propriétaire et cuisinière septuagénaire, jouit d'une renommée certaine. Cette dame charmante fait elle-même tous ses gâteaux ! Elle aime à dire que son secret tient plutôt au fait qu'elle retire des ingrédients à ses recettes plutôt qu'elle n'en ajoute ! Son gâteau à la pomme est à la pomme, s'il est aux carottes, il est aux carottes… et non à la cannelle. Vous n'en saurez pas plus !

✔ PASTA E VINO
Descendre sur 4 cuadras
la rue Las Tablas depuis Parque Central
✆ +507 6695 2689
Ouvert du mercredi au dimanche de 18h à 22h. Un restaurant italien très agréable avec une salle bien décorée et une petite terrasse extérieure. Elena et Danilo proposent quatre ou cinq plats du jour (pâtes, lasagnes, salades méditerranéennes, ceviche…) pour 5 $ et deux ou trois desserts du jour à 3 $. Verre de vin autour de 2,50 $, bière nationale 1 $, café 1,25 $. Les plats sont fins et l'attention très bonne de la part de ce jeune couple originaire du lac de Garde.

▪ REFRESQUERÍA GILLSY
Route principale
✆ +507 995 2229
Ouvert de 14h à 22h. Hamburgers, hot dogs, glaces et pâtisseries maison… Utile pour les petites faims quand il est tard.

▪ RESTAURANTE TIESTO
Face au Parque Central
✆ +507 995 2812
Ouvert tous les jours de 14h à 22h. Restaurant aéré et doté d'une terrasse faisant face à la place du village très agréable. Spécialités de pizzas (végétarienne, thon tout frais pêché… autour de 7 $ pour la taille moyenne), tacos (1 à 1,50 $) et d'un vaste choix de chichas et batidos. Un très bon rapport qualité/prix.

▪ SMILEY'S
Dans la rue principale,
peu après la station-service
✆ +507 995 2863
Ouvert de 6h à 23h, fermé le mercredi. Petits déjeuners panaméens et américains entre 3,50 et 6 $, déjeuners ou sandwiches autour de 4 à 5 $, dîner autour de 4 à 10 $. Wi-fi. Le restaurant ouvert sur l'extérieur est tenu par un couple américano-panaméen et la cuisine est un mélange des deux influences. Des petits déjeuners copieux, des déjeuners simples (hamburgers, sandwiches avec frites, hot dog, *sancocho*…), et dîner en général un peu plus élaboré (lasagne aux brocolis, ailes de poulet piquantes au four…). Barbecues le dimanche et concert de blues rock le mardi et vendredi. Accueil sympa comme un smiley :).

Bonnes tables

▪ PEDASITO CAFÉ & LODGE
Calle A. Moscoso,
à côté de Macarequeños 2
✆ +507 995 2121
www.pedasito.com
pedasitipanama@gmail.com
Restaurant ouvert tous les jours de 8h à 23h. Plats à la carte autour de 7-10 $. Chambres doubles donnant dans le jardin de 90 $ en basse saison à 130 $ en haute saison. 4 chambres doubles plus petites de 50 à 70 $. La petite piscine n'est accessible qu'aux clients des chambres les plus chères. Wi-fi. C'est surtout du café-restaurant dont on nous a parlé, mais les dix chambres de l'hôtel adjacent sont très agréables et représentent une option supplémentaire en ville dans la catégorie confort et charme avec une déco soignée et des équipements de qualité. Le restaurant dispose d'une salle avec un bar et d'une terrasse donnant dans une rue calme. Il propose une cuisine internationale de qualité, avec un plat du jour autour de 5 $ à midi et des plats à la carte le soir, essentiellement poissons ou fruits de mer. Chaque vendredi soir, une spécialité d'un pays.

■ RESTAURANTE EL PATIO

2 cuadras au sud du Parque Central via Las Tablas, puis 2 cuadras à l'ouest
℡ +507 6678 3701
Ouvert de midi à 15h et de 18h à 22h. Fermé le dimanche soir. Plats de poissons ou paella autour de 8-10 $ par personne. Un restaurant espagnol très apprécié des étrangers de Pédasi. Salle climatisée.

À voir – À faire

■ ISLA IGUANA

Accès en lancha entre 60 et 80 $ pour le groupe (en 2011 ; se renseigner à l'office du tourisme ou à la station-service Accel pour l'actualité des tarifs et la mise en contact avec un lanchero). Entrée 10 $ par personne. Camping 10 $ par jour par personne. Un site idéal pour observer la migration des oiseaux marins qui se dirigent vers le nord, en novembre et décembre, et les baleines entre juillet et octobre ; pour compter les 5 000 frégates qui y vivent ; pour s'y baigner dans une eau corallienne qui héberge une multitude de petits poissons colorés et un peu plus au large des dauphins ; pour y camper et admirer les lucioles qui animent les nuits de cette île déserte. Cette île est une zone protégée depuis 1981. Pour y accéder, tâchez de constituer un petit groupe afin de partager les frais pour le bateau et le combustible. Mais attention à la saison sèche, les vents forts rendent la traversée parfois tumultueuse.
Les meilleurs sites de plongée avec masque et tuba, les sentiers balisés, les espèces protégées, tout vous sera indiqué au nouveau Centre de visiteurs de l'île. Il s'agit d'ailleurs de l'unique service sur place, aussi est-il impératif d'emporter de l'eau et des victuailles. Environ 16 hectares de corail borderaient Isla Iguana. Toutefois, à l'époque de la présence américaine, les soldats qui y faisaient des essais d'explosifs en auraient détruit beaucoup, mais la situation s'améliore aujourd'hui. Pour en savoir plus, consultez le site www.islaiguana.com.

■ PLAGES

De septembre à novembre, vous aurez peut-être la chance d'observer les tortues de passage et, entre juillet et octobre, ce sont les baleines qui viennent se reproduire… Les dauphins sont également de la partie ! La plage encore préservée d'El Toro est à environ 3 km à l'est de la ville, accessible à pied (30 minutes) ou en taxi (3 $). Il y a un bar-resto pour boire un verre après de longues promenades sur la plage. Vous pouvez aussi saluer Arturo Cabeza dit « El Mentao » ou « le Chaman de la Costa », qui vit sur la plage et peut vous offrir une nuit en hamac. Cette figure de Pedasí nettoie et tente de protéger la plage comme il peut, une belle rencontre vous attend ! Il se bat pour que sa plage ne subisse pas le même sort que La Garita, juste à côté, où un important complexe avec villas était en construction lors de notre passage… El Bajadero est un peu plus loin au nord (même tarif en taxi). Pour La Arenal, prendre la route qui passe devant l'office du tourisme (CEFATI) sur 3 km. Il y a également un petit resto de plage.

■ SURF

El Toro est une des seules plages du pays qui soient surfables en hiver (droites et gauches à marée moyenne en hiver) et en plus l'eau y est plus chaude ! Playa La Garita est idéale à marée haute.

Sports – Détente – Loisirs

■ PANAFISHING ADVENTURES

www.panadventure.com
Installé depuis quelques années dans la région, Pascal Artieda est un spécialiste français de la pêche sportive qui peut vous organiser des excursions en mer sur l'un de ses bateaux à double motorisation. Consultez son site Web, un avant-goût de ce qui évolue dans les profondeurs panaméennes.

© IPAT PANAMA

Plage d'Isla Iguana.

Shopping

▨ ABERNATHY

À 3 cuadras au sud de la place,
une maison colorée ✆ +507 995 2779
www.panamafishing.com.pa
info@abernathy.com.pa
*Ouvert mardi, jeudi, samedi de 8h à 13h et de
14h à 17h, dimanche, mercredi et vendredi de
8h à 16h. Fermé le lundi.* Vente de matériel et
d'équipements de pêche.

▨ ARTEMANIA

Parque Central ✆ +507 995 2928
✆ +507 6915 2421
artemania24@hotmail.com
Ouvert tous les jours en principe. Une jolie
maison de 1944, très bien restaurée, ouverte sur
le Parque Central, offre un bon choix de bijoux
originaux, des molas et de magnifiques masques
à prix raisonnables. Des toiles de peintres latino-
américains sont également exposées. N'hésitez
pas à discuter avec Caroline, une des premières
Françaises installées dans la région, captivée
par les vagues de la péninsule…

▨ PUCHA'S

À côté de la station-service,
à l'entrée de Pedasí ✆ +507 6672 1502
www.puchagarcia.com.pa
puchasurf@gmail.com
Ouvert de 8h à 17h du mardi au dimanche. La
boutique de Sonia « Pucha » García, dix fois
championne de surf du Panamá ! Vous pourrez
voir des trophées dans la boutique et acheter
des tasses avec le nom de la jolie surfeuse.
Du surfwear, des maillots, des lunettes, des
accessoires de surf… Location de planches
(20 $ par jour), de masques et tubas, et de
vélo (9 $ par jour).

PLAYA VENADO

Située à une demi-heure de Pedasí, cette plage
est un paradis pour les surfeurs. On les voit
toujours en groupes, à l'eau ou guettant la houle
à toutes les saisons. Venado fait partie, avec
Santa Catalina, de ces joyaux naturels qui font
le bonheur des passionnés de glisse. Les vagues
sont les plus belles à marée montante, des
gauches et des droites. Preuve de son potentiel,
le championnat du monde y a été organisé en
juin 2011, ce qui semble avoir bien boosté les
travaux pour développer les infrastructures
touristiques de la plage.
Ceux qui connaissaient cette petite guinguette
où l'on mangeait du poisson frit et où l'on pouvait
passer la nuit dans un hamac seul face à l'océan

risquent d'être un peu surpris. D'élégants hôtels
se sont installés en bord de plage depuis peu et
un groupe d'investisseurs israéliens a acheté
presque tous les terrains restants pour en faire
des resorts et lotissements. Le point positif est
que la plage est nettoyée quotidiennement et
que ceux qui recherchent le confort trouveront
tout ce qu'ils souhaitent. Pour l'authenticité et
l'esprit *wild surf*, il faut désormais pousser un
peu plus loin sur la côte.

Transports

▸ **En bus :** prenez un bus pour Cañas, demandez
au chauffeur de vous laisser à la plage ou à
l'hôtel que vous aurez choisi.

▸ **En taxi,** compter 24 $ depuis Pedasí (en
2011).

Pratique

▨ MINI-SUPER OASIS

Derrière El Sitio
Ouvert tous les jours de 8h à 18h30. Une épicerie où
l'on trouve tout pour survivre à Venao. Victuailles,
tentes, crèmes solaires, antimoustiques, piles,
cigarettes, bières, aspirines… Egalement une
laverie (5 $) et un cyber (1,50 $/h). Marcia, la
jeune gérante, parle un français parfait.

Se loger

Bien et pas cher

🏄 ECO VENAO

Peu après l'entrée de Playa Venao
✆ +507 832 0530 – www.ecovenao.com
stay@ecovenao.com
*Camping 5 $ par personne, lit en dortoir 10 $,
chambre 25/30 $ pour 2, 40/50 $ pour 4.
Cuisine, wi-fi. Location de maisonnettes de
40 $ pour 2, à 200/300 $ pour 8 (tarifs variables
selon la saison et le jour de la semaine). Le
restaurant sous un grand rancho offre des
ingrédients naturels et du poisson frais (plat
du jour 3,50 $, plats végétariens autour de
7 $, paella de 12 à 15 $).* Un coup de cœur !
Un lodge démocratique au niveau des tarifs,
ce qui ne fait rien perdre à la qualité et à la
tranquilité du site. Les propriétaires possèdent
une véritable philosophie écologique, avec un
projet de reforestation et de conservation de
la faune et flore des environs. L'équipe est
amicale et toujours aux petits soins. On dort
bercé par les sons de la nature, on voit de près
les singes en liberté, on respire… La plage est
toute proche et il est possible de faire du yoga
et des balades à cheval. Une réussite qui fait
l'unanimité !

HOSTAL LA CHOZA

À 100 m de la plage derrière El Sitio
☎ +507 832 1010
www.lachozapv.com
lachozapv@gmail.com
15 $ en dortoir, chambre double salle de bains partagée 40 $ ou 55 $ avec AC. Un hostel adoré des surfeurs, dans une maison au style rustique à 100m de la plage. Les chambres et dortoirs sont un peu sombres mais propres. Hamacs, cuisine ouverte sous un rancho, épicerie juste à côté. Un lieu agréable.

Confort ou charme

EL CIRUELO

Sereia do Mar ☎ +507 6524 9421
www.sereiadomar.net
neni_panama@hotmail.com
4 chambres pour 2 ou 4 personnes avec salle de bains, eau chaude, AC, 80 $ pour 2 (11 $ par personne supplémentaire), petit déjeuner inclus. Vous seront proposés : cours de yoga, balades à cheval, excursions vers Isla Iguana ou Isla de Cañas et pêche. Le tout dans un cadre plus qu'agréable ! Une très bonne attention de la part de vos hôtes.

EL SITIO

Devant la plage ☎ +507 832 1010
www.elsitiohotel.com
elsitiopv@gmail.com
14 chambres pour 2 ou 4 personnes, de 90 à 165 $. Wi-fi. Organisation de cours de surf, de tours… Restaurant ouvert tous les jours, jusque tard. Un hôtel-restaurant qui a un peu métamorphosé le paysage de Playa Venao. Le resto est très agréable sous un grand rancho, avec des banquettes confortables et de la musique lounge, et bien sûr la vue sur l'océan. Les plats simples (hamburgers, ceviche…) coûtent dès les 8 $ minimum. Des soirées dansantes le samedi soir, avec des DJ's electro renommés sur la place panaméenne. Quant à l'hôtel, il a été construit autour de containers maritimes ! Le résultat après camouflage est plutôt une réussite. Les chambres sont modernes et confortables, et les plus chères ont une vue imprenable sur l'océan. Enfin, si les vagues vous font peur, une petite piscine vous attend !

PLAYITA RESORT

Peu avant Playa Venado
☎ +507 996 6727 – +507 6615 3898
www.playitaresort.com
Des cabañas au milieu de la nature à partir de 88 $ pour 2 personnes (petit déjeuner gratuit pour les séjours de plus de 3 nuits). Agrémenté d'un petit parc, de quelques sentiers pour arpenter la forêt tropicale humide et d'une plage attrayante où observer les poissons (5 $ l'accès pour ceux qui ne sont pas de l'hôtel), l'endroit est plus que reposant. Si vous désirez pêcher, des embarcations sont à louer.

Luxe

VILLA MARINA

☎ +507 263 6555 – +507 832 5044
www.villamarinapanama.com
villamarina@viajesgloriamendez.com
9 chambres pour deux avec petit déjeuner 154 $ en basse saison, 192,50 $ en haute saison. Réservation par l'agence Gloria Mendez basée à Panamá. Service de restauration à midi et le soir, compter autour de 18 $ le repas avec entrée, plat, dessert. Des excursions sont proposées dans les environs. Un cadre exceptionnel face à l'océan, un peu à l'écart des autres hôtels de Playa Venao ; une piscine en pierres magnifiques au milieu d'un jardin plein de palmiers ; des chambres tout confort et enfin un service attentionné. Un lieu idéal pour se reposer.

Shopping

SURF SHOP EL SITIO

À côté du restaurant
Ouvert tous les jours. L'un des rares surf shops de la région, pour trouver un équipement à la hauteur de la force de la vague de Venao et du surfwear de qualité. Location de planches 20 $ la journée, 5 $ l'heure.

CAÑAS ET ISLA DE CAÑAS

Isla Cañas se trouve à proximité du village de Cañas, juste en face. Le trajet pour l'île, en particulier à marée basse, est à lui seul une véritable épopée pour celui qui désire s'y rendre seul. Un effort largement récompensé puisque c'est sur ces plages de sable noir que les tortues viennent pondre leurs œufs entre juillet et décembre. Il arrive que plus de 10 000 tortues débarquent en une seule nuit, en général vers les mois d'octobre et novembre, mais vous pouvez en voir dès le mois d'avril. Dotée d'un centre de santé, d'un téléphone public, d'une école et d'un poste ANAM, Isla de Cañas compte environ 800 habitants. Les principaux points d'intérêts de l'île et de Cañas sont la pêche, l'observation des tortues, le surf (une grosse vague à Cañas réservée aux surfers confirmés) et l'exploration des mangroves en *paddle board* et kayak.

Transports

L'accès à l'île se fait en plusieurs étapes. Il faut déjà rejoindre le village de Cañas.

▌ **Bus.** Deux routes : de Las Tablas, prendre un bus direction Tonosí (1 heure 20 de trajet, voir cette localité), puis rejoindre le village de Cañas (2 bus par jour, horaires pas très réguliers). Le plus simple est de passer par Pedasí. 2 bus par jour pour Cañas (vers 7h et midi) + 1 bus par jour Las Tablas-Cañas (horaires variables et il peut être plein). 2,40 $ pour Cañas depuis Pedasí et un peu plus si le bus vous emmène jusqu'au *puerto*. S'il ne peut pas, prendre un taxi de Cañas. Comptez au total environ 1 heure 15 depuis Pedasí. Les horaires des bus étant sujets à changements, renseignez-vous surtout pour les retours !

▌ **Taxi.** De Pedasí au port de Cañas, environ 30 $.

▌ **Voiture.** De Pedasí, suivre la route principale jusqu'au village de Cañas. Il faut le traverser et passer le quartier d'Ojo de Agua (panneau), la piste menant au « port » est sur la gauche (environ 20 minutes de Cañas). Soyez attentif, il faut tourner au petit abri de bus vétuste. Attention aux nids-de-poule. Continuez jusqu'au bout.

▌ **Au port de Cañas** (ne vous attendez pas à trouver un vrai port, il s'agit juste de l'endroit où la route s'arrête devant l'embouchure menant à Isla de Cañas). Soit vous avez de la chance, la marée est haute et dans ce cas vous sonnez la cloche pour qu'un bateau vienne vous chercher (en principe, on vous entendra depuis l'île). Soit la marée est basse et vous commencez à marcher dans les marécages en suivant le cours de l'eau, jusqu'à ce que vous aperceviez l'île en face (faites alors des signes pour que quelqu'un vienne vous chercher !). Nous vous conseillons vivement de vous faire accompagner par quelqu'un qui saura vous montrer le chemin car, avec la marée montante, vous risquez de vous retrouver au milieu des mangroves, seul, bloqué avec de l'eau jusqu'aux genoux ! Mieux vaut donc porter un short et des sandales faciles à ôter pour marcher pieds nus. N'oubliez pas l'anti-moustique ! Toute une aventure, dont vous vous souviendrez ! En barque, il faut 8 minutes pour rejoindre l'île depuis le port. Prix variables selon la marée, comptez 1 $.

Se loger

Sur l'île, vous accosterez devant un *rancho*, l'unique petit resto du coin. Ne vous attendez pas à de la grande cuisine, l'approvisionnement

Refuge de vie sylvestre Isla de Cañas

Près de 26 000 ha de zones côtières, mangroves et estuaires composent cette zone protégée depuis 1994. En font également partie les 14 km de plage où cinq des sept espèces de tortues marines existantes au monde viennent chaque année déposer leurs œufs. Avec un peu de chance, vous pourrez donc observer les tortues Carey, Caguama, Vertes, Baula et Lora.

Bien qu'il soit formellement interdit de ramasser leurs œufs, certains ne se gênent pas ! C'est que ces œufs, mangés crus ou bouillis, sont particulièrement demandés et appréciés dans les *cantinas* !

n'est pas aisé (nous vous conseillons même d'emporter quelques provisions et de l'eau). Fernando Domingez, le propriétaire, fera tout pour vous aider et pourra vous proposer le gîte dans l'une de ses *cabañas* pour 10 $. Vous pouvez aussi demander à voir José « Polocho » Rios qui offre des chambres pour 5 à 10 $. Mais ceux qui tiennent à leur confort devront s'abstenir. Cependant, si vous avez une tente, la plage est à vous (ou presque : ne dérangez pas les tortues avec vos lampes !).

À voir – À faire

▌ **Observation des tortues.** Fernando (toujours lui !) vous mettra en relation avec l'un des guides locaux. Autour de 10 $ pour 1 ou 4 personnes (un peu plus si vous voulez vous déplacer en charrette !). Nous vous rappelons que les tortues sont une espèce menacée et en voie d'extinction. Aussi est-il impératif de respecter quelques règles essentielles pour éviter de les déranger quand elles pondent (porter des lunettes infrarouges et des vêtements noirs, rester immobile lors de la ponte, etc.). Il est plus qu'indispensable de se faire accompagner d'un guide qui saura vous fournir les informations adéquates.

▌ **Le site d'El Cowboy** représente un joli but de promenade pour l'observation des oiseaux et des *lagartos* (petits crocodiles) ; comptez minimum 20 $ et 1 heure de trajet.

▌ **Pour Casa de Piedra (une grotte) et El Indio** (site archéologique avec des vestiges d'orfèvrerie précolombiennes), comptez 30 à 50 $ pour 2 heures, à partager entre les passagers du bateau pouvant contenir jusqu'à 20 personnes.

© IPAT PANAMA

Sports – Détente – Loisirs

⚡ ISLA CAÑAS MARINA
Vía el Puerto de Cañas
✆ +507 6980 0110
✆ +507 6673 7472
✆ +507 215 2994
www.islacañasmarina.com
frederic@icmarina.net – info@icmarina.net
Tours guidés de 3 heures à 4 heures en kayak dans la mangrove autour de 45 $ par personne.
Frédéric et Anna Lacoste ont des projets plein la tête. Ce sympathique couple de marins, arrivé il y a quelques années sur les côtes pana-méennes, vous propose un ensemble d'activités diverses et variées pour découvrir Isla Cañas et ses environs : en kayak, en *lancha* ou, plus original, en *paddle surf* (on rame debout ou à genoux sur un long surf très stable, au milieu des mangroves. On peut aussi surfer dans les vagues avec). Frédéric peut aussi vous emmener voir les tortues la nuit, à la pêche, ou vous montrer un spot de surf méconnu qui s'adresse aux surfeurs confirmés dans la passe de Caña (des gauches impressionnantes à marée basse). Un projet de marina et de villas est en cours. Ces dernières bénéficieront d'un site panoramique exceptionnel, dominant toute la baie. A suivre…

TONOSÍ

Ses habitants se considèrent comme *el pueblo más olvidado de la República* (« le village le plus oublié de la République »). Tonosí semble en effet oublié de tous et surtout des politi-ques… Le tourisme n'y est pas encore très développé mais cela devrait commencer avec les travaux d'amélioration des routes qui étaient en cours en 2011, car la localité est le passage obligé pour les plages de Guánico, Cambutal et Horcones. Vous trouverez les principaux services autour du parc central : BNP (sans distributeur), pharmacies, *comedores*, une supérette… C'est également de là que vont et viennent les bus.
La vie est rythmée par les activités agricoles, élevage et travaux des champs. Le soir, les très nombreuses *cantinas* s'animent… Ceux qui ont le temps ou qui aiment les longs voyages en bus auront plaisir à se plonger dans cet univers. Le paysage est vallonné, mais surtout magnifiquement verdoyant en hiver.

Transports

▶ **Bus de/vers Las Tablas :** 9 bus par jour de 8h à 17h30 depuis Las Tablas (toutes les 1 ou 2 heures). De Tonosí vers Las Tablas, idem mais de 6h à 16h. 1 heure 20 de trajet, 3,60 $.

▶ **2 bus par jour vers Cañas,** vers 6h30 et fin d'après-midi (horaires variables).

Pratique

▪ **ANAM**
✆ +595 995 8180
www.anam.gob.pa
Pour des informations sur l'accès au parc national Cerro Hoya par exemple.

PLAYA GUÁNICO

Situé à 16 km de Tonosí, c'est le pays de l'iguane vert que vous croiserez certainement sur votre chemin. Retiré et pas très accessible (bus depuis

Tonosí), ce petit coin de paradis est surprenant de tranquillité et très apprécié des surfers. Un petit restaurant vous attend pour manger du poisson. De septembre à octobre, son propriétaire propose un tour en *lancha* pour aller voir les tortues sur la plage de La Marinera. Vous pouvez également camper gratuitement et avoir accès à la douche et aux toilettes du rancho.

CAMBUTAL

Cette côte abrite jalousement de belles plages sauvages et quelques-unes des plus belles vagues du Panamá. Pour ceux qui ont le goût de l'aventure, elle est quasiment désertée par les visiteurs et surfeurs ! Deux bus par jour desservent Cambutal depuis Tonosí (24 km). La route est praticable jusqu'à la plage Horcones, elle se transforme ensuite en piste jusqu'à Tembladera. Nous vous conseillons vivement d'être prudent, à pied ou en 4x4, les marées pourront vous surprendre.

▨ CASA GONZALEZ
Playa Los Buzos
www.hotelcasagonzalez.com
reservaciones@hotelcasagonzalez.com.mx
Ce petit restaurant offre des plats de poissons frais à partir de 3 ou 4 $. Il vous sera également possible d'y rester la nuit (hamac ou chambre) ou d'y camper. Un lieu convivial et authentique.

▨ LOS BUZOS
Sur la plage du même nom
✆ +507 227 5852 – +595 994 1547
www.losbuzos.net – info@losbuzos.net
2 options : 6 chambres d'hôtel, à partir de 65 $

la nuit avec AC, ou « villa » à partir de 120 $ la nuit. Tarifs pour 4 personnes, variables selon la saison. Le restaurant propose des repas pour 10 à 15 $. Organisation de sorties pêche et deux spots de surf à proximité. Mais le projet de l'équipe américaine va bien plus loin que la simple offre touristique, avec un important programme de *real estate* (vente de lots et villas en bord de plage…).

PARQUE NACIONAL CERRO HOYA

La décision, en 1984, de convertir cette zone en parc national a non seulement permis de mettre un frein au processus de déforestation qui la ravageait, mais aussi d'aboutir enfin à la concession de titres de propriété pour les 85 producteurs qui travaillaient sur les flancs du Cerro Hoya. C'est en se promenant dans ce parc que l'on évalue vraiment l'étendue du désastre écologique avec un paysage devenu presque apocalyptique à certains endroits ; un contraste saisissant avec la végétation luxuriante et tropicale aujourd'hui préservée.

Le parc Cerro Hoya est situé à cheval sur les provinces de Veraguas et de Los Santos. Sa superficie est de 32 557 ha (dont 3 814 en mer). C'est à partir de Playa Cambutal et de Cobachón que son accès est le moins compliqué. Malheureusement, comme toujours quand il s'agit de rallier un site isolé et difficile d'accès, la traversée maritime qui y mène risque de vous coûter bien cher et de ne pas être totalement conforme aux normes de sécurité. Il n'existe par ailleurs aucune infrastructure dans l'enceinte du parc capable de recevoir des touristes.

PROVINCES DE HERRERA ET LOS SANTOS

PROVINCE DU CHIRIQUÍ

Province du Chiriquí

Encadrée au nord par la province de Bocas del Toro, à l'est par Veraguas et à l'ouest par le Costa Rica, cette terre fertile au climat varié est l'une des régions les plus productives du pays. Elevage, produits dérivés, fruits et légumes (fraises, bananes, agrumes, etc.), sans oublier le café… Le Chiriquí est un peu « le grenier du Panamá ». Des températures qui nous rappellent la fraîcheur de nos montagnes, une nature verdoyante, des fleurs par milliers et la proximité du Costa Rica ; cette combinaison est aussi l'un des facteurs de développement du tourisme dans la région. Le tourisme vert y occupe une place privilégiée. Le parc international de La Amistad (PILA) et le parc national de Volcán Barú (le plus haut sommet du pays) sont tous deux facilement accessibles à partir de Cerro Punta ou Boquete. La puissance des cours d'eau de la région étant internationalement connue, Chiriquí est le rendez-vous des adeptes de kayak. Sans oublier les aficionados de la mer qui se régalent en explorant le parc national maritime du golfe de Chiriquí ainsi que les nombreuses îles qui l'entourent. Farniente sur la plage, surf, pêche sportive… La côte pacifique a également beaucoup à offrir !

Les immanquables de la province du Chiriquí

▸ **L'ascension du Barú** (3 475 m) au départ du village de Volcán.

▸ **Les sentiers du parc de La Amistad** et la recherche du quetzal.

▸ **Les cours d'eau puissants** pour les adeptes du kayak.

▸ **Les bains naturels bouillonnants** de Caldera.

▸ **La richesse agricole** de la province et la Feria Internacional de David.

▸ **Les plantations de café** de la vallée de Boquete.

▸ **La pêche sportive** dans les environs de Boca Brava.

Histoire

Lors du découpage du pays en provinces, le Chiriquí appartenait à Veraguas. C'est vers la moitié du XIXe siècle qu'il fut considéré comme une province à part entière, avec David pour capitale. Cette nouvelle organisation politique, économique et sociale fut l'œuvre du gouverneur libéral, José de Obaldía Orejuela. Ce n'est que plus tardivement que la province prit son essor, grâce à la construction du chemin de fer national (1914-1916) et de la Panaméricaine, achevée en 1967. Ces deux œuvres majeures contribueront rapidement au développement agricole et commercial de la région, ainsi qu'à son désenclavement. La province héberge une partie de la comarca Ngöbe Buglé, où se concentre la plus importante des communautés amérindiennes du pays, et qui s'étend aux provinces voisines de Bocas del Toro et Veraguas.

DAVID

Capitale de la province, David est la troisième ville du pays avec environ 140 000 habitants. Contrairement au reste du Chiriquí, dans cette ville située en dessous du niveau de la mer, la chaleur est souvent étouffante et humide. Le terminal de David est le passage obligé de tout voyageur parcourant les routes du pays en bus. Ceux qui n'envisagent pas de passer la nuit dans la ville peuvent laisser leurs bagages en consigne au Terminal (1 $ pour un gros sac à dos, de 6h à 20h) avant de se plonger dans l'atmosphère du centre-ville, dont l'agitation s'amplifie à l'approche de la Feria Internacional.

▸ **La Feria Internacional San José de David,** qui se tient chaque année en mars, constitue la vitrine de la productivité agricole et industrielle du Chiriquí et du Panamá. C'est l'une des plus importantes sources de revenus de la région. Pendant onze jours, la foire accueille des centaines d'exposants, dans une ambiance festive mêlant concours agricoles, concours de chants, bals et représentations de folklore local. La date choisie permet d'associer la feria à la fête annuelle du saint patron de la ville célébrée le 19 mars.

Province du Chiriquí

247

Altitude (en mètres)

| 1500 | 800 | 200 |

Limite d'État
Limite de province
Panaméricaine
Ville principale
Village
Parc national
Réserve
Site archéologique

Vers Alonrante

BOCAS DEL TORO

CORDILLERA CENTRAL

Guoroni

2121 m.

2520 m.

Hato Chami

Fonseca

San Félix

Las Lajas

Remedios

Playa Las Lajas

Tolé

Cuvibora

VERAGUAS

Alto Guayabo

Isla La Porcada

Isla Cavada

Islas Secas

GOLFE DE CHIRIQUÍ

Isla Parida

Isla Vencado

Boca Chica

Bahía de Muertos

Isla Boca Brava

Horconcitos

Boca de Soloy

Gualaca

Lago Fortuna

CORDILLERA DE TALAMANCA

Caldera

Caldera

Mata Francés

BOQUETE

Barrio Guadalupe

Cerro Punta

Barú
3475 m.

Parque Nacional
Volcán Barú

Patreillos Arriba

Dolega

Volcán

2986 m.
Cerro Picacho

Santa Clara

Alto La Mina

Río Sereno

Cuesta de Piedra

Barriles

San Francisco

Macho Monte

Chiriquí Viejo

Bugaba

Santa Marta

LA CONCEPCIÓN

Alanje

DAVID

Chiriquí

Chiriquí

Isla Sevilla

Isla San Pedro

Parc national Marino
Golfo de Chiriquí

Playa Barqueta

Progreso

Paso Canoa

Finca Blanco

CIUDAD NEILY

COSTA RICA

Palé Blanco

Mojagual

PUERTO ARMUELLES

Baie de Charco Azul

Limones

Punta Burica

0   10 km

Transports

▪ RADIO-TAXI CHIRIQUÍ
✆ +507 774 6272
✆ +507 774 6273

Comment y accéder et en partir

▪ AEROPUERTO ENRIQUE MALEK
✆ +507 721 1230
Plusieurs liaisons quotidiennes avec l'aéroport d'Albrook de Panamá assurées par Aeroperlas et Air Panamá avec des tarifs similaires, entre 80 et 120 $ l'aller. Durée moyenne 55 minutes mais Air Panamá a des vols plus rapides avec certains avions. Pour rejoindre l'aéroport compter 2 $ en taxi.

▪ TERMINAL TERRESTRE
Ave. Estudiante
À 10 minutes à pied du parc central. Consigne ouverte de 6h à 20h (vers les départs pour Caldera), café Internet, plusieurs cafétérias.

▪ **Environ 1 bus part heure de/vers Panamá**. Compter autour de 15 $ de jour, 18 $ de nuit (départs d'Albrook autour de 22h45, minuit et 3h – acheter son billet à l'avance le vendredi soir et veilles de fête). Durée 7 heures pour 450 km. Il est indispensable de prendre de quoi bien se couvrir, surtout de nuit. Présenter son passeport au moment de l'achat du billet et ne pas l'oublier lors du voyage (contrôle d'identité).

▪ **Bus fréquents** de/vers Changuinola, Almirante (pour Bocas), Boquete, Volcán, Cerro Punta, Caldera, Las Lajas, Paso Canoa (bus indiquant « frontera » pour rejoindre la frontière du Costa Rica en prenant un bus, de 6h à 20h-21h, 1 heure 20 de route, 2 $).

Se déplacer

Les taxis prennent en général 1,50 $ pour une course en ville. La plupart des agences de location de voitures sont basées à l'aéroport. Elles ouvrent de 7h à 17h. Compter environ 2 à 3 $ en taxi.

▪ BUDGET
✆ +507 721 0845

▪ HERTZ
✆ +507 721 3345
✆ +507 775 8471

▪ NATIONAL CAR RENTAL
✆ +507 721 0000

▪ THRIFTY CAR RENTAL
✆ +507 721 2477

Pratique

▪ ANAM
Bureau régional
Vía Aeropuerto
✆ +507 774 6671
Ouvert de 8h à 16h, sauf les week-ends.

▪ BANCO NACIONAL DE PANAMÁ
Calle B Norte, face au Parque Cervantes
Distributeurs accessibles 24h/24. Egalement des distributeurs au terminal de bus.

▪ HOSPITAL CHIRIQUÍ
Ave. 3 y C/ Central
✆ +507 774 0128
www.hospitalchiriqui.net

▪ OFFICE DU TOURISME (ATP)
Ave. Central, entre Ave 5 Este y Ave 6 Este
✆ +507 775 2839
Ouvert de 9h à 16h (hors pause déjeuner) en semaine.

▪ POLICE
Calle F Sur y Ave. 4 Este
✆ +507 775 2211

Internet

Plusieurs cafés Internet dans la Calle Central et les avenues Bolivar et Cincuentenario, l'université n'est pas loin.

▪ PLANET INTERNET
Calle Central y Ave Bolivar
Ouvert de 10h à minuit tous les jours. 0,80 $/h.

Se loger

Bien et pas cher

▪ BAMBÚ HOSTEL
Calle Virgencita
San Mateo Abajo
✆ +507 730 2961
www.bambuhostel.com
Lit en dortoir 8,80 $, chambre pour deux avec salle de bains privée et AC 30 $, salle de bains partagée avec eau chaude 25 $. Wi-fi, cuisine, ping-pong, piscine, service de laverie (4 $). Une auberge de jeunesse récente et économique proposant tous les services que l'on peut attendre de ce type d'établissement, avec en plus une piscine propre et d'accueillants hamacs ! Une adresse très appréciée des jeunes voyageurs qui peuvent y trouver de nombreuses informations pratiques sur David et sa région. Compter 2 à 2,50 $ en taxi depuis le terminal de bus.

David

HÔTEL OCCIDENTAL

Ave. 4, en face du Parque Cervantes
✆ +507 730 5450 – +507 730 4695
Chambre pour une ou deux personnes 21 $,
triple 33 $, quadruple 35 $. Salle de bains privée,
AC, wi-fi. Bien situé, agréable balcon donnant
sur l'activité du parc. Grandes chambres, un
établissement confortable et propre.

LOST AND FOUND ECO HOSTEL

Ruta La Fortuna,
vers le km 42
✆ +507 6432 8182 – +507 6920 3036
www.lostandfoundlodge.com
info@lostandfoundlodge.com
En bus, demandez au chauffeur de bus
de vous déposer à l'entrée du sentier qui
mène au lodge (10 minutes de marche).
Il y a une pancarte.
12 $ en dortoir, 15 $ la chambre double,
salle de bains partagée. Sans doute l'un des
premiers écolodge pour backpackers ! En
pleine nature, de nombreuses activités sont
proposées pour explorer les environs : jeux de
piste, baignades dans des piscines naturelles,
trekking, birdwatching, visite d'une finca de
café, balades à cheval… mais aussi dans toute
la région y compris les plages… Les prix sont
raisonnables. Ambiance conviviale et sportive
la journée ; festive le soir. Une très bonne
initiative pour les petits budgets.

THE PURPLE HOUSE

C/C Sur y Ave. 6 Oeste
San Mateo
✆ +507 774 4059 – +507 6428 1488
www.purplehousehostel.com
purplehousehostel@yahoo.com
Indication à donner au taxi s'il ne connaît
pas : « La Casa Morada, ubicado en la via
rapida en San Mateo, atras de la Camara
de Comercio. »
Dortoirs de 6 ou 10 personnes avec salle de
bains commune, 7,70 $. Chambre pour une ou
deux personnes avec ventilateur à 22 $, avec
salle de bains privée 30 $. Supplément pour
AC, TV et eau chaude. Service de blanchisserie.
Internet, wi-fi et cuisine en libre accès. Salon et
petit jardin. L'hôtel peut être fermé en octobre
pour travaux d'entretien. Créée en 2002, cette
auberge de jeunesse est propre et pensée
pour le confort des clients mais l'ordre et la
couleur violette sont de rigueur ! Infos pratiques,
échanges de livres, cuisine, Internet et wi-fi en
libre accès, lecteur DVD, hamac… Economique
et dans un quartier calme mais un peu excentré
du centre (environ 2 à 2,50 $ en taxi depuis
le terminal).

Confort ou charme

GRAN HOTEL NACIONAL

C/ Central ✆ +507 775 2221 – +507 775
2222 – www.hotelnacionalpanama.com
reservaciones@hotelnacionalpanama.com
117 chambres. Chambre avec lit double 85 $,
Junior suite 100/110 $, Master Suite à 145 $
pour 1 à 4 personnes. + 10 % taxes. Gratuit pour
les moins de 12 ans. Petit déjeuner-buffet inclus.
Internet, wi-fi. Depuis plus de 50 ans, cet hôtel
situé à trois cuadras du Parque Central a toujours
le même succès. Chambres confortables,
service attentionné, trois restaurants et une
grande piscine au milieu d'un jardin tropical.
Une très bonne adresse.

Luxe

CIUDAD DE DAVID HOTEL & BUSINESS

Calle D. Norte, Ave. 2da. Este
✆ +507 774 3333
www.hotelciudaddedavid.com
info@hotelciudaddedavid.com
103 chambres ou suites. Ejecutiva 115 $, junior
suite 165 $, Master suite 315 $. + 10 % de
taxe. Retirer à ces tarifs 20 $ du vendredi au
dimanche. Petit déjeuner-buffet inclus. Minibar,
Internet ADSL, coffre, room service 24 heures,
salle de fitness, sauna (sans supplément),
massage, piscine… check-in à 15h, check-out à
midi. Un grand hôtel moderne et élégant sur six
étages qui a ouvert fin 2009. Confort, attention
et sécurité sont les maîtres mots du premier
hôtel de luxe de la région, très apprécié des
voyageurs d'affaires. La piscine n'est pas très
grande, c'est le seul défaut que l'on pourrait
trouver à cet établissement, qui appartient à la
même famille que l'hôtel Finisterre de Panamá
Ciudad. Le bar-restaurant Stylo propose une
cuisine contemporaine réputée.

Se restaurer

APETITO'S

Ave. 3 de Noviembre y Calle Central
Ouvert tous les jours de 7h à 19h30, jusqu'à
15h le dimanche. Une petite cafétéria propre
proposant des combos économiques et quelques
spécialités asiatiques. Une succursale au
terminal de bus (un peu moins agréable).

MULTI-CAFÉ

Parque Cervantes
galerie sous l'hôtel Occidental
Ouvert tous les jours de 7h à 21h. Une cafétéria
très appréciée pour sa clim et ses prix doux,
du petit déjeuner au dîner. Egalement une
succursale à côté de l'hôtel Castilla.

LA TIPICA
Calle 3ra Este y Ave. F Sur
✆ +507 777 1078
Ouvert tous les jours 24h/24. Une grande café-téria aérée et propre, proposant des plats de viande et de poisson très bon marché, copieux et bien cuisinés, avec des spécialités chinoises. Un peu excentré malheureusement mais c'est la meilleure adresse de la ville, parmi les restaurants économiques.

Sortir

Plusieurs casinos, dont un à côté du Gran Hotel Nacional. Une discothèque, dans le Mall Chiriquí. Un billard Ave. 3 de Noviembre.

CINEMA MULTICINES ALHAMBRA NACIONAL
C/ Central
✆ +507 774 7887
6 salles. Comme partout, pleins feux sur les derniers films nord-américains.

À voir – À faire

La ville n'offre pas grand-chose en matière de distraction, mais quelques lieux valent tout de même une visite. La majorité d'entre eux sont concentrés dans le Barrio Bolivar, quartier historique de la ville, anciennement appelé El Peligro (le danger).

LA CASONA, FERIA DE ANTIGÜEDADES
Calle Central y Ave. 7 Este
Museo de Educación y Cultura
✆ +507 6676 5761 – +507 6675 7245
Ouvert de 9h à 12h30 et de 14h30 à 17h, le samedi jusqu'à 13h. Fermé le dimanche. Fondé à l'initiative du professeur Mario Molínar, historien passionné, ce musée privé fait également office de brocante. Un curieux mélange. Parmi les peintures, polleras et autres curiosités, des objets anciens et des meubles sont en vente. Sur les murs, une peinture de Diana Brujiati représentant l'ancien quartier de David. Quant au maître des lieux, il est aussi auteur d'un ouvrage sur le Chiriquí. Si vous avez des questions…

CATHÉDRALE DE SAN JOSE DE DAVID
Barrio Bolivar
L'église, qui date du XVIIIe siècle, élevée au rang de cathédrale en 1955, ne conserve d'original que sa tour clocher. La paroisse a entrepris de grands travaux de rénovation, allant du porche d'entrée à la construction d'un dôme, en passant par la décoration intérieure. Une grande artiste de David, Diana Brujiati, a réalisé d'immenses fresques sur les murs. Appartenant à la troisième génération de peintres muralistes de sa famille, elle a par ailleurs restauré les murs de l'église del Carmen réalisés par son grand-père. Ne croyez pas qu'elle ne donne que dans le religieux, puisqu'elle est aussi spécialiste des peintures érotiques !

CULTURAMA
Barrio Peligro
Ave 6ta Este,
✆ +507 774 0536
Vous aurez certainement remarqué le drapeau du Chiriquí, rouge et vert… Pas un fiers de leur terre, les Chiricanos sont les seuls provinciaux à avoir leur propre drapeau et hymne. C'est grâce à ce fervent régionalisme que l'association Culturama a vu le jour. De nombreux universitaires s'intéressent particulièrement à cette région et ont décidé d'en promouvoir l'histoire et la culture. N'hésitez pas à rentrer et converser avec Milagros Sánchez Pinzón, directrice de l'association. Elle coordonne de nombreux ouvrages et propose des séances de cinéma indépendant dans les locaux de Culturama (un lundi sur deux à 19h) ou dans les villages alentours…

MUSEO DE HISTORIA Y CULTURA JOSE DE OBALDIA
Ave. 8 Este, Barrio Bolívar
La destinée des musées panaméens est souvent malheureuse. Ce dernier a fermé ses portes en juin 2007. Une grande perte pour la culture chiricana qui ne semble pas affecter outre mesure les fonctionnaires de l'Institut national de la culture. Comme très souvent, cet organisme d'Etat ne semble pas porter beaucoup d'attention au développement des musées régionaux. Inauguré en 1986, l'ancien musée est hébergé dans la maison coloniale de la famille d'Obaldía Orejuela, gouverneur de Veraguas et fondateur de la province de Chiriquí.

USINE CARTA VIEJA
Alanje ✆ +507 772 7073
www.cartaviejapanama.com
Ouvert lundi, mercredi et vendredi de 9h à 11h et de 13h à 15h. Bus direction Alanje depuis David, demandez au chauffeur de vous laisser au portail du site. De là, longer les champs de canne à sucre sur moins d'1 km avant d'arriver à l'usine. *Así se hace el Ron de Panamá, así se hace la buena rumba !* La bouteille transparente au bouchon rouge est la garantie d'une fête réussie. Pour que l'ambiance explose, dévissez le bouchon ! Et pour tout découvrir sur le procédé de fabrication, rendez-vous à l'usine. Mieux vaut annoncer votre arrivée.

Shopping

■ MALL CHIRIQUÍ
Ce centre commercial abrite les enseignes traditionnelles, et comme partout au Panamá,

il est vite devenu un lieu de promenade privilégié.

▶ **Ave. 3 de Noviembre.** Une rangée de magasins ouverts sur la rue. Marchandises en tout genre, peu chères. Musique à fond. Ça grouille…

■ LES HAUTES TERRES DU CHIRIQUÍ ▪▪▪▪

BOQUETE

Boquete a fondé sa réputation sur son climat, sa nature, sa tranquillité et son charme, et cela fonctionne à merveille ! Son appellation de « vallée de l'éternel printemps » l'a certainement aidée à devenir le pôle touristique incontournable qu'elle est actuellement. Du mochilero voyageant sac au dos au touriste plus aisé, en passant par le curieux en vacances au Costa Rica et qui vient faire une incursion dans le pays voisin, chacun y trouvera son bonheur en matière d'hébergement, de restauration ou d'excursions.

Les projets touristiques, modestes ou de grande envergure, poussent ici comme des champignons. Un essor prodigieux qui semble effrayer la population locale. La flambée du prix de l'hectare ne s'est pas faite attendre. Certains Boqueteños ont fait fortune en vendant leurs fincas de café, tandis que d'autres ne peuvent même plus songer à acquérir une petite parcelle pour construire leur maison.

Histoire

Fondée en avril 1911, Boquete est très européenne par sa population. Immigrants suisses, yougoslaves, suédois, allemands, anglais, espagnols, italiens et américains… Nombreux sont les commerçants, les éleveurs ou les chercheurs d'or qui s'établirent à Boquete au XIXe siècle, au côté des Panaméens de Caldera ou Dolega. Inauguré par le président Belisario Porras le 22 avril 1916, le chemin de fer contribua pendant quelques décennies au

prestige de la région. Mais, trop coûteux et lent, il fut abandonné trente-trois ans plus tard au profit de la route David-Boquete.

Transports

▶ **Bus.** Liaisons de/vers David toutes les 25 minutes de 4h20 à 19h. Départ et arrivée au Parque Central de Boquete (à côté de la poste). 1 heure de trajet, 1,75 $. Pour Caldera, départ derrière le Mercado (marché couvert). 7 bus par jour de 7h à 17h30 (attention pour le retour, demandez bien à quelle heure part le dernier bus pour Boquete ou David). 30 minutes de trajet, 1,80 $.

▶ **Taxi.** Compter environ 1 $ par personne par exemple pour aller jusqu'à l'office du tourisme ou les hôtels sur la route de Volcancito. Compter 25-30 $ pour rejoindre le centre de David, un peu plus pour l'aéroport.

Pratique

■ BANQUES
L'arrivée des investisseurs étrangers a largement encouragé les banques à s'installer, de même que les agences immobilières. Plusieurs distributeurs aux alentours de l'église notamment.

■ FARMACIA ANY
Ave. Central
✆ +507 720 1296
Ouvert tous les jours de 8h à 21h.

■ HABLA YA
Central Avenue
Los Establos Plaza 20
✆ +507 730 8344 – +507 6616 7695
www.hablayapanama.com/fr
info@hablayapanama.com
De 50 à 60 $ le forfait de 4 heures (en cours collectif ou privé), de 225 à 295 $ pour 20 heures de formation. L'école Habla Ya propose une expérience culturelle au plus près des Panaméens via des cours d'espagnol. Professeurs diplômés, cours personnalisés, bénévolat en ONG, hébergement en famille, toutes les conditions sont réunies pour apprendre la langue au contact des habitants, de manière

Palmarès

Nous avons le plaisir de vous annoncer que le Chiriquí a été élu destination coup de cœur dans la catégorie « retraite prospère » ! Depuis que quelques Américains ont découvert Boquete et ses alentours, la rumeur s'est vite répandue… Ils sont désormais des milliers à s'être installés dans la région. Les projets immobiliers fleurissent et les prix du foncier flambent.

ludique et didactique en même temps. Habla Ya peut également organiser votre séjour sur place, entre transports, logement et activités éco-touristiques (trek, rafting, escalade, etc.) via sa toute nouvelle agence de voyages écotours, Explora Ya.

▪ HASTOR COMPUTERS
Ave. Central,
à côté de Chiriquí River Rafting
Ouvert de 8h à 23h, dimanche de 10h à 23h.
1 $/h. Appel vers la France : fixe 0,10 $/minute,
portable 0,30 $/minute.

▪ LAVERIE : LAVOMATICO GENESIS
Ave. A Este, à côté de A Mi Modo
Ouvert de 7h à 18-19h du lundi au samedi.
3 $ la machine.

▪ OFFICE DU TOURISME « CEFATI »
1,5 km avant Boquete
✆ +507 720 4060
Ouvert tous les jours, sauf ferriés, de 9h à 16h
(parfois plus tard en haute saison). Ferme
une heure pour le déjeuner. Il est intéressant de s'y arrêter pour visiter le musée, très bien conçu, et se procurer une carte détaillée de la zone. Personnel accueillant. Vue imprenable sur la vallée.

▪ POLICE
Ave. Belisario Porras
✆ +507 720 1222

▪ POSTE
Parque Central
Ave. Belisario Porras,
De 8h à 14h45 en semaine, jusqu'à 12h45 le
samedi.

▪ SPANISH BY THE RIVER LANGUAGE SCHOOL
Alto Boquete, à l'entrée de Palmira
✆ +507 720 3456
✆ +507 6759 5753
www.spanishbythesea.com
boquete@spanishatlocations.com
Cette école, également basée à Bocas, Panamá Ciudad et au Costa Rica, propose des cours individuels ou en groupe sur la base de 2 heures à 6 heures par jour, pour tous niveaux. Exemple : comptez 185 $ pour 4 heures de cours collectif pendant 5 jours. Cours particuliers 200 $ pour 10 heures. Un hébergement en famille ou dans l'école est possible.

Tourisme

▶ **Guides locaux.** Seuls certains sentiers présentent des difficultés, il vous est donc évidemment possible de vous passer des services d'un guide. Mais, outre une certaine sécurité, ce dernier vous apportera son enthousiasme, ses connaissances en matière de flore et la possibilité de découvrir certains des animaux qui composent la fantastique faune locale (quetzal, paresseux…). Nous avons donc privilégié une sélection locale, des passionnés, qui connaissent le coin comme leur poche ! En effet, avec l'arrivée croissante de touristes, nombreux sont ceux qui se sont improvisés guides.

▪ CHALO MIRANDA
✆ +507 6443 1204
paloalto519@hotmail.com
Figure de Boquete, Gonzalo « Chalo » Miranda est un guide, mais aussi un sculpteur et un spécialiste des oiseaux. Amoureux de la nature, profondément respectueux de l'environnement, il vous entraînera à la découverte des circuits traditionnels. Mais demandez-lui plutôt de vous emmener camper au milieu de nulle part, pour apprendre à vivre et cuisiner dans la forêt ou encore à sculpter. Vous pouvez également contacter sa fille, Melissa, qui a été à bonne école. ✆ +507 6966 7840 – enmirandas@yahoo.com.

▪ FELICIANO GONZÁLEZ
✆ +507 6624 9940
felicianogonzalez255@hotmail.com
Si le portable ne fonctionne pas,
demandez à l'agence Panama Rafters
de vous mettre en contact
Son professionnalisme et sa gentillesse font l'unanimité ! Cet ancien instituteur natif de Boquete, également cultivateur de café, s'est lancé dans le métier de guide en 1999. Il parle espagnol, anglais, allemand, hollandais (et peut-être bientôt le français !), et dispose d'un certificat de guide, ce qui est loin d'être le cas de tous ceux qui se revendiquent guides dans la région. Feliciano propose plusieurs excursions : visite d'une petite finca de café, bains et pétroglyphes de Caldera, Volcan Barú (10 heures de marche, départ à minuit de Boquete), sentiers El Pianista (5 heures de marche) ou des Quetzales (4 heures à 6 heures l'aller) et, pour les très bons marcheurs, la traversée du parc international La Amistad pour relier Boquete à Bocas del Toro (4 à 5 jours de marche, camping dans les communautés indigènes). Il est flexible, sera ravi de répondre à toutes vos suggestions et pourra faire évoluer le programme en fonction de la météo ou de votre état de forme. Ses prix, très honnêtes, varient en fonction de la durée du tour et du nombre de participants.

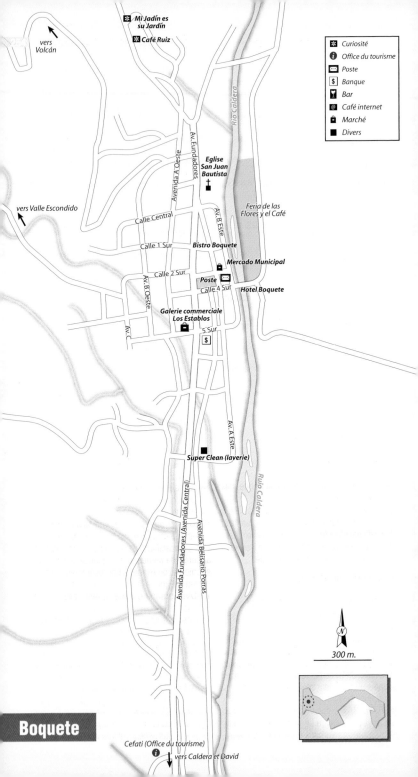

vers
Volcán

❋ Mì Jadín es
su Jardín

❋ Café Ruiz

❋	Curiosité
❶	Office du tourisme
✉	Poste
$	Banque
♟	Bar
@	Café internet
🛍	Marché
■	Divers

Río Caldera

Av. Fundadores

Avenida A Oeste

Eglise
San Juan
Bautista
✝

Feria de las
Flores y el Café

vers Valle Escondido

Calle Central

Av. B Este

Calle 1 Sur

Bistro Boquete

Calle 2 Sur

Mercado Municipal

Av. B Oeste

Poste ✉

Calle 4 Sur

Hotel Boquete

Galerie commerciale
Los Establos 🛍

Av. C

5 Sur

$

■ Super Clean (laverie)

Av. A Este

Avenida Fundadores (Avenida Central)

Avenida Belisario Porras

Río Caldera

N

300 m.

Cefati (Office du tourisme)
❶ vers Caldera et David

Boquete

Internet

■ KELNIX
C/ 1 Sur
Ouvert de 9h à 22h sauf le dimanche, 0,75 $/h.

Se loger

Comme nous l'avons déjà dit, Boquete ne cesse de se développer. Et même si les hôtels se multiplient, nous vous conseillons de réserver en haute saison (de décembre à avril).

Bien et pas cher

■ HOSTAL BOQUETE
C/ 4 A Sur, au bord du Río
℘ +507 720 2573
www.hostal-boquete.com
hostalboquete@gmail.com
9 chambres pour 1 à 4 personnes. Tarifs : 30, 35, 38 ou 40 $ (balcon privé côté rivière). Cuisine, Internet, wi-fi, laverie (5$). Un hostal très bien placé, juste au-dessus de la rivière peu avant le pont. Les nuits sont bercées par les eaux tumultueuses du rio. Les chambres mériteraient néanmoins un petit rafraîchissement. Accueil sympathique, cuisine et barbecue à disposition.

■ HOSTAL LAS MERCEDES
Ave. A Este ℘ +507 6668 3138
rdarios05@hotmail.com
6 chambres à 16 ou 18 $ pour deux. Une maison sans prétention. Le rez-de-chaussée comprend une cuisine, une salle de bains, une salle à manger et un coin salon avec TV, ainsi que trois chambres. Même organisation au 1er étage, plus intime et agréable. La propriétaire est charmante et fournit de bons renseignements et pistes de balade. Mise en relation possible avec Chalo et Melissa Miranda, guides de Boquete, et Héctor Vargas, cultivateur de café.

■ HOSTAL REFUGIO DEL RIO
Ave B Oeste
℘ +507 720 2433 – +507 720 2088
℘ +507 6676 5786
www.refugiodelrio.com
reservations@refugiodelrio.com
11 $ par personne en dortoir de 6 ou de 10 personnes. Petites maisons individuelles avec salle de bains privée à 33 $ pour deux (lit double), 38,50 $ pour trois, 49,50 $ pour quatre. Cabane en bois pour deux 22 $. 2 ordinateurs, wi-fi, salon TV, cuisine, prêt de serviettes, laverie. Une auberge de jeunesse très calme et bien tenue, au bord d'une petite rivière,

---

Un phénomène en pleine expansion

Valle Escondido... « La vallée cachée », tel est le nom de cette résidence privée construite par des Américains pour des Américains. Mais pas n'importe lesquels. Ceux qui, au terme d'une vie de dur labeur, aspirent à se retirer sous des cieux plus cléments. Dans l'enceinte de la « Valle Escondido Residential Resort Community », tout est pensé pour assurer le bonheur de ces nouveaux retraités : un terrain de golf, un centre de beauté, un centre thérapeutique, deux lieux de culte, une piscine et bien d'autres installations. Ce concept connaît un succès phénoménal et les complexes de ce type, dont les noms invitent au repos (« Cielo Paraíso »), se multiplient…

---

avec du mobilier et des équipements récents. Tout est très propre et soigné. Deux vastes dortoirs avec du parquet et des lits qui ne sont pour une fois pas superposés avec des matelas corrects. Grandes salles de bains. Les chambres privées sont d'un très bon rapport qualité/prix, et conviennent bien aux familles. La cabane en bois juste au bord de l'eau très romantique devrait être équipée d'une salle de bains prochainement. Une bonne adresse !

■ HOSTEL MAMALLENA
Calle 4 Sur, face au Parque Central
℘ +507 720 1260 – +507 730 8342
www.mamallenaboquete.com
mamallenaboquete@yahoo.com
Lit en dortoir 11$. Chambre double avec salle de bains 27,50$, 25 $ salle de bains partagée. Pan-cakes et café inclus. Services de transport vers le volcan Barú et excursions proposées. Une auberge de jeunesse bien placée, spacieuse et colorée, où règne la bonne ambiance et un personnel jeune et amical. Terrasse, salon TV-DVD, grande cuisine et petit jardin idéal pour faire des rencontres, si l'on accepte de parler un peu anglais ! L'eau des douches n'est pas toujours très chaude.

■ HÔTEL COLIBRI
La maison jaune à côté de la Pensión Topas, Ave. Belisario Porras ℘ +507 720 1024
colibrihospedaje@yahoo.com
4 chambres avec salle de bains privée et eau chaude. 18 $ pour 1 personne, 26 $ pour 2 personnes et 33 $ pour 3 personnes. TV et wi-fi. Une adresse familiale et reposante.

PENSIÓN MARILOS

y Belisario Porras
Ave. A Este ☏ +507 720 1380
www.pension-marilos.com
Chambre simple ou double à 10 $ avec salle de bains commune, 10 $ la simple ou 16 $ la double avec salle de bains privée. TV, eau chaude, possibilité d'utiliser la cuisine et la machine à laver (apportez votre lessive). Accueil sympathique par le propriétaire, Frank. Une adresse d'un très bon rapport qualité/prix, irréprochable.

PENSIÓN TOPAS

Ave. Belisario Porras ☏ +507 720 1005
schoeb@cwpanama.net
Le propriétaire n'ouvre son mail que tous les 5-6 jours, préférez le téléphone (entre 19h et 21h, vous êtes sûr de trouver quelqu'un !). 2 chambres avec salle de bains commune : 11 $ pour une chambre simple, 16 $ pour une double. Avec salle de bains privée : 23 $ pour 1 personne, 33 $ pour 2, 38,50 $ pour 3, 45 $ pour 4. Possibilité de camper. Prévenez la veille pour déguster un excellent petit déjeuner à 6 $. Wi-fi. Le sympathique propriétaire vous renseignera sur toutes les excursions à faire. Des chambres confortables, une terrasse très agréable, une piscine et un terrain de volley. Peintures murales qui plairont aux inconditionnels de Tintin ou de Monnet. Une très bonne adresse !

Confort ou charme

CABAÑAS ISLA VERDE

Remonter la Calle 5ta Sur, en face du Banco Nacional ☏ +507 720 2533
www.islaverdepanama.com
contact@islaverdepanama.com
Cabañas et appartements pour 2, 4 ou 6 personnes, à 90 et 110 $ + 10 % de taxe, équipées de cuisine, TV, wi-fi. Des *cabañas* confortables avec une architecture originale et de petites maisons accueillant deux appartements chacunes, dans un très beau jardin à trois minutes à pied du centre. Petit déjeuner complet à 7 $. Un restaurant de cuisine thaï, indienne et végétariennne, était en projet lors de notre visite.

EL REFUGIO DE LA MONTAÑA

Quartier de Santa Lucia
☏ +507 730 8355 – +507 6676 5786
www.refugiodemontana.com
Chambre pour une ou deux personnes 48,40 $, suite 66 $. Petit déjeuner continental inclus. Pas de restaurant. Un hôtel familial un peu isolé de Boquete, très calme, offrant des tarifs très intéressants pour la qualité excellente des

prestations. Une architecture et décoration à la fois moderne et rustique, alliant la pierre et le bois. La maison est neuve et la propreté irréprochable.

HÔTEL REBEQUET

Angle calle 7 Sur et Avenida B Este
☏ +507 720 1365 – www.rebequet.com
rebequet@hotmail.com
Les prix passent du simple au double en basse et haute saison (novembre-avril) : chambre simple à 44/88 $, double 55/110 $, triple 66/132 $. + 10% taxes. Possibilité d'utiliser la cuisine. Quelques chambres à 20 et 25 $ dans deux autres maisons à proximité. Dans une grande maison, des chambres spacieuses, très propres et confortables. Le propriétaire italien parle bien le français et Rebequet est d'ailleurs le nom d'une ferme en Ariège qui lui appartenait. Une adresse pour ceux qui apprécient la tranquillité.

LACHA COUNTRY INN

Ave 7ma Oeste y Ruta Volcancito
☏ +507 730 8329
www.lachahotel.com
info@hotellacha.com
9 chambres. Chambre lit double 44 $, deux lits 55 $, chambre pour 6 personnes à 20 $ par personne. Petit déjeuner continental inclus. Petite maison indépendant pour quatre avec cuisine à 110 $. Un petit hôtel de charme économique qui a ouvert ses portes en 2009. Les chambres sont grandes, bien agencées et très propres. L'emplacement est calme. Petit déjeuner dans le jardin.

PANAMONTE INN & SPA

Calle 11 de Abril ☏ +507 720 1324
www.panamonte.com
reservation@panamonte.com
25 chambres simples ou doubles autour de 120 $. Un hôtel qui existe depuis 1914. Dispersées dans le jardin de la propriété, les chambres sont très cosy. Agréable bar avec cheminée. Restaurant offrant une cuisine plus raffinée qu'ailleurs… Massages, algothérapie, réflexologie, aromathérapie, tout est possible grâce au Spa !

Luxe

FINCA LERIDA ECOLODGE

Alto Quiel, à 10 km du centre de Boquete
☏ +507 720 2285 – +507 6611 8062
www.fincalerida.com
info@fincalerida.com
ventasfincalerida@gmail.com

Partez à la découverte des chemins.

51669

Sentiers vierges et solitaires tissés à travers les montagnes et les vallèes, où les oiseaux ont été vu par quelques hommes seulement. Revenir à l'hôtel pour une délicieuse tasse de café.

Chambres Ecolodge à partir de 160/180 $ (plus taxes) et chambres Casa Antigua à partir de 144/164 $ (plus taxes). Petit déjeuner inclus. Situé sur une propriété qui compte plus de 100 hectares, *welcome in* pleine nature. Finca Lérida est un établissement centenaire protégé du regard par le volcan Baru, un emplacement majestueux et idéal pour se réfugier en profitant du calme et de la tranquilité du Alto Quiel. L'établissement propose deux types de logement : Casa Antigua et Ecolodge tous les deux remarquables pour l'exquise décoration et le confort. Les structures baignent au milieu de jardins extrêmement bien entretenus et tout le complexe reste intégré dans l'environnement naturel privilégié, entouré de sentiers et itinéraires prévus pour randonner et découvrir les deux principaux enchantements : l'observation d'une myriade d'espèces d'oiseaux d'altitude et une zone productrice de l'un des meilleurs café au monde. Les deux axes peuvent être découverts librement ou avec les services de César, un guide expert et passionné du cru. César connaît tous les secrets de la forêt qui entoure la Finca, c'est son *Kinder Garden* ! Le restaurant propose des spécialités montagnardes comme la truite ainsi qu'une intéressante variété de plats cuisinés avec des aliments propres à la Finca. Le café provient de l'exploitation des maîtres des lieux.

Se restaurer

Bien et pas cher

■ A MI MODO

Ave. A Este

✆ +507 6980 4126

Service le midi et le soir jusqu'à 21h en semaine, jusqu'à 23h le vendredi et samedi. Pizzas avec fromage + 4 ingrédients au choix. la perso 4 $, chica 7 $, familiale à 9 $ et jumbo à 13,50 $. Une pizzeria-snack artisanale utilisant des fruits et légumes locaux (pas de boîte). Une adresse économique et avec un accueil très sympathique de Blanca et Carlos.

■ ART CAFÉ LA CRÊPE

Avant le Zanzibar

Ave. Central

Ouvert de 11h à 15h et de 17h à 21h du mardi au dimanche. Spécialités de crêpes salées et sucrées à la française de 5 à 8 $. Menu du jour (recommandé) midi et soir avec salade ou soupe, viande ou poisson. Cet établissement tenu par un couple de Français au bon goût vous permet de retrouver les saveurs de chez nous.

■ BARÚ

En face du parc, à côté de Mamallena

✆ +507 730 9294 – +507 6931 1239

www.restaurantebaru.com

Ouvert de 7h à minuit du dimanche au jeudi, jusqu'à 2h le vendredi et 4h le samedi. Wi-fi. Ouvert depuis peu, ce restaurant-bar tenu par des locaux est déjà un incontournable de Boquete. Un lieu élégant et chaleureux qui attire une clientèle panaméenne et étrangère, résidente ou de passage. Moderne et rustique dans la décoration, les couleurs chaudes, le coin salon cosy avec ses sofas et sa cheminée, les solides tables en bois, on se sent bien à toute heure. La terrasse attire du monde le matin et les soirs de matchs (foot, basket, hockey) quand sont installés les écrans géants. Concerts certains soirs. La cuisine proposée du petit déjeuner au dîner va du plus simple au plus raffiné, et les pizzas sont réputées avec un chef qui en a fait sa spécialité. Les prix restent raisonnables.

■ BISTRO BOQUETE

Ave. Central, à 50 m au nord du parc

✆ +507 720 1017

Ouvert de 11h à 21h, 22h en fin de semaine. Fermé le mardi. Petit déjeuner autour de 6 $. Entrées, salades, sandwiches à partir de 4 $, plats principaux (truite de Boquete, filet mignon) autour de 15 $. L'approvisionnement est local avec une préférence pour les produits issus de l'agriculture biologique. Une salle assez cosy et un salon plus intime à l'étage avec un balcon où sont installées quelques tables. Apprécié par la communauté étrangère.

■ LAS DELICIAS DE LOS ANDES

Ave. Central après Art Café La Crêpe

✆ +507 730 9401

Ouvert de 11h à 21h du lundi au samedi (20h le dimanche). Plats de poissons autour de 10 $. Le cadre est agréable, la décoration soignée. Choisissez l'une des tables de la terrasse qui dominent un bosquet d'eucalyptus. Pour de savoureuses spécialités péruviennes, voir la rubrique *aroces* du menu.

■ LAS ORQUIDEAS

Ave. B. Poras, à côté du commissariat

✆ +507 6628 9108

Ouvert de 6h30 à 18h. L'horaire devrait être étendu à 21h. Un petit restaurant de cuisine panaméenne, économique et de bonne réputation. Petit déjeuner traditionnel à 2 $, *comida tipica* avec soupe et boisson à 3,75 $. Petite terrasse sur la rue très agréable avec le soleil du matin.

PUNTO DE ENCUENTRO

Calle 6 A Sur

✆ +507 720 2123

Ouvert tous les jours de 7h à midi. Pancake, tostadas francesas, omelette accompagnée de pommes de terre à 4 $… Salade de fruits et batidos à 4 $. Les petits déjeuners, la spécialité d'Olga, sont délicieux et copieux. Préparez-vous à une bonne sieste digestive jusqu'au dîner ! Service très attentionné. Si ce n'est pas vous, les premiers clients de la journée seront les oiseaux, qui viennent aussi y prendre leur petit déjeuner dans le jardin.

RESTAURANTE LOURDES

Ave. Central

Ouvert tous les jours de 7-8h à 19h30-20h. Petit déjeuner panaméen avec viande ou œufs, hamburgers et pizzas de 2 à 6 $. Une cafétéria proposant une cuisine locale simple et économique. Grande salle avec terrasse couverte à proximité du Parque Central.

RESTAURANTE MARY

Parque Central

Ouvert tous les jours de 7h à 22h. Plats à partir de 2 $. Pour changer du Sabrosón, mais avec cette même ambiance locale et cette cuisine sans prétention.

EL SABROSÓN

Ave. Central

Ouvert tous les jours de 7h à 22h. A partir de 1 $. Ce self-service propose les traditionnels plats panaméens. Empanadas, tortillas, hojaldres, poulet, glaces, gâteaux à la crème… Un établissement typique, populaire et bon marché, avec wi-fi en accès libre.

Bonnes tables

LA POSADA BOQUETEÑA

Ave Central, à 400 m au nord du Parque Central ✆ +507 730 9440 www.laposadaboquetena.com

Ouvert de 7h à 23h ou plus. Sandwiches à partir de 4-5 $, pizzas à partir de 7 $, plats de viande et poisson autour de 10-15 $. Un grand bar-restaurant chaleureux, avec une terrasse couverte donnant sur la rivière à une cinquantaine de mètres en contrebas. Un espace dédié à la parrilla argentine était en projet lors de notre passage.

Sortir

ZANZIBAR

Ave. Central

✆ +507 72 1699 − +507 6130 2211

ingana4@hotmail.com

evelyne168@gmail.com

Ouvert jusqu'à minuit en semaine, 1h le vendredi, 3h le samedi. Déco afro et musique internationale (world, house, lounge, jazz), musique live, et soirées salsa les jeudis pour ce bar à l'ambiance feutrée, attirant beaucoup de monde les fins de semaine, en particulier le samedi pour des concerts qui se terminent souvent en jam session avec les clients. Happy hour tous les jours de 17h à 19h, sauf les jeudis, de 20h à 22h. Grande variété de cocktails avec ou sans alcool, à partir de 4 $. Juste à côte de Zanzibar, Philippos et Katriene, les propriétaires, ont aussi une jolie boutique de pièces décoratives et artisanales du monde.

À voir – À faire

Boquete produit le meilleur café du pays, grâce aux nombreux micro-climats dans les hautes terres et à la taille humaine des plantations. Ces dernières sont en général situées entre 1 500 et 1 600 m. La réputation de certaines variétés très haut de gamme dépasse désormais les frontières, tel le geisha dont les cours sont parmi les plus chers du monde. D'origine éthiopienne, sa culture a été relancée au Panamá ces dernières années. Une dizaine de variétés autres ont été recensées à Boquete : Berlina, San Ramón, Bourbon… Le bon café s'échappe pour l'exportation, le café moyen reste ici, comme c'est souvent le cas en Amérique latine. La culture du café nécessite de la main-d'œuvre toute l'année mais les récoltes, entre octobre et janvier, génèrent une plus grande effervescence.

© IPAT PANAMA

Paysage des hautes terres du Chiriquí.

Arrivent alors les Indiens Ngöbe Buglé, de Remedio, Tolé, San Félix, Las Lajas et même des provinces de Veraguas ou Bocas Del Toro, pour travailler dans les fincas. Ils sont souvent accompagnés de leurs enfants et certains restent après les récoltes dans l'espoir de trouver un travail permanent. Nous vous proposons la visite de deux plantations, dont les exploitations et le procédé d'élaboration du café sont très distincts, de l'industriel à taille humaine, au plus artisanal.

■ CAFÉ RUIZ

✆ +507 720 1000
www.casaruiz-panama.com
Boutique ouverte de 7h à 18h, le dimanche de 10h à 18h. Dégustation de café, capuccino, gâteaux. Vente de sacs souvenir et café moulu ou en grains toastés à la mode italienne, française, européenne ou latino. Deux visites au choix : tour de 3 heures pour découvrir la plantation et suivre le processus d'élaboration du café. Départs du lundi au samedi à 9h et 13h, 30 $/personne. « Roasting tour » de 45 minutes. Unique départ le matin à 8h, 9 $/personne.

■ CAFETALES DON ALFREDO – FINCA LA MILAGROSA

Bajo Boquete
✆ +507 720 1665 – +507 6654 5536
www.cafedeboquete.com
cafedalfredo@hotmail.com
Visite guidée du lundi au dimanche à 9h et 14h. 25 $ par personne pour un tour de 2 à 3 heures.

Hector ne parle qu'espagnol et il faudra avoir recours à un guide pour avoir une visite en anglais à défaut de français si vous ne parlez pas espagnol. La loi du marché pousse souvent les petits producteurs à s'incliner face aux grands propriétaires. Ce n'est heureusement pas le cas d'Hector Vargas, dit « Tito », qui réussit à poursuivre son activité de façon indépendante et exporte dans le monde entier, surtout au Japon. Respectueux de l'environnement, il souhaite que sa fabrique soit équipée de panneaux solaires. Le recyclage ? Il connaît. Il a fabriqué l'ensemble des machines qui servent à transformer la cerise en café ! De quoi vous épater. Il vous conduira également dans sa plantation, à la découverte de différents plants, dont le fameux geisha ! Et pour finir, une petite tasse de son café « Royal ». Bavard, il vous racontera ses aventures, ses projets et sa passion. Pour rejoindre sa finca, appelez-le et il viendra vous chercher à votre hôtel ou ailleurs.

■ MI JARDÍN ES SU JARDÍN

Au nord de l'Avenue Central
Environ 10-15 minutes à pied de l'église, juste après Café Ruiz
Ouvert tous les jours de 9h à 16h (parfois 18h). Entrée libre. Ce splendide jardin est un incontournable de Boquete. Cascades de bougainvillées panachées, rouges, roses ou jaunes, fuchsias, iris, palmiers… L'entrée est gratuite et le jardin magnifique. Veillez seulement à ne pas dépasser certaines limites, puisqu'il s'agit d'une propriété privée ouverte au public, pour son plus grand bonheur. Une belle initiative !

■ LA PIEDRA PINTADA

Caldera, peu avant l'embranchement pour les sources d'eau chaude
La Pierre Peinte est un grand rocher d'une dizaine de mètres de long sur trois de haut environ, où sont gravés des motifs d'origine

El Bajareque

Si le climat est agréable, ne négligez pas cette pluie fine et persistante, localement appelée « bajareque », qui peut avoir raison de vous en une heure de balade dans les hauteurs. C'est l'une des raisons pour lesquelles nous vous conseillons de planifier vos excursions aux heures les plus matinales, en particulier en « hiver ». Vous profiterez ainsi des meilleurs moments de la journée, le temps se couvrant en général aux alentours de 13 ou 14h.

Feria de las Flores y el Café

La première édition date de 1950. La fête était alors uniquement axée sur le café et n'avait pas lieu tous les ans. En 1970, la veille de l'ouverture de la cinquième fête, de terribles inondations dévastèrent le village (un habitant sur trois perdit sa maison) et causèrent la mort de huit personnes. Pour conjurer le mauvais sort, il fut décidé que le festival serait maintenu, tous les ans, sur les berges de cette même rivière. En 1973, les fleurs vinrent se joindre au café et, aujourd'hui, si vous visitez Boquete en dehors de la fête, vous pouvez constater que l'emplacement de cette manifestation lui reste strictement réservé ! Mais cette Feria, aux allures de fête foraine commerciale, est un peu décevante pour celui qui s'attend à en apprendre plus sur les fleurs ou le café.

précolombienne, qui n'ont à ce jour pas été expliqués. On ne sait pas qui a réalisé les pétroglyphes, de quand ils datent et ce qu'ils évoquent... Le rocher est situé sur une propriété privée, dans un champ où broutent des vaches, à proximité de la rivière où l'on peut se rafraîchir. Pour s'y rendre, repérer le panneau sur le côté droit de la route principale de Caldera, à un kilomètre environ du village, un peu avant le bar Jardin La Fortuna. Prendre le chemin qui passe derrière le bar et marcher 350 m à travers champ jusqu'au groupe de rochers à côté de la rivière bordée d'un bosquet. La Piedra Pintada est le plus gros de ces rochers.

■ SOURCES D'EAU CHAUDE DE CALDERA

Des bains bouillonnants naturels d'une température avoisinant les 40 °C. Allongé dans ces eaux délicieuses, on entend courir une rivière en contrebas, c'est le Río Caldera qui prend sa source à 2 900 m d'altitude. Les plus aventureux s'y plongeront pour se rafraîchir. Un contraste saisissant qui viendra à bout de vos courbatures dues aux randonnées de la veille. La nature est bien faite... Cette sortie est au programme de la majorité des guides de Boquete mais vous pouvez également vous y rendre seul. Des bus partent de Boquete pour Caldera plusieurs fois par jour. Demandez au chauffeur de vous laisser au croisement pour Los Pozos. A partir de là, suivez le sentier sur quelques kilomètres ; après le pont, montez sur votre gauche et entrez dans la propriété (indiquée) plus loin, à nouveau sur votre gauche. Vous arriverez à une petite ferme, où l'on ne manquera pas de venir vous demander 1 $ pour l'entretien du site. En hiver, nous vous conseillons de vous y rendre le matin vers 7-8h pour ne pas être pris par la pluie. En été, après la grosse chaleur, vers 15-16h ! Profitez de cet eldorado tant qu'il est encore temps, des rumeurs circulent concernant la fermeture prochaine du site au public...

Sports – Détente – Loisirs

Nous ne vous proposons que quelques balades, mais sachez que les possibilités sont infinies !

▶ **Sentier des quetzals (*sendero de los quetzales*)**. Ce sentier de 12 km (mais 6 heures aller tout de même !) est également praticable depuis Cerro Punta qu'il rejoint. De Boquete, rejoignez Bajo Mono en bus ou à pied (6 km, au nord de la ville) et marchez jusqu'à l'entrée du parc, Alto Chinquero. En principe, une équipe permanente de l'ANAM devrait s'y trouver (entrée 5 $) et vous renseigner sur les possibilités d'hébergement : refuge d'une capacité de 10 personnes ou camping (5 $ par tente). Un petit refuge rustique mais chaleureux est tenu par un jeune couple sur la fin du sentier.

En 2003, il a été question de construire une véritable route accessible aux voitures (!) entre Boquete et Cerro Punta. Fort heureusement, la mobilisation des habitants a réussi à faire avorter le projet. Les Boqueteños ne sont pas passés loin du désastre écologique. Vous êtes donc toujours libre de vous promener sur le sentier, à la recherche difficile du fameux quetzal (il aurait migré depuis quelques années vers des forêts plus sauvages). Nota : un sentier était fermé suite au décès accidentel d'un guide, renseignez-vous pour s'avoir s'il est de nouveau accessible, il devrait être réaménagé prochainement.

▶ **Sentier du pianiste (*sendero del pianista*)**. Palo Alto. Ce sentier, qui ne présente pas de difficultés majeures, monte vers Bocas, sur la cordillère centrale. Idéal pour l'observation des oiseaux et la flore. Vous traverserez d'abord les pacages, puis entrerez dans la forêt primaire et secondaire pour rejoindre le sommet avec vue sur l'océan Pacifique et la mer Caraïbes.

▶ **Ascension du volcan Barú.** Le parc national Volcán Barú, d'une superficie d'environ 14 000 ha, fait partie des zones protégées du pays depuis 1976.

PROVINCE DU CHIRIQUÍ

Sur la cordillère de Talamanca, l'isolement et l'altitude de ce volcan en font un véritable joyau bioclimatique où vivent de nombreuses espèces endémiques dont certaines orchidées, une variété de mûre sauvage, ou encore des oiseaux comme la paruline sombre. Pour atteindre le plus haut sommet du Panamá (3 475 m) et avoir la chance d'apercevoir d'un côté l'Atlantique et de l'autre le Pacifique (tôt le matin), deux voies sont possibles, au départ de Boquete ou de Cerro Punta/Volcán (reportez-vous à la partie correspondante).

En commençant l'excursion depuis Boquete, vous devrez vous rendre à l'entrée du parc national, au poste de l'ANAM, situé à une quinzaine de kilomètres du centre. A partir de là, il vous suffit de suivre la piste caillouteuse jusqu'au bout. Attention aux écarts de températures entre les basses terres et le sommet ; prendre des vêtements chauds et imperméables, une lampe de poche et suffisamment d'eau. Vous passerez par tous les types de climat au cours de ces 2 500 m de dénivelé. Echelonnée sur 14 km, cette excursion est physique, en particulier à cause des cailloux qui jonchent le chemin. Conseil : partez vers minuit pour arriver à l'aube et voir le lever de soleil.

■ BOQUETE TREE TREK
Plaza Los Establos, local 18
✆ +507 720 1635
✆ +507 6615 3300
www.aventurist.com
info@aventurist.com
Glissez, en toute sécurité, sur la cime des arbres centenaires, sur un parcours de 3 km divisé en une dizaine de plateformes. En été, deux sessions sont organisées par jour, départs à 8h et midi (en hiver, session unique à 10h) 60 $ par personne pour un tour de 3 heures (1 heure 30 en l'air au milieu des arbres). Evitez shorts et tongs. Vous vous sentirez plus à l'aise avec un pantalon et des chaussures fermées... quand vous serez de 30 à 60 m au-dessus du sol ! Des balades avec guide vous sont également proposées à partir de 25 $ (30 $/personne pour une rando à vélo).

■ CHIRIQUÍ RIVER RAFTING
Ave. Central
✆ +507 720 1505
✆ +507 6879 4382
www.panama-rafting.com
rafting@panama-rafting.com
Bureau ouvert de 9h à 13h et de 14h à 18h, fermé le dimanche mais des excursions peuvent être faites ce jour-là. De 85 à 105 $ par personne (parfois à partir de 60 $), selon la durée (2 à 4 heures), la difficulté et la rivière (Río Chiriquí, Chiriquí Viejo, Río Fonseca, Río Majagua). L'agence qui a la meilleure réputation à Boquete. Pour découvrir les cascades, rapides et cours d'eau classés II, III et IV, dont la renommée dépasse les frontières du pays. Trois personnes minimum par groupe, mais les organisateurs peuvent se charger de vous trouver des coéquipiers.

Shopping

▶ **À noter, le supermarché Romero**, non loin du Parque Central, est ouvert 24h/24. Quant au marché municipal, il vous accueillera de 6h30 à 18h.

© PAT PANAMA

Río Chiriquí.

■ EL CACIQUE

Angle Ave Central et Parque Central,
✆ +507 6742 4696
Ouvert tous les jours de 10h à 18h. Une des nombreuses boutiques d'artisanat et de souvenirs de Boquete.

VOLCÁN

Volcán étant moins touristique que son voisin Boquete, vous préférerez y loger si vous souhaitez échapper à la foule. Sur la route vers Volcán, le Mirador Alan-Her, ouvert tous les jours de 7h30 à 19h30, vend des yaourts, du fromage, des biscuits et du bienmesabe, spécialité sucrée de la région, entre le caramel mou et la confiture de lait. *Como algo que me sabe bien rico*, aiment à dire les locaux (une sucrerie dont on sait qu'elle nous fait du bien). Cette halte douceur est conseillée aux gourmands !

Transports

La route est bonne, compter environ 1 heure en voiture depuis David. Liaisons régulières avec David en minibus tous les quarts d'heure de 6h à 18h30. 1 heure 20 de trajet, 3 $.

Pratique

■ BLANCHISSERIE : LAVANDERIA ANDY

C/ Central, à côté du Banco Nacional de Panamá

■ FARMACIA SUPERMERCADO ROMERO

C/ Central, dans le supermarché Romero
Ouvert tous les jours 24h/24.

Tourisme

Un bureau de l'office du tourisme se trouve au marché couvert, récemment installé, pas très loin de la police, après le supermarché Romero. Ouvert en semaine de 8h à 16h, accueil sympa.

■ « CHARLY » – HIGHLANDS ADVENTURE TURISMO ECOLÓGICO

✆ +507 6594 3681 – +507 6685 1682
ecoaizpurua@hotmail.com
Sur la route de Cerro Punta, cherchez le petit chalet en bois sur la droite en montant, à environ 400 m du marché artisanal, après le « Vivero »
Comptez par exemple 130 $ pour 2 personnes (160 $ pour trois ou quatre) pour l'ascension du Barú. Des balades à canoë ou bicyclette sont également possibles. Location de VTT : 25 $ la journée (soit 8 à 9 heures pour les guerriers !). Ne manquez pas de faire appel à Gonzalo Aizpurua alias « Charly » et à sa petite agence. Il pourra vous en faire visiter tous les recoins de la région. Il y a même désormais un sentier qui porte son nom ! Charly a plus d'un tour dans son sac ! Plus de 16 années à barouder comme guide dans la région lui ont permis d'acquérir une solide connaissance de la faune et flore locales. Le volcan Barú, le parc de la Amistad, le sentier des quetzales, Cerro Picacho… n'ont pas de secret pour lui. En véritables professionnels, lui ou ses guides bilingues espagnol-anglais vous emmèneront au gré de vos envies mais sauront également vous conseiller sur des circuits d'un ou plusieurs jours. Le service le plus demandé ? Les circuits adaptés aux observateurs d'oiseaux (matériel à disposition).

Argent

■ BANQUES

HSBC et BNP ,situés dans la rue principale, ont des distributeurs accessibles à toute heure.

Postes et télécom

■ INTERNET : KEEP IN TOUCH

Derrière la station-service dans le centre, en face de Romero
Ouvert tous les jours de 8h à 22h. 0,75 $/h.

Urgences

■ POLICE

✆ +507 771 4231

Se loger

■ CABAÑAS REIS

À l'entrée de Volcán, en contrebas de la route (accès fléché) ✆ +507 771 5153
www.cabanasreis.com
maricel@cabanasreis.com
10 cabañas familiales équipées avec salle de bains (eau chaude) et cuisine, à partir de 40 $ pour deux et 60 $ pour quatre sans les taxes. Wi-fi, TV. De petites maisons bien équipées, un peu isolées du village mais le bus peut vous déposer devant l'entrée de la propriété.

■ HOSPEDAJE EL CUBANO

Face au terrain de jeux dans le parc situé derrière l'école située dans la rue principale
✆ +507 771 4731 – +507 6660 3047
Chambres pour une, deux ou quatre personnes, entre 12 et 33 $. Salle de bains privée, eau chaude. Semblable à un petit chalet, des chambres assez confortables. Accueil agréable.

■ **HÔTEL RESTAURANTE DON TAVO**
Sur la route de Río Sereno,
à côté de El Campesino
✆ +507 771 5144
marialuisa@tierrasaltas.net
Chambre simple à 28 $, double à 38 $, triple à 40 $, quadruple à 46 $. Eau chaude, TV. Service de blanchisserie. Une adresse agréable et tranquille, avec une quinzaine de chambres simples mais propres.

Se restaurer

■ **PANADERIA MOLLEK**
À côté du supermarché Romero
✆ +507 771 4523
Boulangerie, cafétéria (hamburgers, glaces, cafés, empanadas…).

■ **RESTAURANTE MARY**
Rue principale, près de l'église adventiste, galerie Don Julio, 1er étage
✆ +507 6704 1237
✆ +507 6748 1477
Ouvert de 6h30 à 21h30. Petit déjeuner 2,50 $, plat du jour 3 $, poisson et viandes à la carte autour de 5 $. De la cuisine locale sans prétention mais bonne et pas chère. Salle ou terrasse.

■ **RESTAURANTE Y MARISQUERIA DEL PACIFICO**
C/ Central
Ouvert tous les jours de 8h à 22h. Plats entre 4 et 8,50 $. Crevettes, filets de poisson, truite, pagre, comida corriente (poulet frit ou lomo en

sauce). Sert également des petits déjeuners. Terrasse couverte et grillagée, salle soignée à l'intérieur. Une adresse sympathique qui jouit d'une bonne réputation.

À voir – À faire

■ **ASCENSION DU VOLCAN BARÚ**
Depuis Volcán, ou plus précisément de Paso Ancho, l'ascension est plus longue et fatigante que depuis Boquete : entre 7 et 10 heures d'ascension selon le poids du sac et le niveau du marcheur. Il est intéressant de camper pour couper la marche avant de redescendre. Le paysage est magnifique et offre de belles perspectives sur la nature environnante. L'idéal est de faire cette excursion en compagnie d'un guide, ou d'un local qui saura vous indiquer la voie ou vous proposer d'autres alternatives de randonnées dans le coin.

■ **LAS LAGUNAS**
À environ 5 km de Volcán. Il est nécessaire d'avoir une voiture pour accéder aux lagunes. Prenez la direction de Río Sereno, mais dirigez-vous vers la piste d'atterrissage de l'aéroport de Volcán. Puis suivez les indications. Il semble qu'il s'agisse du cratère d'un ancien volcan. On raconte qu'il resterait des lagunes non découvertes, ou uniquement connues des communautés vivant dans les hauteurs. Il est déconseillé de s'y baigner, mais le paysage vous enchantera. C'est un bon point de départ pour se promener dans la forêt environnante, pour pêcher (le tilapia y a été introduit par les militaires dans les années 1980) et observer les oiseaux.

■ **SITE ARCHÉOLOGIQUE DE BARRILES**
À environ 6 km du village
✆ +507 6639 5188
✆ +507 6575 1828
luislandau@gmail.com
Entrée 6 $. Prenez un bus dans la rue principale, direction Caizán. Le site se trouve sur la propriété de José et Edna Landau. L'un ou l'autre vous accueillera et vous racontera avec la même passion tout l'historique de ce site ; depuis les premières découvertes en 1947 jusqu'aux fouilles, pour finalement insister sur le manque de financement qui empêche, depuis 2001, la reprise des excavations. A la fin de la visite, une dégustation de fromage (queso blanco) et de pâte de goyave ou de citron vous sera offerte. Un délice ! Profitez-en pour acheter les conserves de Madame Landau. L'endroit lui-même est très agréable, en particulier le

Le quetzal

Il est réputé pour son magnifique plumage. Sa poitrine et son ventre sont rouge foncé, son dos et sa tête sont recouverts de plumes vertes. Son œil est presque noir, rond, brillant et vif. Sa queue peut mesurer jusqu'à 64 cm : les plumes centrales sont plus longues que l'oiseau lui-même, elles se croisent à l'extrémité, formant une traîne quand il vole. Le centre de la queue est très sombre, il est recouvert par de longues plumes duveteuses vert doré avec des reflets violets ou bleus. Le mâle se distingue de la femelle par sa taille et la longue plume rigide qui dépasse de sa crête. Quetzal signifie « oiseau » ou « plume » en aztèque. Cet oiseau donna son nom à l'une des principales divinités aztèques : Quetzalcóatl, le serpent à plumes.

jardin. Ne manquez pas d'aller voir *el árbol del viajero*. Introduite par les Portugais, ce n'est pas une espèce native du Panamá. On raconte que l'arbre du voyageur doit son nom à ses longues feuilles qui retiennent l'eau de pluie, une eau que le voyageur pouvait ensuite recueillir pour étancher sa soif.

La civilisation Barriles est considérée comme une civilisation précolombienne qui aurait disparu à la suite d'une éruption du volcan. Il existe peu de précisions quant à son époque, que les chercheurs panaméens situent entre 300 et 600. Le plus important vestige découvert sur site serait un fragment d'édifice religieux, fragment dont la particularité est d'être le produit de la fusion de trois classes de roches. L'autre face de la pierre, sa partie secrète, est la plus impressionnante. Des figures abstraites y sont dessinées, uniquement visibles quand on l'asperge d'eau. Le site comporte également des *metates*, ces lourdes pierres à la surface lisse sur lesquelles on préparait la farine de maïs. La rivière qui court dans le jardin, situé à 1 353 m au-dessus du niveau de la mer, est également l'objet d'un mystère. En regardant l'eau, vous remarquerez que le courant monte, alors qu'il devrait descendre puisque la source se trouve à 1 363 m !

Shopping

ARTE CRUZ VOLCAN
✆ +507 6623 0313
La réputation de José n'est plus à faire, un véritable artiste ! Rendez-vous à son atelier situé quelques kilomètres avant Volcán, pour observer ses sculptures de bois, il sera ravi de vous expliquer son travail. Quelques-unes de ses œuvres sont en vente.

MERCADO DE ARTISANIA
À côté de la police
Route de Cerro Punta
Ouvert de 7h à 19h tous les jours. Un nouveau marché avec quelques stands d'artisanat de la région mais aussi des fruits et légumes. Après les emplettes, un resto à l'étage avec une terrasse sympa (petits déjeuners, snacks, jus…).

BAMBITO

Quelques hôtels ont été construits sur la route entre Volcán et Cerro Punta, à proximité du lieu-dit Bambito. Peu fréquentés en hiver, ils vous sembleront peut-être austères car isolés au milieu de la nature, mais en été, vous y serez très bien.

CABAÑAS KUCIKAS
Bambito, à 700 m de l'Hotel Bambito
✆ +507 771 4245
www.kucikas.com
19 maisons pour 6 à 10 personnes, entre 66 $ et 165 $ + 10 % de taxes. Construites dans les années 1970, des petites maisons colorées sous les eucalyptus au bord de l'eau. Toutes équipées (salle de bains, eau chaude, cuisine, draps, barbecue), toutes différentes et originales. Parfait pour les groupes.

CASA GRANDE BAMBITO RESORT
Bambito
✆ +507 771 5126
✆ +507 201 5555
www.casagrandebambito.com
info@casagrandebambito.com
20 suites tout confort pour 4 à 8 personnes, à partir de 89 $. Piscine. Un bel hôtel récemment rénové, situé entre les montagnes, au bord du río, que l'on entend depuis les chambres. Nombreuses activités dont Spa et sauna. Pour ceux qui recherchent confort et tranquillité.

HÔTEL BAMBITO RESORT
vía Cerro Punta
✆ +507 771 4265 − +507 215 9448
www.hotelbambito.com
48 chambres pour deux à partir de 100 $ en basse saison, 135 $ en haute saison pour les chambres les plus économiques. Petit déjeuner inclus. Restaurant ouvert tous les jours de 7h à 23h. Hôtel de standing avec piscine, Jacuzzi, sauna, tennis… Restaurant, brunch dominical. Des balades à cheval et autres excursions sont proposées.

CERRO PUNTA

À 1 970 m d'altitude, sur les flancs de la cordillère de Talamanca, le village de Cerro Punta nous réserve ses élevages de vaches et de chevaux. Sa route principale et sinueuse traverse un paysage bucolique, changeant au fil des saisons et des récoltes. De nombreux kiosques y sont dispersés, vendant fruits et légumes, mais surtout des fraises (nature, avec crème ou en confiture).

Une halte gourmande s'impose… Guadalupe, Las Nubes et Nueva Suiza, trois villages voisins, vous enchanteront tout autant que Cerro Punta. Mais attention, il n'y a ni banque ni point de retrait dans le coin, pensez-y avant de partir.

Transports

▷ **Bus.** Minibus « Cerro Punta » toutes les 15 minutes à partir de David et Volcán (1,35 $).

Se loger

▪ **HÔTEL CERRO PUNTA**
En bordure de la route principale,
sur la gauche en entrant dans Cerro Punta
✆ +507 771 2020
10 chambres doubles à 45 $. Restaurant avec
une cuisine inventive à partir de 7 $. Etablis-
sement calme et bien tenu. Personnel accueillant.

▪ **LOS QUETZALES LODGE & SPA
(GUADALUPE)**
Guadalupe
✆ +507 771 2182
✆ +507 771 2291
www.losquetzales.com
Une adresse vraiment impossible à louper tant
les panneaux qui l'annoncent sont nombreux !
Deux options s'offrent à vous, la première étant
de loger dans l'une des chambres et suites de
cet hôtel situé au cœur de Guadalupe. Chambre
à partir de 75 $; junior suite à 95 $; dortoir à
20 $ par personne. Vous pouvez aussi choisir
de vous isoler dans l'un des cinq chalets perdus
dans la montagne, à une demi-heure de là.
La nuit coûte entre 100 et 175 $, transport et
entrée des parcs nationaux inclus. Réfléchissez
bien… nous vous recommandons vivement cet
endroit ! Ce complexe dispose d'un excellent
restaurant (repas pour 20 $ environ ; les pains
maison sont particulièrement savoureux),
d'une jolie salle commune avec cheminée,
d'un accès Internet, mais surtout d'un Spa
construit sur les berges de la rivière (massages,
sauna…). Quant aux chalets rustiques en
bois, ils sont superbement équipés (cuisine,
cheminée…) et intimes. Leurs balcons donnent
sur une végétation luxuriante. Une équipe de
guides est à votre disposition pour tout type
d'excursions.

À voir – À faire

▪ **FINCA DRACULA**
✆ +507 771 2070
www.fincadracula.com
dracula@madurostropical.com
Ouvert du lundi au vendredi de 8 h à 11h30 et
de 13h à 17h. Entrée 5 $, tour guidé pour
1 à 7 personnes 10 $ chacun, 7 $ à partir
de 8 personnes. La finca n'est pas très bien
indiquée, le seul panneau est à l'entrée du
site, mais vous trouverez toujours quelqu'un
pour vous orienter. La route qui y mène est
très agréable : agriculteurs dans leurs champs,
points de vente de légumes, fermes… Accès
en taxi ou bus depuis Cerro Punta. Nous vous

encourageons vivement à visiter ce site situé
à 2 000 m d'altitude. Plus de 2 200 espèces
d'orchidées différentes, microscopiques ou
géantes, en serres ou en milieu naturel. La
visite est passionnante, les mois de prédilection
sont mars et avril. Le tour guidé d'une demi-
heure à 45 minutes s'effectue en compagnie de
l'un des spécialistes de la finca qui vous dévoile
tous les mystères concernant les familles
d'orchidées (Dracula est le nom de l'une d'entre
elles). Réservez si vous venez en groupe ou si
vous souhaitez déjeuner sur place.

▪ **PARQUE INTERNACIONAL
DE LA AMISTAD (PILA)**
La plus grande partie de ce parc se trouve sur
le territoire de la province de Bocas del Toro
(environ 200 000 hectares). Dans le Chiriquí,
on y accède par Guadalupe, mais aussi par Las
Nubes où se trouve le poste de l'ANAM ouvert
de 8 h à 16h (entrée parc : 5 $). Il est possible
de dormir dans le refuge (2 chambres avec lits
superposés) pour 15 $ par personne, ou 5 $ par
tente (non fournie). N'oubliez pas d'emporter
votre polaire, les températures descendent à
15 C° la nuit et le climat est humide. Un sentier
balisé mène, en 2 heures 30, à une cascade
haute de 55 m, sous laquelle les courageux
se baigneront. Plusieurs points de vue (La
Nevera, Pino et El Barranco) vous permettront
d'observer la frontière des deux provinces et
le paysage accidenté du parc, recouvert d'une
dense forêt vierge. D'autres sentiers ont été
ouverts, renseignez-vous auprès des rangers
de l'ANAM.

▪ **SENTIER DES QUETZALES**
Le sentier relie Cerro Punta (poste de l'ANAM
et refuge à El Respingo) et Boquete. Sachez
que malgré son nom, on voit difficilement des
quetzals et que d'autres sentiers sont plus
appropriés pour cela. Comptez environ 6 heures
pour l'ensemble du parcours (aller). Une fois à
Boquete, il vous restera encore 6 km jusqu'au
centre du village. Le sentier était officiellement
fermé lors de notre passage quelques mois
après le décès accidentel d'un jeune guide
en décembre 2010, renseignez-vous (voir
également cette rubrique à Boquete).

SUR LA ROUTE LA FORTUNA

C'est la route qui relie la Panaméricaine au
littoral atlantique, à travers les provinces de
Chiriquí et Bocas. Une route sinueuse magnifique qui monte, souvent dans la brume l'après-
midi. Elle passe devant l'usine hydroélectrique
La Fortuna.

▪ HORNITO – FINCA LA SUIZA

À 55 km de David
✆ +507 6615 3774
www.panama.net.tc
fincalasuiza@hotmail.com
Après Los Planes,
guettez sur votre droite l'entrée de la finca
En bus direction Changuinola, demandez
qu'on vous laisse à l'entrée du site
Fermé généralement du 15 mai au 15 juillet et

*du 15 septembre au 15 novembre. Chambre
simple à 45 $, double à 58 $ (minimum 2 nuits).
Salle de bains privée et eau chaude, terrasse et
vue panoramique à couper le souffle.* Un cadre
exceptionnel, une végétation tropicale humide,
dont il vous faudra profiter en arpentant les
sentiers ouverts par Monika et Herbert, les
propriétaires. Nombreux circuits de randonnées
(de 1 heure à 6 heures de marche) ouverts à
tous (8 $/personne, entrée de 7h à 10h).

▨ LA CÔTE PACIFIQUE DU CHIRIQUÍ

PLAYA BARQUETA

Une demi-heure en bus et vous pourrez goûter
aux joies de l'océan. Rien de tel pour échapper
rapidement de la chaleur de David. Une longue
plage, du sable gris clair… et un grand complexe
hôtelier :

▪ LAS OLAS BEACH RESORT

Ave. Don Antonio Anguizola
✆ +507 772 3000
www.lasolasresort.com
À partir de 65 $. Avec piscine, tennis…

BOCA CHICA

Ce petit village de pêcheurs permet de rejoindre
Isla Boca Brava et dispose d'une plage magnifique, comme son nom l'indique !

Transports

Bifurquez sur la Panaméricaine en direction
d'Horconcitos. La route a été goudronnée
récemment.

▹ **Bus.** Bus de David à Horconcitos (2,50 $ pour
45 minutes) ou n'importe quel bus qui longe la
Panaméricaine (s'arrêter au croisement).

▹ **Un pick-up** fait l'aller-retour deux fois par jour
entre la Panaméricaine et Boca Chica. Comptez
4 $ par personne. Horaires réglés sur les bus
de David-Horconcitos.

▹ **Un taxi privé** vous coûtera autour de 40 $
depuis David.

▹ **Voiture.** Se rendre à Horconcitos (environ
7 minutes de la Panaméricaine), puis jusqu'à
Boca Chica (25 minutes). Laisser sa voiture à
l'emplacement prévu à Boca Chica (parking
payant quand il y a quelqu'un…).

▹ **Barque.** La dernière étape ! Voir détails dans
les accès aux hôtels de Boca Brava.

Se loger

▨ SEAGULLCOVE LODGE

Accès fléché en arrivant à Boca Chica
✆ +507 851 0036
www.seagullcovelodge.com
info@seagullcovelodge.com
*150 $ pour deux personnes avec petit déjeuner,
165 $ en haute saison + 10 % de taxe.* Vos hôtes
ont préféré conserver leur gîte à taille humaine.
Cinq bungalows de grand standing, surplombant
la mer, dans un cadre magique avec jardin et
piscine. L'atmosphère y est douce et l'accueil
convivial. Le restaurant (ouvert également aux
non clients du lodge, sauf le lundi) dispose
d'une vue magique sur la mer et propose des
spécialités internationales et locales, avec
évidemment du poisson tout juste pêché. Un
lodge qui a très bonne réputation.

À voir – À faire

▨ PLAYA HERMOSA

Très peu fréquentée, c'est encore l'aventure. A
une quinzaine de kilomètres de la Panaméricaine,
cette plage est encore très sauvage et permet
des baignades sans risques. Il faut aller chercher
loin la mer à marée basse. Plusieurs projets
touristiques sont en cours. On en sait peu de
choses… si ce n'est que le panorama devrait
changer.

ISLA BOCA BRAVA

Une île sauvage et isolée, pour un séjour d'un
ou plusieurs jours. Un bon point de départ pour
se promener dans l'archipel du parc national
marin du golfe de Chiriquí.

Pratique

▹ **Point de repère à Horconcitos :** Abbarotería
El Triangulo. Pour avoir des renseignements
pour rejoindre Boca Chica.

La dernière supérette que vous aurez l'occasion de voir avant l'île se trouve à Boca Chica. Nous vous conseillons d'en profiter pour vous approvisionner (eau, etc.). Pas de banque ni de point de retrait.

Pas de téléphone public sur l'île.

Se loger

CALA MÍA
✆ +507 851 0059 – +507 6747 0111
www.boutiquehotelcalamia.com
hotelcalamia@gmail.com
Les tarifs haute saison démarrent à 240 $ pour 2, petit déjeuner inclus + 10 % de taxe. 5 % du prix des chambres sont reversés au soutien de communautés locales. 11 luxueux bungalows suites au bord de l'océan. Au-delà de la piscine et du Spa, ce ne sont pas les activités qui y manquent : kayaks, planches, plongée, snorkeling, balades à cheval… Le restaurant est perché sur les hauteurs et propose une cuisine méditerranéenne préparée avec les fruits et légumes du potager.

PUNTA BEJUCO
Pacific Bay Resort
✆ +507 6695 1651 – +507 6678 1000
www.pacificbayresort.org
frank@pacificbayresort.org
Chambre double à 110 $, personne supplémentaire à 40 $, 3 repas inclus (sans les boissons). Des cabañas semi-rustiques dans un site de rêve… Pour y accéder, contactez Franck ou son équipe. Quant aux activités sur l'île : trois plages, promenades à cheval, en bateau, kayak…

RESTAURANTE Y CABAÑAS BOCA BRAVA
✆ +507 851 0017
www.hotelbocabrava.com
hotelbocabrava@yahoo.com
Cabañas de 45 à 85 $ pour deux + 15 $ personne supplémentaire, selon le confort (avec ou sans salle de bains privée, TV, air conditionné). Des chambres à 35 $ pour deux, 12,50 $ par personne supplémentaire. Hamac 7 $, matelas 10 $. Ajouter 10 % de taxe. Les propriétaires possèdent 35 ha sur l'île avec deux plages privées. De multiples activités sont possibles (pêche, plongée, snorkeling, kayak, balades à pied, à cheval…). Les *cabañas* et le restaurant surplombent l'océan d'une vingtaine de mètres, pour une vue magnifique sur le Pacifique et ses îles. Le lieu est sauvage et il convient d'être prudent lorsque l'on s'aventure sur les sentiers. Les cabanes sont confortables mais rustiques et il y en a pour tous les budgets. Camping possible pour 7 $ par hamac ou par tente.

Le restaurant de l'hôtel sera votre unique choix, ouvert dès 7h30 à 23h. Ceviche, soupe de poisson, langouste, cambute (variété de crevette), pagre. Essentiellement du poisson, selon la pêche du jour et les périodes de reproduction.

À voir – À faire

Exploration de l'île. Il y en a pour tous les goûts, selon l'envie et la difficulté des sentiers. Des sorties peuvent être organisées vers les petites îles avoisinantes de Linarte et Saino. Et d'août à novembre, allez écouter le chant des baleines !

▨ PARQUE MARINO GOLFO DE CHIRIQUÍ

Entrée du parc national marin : 10 $. Ce parc national de 14 740 ha est constitué d'un groupe d'îles connues sous le nom de Las Paridas dont la plus grande est Isla Grande ou Parida (1 200 ha). C'est également la seule, avec Paridita, qui soit habitée en permanence. Une vingtaine de familles y vivent. Dans les alentours, plus de vingts îles peuplent le paysage. L'observation des coraux est particulièrement réputée dans les secteurs de Santa Cruz (sud-ouest de Parida) et vers Isla Gámez, et d'août à novembre on peut apercevoir des baleines. Pour les amateurs, le secteur est aussi un haut lieu de la pêche sportive.

◗ **Deux moyens sont possibles pour gagner l'île Parida,** point de départ pour l'exploration du parc marin. Dans les deux cas, tâchez de vous réunir à plusieurs pour diminuer les frais. De Boca Chica : contactez l'ANAM (✆ +507 774 6671 / ✆ +507 775 3163) qui se chargera de l'organisation de l'excursion. Vous rejoindrez l'île Parida en barque, à 40 minutes environ (comptez grosso modo 70 $, en fonction de la puissance du moteur et du prix du gasoil).

Sports – Détente – Loisirs

▨ MORRO NEGRITO SURF CAMP

www.surferparadise.com
panamasurfing@getresponse.com
Les forfaits surf à la semaine sont de 640 $ par personne (transferts aller-retour depuis l'aéroport de la capitale, repas et logement compris, ainsi que les trajets en barque pour rejoindre les différents spots autour des îles). Si vous êtes déjà à Panamá, on peut vous récupérer à Tole, mais réservez à l'avance. Au large du Chiriquí, une île privée très exclusive, réservée aux passionnés de surf. La capacité de l'hôtel composée de cabanes rustiques est volontairement limitée à 25 personnes. Un programme alléchant, 10 différents break, des vagues de 6 à 8 pieds… Que demander de plus ?

PLAYA LAS LAJAS

Une belle plage longue de 14 km, bordée de cocotiers, où les tortues viennent déposer leurs œufs entre août et octobre. La marée y est importante et la plage peut se dégager sur 150 m. Si vous ne voyez pas de tortues vous verrez sans doute beaucoup de petits crabes oranges qui courent à toute vitesse ! La plage est très peu fréquentée hors saison, beaucoup plus le week-end durant l'été panaméen. Si vous dépensez plus que prévu en cocktails, la banque la plus proche se trouve à San Felix, à côté de la police.

Transports

◗ **Bus et taxi.** Depuis David, prenez n'importe quel bus pour San Felix, Tole, Santiago… Durée 1 heure 15, 2,70 $ (avec le bus à destination de San Felix). Demandez au chauffeur de vous déposer à « El Cruce » (l'intersection) de Las Lajas. Puis prenez un taxi (fréquents, 6 $ pour une personne ou plus). Inutile de prendre un bus pour Las Lajas, il n'ira pas plus loin que le village proche, alors que la plage se trouve encore à 10 km.

De Las Lajas à David ou Panamá, revenez à El Cruce où font un stop les bus San Felix-David. Pour Santiago ou les villes sur la route de Panamá, vente de billets sur place à « Terminal David Panamá » à côté du centre commercial d'El Cruce mais les bus sont souvent pleins. Vous aurez plus de chances de trouver une place en vous rendant au Kiosco Enita, une petite maison au bord de la route au Cruce.

◗ **Voiture.** Prenez à droite au Cruce en venant de David. Puis suivez les indications. Route en bon état.

Se loger

Bien et pas cher

▨ CABAÑA PANAMÁ

✆ +507 6472 4610
www.cabana-panama.com
kaspartiemann@hotmail.com
À gauche une fois sur le bord de mer, tout droit sur 500 m environ. Un hôtel-resto tenu par un Allemand, composé de 7 maisonnettes aux couleurs vives, avec salle de bains privée, 40 $ (50 $ en haute saison) pour quatre. Possibilité de camper sous un rancho sur la plage pour 5 $ par personne (gratuit si consommation au restaurant) avec accès à une douche. Une maisonnette devrait offrir prochainement des lits pour les *mochileros* autour de 8 $ par personne.

◗ **Le restaurant** sert tous les jours des petits déjeuners complets pour 4,50 $ et des plats de poissons, langoustines, crevettes ou viandes autour de 10 $.

▨ EL MUNDO

Peu avant Cabaña Panamá
✆ +507 6560 5478 – +507 6681 7710
www.elmundobar.com
hzettel@gmx.net

Ouvert tous les jours de 11h à 22h (basse saison), de 9h à très tard en été. Wi-fi, location de planches de surf (15 $ par jour) et de bodyboard (10 $ par jour), organisation d'excursions... Un bar-restaurant sous un impressionnant rancho en bord de plage, proposant une cuisine internationale originale. Il est tenu par une Allemande, alors goûtez donc au *wiener schnitzel*, une escalope avec une sauce champignon pour 9 $ environ. Nombreux cocktails à 3-4 $, dont El Mundo, aux saveurs douces et amères à la fois.

▶ **Possibilité de camper** avec matelas, sur la mezzanine au-dessus du bar-resto (pas de problème de bruit en basse saison normalement) pour 12 $ par tente de 2. Hamacs et peut-être bientôt des chambres...

■ JARDÍN Y RESTAURANTE LA ESTRELLA DEL PACÍFICO
Également sur la droite
✆ +507 6478 9397
(Kenin « el Chino ») 4 cabañas en dur, au confort sommaire, avec salle de bains privée, de 30 $ pour 2 à 50 $ pour 5. Vous y dormirez bercé par l'unique bruit des vagues. Service de blanchisserie. Possibilité de camper sous rancho (15 $) si vous avez une tente, location rancho à la journée 10 $.

▶ **Restaurant sur la plage** ouvert tous les jours (parfois fermé en basse saison) de 7h au dernier client. Poisson frit et riz ou patacones à 3-4 $. N'hésitez pas à commander une bière bien fraîche en attendant que Kenin prépare son poisson tout juste pêché, face à un superbe panorama !

■ KIOSCO JOEL
Sur la droite en arrivant sur la plage
Ouvert les fins de semaine et pendant les vacances. Location de *ranchitos* (petits abris, sur la plage, où s'abriter du soleil) à la journée autour de 5 $ et comida à partir de 3 $.

■ LAJAS BEACH CABINS
✆ +507 6618 7268
✆ +507 6616 4395
En arrivant en bord de mer à la fin de la route, tourner à droite et suivre la route sur 900 m – après le resort (le taxi peut vous y déposer mais il risque de vous demander un supplément). Les 9 cabañas, directement sur la plage, sont très rustiques mais offrent une superbe vue sur la mer. Avec lit double et salle de bains commune 10 $ en basse saison et 20 $ en haute (possible d'y dormir à plus, mais s'organiser avec ses propres matelas, le prix ne varie pas).

Egalement 6 appartements avec salle de bains privée 20 $ (haute 30 $). Une adresse agréable et très économique.

▶ **Le restaurant, économique,** sert les trois repas. Poisson, viande avec frites ou patacones et salade autour de 5 $ (selon la taille du poisson). Petit déjeuner à 2,50 $.

■ LA SPIAZA
À gauche en arrivant à la plage
✆ +507 6620 6431
www.laspiazapanama.com
info@laspiazapanama.com
Lit en dortoir 10-12 $, chambre avec un lit pour deux et salle de bains partagée 20 $, 35-40 $ avec salle de bains privée. Projet de cuisine pour les hôtes. Wi-fi. La Spiaza (« la Plage » dans un dialecte italien) est tenu par Maximo et Elisa, qui ont d'abord monté un restaurant de pâtes et pizzas (délicieuses, préparées en haute saison) et offrent aujourd'hui des *cabañas* rustiques avec une déco sympa. Certaines étaient encore en construction lors de notre passage.

Confort ou charme

■ LAS LAJAS BEACH RESORT
En arrivant en bord de mer,
tourner à droite
et suivre le chemin sur 400 m
✆ +507 6790 1972
www.laslajasbeachresort.com
info@laslajasbeachresort.com
Sur deux niveaux, 12 chambres avec lit Queen et 2 suites lit King size, avec AC, lecteur DVD, wi-fi. 66 $ la chambre pour 2 en basse saison, 110 $ en haute saison. + 11 $ par personne supplémentaire. Suites de 99 à 200 $. Un resort aux couleurs chaleureuses apprécié des étrangers vivant à Boquete. Il est heureusement plus discret dans le paysage que ce que l'on pouvait craindre. Une petite piscine, un bar-restaurant avec vue sur la mer et du gazon bien tondu accueillant de jolis ranchos en forme de champignon. Poisson du jour 10 $ et plats à la carte plus chers. Pour ceux qui ne logent pas à l'hôtel, la piscine et les fauteuils de plages sont accessibles en journée pour 10 $.

Se restaurer

■ FONDA MARLENI
À gauche en arrivant sur la plage,
à 200 m environ
Ouvert en haute saison le week-end. Pour manger du poisson frais et de la *comida típica*, les pieds dans le sable. Location de *rancho* pour 5 $ (apporter son hamac).

PROVINCE DE BOCAS DEL TORO

Le littoral
de Bocas del Toro.

Le littoral de Bocas del Toro

La province de Bocas del Toro, entre terre et mer, jouit d'une position riche et contrastée, entre le Costa Rica avec qui elle partage le parc international de La Amistad, les hautes terres chiricanas et la mer des Caraïbes. S'y rendre est facile, la route qui relie les provinces de Bocas et Chiriquí est en bon état. Quant à l'aéroport de Bocas del Toro sur l'île Colón, il permet de gagner la capitale en moins d'une heure. Il n'en faut pas plus pour se retrouver dans une atmosphère caribéenne colorée, à siroter un rhum en écoutant le calypso de Lord Cobra!

Histoire

Cette région fut l'une des premières du continent à être visitée par les conquistadores. Christophe Colomb explore l'archipel en 1502, lors de son quatrième voyage « aux Indes ». La baie de Caraboro (le nom indigène sera changé pour Almirante, amiral en espagnol) et la lagune d'Aburemá (actuelle lagune de Chiriquí) étaient déjà peuplées par les « Indiens » qui circulaient en pirogue entre les îles. Mais les Espagnols n'implantent pas de colonie dans cette région dépourvue de grandes quantités d'or, qui deviendra aux XVIIᵉ et XVIIIᵉ siècles un repaire de pirates anglais et un refuge pour quelques Français Huguenots.

Au début du XIXᵉ siècle, de riches familles écossaises et anglaises émigrent des îles colombiennes de San Andrés et de Providencia pour s'installer dans l'archipel avec leurs esclaves. Se développe alors un commerce important avec la Jamaïque, colonie britannique : on exporte d'importantes quantités de cacao, acajou et écailles des tortues Carey, nombreuses à venir pondre sur les plages. Après l'abolition de l'esclavage, les esclaves affranchis restent et s'établissent en petites communautés de pêcheurs et d'agriculteurs. Des liens se sont créés entre les esclaves noirs et les Amérindiens, et outre le métissage, une langue fait son apparition : le guari-guari, mélange d'anglais des Antilles, d'espagnol et de ngöbere.

À la fin des années 1890, la United Fruit Company s'implante dans la région. Les vastes plantations de bananes plantains vont alors attirer des milliers de travailleurs des Antilles anglophones, surtout des Jamaïcains. La ville de Bocas del Toro, où s'est implanté le siège social de la puissante compagnie américaine, devient une ville importante et accueille bientôt les consulats d'Angleterre, d'Allemagne, des Etats-Unis et de France. Trois périodiques voient le jour dont un en anglais, *The Central American Express*. Mais entre les années 1920 et 1930, une maladie ravage les plantations. La région va alors tomber dans un certain marasme économique... duquel elle n'est jamais vraiment sortie, malgré le retour de la compagnie bananière dans les années 1950.

Depuis quelques années, l'île de Colón et les petites îles voisines connaissent un boom touristique impressionnant. On comprend immédiatement pourquoi en débarquant dans ces paysages de cartes postales et cette ambiance détendue. L'industrie touristique et l'afflux des investisseurs étrangers apportent beaucoup d'emplois, mais la population locale doit faire face à une hausse assez phénoménale du coût de la vie. Se posent également des questions environnementales auxquelles, nous l'espérons, les habitants, panaméens et étrangers, sauront répondre rapidement...

Le littoral de la province de Bocas del Toro est beaucoup moins touristique que les îles, et sa vocation est essentiellement agricole avec d'immenses cultures de bananes. Almirante est le village par où l'on accède pour se rendre à la ville de Bocas. Changuinola est une grosse bourgade poussiéreuse qui permet de rejoindre la frontière du Costa Rica et le parc international La Amistad.

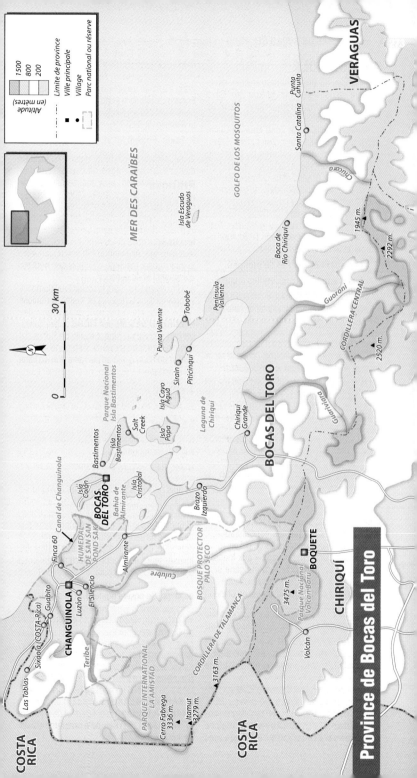

Province de Bocas del Toro

CHANGUINOLA

Changuinola, 40 000 habitants environ, est la dernière grosse ville avant la frontière. C'est une zone commerciale importante entourée de vastes plantations de bananes. Tous les magasins-dépôts de la Zone libre de Colón y sont présents : La Raya, Zona Libre, Salsa, Shakira, Millenium… Vêtements, boîtes en plastique, conserves, sandales… Le tout en pagaille, sur de grands étals qui recueillent la poussière de l'avenue principale, où passent les gros camions peints aux couleurs jaune et bleu de la fameuse étiquette « Chiquita ». Tous les hôtels, restaurants et banques se trouvent dans cette même avenue dénommée 17 de Abril, ou plus communément Avenida Central. L'ambiance qui règne à Changuinola ne ressemble en rien à celle de Bocas et n'a rien de touristique. C'est un autre monde que l'on découvre en traversant les plantations de bananes délimitées en *fincas* (« fermes ») sur la route Changuinola-Almirante. Les uniques distractions de la ville sont des *cantinas*, billards et casinos. Changuinola est surtout le point de départ pour des excursions dans le parc international La Amistad et la dernière ville étape avant le Costa Rica.

▎ **La frontière.** Le Panamá est séparé du Costa Rica par un vieux pont construit en 1908, sous lequel coule le Río Sixaola. Guabito est la petite ville où se trouve le poste-frontière côté panaméen situé à 15 km de Changuinola. Pas grand chose à faire mais quelques hôtels sans charme si vous arrivez trop tard à la frontière. Sixaola est la première ville côté costaricien. La frontière est ouverte tous les jours de 7h (côté Costa Rica) ou 8h (côté Panamá) à 17h et 18h. Attention on change d'heure (- 1 heure au Costa Rica). Pour rejoindre Guabito, vous avez le choix entre le bus depuis Changuinola et le taxi. Du côté costaricien, des bus partent pour San José (6 heures 30 à 8 heures de route), Bribri (1 heure), Puerto Viejo (1 heure 30), Cahuita (2 heures)…

Transports

▎ **Avion.** Les compagnies aériennes Air Panamá et Aeroperlas desservent quotidiennement Changuinola depuis Panamá, via Bocas.

▎ **Bus.** Les deux terminaux se trouvent dans l'avenue 17 de Abril à environ 500 m l'un de l'autre : Le terminal Urracá gère les liaisons de/vers David et Panamá. Bus Panamá-Changuinola : départs à 7h et 20h, durée : 11 heures, 29 $. Changuinola-Panamá à 7h et 19h. Bus David-Changuinola : toutes les 30 minutes de 4h30 à 19h, 4 heures 45 de trajet, 9,70 $ (autre sens

idem). Le terminal SINCOTAVECOP gère les destinations régionales : Almirante (bus fréquents jusqu'à 21h. 40 minutes, 1,50 $ – voir Transport/Bocas) ; Guabito : toutes les 25 minutes de 5h30 à 20h (19h le week-end). 1 $, 30 minutes ; El Silencio de 5h à 21h, 1,30 $, 30 minutes.

▎ **Taxis.** Entre 0,50 et 1 $ par personne la course en ville. Au moins 6 $ en taxi pour Guabito, 20 $ pour Almirante.

Pratique

Supermarchés, pharmacies, cybercafés, banques avec distributeurs se trouvent facilement dans l'Avenida 17 de abril.

▪ ANAM
✆ +507 758 6603
Accès compliqué, dans un quartier résidentiel à l'ouest du centre : le plus simple est de s'y rendre en taxi
Ouvert en semaine de 8h à 16h.

▪ BUREAU DES MIGRATIONS
Un peu au sud de Global Bank, trottoir d'en face ✆ +507 775 4515
Ouvert de 7h30 à midi et de 13h à 15h du lundi au vendredi.

▪ POLICE
✆ +507 758 8241

Se loger

Si vous êtes contraint de rester à Changuinola, voici deux options :

▪ GOLDEN SAHARA
C/17 de Abril, à gauche en sortant du terminal Urracá ✆ +507 758 7908
hotelgoldensahara@hotmail.com
Chambre simple ou double à 32 $ à 66 $. Salle de bains avec eau chaude, AC, TV câblée, wi-fi.
Certaines chambres n'ont pas de fenêtres mais cela reste l'option la plus chic de la ville ! Le personnel est aidant et ravi de renseigner les touristes.

▪ HÔTEL ALHAMBRA
C/17 de Abril, à côté de la BNP
✆ +507 758 9819 – +507 758 9820
32 chambres. Chambre simple 33 $, double 38 $, triple 45 $, quadruple 55 $. AC, TV câblée, wi-fi. Chambres simples mais confortables.

Se restaurer

▪ BAR RESTAURANTE CHIQUITA BANANA
C/ 17 de Abril, en face du terminal régional
✆ +507 758 8215

Ouvert de 7h à 23h tous les jours. Comida corriente à moins de 5 $, fruits de mer à partir de 7 $. Effort de présentation, une terrasse assez chaleureuse et une salle plus fraîche. Carte bien fournie en plats locaux.

À voir – À faire

◾ HUMEDAL DE SAN-SAN POND SAK

L'accès n'est pas évident, renseignez-vous auprès de l'ANAM. Ces 16 000 ha protégés sont situés dans le district de Changuinola et s'étendent le long du littoral, de la frontière costaricienne à l'autre extrémité, en englobant les deux canaux de Changuinola. La particularité des zones humides (*humedal*) est de constituer un écosystème naturel efficace contre l'érosion ou les inondations et nécessaire à l'équilibre hydrologique d'une zone. C'est également le refuge idéal de nombreuses espèces d'oiseaux et de mammifères. Les mangroves, lagunes, plages et marécages ne sont accessibles qu'en taxi.

PARQUE INTERNACIONAL LA AMISTAD

Cette zone protégée s'étend au-delà de la frontière et également au Chiriquí. En y accédant à partir de la province de Bocas, on pourra rencontrer les communautés Naso Teribe, qui forment l'un des groupes amérindiens les moins connus du pays. Les Nasos étaient déjà présents dans la région à l'arrivée des Espagnols. Au cours des siècles, suite à de nombreux affrontements avec les communautés voisines (Bri-bris, Mosquitos…), ils se déplacèrent progressivement vers les rives du Río Teribe, où ils vivent actuellement. La proximité de l'épaisse forêt primaire humide attira aussi les militaires de 1986 à 1989. Ils venaient s'entraîner dans une école d'un genre un peu spécial, la Panajungla, où étaient organisés des séminaires et stages de survie… Concentrés dans le secteur d'El Silencio, les Naso ont développé des projets d'écotourisme avec des tours thématiques dans la forêt. Voir les sites web de Odesen et Soposo Rain Forest.

◾ ODESEN

✆ +507 6574 9874
✆ +507 6569 2844
http://odesen.bocas.com
turismonaso_odesen@hotmail.com
Des tours thématiques dans la forêt sont organisés à la demande.

Transports

▶ **Bus Changuinola-El Silencio,** puis pirogue à moteur sur le Río Teribe jusqu'au centre écologique du village de Wekso (50 $ par personne aller-retour sur un bateau de 6 personnes).

Pratique

◾ SOPOSO RAIN FOREST

Soposo, à côté de Wekso
✆ +507 6631 2222 – www.soposo.com

ALMIRANTE

La port bananier d'Almirante est le passage obligé pour se rendre à Bocas. C'est de là que partent les navettes maritimes, des bateaux à moteur (*lanchas*) d'une quinzaine de places équipés de gilets de sauvetage.

Transports

Bus fréquents de/vers David, beaucoup moins de/vers Panamá. Il est conseillé de prendre un bus arrivant assez tôt pour ne pas rater la dernière navette qui part vers 18h au risque de rester dormir dans cette ville sans intérêt.

▶ **Panamá-Almirante :** départs du terminal d'Albrook à 7h, 20h et 20h30. Durée 10 heures. 27,30 $. Présenter son passeport lors de l'achat du billet et l'avoir avec soi pour le voyage (une photocopie ne suffit pas!). Pour réserver un billet vers Panamá depuis Bocas, adressez-vous à une agence sur l'île, comme Bocas Marine Tours. Le bus, qui poursuit sa route jusqu'à Changuinola, vous laissera à l'extérieur d'Almirante, à un mini terminal situé à l'intersection de la route menant à Changuinola et de la rue principale d'Almirante. Pour rejoindre l'embarcadère, 30 minutes de marche ou 5 minutes en taxi (1 $).

▶ **David-Almirante :** toutes les 30 minutes de 4h30 à 19h (dans les deux sens), moins de 4 heures de trajet avec une pause de 15 minutes après la route de montagne (magnifique mais dangereuse en cas de brouillard), 8,45 $. Ces bus poursuivent leur route vers Changuinola et vous laissent à l'extérieur de la ville, à l'intersection mentionnée pour les bus venant de Panamá.

▶ **Changuinola-Almirante :** il n'y a pas de bus direct de/vers Almirante de la frontière du Costa Rica (Guabito) : transiter par Changuinola. Bus toutes les 20 minutes à partir de 6h. 40 minutes de trajet. 1,45 $. Le bus vous laisse au terminal d'Almirante à 100 m des embarcadères (il peut même vous laisser directement devant ; arrêt lancha ou Bocas).

L'archipel de Bocas del Toro

L'archipel comprend neuf grandes îles et des centaines d'îlots, dont un grand périmètre est protégé par un parc national marin. Bocas est l'île par où l'on arrive et qui compte le plus d'infrastructures touristiques, mais d'autres îles offrent des ambiances et des activités tout à fait différentes, il y en a vraiment pour tous les goûts !

ISLA COLÓN

Welcome to Colón Island ! Ne vous vexez pas si on vous aborde de la sorte alors que vous êtes un hispanophone convaincu : ici on parle anglais depuis des générations, enfin un anglais aux accents créoles… ainsi que le guari-guari !

BOCAS DEL TORO

Situé sur Isla Colón, Bocas est la « capitale » de la province. Un titre surprenant pour cette ville colorée qui ne semble s'animer qu'avec la Feria del Mar en septembre (défilés, danses…), ou à l'approche des fêtes de fin d'année et du carnaval.

Le tourisme est désormais la principale source de revenus des habitants. Dans les petites rues secondaires de la ville, on pourra se balader tranquillement au milieu de magnifiques maisons caribéennes en bois, sur pilotis, plus ou moins colorées, plus ou moins penchées. Mais finalement on reste peu en ville, il y a tellement de choses à faire autour ! La population est accueillante et ne manquera pas de vous signaler, dès votre arrivée, les excursions qu'offre l'archipel. Il suffit de monter à bord d'une *lancha* pour se trouver dans l'une des innombrables îles environnantes ; il suffit de chausser les palmes pour admirer des fonds marins considérés comme parmi les plus beaux des Caraïbes ; il suffit enfin de monter sur sa planche pour se retrouver dans de magnifiques rouleaux… Les mois les plus propices à un séjour se situent entre février et avril, ou en septembre et octobre : les deux « étés » de Bocas. Même si les parapluies se déploient ici en toute saison, sous la pluie ou le soleil, les températures sont toujours très agréables. Et si la pluie teinte l'horizon d'une couleur bleutée, la rêverie vous emportera…

Transports

Comment y accéder et en partir

Les compagnies Air Panamá et Aeroperlas (bureaux aux aéroports de Bocas et d'Albrook) assurent chacune deux vols par jour dans les deux sens entre Panamá et Bocas, le matin et l'après-midi. Le voyage dure un peu plus d'une heure et coûte environ 100-120 $ l'aller. Air Panamá et Nature Air ont des vols pour San José au Costa Rica. Des taxis peuvent vous emmener dans le centre mais la rue principale n'est qu'à environ 300 m.

■ CARIBE SHUTTLE
✆ +507 6061 7956 – +506 2750 0626
www.bocasshuttle.com
Si vous voulez gagner du temps et ne pas vous poser trop de questions en terme d'organisation pour vous rendre ou venir du Costa Rica, Caribe Shuttle assure des liaisons en minibus pour une trentaine de dollars par personne de/vers Puerto Viejo, Cahuita et Manzanillo. Il n'y avait plus de bureau officiel à Bocas lors de notre passage (en attendant, les réservations se faisaient à l'hostel Mundo Taitú). Consultez le site Internet pour plus d'informations.

■ FERRY
Transbordadores Marinos
✆ +507 391 0350 – +507 6615 6674
Le *Palanga* assure une liaison quotidienne (sauf le dimanche) entre Bocas et Almirante. 1,50 $ par personne (20 $ par voiture), 2 heures de trajet. Départ de Bocas à 16h. Départ d'Almirante à 8h.

■ NATURE AIR
Bureau d'information dans l'hôtel Los Delfines, Ave H, à 300 m de la C/3
✆ +507 757 9075 – www.natureair.com
info@natureair.com

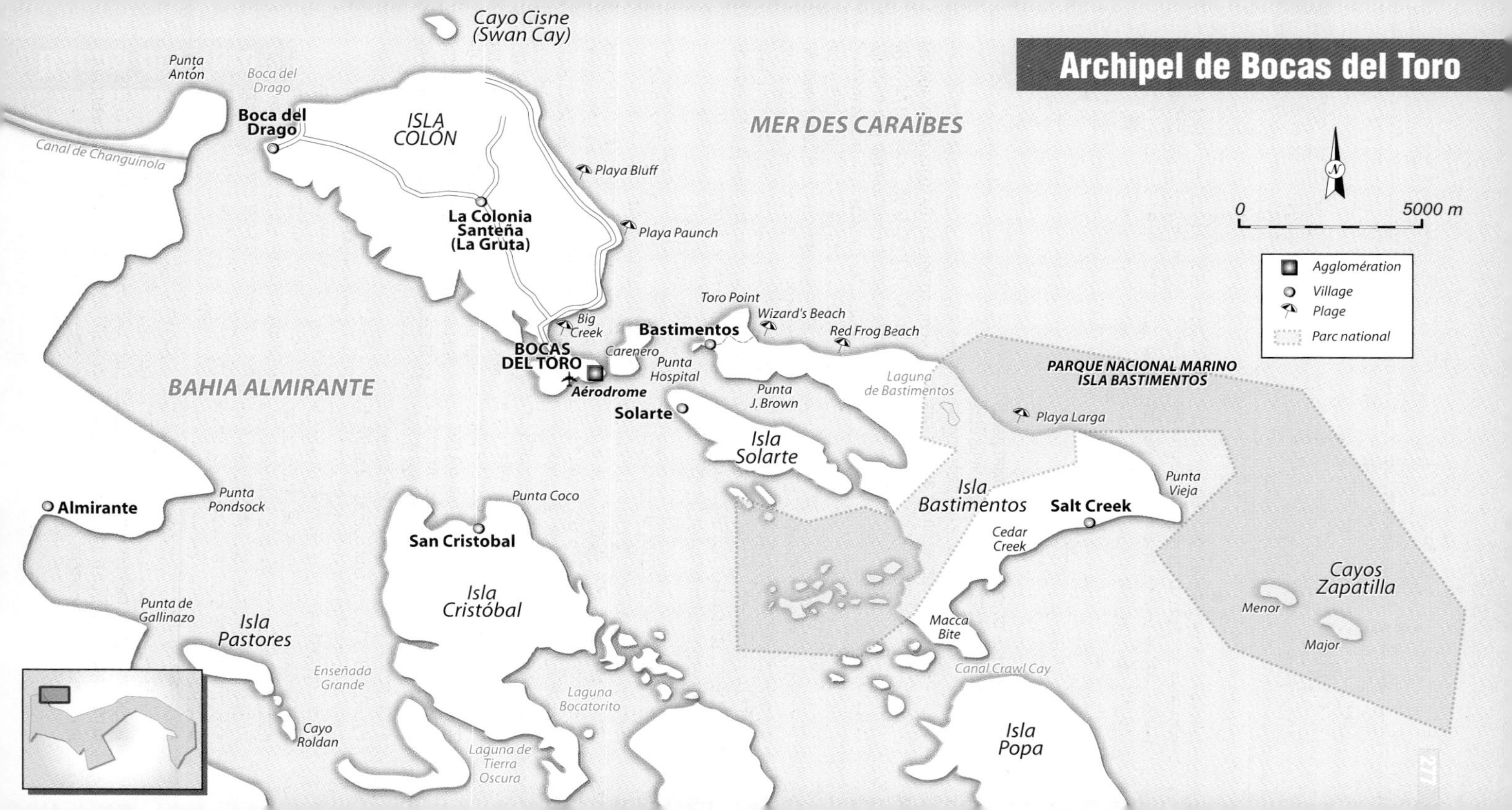

Archipel de Bocas del Toro

5000 m

0

Légende
- Agglomération
- Village
- Plage
- Parc national

MER DES CARAÏBES

Cayos Zapatilla

Major

Menor

PARQUE NACIONAL MARINO
ISLA BASTIMENTOS

Punta Vieja

Salt Creek

Playa Larga

Cedar Creek

Isla Bastimentos

Macca Bite

Isla Popa

Canal Crawl Cay

Laguna de Bastimentos

Wizard's Beach

Red Frog Beach

Toro Point

Punta J. Brown

Isla Solarte

Bastimentos

Careneró

Punta Hospital

Solarte

Cayo Cisne (Swan Cay)

Playa Bluff

Playa Paunch

Big Creek

BOCAS DEL TORO

Aérodrome

ISLA COLÓN

La Colonia Santeña (La Gruta)

Boca del Drago

Boca del Drago

Punta Antón

Canal de Chonguinola

Punta Coco

San Cristóbal

Isla Cristóbal

Laguna Bocatorito

Laguna de Tierra Oscura

BAHÍA ALMIRANTE

Punta Pondsock

Ensenada Grande

Cayo Roldán

Isla Pastores

Punta de Gallinazo

Almirante

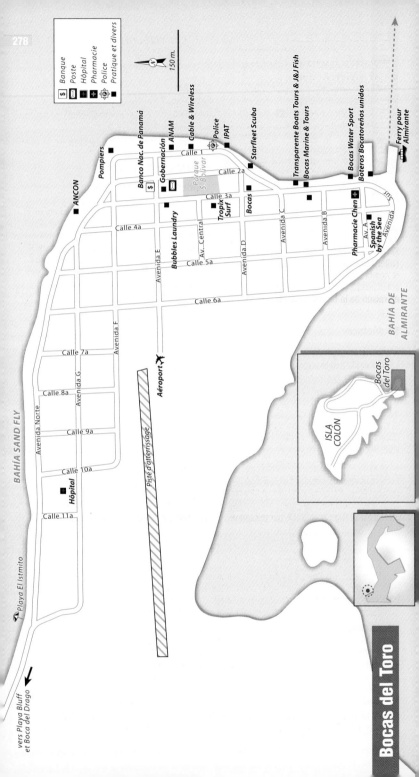

Bocas del Toro

Légende :
- $ Banque
- Poste
- Hôpital
- Pharmacie
- Police
- Pratique et divers

150 m.

BAHÍA SAND FLY

vers Playa Bluff et Boca del Drago

Playa El Istmito

ANCON

Pompiers

Banco Nac. de Panamá

Gobernación

ANAM

Cable & Wireless

Police

IPAT

Parque S. Bolívar

Starfleet Scuba

Transparente Boats Tours & J&J Fish

Bocas Marine & Tours

Bocas Water Sport

Boteros Bocatoreños unidos

Ferry pour Almirante

Calle 1
Calle 2a
Calle 3a
Calle 4a
Calle 5a
Calle 6a
Calle 7a
Calle 8a
Calle 9a
Calle 10a
Calle 11a

Avenida Norte
Avenida G
Avenida F
Avenida E
Av. Central
Avenida D
Avenida C
Avenida B
Av. A
Avenida Sur

Bubbles Laundry

Tropix Surf

Bocas

Pharmacie Chen

Spanish by the Sea

Aéroport

Piste d'atterrissage

Hôpital

BAHÍA DE ALMIRANTE

ISLA COLÓN

Bocas del Toro

NAVETTES ALMIRANTE – BOCAS : BOCAS MARINE & TOURS

✆ +507 757 9033 – +507 758 4085
www.bocasmarinetours.com
info@bocasmarinetours.com
Toutes les 30 minutes, entre 6h et 18h tous les jours. 5 $, 30 minutes d'une jolie traversée. Note : il n'existe plus jusqu'à nouvel ordre de liaison Bocas-Changuinola via le canal de Changuinola et le port de Finca 60.

NAVETTES MARITIMES ENTRE BOCAS ET LES ÎLES

Tarifs des taxis maritimes : Carenero 1 $ pour aller juste en face (2 ou 3 $ si plus loin) ; village de Bastimentos 3 $; Solarte 4 $; Red Frog Beach 10 $ aller-retour (payable après l'aller), San Cristobal entre 10 et 20 $ selon le nombre de passagers. Ces prix datent de juillet 2011 et sont susceptibles d'augmenter en raison de la hausse constante du prix du galon de *gazolina*.

Se déplacer

LOCATIONS DE VÉLOS

Le vélo est le meilleur moyen pour découvrir l'île de façon économique et ludique. Les loueurs sur l'avenue principale et sur la route des plages pratiquent des tarifs similaires, autour de 2 à 3 $/h et 10 à 15 $/jour, mais les vélos ne sont pas toujours très bien entretenus (faites un petit check-up du vélo avant de vous décider).

TAXI

Pour rejoindre les plages, des taxis pick-up peuvent être partagés à plusieurs. A titre indicatif : aller-retour Boca del Drago à 30 $, Playa Bluff à 25 $, Big Creek à 3 $ par personne.

Pratique

ANAM

C/1 ✆ +507 757 9244
Ouvert de 9h à 16h. Pour des informations sur le parc marin Bastimentos.

BANCO NACIONAL DE PANAMA

Ave. E. y Calle 4
Distributeur 24h/24.

BIBLIOTHÈQUE PUBLIQUE

Calle 3 y Ave. E
Ouverte du lundi au vendredi de 9h à midi et de 14h à 18h. Livres en espagnol et anglais consultables sur place. Si vous voulez acheter ou échanger des livres, tentez votre chance du côté de Book Store à côté de l'Om café (ouvert tous les jours de 10h à 22h) mais il y est difficile de trouver un ouvrage en français (peu en espagnol).

FARMACIA ROSA BLANCA

Calle 3, un peu avant La Iguana
Ouvert de 8h30 à 21h du lundi au samedi, 10h-midi et 17h-19h le dimanche.

GALAXY

Calle 2, à côté de l'Hostel Hansi
Ouvert de 9h à 22h, 1,50 $/h.

HOPITAL

Calle 10a
✆ +507 757 9201
✆ +507 757 9814

LAVERIE DE L'HÔTEL DON CHICHO

C/3 face au parc central
Ouvert du lundi au samedi de 8h à 18h (après l'horaire on peut récupérer ses affaires au cybercafé de l'hôtel). 3,75 $ par machine.

Avertissements !

▸ **Ne buvez pas l'eau du robinet** et ne consommez pas de fruits lavés avec cette eau. Utilisez des pastilles purificatrices ou achetez des bouteilles (il est intéressant d'acheter de gros galons si l'on reste plusieurs jours). Cette recommandation est valable pour l'ensemble de l'archipel, ainsi que pour Changuinola et Almirante.

▸ **Attention aux courants** (*resaca* en espagnol, *rip tides* en anglais). Ils sont forts et peuvent occasionner des noyades. Si vous êtes pris dans un courant, ne pas essayer de lutter contre : laissez-vous emporter en essayant de nager parallèlement à la plage jusqu'à ce que le courant soit moins fort (les vagues vous ramèneront vers le bord quand vous en serez sorti), et criez ou agitez les bras pour demander de l'aide, sans paniquer. Ne pas s'éloigner du bord si vous nagez seul.

▸ **Sur les plages**, ne laissez pas vos affaires de valeur sans surveillance. Protégez-vous du soleil (portez un vieux T-shirt pour les longs *snorkels*) et des chitras qui attaquent surtout à la tombée de la nuit (un pantalon léger est plus efficace que les répulsifs).

■ **OFFICE DE TOURISME (ATP)**
C/1, à côté du poste de police
℃ +507 757 9642
Ouvert en semaine de 9h à 16h. Au 1er étage
d'une belle maison coloniale, l'office du tourisme
présente une exposition permanente consacrée
à la faune, la flore et l'histoire de l'archipel.

■ **OFICINA DE MIGRACION**
Dans le bâtiment de la mairie,
à côté du parc ℃ +507 757 8651

■ **POLICE**
C/1 ℃ +507 757 9217

■ **POSTE**
Parque Bolivar, au rez-de-chaussée
de la mairie (Gobernación)

■ **SPANISH BY THE SEA
LANGUAGE SCHOOL**
C/ 4, derrière l'hôtel Bahía
℃ +507 757 9518
www.spanishbythesea.com
spanishbytheseabocas@gmail.com
Cette école, également basée à Boquete,
Panamá et au Costa Rica, propose cours individuels ou en groupe. 2 à 6 heures de cours par
jour. Un hébergement en famille ou dans l'école
est possible, à partir de 10 $ la nuit.

■ **WWW.BOCAS.COM**
www.bocas.com
Un portail Internet consacré à Bocas et ses
environs. Plein d'adresses et de liens. Pas
toujours à jour.

Tourisme

■ **ANCON EXPEDITIONS**
Ave. G et C/3,
à la réception de l'hôtel Bocas Inn
℃ +507 757 9600
www.anconexpeditions.com
info@anconexpeditions.com
*Ouvert en semaine de 8h à 17h, samedi de
9h à 13h.* Le personnel sympathique vous
expliquera le rôle d'Ancón, une ONG de protection de l'environnement très active dans
tout le pays et qui se finance grâce à sa
branche commerciale Ancón Expeditions.
Plusieurs excursions sont proposées, sur
la base de 4 personnes. Chaque tour inclut
l'équipement complet pour le snorkeling, les
rafraîchissements et une documentation pour
reconnaître les espèces marines et oiseaux.
Le capitaine Gallardo Livingstón vous dira tout
sur les écosystèmes locaux, en espagnol ou en
anglais. Recommandé.

■ **BOTEROS BOCATOREÑOS UNIDOS**
C/3
En face de l'hôtel Bahia
℃ +507 757 9760
Ouvert tous les jours à partir de 8h. Cette
association regroupe une vingtaine de propriétaires locaux de bateau qui organisent
différents itinéraires à travers les îles pour
des groupes de 6 personnes minimum. Si vous
êtes intéressés, contactez-les pour savoir si
d'autres personnes comme vous cherchent des
partenaires. Outre les tours classiques (entre
20 et 25 $ par personne), des sorties à la carte
sont possibles (par exemple, aller-retour au
Costa Rica, visite de l'île Escudo de Veraguas
ou de San Cristobal, etc.). Leurs avantages :
fiabilité et sécurité. Les bateaux sont équipés de
gilets de sauvetage et d'une bâche qui protège
du soleil ou de la pluie.

■ **TRANSPARENTE TOURS**
C/3 ℃ +507 757 9915
℃ +507 6675 1167
Excursions dans les îles et pêche sportive. Une
agence reconnue pour son professionnalisme.

Postes et télécom

■ **CABLE & WIRELESS**
C/1
À côté du Barco Hundido
Egalement quelques téléphones publics à travers
la ville et notamment dans le parc central.

Internet

Presque tous les hôtels mettent à disposition un
ordinateur avec Internet et la wi-fi. Les bars et
restaurants ont aussi souvent la wi-fi. On trouve
quelques cybercafés dans les rues principales,
avec des tarifs entre 1,50 et 2 $ de l'heure.

Se loger

Vous n'aurez que l'embarras du choix dans
toutes les catégories et de nouveaux établissements se montent tous les mois… Bocas
compte aujourd'hui de nombreux hostels (trop
nombreux pour être toutes référencées dans
ce guide), très appréciés des surfeurs de plus
en plus nombreux dans l'archipel. Les hôtels
plus confortables n'ont pas trop augmenté leurs
tarifs ces dernières années. Un grand resort à
l'extérieur de Bocas s'est implanté en 2008 et a
doublé le nombre de lits de l'île mais la plupart
des gens venant à Bocas recherchent des
établissements plus simples dans un style bien
caribéen. Pour ceux qui désirent une grande
tranquilité, plusieurs lodges magnifiques ont
été aménagés dans les îles voisines.

Bien et pas cher

◼ CALIPSO HOSTEL

C/3 ✆ +507 6476 6181
www.calipsobocas.com
info@calipsobocas.com
À partir de 10 $ par personne. Chambres de 4, 6, 8 et 10 personnes avec climatisation, salle de bains privée, TV et changement des serviettes et des draps tous les jours. Chambres privées à partir de 30 $, réception ouverte 24h/24, wi-fi, cuisine commune. Actuellement le Calipso Hotel (anciennement Suite Hotel Costes) est sans doute la meilleure option pour les petites bourses à Bocas del Toro. Au prix d'un hostal vous bénéficiez des services d'un hôtel confort (air conditionné, salle de bains privée dans toutes les chambres, etc.). Ce central et singulier hostal est situé dans une maison typique Bocatoreña et offre toute la qualité et le charme pour passer un séjour commode à Bocas del Toro. Grâce au savoir-faire et l'expérience d'une catalane de caractère, Marta connaît tous les bons plans, elle vit ici depuis une dizaine d'années, son chaleureux hostal est un petit trésor caché dans le cœur du village. Le pancake matinal est offert par Marta !

◼ CASA MAX

Ave. G
✆ +507 757 9120
www.casamax.netfirms.com
casamax1@hotmail.com
15 chambres simples ou doubles de 30 à 60 $, certaines avec AC, frigo, wi-fi. La petite maison de bois peinte en vert a été transformée en hôtel de charme. Balcons avec hamacs. Le tout est simple et convivial.

◼ CASA VERDE

Ave. Sur
✆ +507 6633 8050 – +507 757 9401
www.casaverdebocas.com
cvbocas@gmail.com
4 dortoirs de 2 à 6 lits à 12,50 $ par personne, avec lit double à 15 $ pour une personne ou 20 $ pour deux. Chambres à partir de 33 $.

Wi-fi, cuisine, service de laverie... Dans une vieille maison en bois de plus de cinquante ans, une auberge de jeunesse avec accès direct à un petit récif idéal pour le snorkeling. Terrasse sur pilotis avec une jolie vue. Les petits dortoirs et chambres sont un peu sombres. Ils disposent de l'air conditionné. Le bar-resto de l'hostel, La Mama Loca, a du succès les soirs de concert. Accueil sympa de Nikelda et de son équipe. Pensez à réserver, l'hostel est populaire.

◼ COCONUT HOSTEL

Calle 2a, face au parc Bolivar
✆ +507 6530 1970 – +507 6692 8972
www.bocas.com
coconuthostal@gmail.com
Dortoirs de 2 à 4 lits avec ventilateurs : 10 $ par personne et parfois moins en basse saison. Cuisine, wi-fi, salle TV, location de vélos. Une auberge de jeunesse récente toute en bois, donnant sur le parc Bolivar et avec une terrasse panoramique sur le toit. Petits jardins devant et derrière l'édifice. L'atmosphère est le plus souvent paisible et change de la plupart des autres hostels davantage dédiés à la fête. Les dortoirs sont petits mais le nombre de lits est limité à quatre. Possibilité de camper sur le toit (8 $ par personne). Salle de bains et toilettes propres. Une très bonne adresse avec un accueil agréable et attentionné de Elba et Guido, un Chilien polyglotte.

◼ GRAN KAHUNA HOSTEL

Rue principale à 100 m du départ ferry, en face de la pharmacie Rosa Blanca
✆ +507 757 9038
✆ +507 6732 2345
www.grankahunabocas.com
info@grankahunabocas.com
Dortoirs de six lits à 8, 10 et 12 $ selon le confort. Ventilateurs. Cuisine, coffres individuels, wi-fi. Une vieille maison de bois caribéenne avec un balcon donnant sur la rue principale et juste derrière la mer. C'est le surf hostel de Bocas. Ambiance relax et amicale, festive et sportive. Un bar sympa au rez-de-chaussée avec hamacs.

PROVINCE DE BOCAS DEL TORO

■ HOSPEDAJE HEIKE

C/3, en face du Parque Central
✆ +507 757 9667 – +507 757 9708
www.hostelheike.com
hostelheike@yahoo.com
Lit en dortoir à 10 $, chambres privées pour deux (22 $) ou trois personnes (33 $), salles de bains partagées. Ventilateurs ou AC, cuisine, coffres personnels, wi-fi, leçons d'espagnol gratuites trois fois par semaine… Une belle bâtisse toute en bois a été convertie il y a quelques années en hôtel backpacker, avec un agréable balcon colonial donnant sur la rue centrale et le parc, ainsi qu'une grande terrasse panoramique semi-couverte sur le toit, avec fauteuils et hamacs, et ordinateurs connectés à Internet. Cuisine agréable ouverte sur la rue. Heike est rodé et reste très populaire (il appartient aux mêmes propriétaires que ceux du Luna's Castle à Panamá Ciudad). Assez festif. Accueil sympa.

■ HOSTAL FAMILIAR DOS PALMAS

C/6 ✆ +507 757 9906
8 chambres avec salle de bains, AC et TV. Chambre double à 28 $, triple à 35 $. A l'écart de l'agitation, un établissement bien tenu, propre et confortable. Ambiance conviviale, agréable terrasse au bord de l'eau.

■ HOSTAL HANSI

Calle 2da Ave D ✆ +507 757 9085
http://hostalhansi.bocas.com
6 chambres simples et 9 doubles, avec ou sans air climatisé. 12 $ pour une simple avec salle de bains partagée (15 $ en haute saison), 15 $ avec salle de bains privée, double avec salle de bains privée et balcon 25 $ (33 $ haute saison), 30 $ (39 $) pour trois avec salle de bains privée. Cuisine, wi-fi, infos touristiques… Un hostel particulièrement agréable, composé uniquement de chambres individuelles, avec accès à des espaces communs conviviaux et à une cuisine très pratique et bien agencée. Le bois omniprésent rend l'atmosphère chaleureuse. Cuisine à disposition et un frigo avec des casiers personnels. L'accueil de Heike et

de son mari est discret mais attentionné. Une des meilleures adresses de Bocas dans cette gamme de prix. Vivement recommandé !

■ HÔTEL DON CHICHO

C/3, face au Parque Central
✆ +507 757 9829
hoteldonchicho@hotmail.com
17 chambres doubles avec salle de bains, eau chaude, TV, AC, wi-fi. 35 $ en basse saison, 45 $ en haute saison. 10 $ par personne supplémentaire. Une jolie maison à étages, confortable et soignée, qui a bonne réputation. Café Internet et laverie au rez-de-chaussée.

■ MUNDO TAITÚ

Ave. G ✆ +507 757 9425
mondotaituhostel@yahoo.com
Dortoir à 10 $, chambre double avec salle de bains partagée à 22 $. Wi-fi, cuisine… Petite maison de bric et de broc entourée de végétation. Ambiance jeune et décontractée pour cette auberge de jeunesse tenue par trois jeunes Nord-Américains. Vélos et jeux de plage gratuits. Cuisine équipée. Location de planches de surf autour de 15 $ par jour. Eau potable, café et thé gratis. Un peu plus loin Mini Taitú est l'annexe encore plus roots, avec des prix plus bas (8/9 $) et l'accès aux installations de Mundo Taitú. Et pour poursuivre dans cette ambiance surfeurs anglo-saxons, le bar mitoyen ouvre à 19h.

Confort ou charme

On trouve un grand choix d'hôtels et de B&B dans cette catégorie. Les chambres sont en général bien équipées. C'est surtout l'accueil et la vue sur la mer qui font la différence.

■ BOCAS INN LODGE

Ave. G y C/ 3 ✆ +507 757 9600
Chambre double avec vue sur la mer à 99 $, vue sur jardin à 88 $. Petit déjeuner inclus. Les sept habitations joliment décorées portent chacune le nom d'une île de l'archipel. Les terrasses avec hamacs, à l'étage et au rez-de-chaussée, permettent de profiter d'une belle vue sur la mer et l'île de Carenero. Possibilité de

déjeuner ou dîner sur place pour environ 20 $; avertissez Orlando qui vous cuisinera ce que vous souhaitez. Personnel attentionné.

▧ COCOMO ON THE SEA
Ave. Norte y Calle 6 ✆ +507 757 9259
www.cocomoonthesea.com
Chambre simple 66 $, double 88 $ (10 $ pour une 3e personne), petit déjeuner inclus. Petit établissement chaleureux de quatre chambres soignées et calmes. Belle terrasse sur la mer. Kayaks individuels inclus dans le prix.

▧ EL LIMBO ON THE SEA
C/1 à côté de l'hôtel Bocas del Toro
✆ +507 757 9062
www.ellimbo.com
ellimbo@hotmail.com
15 chambres. Chambre double à 90 $, avec balcon sur le village à 125 $, avec balcon sur la mer à 180 $. Petit déjeuner continental inclus. La réception et le petit hall d'entrée sont accueillants. De vieilles photos de Bocas dans le couloir. Les chambres donnant sur la mer ont de grandes terrasses avec table et chaises. Restaurant au-dessus des flots ouvert de 7h à 22h.

▧ GRAN HOTEL BAHÍA
Au sud de la C/3 ✆ +507 757 9626
Fax : +507 757 9692
www.ghbahia.com
reservations@ghbahia.com
Chambre double standard 69 $ (haute saison à 80 $), 18 $ par lit supplémentaire. Petit déjeuner inclus. Cet hôtel illustre parfaitement l'architecture locale du début du siècle. Construit en 1905, il abritait à l'origine les locaux de la United Fruit Company. Sa reconversion en hôtel date de 1968. Les 18 chambres sont très confortables. Préférez celles à l'étage, plus aérées.

▧ HÔTEL ANGELA
Ave. Norte ✆ +507 757 9813
www.hotelangela.com
hotelangelabocas@yahoo.com
12 chambres simples ou doubles entre 50 et 104 $ selon la taille des lits et le confort. 148,50 $ la suite avec vue sur la mer, équipée d'un Jacuzzi et d'une cuisine. Petit déjeuner inclus. Wi-fi. Un hôtel simple, confortable et avec une atmosphère conviviale dans cette vieille maison caribéenne à proximité de l'eau et un peu isolée du centre. Le restaurant Sol y Sombra est paisible et seuls viennent troubler les clapotis de la mer et ceux de la fontaine centrale où abondent langoustes, tortues, poissons et crabes.

▧ HÔTEL CALALUNA
C/5 ✆ +507 757 9066 – Fax : +507 757 9066 – www.calalunabocas.com
info@calalunabocas.com
5 chambres doubles à 55 $ et 2 chambres quadruples à 75 $. Matelas orthopédique, TV, climatisation, réfrigérateur, coffre-fort, Internet. Appartement-suite de deux chambres, salle de bains, cuisine, terrasse et mirador privé, 130 $ pour 5 personnes. Arrivée de Sardaigne il y a une vingtaine d'années avec un bébé de 4 mois sous le bras, Alberto, Marcela, Simone et leur chienne Trili ont fait de Cala Luna leur propre paradis à Bocas del Toro, devenu depuis une véritable institution dans le village. Construit avec beaucoup de goût, l'hôtel propose cinq chambres doubles, une suite et deux chambres pour quatre personnes idéales pour les familles et les groupes qui recherchent un logement de qualité à bon prix et surtout un service chaleureux très familial. Beau parquet, le bois est à l'honneur, grands balcons, hamacs… On s'y sent très bien, l'atmosphère est des plus accueillantes et l'odeur à l'heure du dîner qui émane de la cuisine est enivrante. Marcela parle espagnol, italien et français. La cuisine est un délice, leur restaurant Alberto's Pizzeria est un établissement vivement recommandé.

▪ HÔTEL LAS OLAS DE LA MADRUGADA
Calle 6ta y Ave. Sur, à côté de l'hôtel
Dos Palmas ✆ +507 757 9930
www.hotelolas.com – infolasolas@gmail.com
*25 chambres. Chambre simple 40 $, double
45 $, triple 63 $, suites pour deux à 65 $, petit
déjeuner inclus. Wi-fi.* Un peu à l'écart du centre,
cet hôtel au style colonial rehaussé de boiseries
offre des chambres sobres mais confortables.
Plusieurs espaces communs conviviaux pour
profiter d'une vue magnifique sur la baie. Petit
bar très sympa et pas cher.

Luxe

▪ HÔTEL BOCAS DEL TORO
C/1 pas loin de la rue principale
✆ +507 757 9018
www.hotelbocasdeltoro.com
h_bocasdeltoro@hotmail.com
*Chambre sans balcon à 126 $, avec balcon
commun sur la rue à 145 $, sur la mer pour
195 $, et si le balcon est privatif, il vous en coûtera
270 $. 30 $ par personne supplémentaire.* Les
chambres sont tout confort et le personnel
est aux petits soins. L'hôtel à l'architecture
bocatoreña en bois sur deux étages est central,
très soigné et sans prétention. Privilégiez les
chambres triples dont les petits balcons donnent
sur la mer. Bar-restaurant au rez-de-chaussée,
avec une agréable terrasse sur l'eau.

▪ HÔTEL PLAYA TORTUGA
Après la i griega « Y »
à quelques kilomètres de Bocas
✆ +507 300 1893 – +507 757 9050
www.hotelplayatortuga.com
hotelplayaTortuga@unesa.com
*À partir de 180 $ la chambre avec lit double,
petit déjeuner inclus. Des forfaits promotions
sur le site Internet (en français). Wi-fi, salle
de gym.* Playa Tortuga est le premier grand
complexe de Bocas. Avec 117 chambres (standards, juniors, masters et grandes suites), il
a quasiment doublé la capacité hôtelière de
l'île. Les chambres ont chacune un balcon et
vue sur l'océan et bénéficient d'équipements
modernes. Le resort dispose d'une piscine
assez grande (mais pas aussi grande qu'elle
apparaît sur le site Internet) et d'un bassin
pour enfants. Deux restaurants, dont un sur
pilotis, proposent une cuisine internationale
et des spécialités locales.

▪ PALMA ROYALE HÔTEL & SUITES
Au sud de la calle 3
✆ +507 757 9979 – +507 6951 5715
www.palmaroyale.com
reservations@palmaroyale.com
*Studio suite 95 $, double suite (2 lits Queen)
185 $, Deluxe (avec kitchenette) 185 $,
penthouse suite 295 $. (Deux chambres, deux
salles de bains, Jacuzzi, cuisine). Minibar,
Internet, wi-fi.* A 20 m de la mer, un hôtel récent
de trois étages aux couleurs saumon, qui a
conservé un style caribéen avec d'agréables
balcons profitant d'une vue aérienne sur le
village et les paysages sauvages de l'archipel.
Les chambres sont spacieuses et chaleureuses
et dotées d'équipements modernes et de bonne
qualité. Le service est amical et attentionné.
Un café sympa au rez-de-chaussée. Une bonne
adresse de plus à Bocas.

▪ PUNTA CARACOL
✆ +507 6612 1088
www.puntacaracol.com
puntacaracol@puntacaracol.com
reservations@puntacaracol.com.pa
*À 15 minutes en bateau de Bocas. A partir de
316 $ la suite simple/individuelle en basse
saison (374 € en haute saison). La suite
double est à partir de 344 € en basse saison
(430 € haute saison). Basse saison : 16 mai au
30 juin et 1er septembre au 15 décembre. Haute
saison : 16 décembre au 15 mai, et 1er juillet au
31 août. Sont inclus le petit déjeuner et le dîner
aux chandelles.* Dès le trajet en *lancha* depuis
le village de Bocas del Toro (embarcadère
« Saigon ») jusqu'à Punta Caracol on passe
en mode « bonheur ». Au fil de l'eau tel un
conquérant des temps modernes qui s'imprègne
doucement du calme et de la tranquillité de
cet exclusif *acqua-ecolodge*. Superbe refuge
flottant, 9 confortables cabanes de style
colonial suspendues au-dessus de l'eau et un
paysage inégalable comme décor. Depuis plus
de 10 ans son concept reste novateur : énergie
solaire, recyclage, respect de l'environnement
à toute épreuve. Avis à ceux qui ne peuvent
pas se passer de leurs gadgets, le courant
électrique dans les cabanes est de 12 volts,
pour charger les batteries de vos appareils
électroniques rendez-vous à la réception ou
au bar, et pour recharger vos batteries rendez-
vous sur la terrasse de votre cabane. Un jour à
Punta Caracol est comme un jour au paradis…
Plonger dans les eaux cristallines où la flore
et la faune marines abondent de poissons
perroquets, barracudas, raies et d'étoiles de
mer, découvrir les alentours en kayaks mis à la
disposition des clients, apprécier le coucher de
soleil depuis le hamac de votre terrasse privée,
et, enfin, savourer un poisson fraîchement
cuisiné accompagné d'un bon vin chilien ou
argentin dans l'excellent restaurant… Toute
une expérience !

punta ☼ caracol
acqua-lodge

e confort au coeur de l´étendue sauvage des Caraïbes...
Vivez l´expérience Punta Caracol.

www.puntacaracol.com   Tel (507) 6612 1088

Se restaurer

Bien et pas cher

■ ALBERTO'S PIZZERIA

C/5, restaurant de l'hôtel Calaluna
✆ +507 757 9066
info@calalunabocas.com
*Ouvert de 17h à 22h, fermé le mardi uniquement.
En entrée des spécialités italiennes de 2 à
5,50 $ (bruschettas, mini-pizzas, etc). Pâtes
de 9 à 15 $, pizzas de 7 à 12 $ la normale et
de 11 à 18 $ format XXL. (Vente sur place ou
à emporter.) De bons vins argentins et chiliens
à 15 et 3,50 $ le verre.* Marcela et Alberto
derrière les fourneaux cela ne rigole pas,
Sardes d'origine c'est ici que vous mangerez
la meilleure pizza de Bocas. Loin de la foule,
au milieu du village, un restaurant entouré de
quelques palmiers sous une terrasse abritée.
Très sympa !

■ BAR RESTAURANT RIP TIDE

Calle 4, Ave. Norte
✆ +507 6948 3762
*Ouvert de 7h à minuit. Petit déjeuner de 5 à 7 $,
sandwiches, fish and ships 7,50 $, cocktails de
2 à 3 $ (voir moitié prix selon l'affluence : l'happy
hour peut se transformer en happy day !).* Le
bar-restaurant se trouve sur un bateau, et l'on
ne sait pas si ce sont les vagues où ce que l'on
boit qui nous font perdre l'équilibre… La cuisine
est moyenne mais les boissons sont à prix très
raisonnables pour un cadre très agréable. Les
avis sont partagés sur l'attention du service,
variable comme l'état de la mer.

■ GOLDEN GRILL

Calle 3, face au parc
*Ouvert tous les jours de 7h à 23h (jusqu'à 5h le
coin snack, pour les petites faims après avoir
fait la fête !).* Une grande salle ouverte sur la
rue et le parc central, pour prendre un petit
déjeuner à n'importe quelle heure, ou boire
une limonade à 79 cents.

■ EL LORITO DON CHICHO

C/3
*Ouvert du lundi au samedi de 7h à 23h. Déjeu-
ners typiques panaméens autour de 3 $ (riz,
haricots, viande).* Les petits déjeuners sont
moins chers encore dans ce self qui offre
également des douceurs (gâteaux fourrés à
l'ananas ou à la banane, pain de coco, gâteaux
au chocolat… entre 0,30 et 1 $).

■ THE REEF

Sur la mer, au bout de la rue principale
en face de l'hôtel Bahia ✆ +507 757 9936

*Ouvert tous les jours de 11h à 22h. Comptez
environ 5 $ (certains plats de poisson ou de
viande entre 10-15 $). En entrée, pour grignoter,
essayez les araignées de mer (*arañitas*) ou le
ceviche.* Un restaurant local proposant une
cuisine bocatoreña étant savoureuse et bon
marché. Calme, beaucoup de charme et situé
sur le quai de la Chiriqui Land Company.

■ RESTAURANTE CHITRÉ

C/3
*Ouvert du petit déjeuner au dîner tous les jours,
sauf le dimanche (fermeture après le petit
déjeuner).* Typique d'Azuero, le petit déjeuner
comprend poulet ou saucisse, œufs, tortilla ou
hojaldre pour 2 $ environ. Autour de 3 ou 4 $
pour une *comida corriente*. Agréable petite
terrasse pour observer l'activité de la rue.
Conseillé.

✦ STARFISH COFFEE

C/1
✆ +507 6621 4108
wanaragua@yahoo.com
*Ouvert de 8h à 21h. Petits déjeuners et sand-
wiches autour de 5/6 $, plats du jour panaméen
4,50 $, gratin dauphinois 7 $… Happy hour de
16h à 17h, à siroter sur la petite terrasse qui
surplombe la mer.* Comme son nom ne l'indique pas, ce local est tenu par une Française
dynamique, Mathilde Grand, qui ouvre également
son espace à la vente d'artisanat, de vêtements
et… surtout de chocolat organique. Le délicieux
cacao vient directement de l'île San Cristobal
où cette activité regroupe de nombreux Ngöbe
Buglé. Mathilde est d'ailleurs à la tête du collectif
de femmes *Citizen of chocolate* (à retrouver sur
Facebook) qui promeut le « chocolat tribal » !
Quant aux autres spécialités de la maison, il ne
faut pas oublier le café, à boire glacé, frappé,
turc, en cappuccino… Goûtez aussi aux thés,
limonades (à la canelle, à la citronnelle, à la rose
ou au gingembre…) ou au Iced Aztec Chocolate
avec 4 épices ! Pour le salé, fish and chips de
midi à 18h30 (3,75/6 $).

Bonnes tables

■ BAR RESTAURANTE THE PIRATE

C/1
À côté de Bocas Marine Tours
✆ +507 6886 0138
*Ouvert tous les jours de 7h à 23h. Entrées entre
4,50 et 20 $ (salade mariscos). Poissons et fruits
de mer entre 10 et 23 $ (langouste). Bières
1,50 $, cocktails à partir de 3,50 $.* Très prisé
des étrangers. Grande salle qui se prolonge sur
la terrasse ouverte sur l'eau. Service sympa !

LA CASBAH

Ave. G

✆ +507 6477 4727

Ouvert du mardi au samedi de 18h à 22h.
Tenu par Chris et Nathalise, francophone, un café-restaurant sans prétention qui s'est fait une réputation de bonne table dans la région. On y mange une cuisine aux saveurs méditerranéennes (falafels, gaspacho, gambas, tapas… plats entre 8 et 12 $ en général) dans une ambiance calme et chaleureuse. Egalement de bons desserts et du thé à la menthe.

LILI'S CAFÉ

Calle 1 y Ave D

À côté de Tropical Suites

Ouvert de 7h à 16h lundi et mardi, jusqu'à 22h du mercredi au samedi, et le dimanche jusqu'à 13h. La belle Lili au grand sourire est une figure de Bocas. Dans son restaurant au bord de l'eau, une grande variété de petits déjeuners (à partir de 5 $) que l'on peut prendre tout au long de la journée, sur un étroit ponton. Sa cuisine caribéenne est appréciée mais attention n'abusez pas de la *Killin' Me Man*, une sauce maison qui déménage !

OM CAFÉ

Ave. E

✆ +507 6624 0898

Ouvert de 8h à midi et de 18h à 22h. Fermé le mercredi (et le jeudi en basse saison). Restaurant indien tenu par un chef belge et une Québécoise, spécialisé dans les petits déjeuners et les dîners. Yaourt maison aux fruit de la passion ou sirop de mangue, céréales… Petit déjeuner indien. Délicieux jus de fruits naturels autour de 3-4 $. A partir de 15 $ environ pour un bon dîner indien. Une ambiance zen le matin, plus lounge en soirée.

EL PECADO

Calle 3ra, Hotel Laguna

✆ +507 6852 3600

Ouvert de 17h à 22h du mardi au samedi. Plats entre 10 et 20 $ environ. Un restaurant tenu par un Québécois qui se distingue par une cuisine originale sous ces latitudes : pâté de foie de poulet, poulet cordon bleu, escargots, soupe thaïlandaise… Agréable pour sa terrasse donnant sur la rue principale.

RESTAURANT GUARI-GUARI

Peu après la Feria del Mar,
sur l'isthme réunissant Bocas
au reste de l'île,
à côté d'une station-service

✆ +507 6627 1825

Ouvert de 18h à 22h. Fermé le mercredi. Un petit restaurant aéré situé à l'extérieur de Bocas (1 $ en taxi), proposant chaque soir un menu créatif avec un choix d'entrée-plat-dessert très appétissant pour 19 $. Une cuisine d'influence méditerranéenne essentiellement (gaspacho, carpaccio, houmous…) qui a beaucoup de succès. L'une des meilleures tables de la région avec un service très sympa. Réservez à l'avance, il n'y a que six tables !

THE LEMON GRASS BAR & RESTAURANT

Calle 1

Au-dessus de Starfleet Scuba

✆ +507 757 9630

www.lemongrassrestaurant.com

Ouvert tous les jours de 9h à 23h. Un restaurant aux boiseries chaleureuses et bénéficiant d'une jolie vue sur les eaux turquoise de la mer et la cordillère. Une cuisine internationale qui se distingue par ses spécialités thaïlandaises autour de 10 $ (ajouter 17 % de taxes aux prix affichés).

LE ULTIMO REFUGIO

Avenida Sur, à 20 m de Casa Verde

✆ +507 6726 9851

✆ +507 6568 8927

www.ultimorefugio.com

Ouvert à partir de 17h, du mardi au samedi. Plats autour de 10 $. Le Dernier Refuge est un endroit discret et chaleureux au bord de l'eau, proposant une poignée de plats du jour savoureux, aux influences asiatiques, méditerranéennes ou caribéennes.

Sortir

À l'approche des fêtes, les Panaméens comme les touristes étrangers arrivent en groupes. C'est là qu'il y a le plus d'ambiance. Pendant l'année, ça commence à bouger vers 21h jusqu'à 1 ou 2h du matin. Les dimanches soir sont plus tranquilles. L'happy hour commence en général à la tombée de la nuit. Plusieurs bars dansants au-dessus des flots très sympas. N'hésitez pas non plus à rejoindre Aqua Lounge sur l'île Carenero (1 minute de barque, 1 $) en particulier le samedi soir, c'est là qu'il y a le plus d'ambiance en général.

Cafés – Bars

DON RON

Rue principale, en face du parc

Pas mal de locaux, musique tropicale qui inonde de bonnes ondes le Parque Central. Cours de salsa le dimanche soir.

PROVINCE DE BOCAS DEL TORO

▪ LA MAMA LOCA

Ave. Sur

www.lamamalocabocas.com

Ouvert tous les jours jusque vers minuit. Le bar de l'hostel Casa Verde. Des snacks, bières et cocktails à prix raisonnables. Concerts deux à trois fois par semaine au-dessus de l'eau.

▪ MUNDO TAITÚ BAR

Happy hour de 19h à 20h-21h. Petit bar de l'hôtel du même nom, avec la même ambiance jeune et anglo-saxonne. Bières pas chères, grand choix de cocktails et tapas le soir après le surf…

Clubs et discothèques

▪ BARCO HUNDIDO

C/1

Ouvert tous les jours de 20-21h à 3-4h. Inutile de vous présenter ce bar dont on a déjà dû vous parler ! Populaire parmi les locaux comme les touristes, il connaît le même succès depuis des années. Une bonne adresse, un décor original au-dessus de l'eau. A découvrir si ce n'est pas déjà fait !

▪ LA IGUANA

Rue principale

un peu avant The Reef

Ouvert tous les soirs. Musique tropicale, électro et rock anglo-saxon. Une terrasse agréable sur l'eau. Des soirées à thèmes.

À voir – À faire

▪ ¡VAMOS A LA PLAYA!

Ne vous limitez pas à la plage la plus proche, El Istmito. Mieux vaut se rendre à Big Creek, Playa Paunch ou Playa Bluff. Cette dernière accueille également des tortues qui viennent y pondre de mai à septembre. Si vous envisagez une sortie nocturne, contactez l'ANAM ou Ancón Expeditions, qui vous expliqueront comment observer les tortues sans les déranger. Comme partout, ne laissez pas vos affaires sans surveillance, même sur une plage apparemment déserte.

Sports – Détente – Loisirs

Surf

La meilleure période s'étend de fin novembre à début avril, avec une courte reprise en juin et juillet. Plusieurs écoles de surf ont ouvert ses dernières années et sont souvent en lien direct avec les hostels.

Plongée sous-marine

Dès votre arrivée, vous serez sollicités par les nombreuses agences qui y organisent des tours. Pour plus d'informations, reportez-vous à notre liste en tête de chapitre. Nous vous demandons instamment de ne pas toucher aux coraux ni à la faune marine. Limitez-vous à leur observation. Bocas est un trésor récemment découvert mais qu'il va aussi falloir protéger activement. Le développement du tourisme de masse risque fort, à terme, de mettre en péril coraux, faune et flore. On recense une vingtaine de sites avec des fonds marins propices à la plongée. 15 d'entre eux sont protégés par le parc national marin de Bastimentos ; ils sont accessibles aux débutants. Cinq sites supplémentaires s'adressent plutôt aux plongeurs confirmés.

Snorkeling

Un terme anglais que vous entendrez dans toutes les bouches. La plongée avec masque, tuba et palmes est l'une des premières activités de l'île. De nombreux sites de snorkeling sont réputés autour d'Isla Colón. Ils sont accessibles de Bocas mais aussi de Carenero et Bastimentos.

▷ **Isla de Pájaros ou Swan Cay.** À 15 minutes en bateau depuis Bocas. Sous les eaux, de beaux coraux, mais ne manquez pas d'observer le ciel. Cette roche qui sort de l'eau constitue un écosystème idéal pour la cinquantaine d'espèces d'oiseaux qu'elle héberge.

▷ **Bocas del Drago.**

▷ **Red Frog Beach.**

▷ **Isla Carenero,** la plage située après la dernière maison (une grande maison en bois).

▷ **Dark Wood Reef,** au nord de Bastimentos.

▷ **Hospital Point et The Garden,** près de Cayo Nancy (Solarte).

Gare aux chitras !

Un conseil : sur les plages de l'archipel, en particulier lorsqu'elles sont à proximité de la mangrove, ayez toujours avec vous un répulsif (ou un pantalon léger) pour vous prévenir des moustiques mais surtout de ces petits insectes appelés chitras ou *sandflies*. Leurs piqûres démangent énormément et peuvent s'infecter si vous vous grattez trop. Ces buveurs de sang sortent surtout en l'absence de brise, à la tombée de la nuit et en particulier autour de la pleine lune… Ils peuvent vous gâcher un joli coucher de soleil !

▶ **Punta Juan Buoy,** au nord de l'île Cristóbal.

▶ **Cayos Zapatillas.** Les courants y empêchent parfois le snorkeling. Pour en savoir plus, voir la partie consacrée au parc maritime de Bastimentos.

▶ **Cayo Crawl ou Coral Cay,** au sud de Bastimentos.

▶ **Star Fish Bay,** pour les étoiles de mer.

▪ BOCAS DEL TORO SURF SCHOOL
Ave. Norte, rez-de-chaussée de Lula's B&B
✆ +507 757 9057 – +507 6852 5291
www.bocassurfschool.com
info@bocassurfschool.com
Cours de surf à partir de 54 $ la demi-journée, 89 $ la journée, incluant la planche et le transport. Location de planches 15 $ par jour.

▪ BOCAS WATER SPORT
C/3
✆ +507 757 9541 – +507 6916 2688
www.bocaswatersports.com
info@bocaswatersports.com
Ouvert tous les jours de 8h à 18h. L'un des concurrents du précédent, également homologué Padi, tout aussi professionnel. Cours de plongée découverte à 60 $. Une jolie palette de tours de jour comme de nuit pour plonger dans les meilleurs spots de l'archipel. Location de kayaks (3 $/h).

▪ STARFLEET SCUBA
C/1
✆ +507 757 9630
www.starfleetscuba.com
info@starfleetscuba.com
Ouvert tous les jours de 8h à 20h. Cours de plongée sous-marine pour débutants et confirmés. Sorties snorkeling à la demande ou de plongée nocturne pour les confirmés. Une agence homologuée Padi et qui jouit d'une excellente réputation. Les instructeurs sont réellement des professionnels.

▪ TROPIX SURF
C/ 3, en face du parc.
Ouvert de 9h à 13h et de 15h à 19h. Fabrication, réparation, vente et location de planches. Vente de surf wear et si vous voulez vous faire tatouer, demandez à voir le propriétaire du lieu, le sympathique Juan qui a un local pas très loin, Calle 4 à côté du Banco Nacional de Panamá.

Shopping
Comme dans toute station balnéaire, vous trouverez ici quelques boutiques vendant du matériel de plage, des vêtements, etc. Mais vous y verrez surtout de nombreux artesanos, qui étalent sur les trottoirs de beaux colliers en graines, coquillages, tagua… Un petit marché artisanal se trouve également au bout de la rue principale ; quelques Kunas y vendent molas et bijoux, tandis que d'autres proposent des marchandises importées d'Equateur ou de Colombie.

▪ SUPER GOURMET
À côté de l'hôtel Bahía ✆ +507 757 9357
Ouvert de 9h à 19h, sauf le dimanche. Pour les nostalgiques de nos épiceries fines : vin, pain, sauce au pesto, conserves, assaisonnements, chocolat…

BOCA DEL DRAGO
Cette plage située de l'autre côté de l'île, à une quinzaine de kilomètres de Bocas, est facile d'accès en taxi maritime ou en bus. La route qui secoue un peu traverse une partie de l'île à la végétation encore préservée. A Boca del Drago, on trouve un restaurant agréable et l'assurance d'une baignade sans risque.

Transports
▶ **En taxi,** compter environ 30 $ aller-retour depuis Bocas.

▪ MINIBUS
Pour Boca del Drago
✆ +507 6492 6166
De Bocas, départ du Parque Simón Bolivar, en face de l'hôtel Heike. Courant 2011 les départs étaient à 7h, 10h, midi, 14h, 16h, 18h (retour à 8h, 11h, 13h, 15h, 17h, 18h30). Renseignez-vous sur l'horaire précis du dernier bus pour le retour. 35 minutes de trajet, 5 $ aller-retour.

Se restaurer
▪ RESTAURANTE YARISNORI
✆ +507 6615 5580
jamelsv@hotmail.com
Petit déjeuner, déjeuner et dîner. Comptez autour de 10-12 $ pour un poisson, patacones ou riz coco, les pieds dans le sable, au bord de l'eau, après un bon bain. On peut aussi juste siroter un jus de fruit ou une bière fraîche.

PROVINCE DE BOCAS DEL TORO

ISLA CARENERO

Colomb y aurait fait escale pour réparer la coque de ses navires, c'est-à-dire pour les caréner (*carenear*). Situé à quelques centaines de mètres de Bocas, Carenero est un lieu parfait pour ceux qui veulent échapper à la foule et privilégient la tranquillité. Le village composé de petites maisons en bois se trouve côté sud-ouest de l'île, face à Bocas.

Se loger

■ BUCANEROS RESORT
✆ +507 757 9042
www.bocasbuccaneer.com
Plusieurs formules : cabañas à 66/77 $ (basse/haute saison : novembre-avril), bungalows 72/88 $, suites 82/99 $. Donnant directement sur la plage, plusieurs formules toutes très confortables et avec vue sur la mer. Le bar-restaurant Bibi's on the Beach offre de bons cocktails, happy hour de 16h à 19h. Kayak, équipement de snorkeling à louer et une école de surf (45 $ pour 3 heures de cours).

✔ CASA ACUARIO
Côté sud de l'île ✆ +507 757 9565
www.casaacuario.com
casaacuario@aol.com
4 suites pour deux personnes à 75 ou 85 $ en basse saison, 80 ou 90 $ en haute saison (lit supplémentaire 10 $). Petit déjeuner 3,50 $. Wi-fi. Libre accès à la cuisine extérieure. Vous reconnaîtrez peut-être cette maison, c'est la jolie bâtisse bleue en bois que l'on voit régulièrement en photo dans les magazines vantant le charme de l'archipel. Très classe, chaque suite dispose d'une grande terrasse. Vous ne serez dérangé que par les quelques pirogues motorisées qui passent à proximité. Possibilité de plonger sous la maison, un véritable aquarium naturel. Une petite plage de sable juste à côté.

■ HÔTEL TIERRA VERDE
À quelques mètres de la plage
✆ +507 757 9903
www.hoteltierraverde.com
info@hoteltierraverde.com
7 chambres avec salle de bains, AC. A partir de 55 $ pour une personne, 75 $ pour deux (10 $ par personne supplémentaire). Suite entre 150 et 175 $. Internet, wi-fi. Petit déjeuner inclus. Un bel hôtel tout en bois, confortable au milieu des palmiers et à quelques mètres de la playa.

Se restaurer

■ MUNKUNDA & ARTS
✆ +507 6127 7743
Ouvert tous les jours. Au bout d'un long ponton, une petite maison de bois au-dessus de l'eau pour déguster des petits plats végétariens (et uniquement végétariens) et boire de bons jus de fruits naturels. Mardel réalise aussi des bijoux à partir de coquillages et graines. Poufs et rocking-chair sur la petite terrasse extérieure.

Sortir

■ AQUA LOUNGE HOSTEL & BAR
Juste en face de Bocas ✆ +507 6711 8264
bocasaqualounge@gmail.com
Bar ouvert tous les jours jusqu'à tard. Happy hour de 16h à 19h, vendredi tout à 1 $ jusqu'à 19h. Hébergement : 6 $ en hamac, 11 $ en dortoir, 25 $ lit double, 36 $ la triple. Salles de bains partagées. Pancakes et café/thé inclus, wi-fi, laverie. Egalement 2 maisons sur la terre ferme juste derrière avec des chambres doubles à 55 et 75 $, tout confort. Un hostel-bar original pour ceux qui veulent faire la fête dans une ambiance jeune et détendue. L'un des endroits les plus sympas pour se lâcher au-dessus des flots (avec balançoires, plongeoir et trampoline !), sur de la bonne musique. Grosse ambiance les mercredis et samedis soir lors des lady's nights. Les chambres et dortoirs sont corrects mais pas destinés aux couche-tôt. Le snack propose des plats et sandwiches méditerranéens et orientaux économiques. Petite salle de ciné.

ISLA BASTIMENTOS

Moins touristique et plus authentique que Bocas, l'île de Bastimentos est un autre monde. Les 1 500 habitants du village de Bastimentos sont surtout des descendant de Jamaïcains et des Ngöbe Bugle. On vit doucement, entre pêche et tourisme, et on discute en guari-guari... L'île possède de magnifiques plages le plus souvent désertes, une faune et une flore riches, protégées par le parc maritime qui recouvre une grande partie de l'île et des îlots environnants.

BASTIMENTOS

Transports

▶ **Bateau.** Liaisons fréquentes entre Isla Colón et le village de Bastimentos (3 $ par personne). Les locaux peuvent également vous organiser des tours, mais veillez à ne pas accepter de tarif surévalué par rapport à la prestation. Renseignez-vous auparavant auprès du personnel de votre hôtel.

Pratique

Une longue ruelle traverse le village, vous n'aurez pas de mal à vous repérer. Les hôtels, situés à l'écart, sont indiqués et les gens du cru vous renseigneront. L'unique téléphone public se trouve à côté du poste de police. Pas de banque.

Se loger

Bien et pas cher

▪ **BEVERLY'S HILL**
✆ +507 757 9923
À flanc de colline, indiqué à partir de la rue principale. Plusieurs petites cabañas avec salle de bains commune, simple 15 $, double à partir de 22 $. Trois autres cabañas avec salle de bains privée, eau chaude à 33 $, ou 44 $ pour une petite suite. Un havre de paix accessible par un petit chemin qui monte au milieu d'un jardin aux mille senteurs pour une très belle vue. Chambres confortables et réveil avec le chant des oiseaux.

▪ **BOCAS BOUND**
Red Frog Beach Resort
✆ +507 836 5281
www.bocasbound.com
info@bocasbound.com

Lit en dortoir de dix : 13 $, appartement de deux lits doubles et un lit simple : 75 $. Air conditionné, cuisine, wi-fi. Un hostel qui appartient au resort Red Frog Beach. Maisons neuves colorées, dortoirs et appartements climatisés, proximité du restaurant bar-salle de jeu Kayucos (sympa mais cher) et de la plage. Accueil très pro, ambiance jeune et nord-américaine. Prendre des provisions à Bocas si vous voulez profiter de la cuisine.

▪ **EL JAGUAR**
✆ +507 757 9383
✆ +507 6952 9701
Chambres double salle de bains partagée à 14 $, avec salle de bains privée à 20 $. Une hospedaje sur pilotis proposant des chambres doubles sans grand confort mais avec accès à une petite cuisine. Hamacs sur la terrasse. Arnulfo alias « le Jaguar » propose des tours avec sa lancha et loue un kayak. Si vous avez de la chance, vous aurez droit à un concert de Los Jaguares avec des morceaux reggae-salsa composés par Arnulfo. Pour des chambres un peu plus confortables avec air conditionné, vous pouvez passer dans la maison juste à côté, chez Archibold, le frère d'Arnulfo. Tarifs un peu plus chers.

▪ **HOSPEDAJE SEAVIEW**
✆ +507 6767 4459
5 chambres avec salle de bains pour deux personnes à partir de 10 $. Une maison sur pilotis, dont le long ponton offre à son extré-mité deux abris avec hamacs. Tenu par une accueillante famille de Bastimentos, vous y serez chez vous, indépendant avec votre propre cuisine.

▪ **HOSTAL BASTIMENTOS**
✆ +507 757 9053
www.hostalbastimentos.com
Une trentaine de chambres aux tarifs et conforts pour toutes les bourses. En dortoir à 6 $, chambre de 3 personnes à 18 $; simple ou double avec salle de bains commune à 12 $, ou privée à 18 $. Chambres avec AC de 30 à 45 $. Situé dans les hauteurs, à 1 minute de la ruelle principale, un hôtel spacieux à l'architecture traditionnelle avec beaucoup de boiseries. Convivial et très bien tenu. Deux cuisines communes, hamacs, bar, Internet, belle vue sur le village en bas, chants des oiseaux... Qué más se necesita ?

■ TIO TOM'S GUESTHOUSE

✆ +507 757 9831

www.tiotomsguesthouse.com

tiotomscabin@gmail.com

5 chambres doubles avec salle de bains privée de 22 à 27,50 $ (une chambre avec un lit supplémentaire à 33 $), et un bungalow pour deux, avec terrasse personnelle, hamac et rocking-chair à 33 $. Wi-fi. Petit déjeuner entre 2,50 et 6$. Dans une maison jaune et verte sur pilotis, vous serez accueillis par Tom et Nina, un couple d'Allemands qui vivent dans cette maison depuis 1997. celle-ci a été rénovée ces dernières années : davantage de conforts. Sur la grande terrasse entourée de bambous et de plus de 70 plantes différentes, vous pourrez vous allonger dans l'un des hamacs suspendus au-dessus de l'eau. Le petit déjeuner coûte entre 2,50 et 6 $ et il vous sera proposé de partager votre dîner avec vos hôtes et autres convives (7 $ pour le menu du jour). Location de kayaks deux places. Une petite école de plongée a ouvert son bureau dans la maison.

Confort ou charme

■ HÔTEL CARIBBEAN VIEW

✆ +507 757 9442

hotelcaribbeanview@yahoo.com

11 chambres doubles et triples, entre 44 et 66 $, avec salle de bains privée, eau chaude, téléphone, TV, Internet et AC. Ce bel hôtel, sur deux niveaux, est construit au-dessus de l'eau dans le respect de l'architecture locale. A l'extérieur comme à l'intérieur, ce ne sont que boiseries. Les lits ont été décorés par des artisans locaux. Le restaurant, Sweet Amy, propose petit déjeuner et repas tous les jours de 7h à 22h.

Luxe

■ AL NATURAL RESORT

(accès en bateau)

Punta Vieja

✆ +507 757 9004

✆ +507 6496 0776

www.alnaturalresort.com

alnaturalbocas@cwpanama.net

Fermé généralement de mi-mai à mi-juillet. Les tarifs commencent à 260 $ pour 2 personnes, dégressifs dès la seconde nuit. Des formules toute inclus à partir de 310 $. Il faut noter qu'en dehors du transfert pour le check-in et check-out, le transfert sur Isla Colon est facturé 80 US$. Une combinaison réussie entre les techniques traditionnelles de construction ngöbe buglé et les nouvelles technologies représentées par les

panneaux solaires. Toutes les *cabañas*, dont certaines à étage, présentent une décoration différente mais toujours en harmonie avec la nature. Eau chaude, électricité (12 volts), moustiquaire… Organisation de sorties plongée ; kayaks et masques à disposition.

■ ECLYPSE DE MAR ACQUA LODGE

À l'écart,

en face du village de Bastimentos

✆ +507 6611 4581

www.eclypsedemar.com

Bungalow pour 2 personnes à 250 $. Ce prix inclus un petit déjeuner continental, équipement de snorkeling. Encore un lodge plein de charmes, mais cette fois juste au-dessus des flots. Les petits bungalows sur pilotis, tout en bois et aux couleurs chaudes, s'intègrent parfaitement dans le paysage et ont tout le confort nécessaire. On peut même observer les poissons à travers une partie du plancher… avant de les retrouver directement en plongeant de sa terrasse ! Quant aux dîners aux chandelles, ils vous raviront avec une cuisine *bocatoreña* de qualité.

▟ LA LOMA JUNGLE LODGE

Bahia Onda

✆ +507 6619 5364

www.thejunglelodge.com

info@thejunglelodge.com

100 $ par personne en pension complète et activités comme l'utilisation de kayacs et le transport jusqu'à Red Frog Beach. A 5 minutes en bateau du parc national maritime et de ses plages de sable brun, un lieu magique pour les amoureux de la nature. Les trois *ranchos* en matériaux naturels, à moitié dans les arbres, sont semi-ouverts sur la jungle. On y accède par un petit sentier assez pentu (déconseillé aux personnes ayant des difficultés pour se déplacer). Les installations sont rustiques (sans télé ni clim, salle de bains avec eau chaude, hamacs, moustiquaires) mais confortables. Isolées les uns des autres en pleine nature, les cabanes bénéficient d'un paysage devant lequel on pourrait rester des heures, à observer les singes, les paresseux, les fameuses grenouilles rouges ou les papillons. Les amateurs d'oiseaux ne seront pas en reste non plus. Vous pourrez aussi vous relaxer dans les baignoires naturelles au milieu de la fôret ou vous balader sur des sentiers à travers la mangrove ou les plantations de cacao. Les repas du soir se font en « famille » avec les hôtes et les employés du lodge. La Loma participe à des projets sociaux concernant la quarantaine de familles ngöbes du village de Bahia Honda.

Se restaurer

▪ CABIN & RESTAURANTE CORAL CAY

Pointe sud de l'île de Bastimentos
✆ +507 6626 1919 – +507 6634 2083
www.bocas.com – cayocoral@hotmail.com
Ouvert tous les jours de 9h à 16h (voir pour le dîner sur réservation). Cabañas à 95 $, sans le transport (entre 40 et 50 $ aller-retour). Un restaurant sur pilotis pour manger de bons poissons ou langoustes tout juste pêchés sous vos pieds. Les poissons sont aussi nourris par les clients ! C'est l'endroit où s'arrêtent les groupes qui partent faire du snorkeling dans les environs. Il est possible de dormir sur place dans des petites *cabañas* sur pilotis. C'est sommaire mais très agréable sauf quand les chitras sont là !

▪ EL PELICANO

✆ +507 757 9830
Au bout de la rue principale (demandez aux locaux) et d'un long ponton, un restaurant-bar sur pilotis, isolé à l'extrémité du village. Horaires et jours d'ouverture variables, comme la marée. L'ancien propriétaire vient de reprendre l'affaire qu'il avait laissée quelques années. Les spécialités devraient rester italiennes !

▪ RESTAURANTE JESYI (OU ALVIN)

Dans la rue principale,
en contrebas sur l'eau
Ouvert tous les jours de 7h à 21h30. Petit déjeuner entre 1,50 et 3 $. Plats du jour à 3,50 $, poissons autour de 6 $. Bières 1 $. Au-dessus des flots, ambiance décontractée et accueil adorable de la cuisinière, la Señora Kecha. Sa spécialité ? Le mixto de mariscos… un savoureux mélange de poissons. Conseillé.

▪ ROOTS RESTAURANT

En contrebas de la rue principale
Ouvert tous les jours. Plat végétarien à 3,50 $, viande à partir de 4 $ et poissons à 8 $. Rhum-coca, bières… Fréquenté par les gens du cru comme par les étrangers, un restaurant sur l'eau auquel on accède par une passerelle en bois. Service, cuisine, musique, tout sent la décontraction caribéenne. Les plats sont copieux, bien cuisinés et peu onéreux. Mollo sur la sauce piquante maison ou vous vous en souviendrez !

Sortir

Du reggae ? Renseignez-vous, des sound-systems sont organisés de temps en temps. Traînez vers le Roots Restaurant, la musique y est bonne.

Drôle d'avenir pour les grenouilles

Manque de chance pour les petites grenouilles rouges qui habitent les environs de la plage du même nom, leur habitat naturel ne fait pas partie du parc national maritime, il est limitrophe. En 2008, les bulldozers sont arrivés… De gros investisseurs américains ont entrepris la construction d'un important complexe qui se dit écolo : une route, des dizaines de grandes villas avec piscines, un projet de golf et une marina… L'Autorité nationale de l'environnement (ANAM) a relevé des dizaines de manquements aux obligations environnementales. Heureusement, le projet a dû être revu largement à la baisse, en raison de la crise financière et d'un long mouvement de grève, mais pour combien de temps ?

À voir – À faire

▪ PLAYA LARGA

À plus de 3 heures de marche du village de Bastimentos et 1 heure 30 de Red Frog Beach, cette plage fait partie du parc national marin de Bastimentos et n'est accessible à pied qu'aux plus courageux. Des *lanchas* peuvent s'y rendre mais uniquement quand la mer est calme. Des gardes-forestiers pourront vous demander de vous acquitter du droit d'entrée (5 $). Il est possible de camper sur place. Renseignez-vous absolument auprès de l'ANAM pour prendre les précautions nécessaires pour ne pas déranger les tortues qui viennent pondre la nuit entre mai et août.

▪ PLAYA PRIMERA OU WIZARD

Prenez le chemin qui monte depuis le bout de la rue, à l'est du village. Le chemin vallonné traverse une épaisse végétation à travers les collines. Il est souvent humide et glissant, donc chaussez des sandales qui tiennent aux pieds et non des tongs qui vont lâcher… Après 30 à 45 minutes de marche, vous serez récompensés de vos efforts par une nature généreuse et sauvage ! Nonis, palmiers, cocotiers et autres arbres bordent cette plage, l'une des plus belles du pays. Dans l'eau, ne vous aventurez pas trop loin du bord, les courants sont dangereux. Sans être alarmiste, la police de Bastimentos recommande de ne pas prendre d'affaires de valeur et de ne pas rentrer trop tard de la plage.

PROVINCE DE BOCAS DEL TORO

PLAYA SEGUNDA OU RED FROG BEACH

Une destination incluse dans tous les circuits des agences de Bocas. Si vous y accédez en lancha, comptez 10 $ l'aller-retour payable en arrivant là-bas dès l'aller. Le lanchero sera là à l'heure que vous lui aurez indiquée pour vous ramener vers Bocas ou Bastimentos. L'entrée au site est de 3 $. Pour s'y rendre depuis Playa Primera, il suffit de longer la plage (environ 1 heure). Depuis l'entrée à côté d'une marina, 15 minutes de marche sur une route non goudronnée (ou à bord d'une camionette). La plage est magnifique et dispose d'infrastructures touristiques depuis peu (un bar-restaurant, un loueur de fauteuils et d'équipements de plage). L'ensemble des aménagements récents, et notamment la route de terre, réalisés par le propriétaire (une grande société américaine), a un peu gâché le côté paisible de ce lieu devenu très commercial. Les fameuses petites grenouilles rouges ne sont plus si faciles à voir depuis les gros travaux derrière la plage pour aménager un lotissement de villas luxueuses. Des enfants attrapent des grenouilles le matin, pour les montrer aux touristes et demandent de l'argent pour la photo. N'encouragez pas ce genre de pratique, les grenouilles meurent généralement d'épuisement à la fin de la journée.

SALT CREEK

Accès en lancha, 20 $ l'aller-retour depuis le village de Bastimentos. Ce village ngöbe buglé a développé une structure d'accueil des touristes. Un sentier de 3 km, où des pancartes indiquent les noms des arbres et des fleurs et qui mène à une lagune, a été tracé par les représentants de la communauté ; accès à 5 $. Quant au repas traditionnel, il comporte poisson, riz et bananes plantain. De nombreux autres projets d'écotourisme impliquant les communautés devraient voir le jour dans l'archipel.

Sports – Détente – Loisirs

BASTIMENTOS SKY CANOPY TOUR

Red Frog Beach,
départ du restaurant Kayucos
✆ +507 757 8021 – +507 6507 4646

www.bastimentossky.com
redfrogbeach.marketing@gmail.com
55 $ par personne, 35 $ chacun pour un groupe de 6 personnes.Départs à 10h ou 14h (être présent 20 minutes avant). Préférez la session du matin moins fréquentée. Le circuit dure entre 1 et 2 heures selon le rythme et la taille du groupe. Un voyage dans les airs au milieu de la forêt tropicale, avec parfois des vues imprenables sur la mer : c'est l'une des canopées les plus impressionnantes d'Amérique centrale. Un site exceptionnel, du matériel excellent et un encadrement très professionnel qui saura vous mettre en confiance avant de filer le long des câbles des tyroliennes, ou de se lancer sur les ponts de singes. On peut même se jeter tel Tarzan et tournoyer au-dessus du vide ! Une expérience riche en adrénaline !

SCUBA 6 DIVING

Bureau dans la Pensión Tío Tom
✆ +507 6793 2722
www.scuba6diving.com
info@scuba6diving.com
Un petit centre de plongée tenu par une Hollandaise, offrant des sorties variées autour de Bastimentos. Cours et sorties pour de petits groupes uniquement (4 maximum) pour une meilleure attention. Formation PADI.

PARQUE NACIONAL MARINO ISLA BASTIMENTOS

Ce parc a été créé en 1988. Il englobe près de 13 200 hectares, dont 1 600 sont des terres insulaires. Les Cayos Zapatillas, deux îles situées sur une plate-forme de corail, sont les plus visités. L'île située à l'ouest (Zapatillas Menor) est le refuge et lieu de ponte des tortues marines vertes, Baula et Carey, que les scientifiques viennent observer. L'accès à l'île est payant (10 $) et il est possible d'y passer une ou plusieurs nuits gratuitement, soit dans sa propre tente, soit éventuellement dans le refuge des gardiens de l'ANAM. Le parc est surtout réputé pour ses récifs de coraux, dont le Cayo Coral Afuera est l'un des meilleurs représentants.

■ ISLA CRISTOBAL

À 15 minutes de bateau de Bocas, cette île est également appelée Faro de San Cristobal, en raison de son phare installé pour les bateaux qui transportent les bananes. Plusieurs communautés ngöbe buglé y vivent de la culture du cacao, du manioc ou du riz, ainsi que de l'élevage de quelques porcs et poulets, notamment dans le village de San Cristobal. Au nord de l'île, à Bocatorito, les mangroves et les dauphins ont de quoi séduire. Des tours pour les voir sont organisés depuis Bocas mais pas sûr que les dauphins soient ravis de se voir entourés parfois d'une dizaine de lanchas bruyantes...

DOLPHIN BAY HIDEAWAY
À côté du village de Bocatorito
✆ 507 6417 7351
www.dolphinbayhideaway.com
erika@dolphinbayhideaway.com
4 chambres : lit queen 125/140 $, chambre plus grande avec lit king size 160 $. + 10 % de taxe. Ces tarifs incluent petit déjeuner et dîner (avec 3 boissons par jour), le transport aller-retour vers Bocas, l'usage de kayaks et toutes les noix de coco que vous voulez ! Réservation par e-mail ou Skype, plus que par téléphone en raison de l'absence de réseau téléphonique. Ce lodge familial offre un cadre idyllique dans la baie des Dauphins, en pleine nature, à proximité de la communauté ngöbe buglé de Bocatorito. Elle est tenue d'une main de maître par Erika, une Hongroise qui connaît très bien la culture et le mode de vie ngöbe. Les chambres ont vue sur la mer. Si les perroquets vous réveillent un peu tôt le matin, vous pourrez descendre jusqu'au petit bohio sur pilotis pour admirer le lever du soleil ! Pas d'air conditionné, ni de télé mais la wi-fi est disponible. Le petit déjeuner comme le dîner sont préparés avec des produits biologiques et beaucoup de créativité dans les mélanges entre cuisine caribéenne et internationale. Les végétariens sont les bienvenus. Les repas se prennent en famille de façon très conviviale. Des tours en dehors des sentiers battus sont proposés à des prix raisonnables.

PROJET DE LODGE
Sud-est de l'île
✆ +507 6677 6069
Contact Bernard
Un lodge avec trois cabañas en bois à flanc de colline était en construction lors de notre passage. Des tours en voiliers seront organisés.

VISITE D'UNE COMMUNAUTE NGÖBE BUGLÉ
Village de San Cristobal
✆ +507 6768 1762
✆ +507 6950 9640
✆ +507 6552 2097
esperanzamesijablado@gmail.com
Logement en chambre sur un matelas 12 $ par 1 personne, 15 $ pour un couple. Déjeuner typique 10 $, petit déjeuner et dîner 4 $. Activités à 10 $ par personne : atelier d'artisanat, danses traditionnelles, promenade sur un sentier botanique, teintures naturelles sur t-shirt (venir avec un t-shirt blanc). Plusieurs familles du village de San Cristobal se sont réunies, avec l'appui de l'association de tourisme solidaire La Route des Sens, pour accueillir des visiteurs et vendre leur artisanat dans le cadre d'une coopérative. Un hébergement rustique est proposé dans une maison typique. Les voyageurs en reviennent toujours plein d'émotions suite aux échanges avec la population et en particulier les enfants. Pour plus d'informations, demandez à voir Salsa (il est souvent à Bocas Marine Tour), un sympathique *lanchero* qui a accompagné le projet depuis son origine.

ISLA SOLARTE

À 10 minutes en *lancha* de Bocas et 3 minutes de Bastimentos.
La United Fruit Company y avait son hôpital régional en 1899, jusqu'à ce qu'il soit déplacé à Almirante en 1920. Une petite plage cachée en contrebas de l'île est particulièrement attirante et le snorkeling est assez réputé à proximité de celle-ci. On trouve un petit hôtel de charme sur l'île.

SOLARTE DEL CARIBE INN
✆ +507 757 9032 – www.solarteinn.com
steve@solarteinn.com
Chambre avec lit queen size 65 $ (15 $ par personne supplémentaire), suites à 110 et 175 $, pour 3 ou 4 personnes. Petit déjeuner inclus. Une maison en bois confortable et bien intégrée dans le paysage, avec une grande salle commune très conviviale.

PROVINCE DE BOCAS DEL TORO

PROVINCE DE SAN BLAS –
COMARCA DE KUNA YALA

Jeune Emberá.

Province de San Blas – Comarca de Kuna Yala

Kuna Yala constitue le premier territoire autonome (comarca) amérindien des Amériques : une bande de terre de 200 km de long sur 15 km de large sur la côte caribéenne, associée à un archipel corallien d'environ 365 îles (probablement 378) dont une quarantaine sont habitées. Le rêve se réalise enfin pour le visiteur qui souhaite enrichir son voyage d'un séjour dans un paysage idyllique dont la beauté alimente nombre de fantasmes occidentaux. Au-delà de cette vision paradisiaque, c'est en se penchant sur les coutumes et traditions des Kuna eux-mêmes que l'on pourra véritablement découvrir les richesses de ce peuple surprenant.

Histoire

Il existe de nombreuses histoires sur l'origine des Kuna et leur arrivée progressive sur la côte panaméenne. On se demande encore si les indigènes rencontrés par les conquistadores dans le Darién, au début du XVIe siècle, étaient les ancêtres des Kuna. Si l'on en croit la version d'une grande partie de la communauté, le peuple tule (c'est ainsi qu'il se nomme) serait originaire de la Sierra Nevada de Santa Marta, au nord de la Colombie, une région qu'il aurait progressivement quittée pour se réfugier dans les montagnes du Darién, sur les flancs du mont Tacarcuna. Selon l'anthropologue James Howe, qui s'est longuement intéressé à ce peuple, il est possible qu'une population de langue kuna

(ou tulekaya) ait résidé dans le Darién et le long du golfe d'Urabá (l'actuelle Colombie) à l'arrivée des premiers explorateurs espagnols. Leur actuelle concentration dans l'archipel des Mulatas ou de San Blas ne résulterait donc pas uniquement d'une migration spontanée vers les îles au milieu du XIXe siècle. Elle aurait été provoquée par les menaces successives émanant des conquistadores, pirates et autres groupes indigènes rivaux, dont les Chocoe.

Conscient de ses spécificités, le peuple kuna a toujours veillé au cours des siècles à préserver son identité et ses valeurs, à assurer la transmission de sa culture et à la protéger des influences extérieures, tant des autres peuples amérindiens que des hommes blancs (les *waga*). Le XXe siècle, qui débute avec l'indépendance du pays, va apporter de profonds changements dans les rapports entre autorités kunas et panaméennes. A partir de 1915, la jeune République doit faire sentir son autorité dans les régions isolées pour y affirmer sa souveraineté.

Pour ce faire, les autorités décident d'établir un poste de police sur l'île de Porvenir. La situation se détériore rapidement : les abus répétés des policiers, associés à ceux des investisseurs étrangers venus exploiter le caret (écaille de tortue), le caoutchouc ou encore l'ivoire végétal, ne font qu'envenimer les rapports, provoquant peu à peu un climat de tension qui atteint

son paroxysme un dimanche de carnaval, le 22 février 1925. Cependant, avec l'appui dissuasif des Etats-Unis, les Kunas réussissent à éviter la riposte armée du gouvernement panaméen.

Ce soulèvement, appelé « Révolution tule », aura pour résultat la signature avec le gouvernement d'un premier accord garantissant aux Kunas la reconnaissance d'une autonomie culturelle et politique. Mais de nouveaux conflits ne tardent pas à éclater et ce n'est qu'au terme de plusieurs étapes d'un processus de négociation, initié en 1938, que le statut d'autonomie territoriale sera finalement accordé au peuple kuna.

Lors du dernier recensement datant de l'an 2000, ce territoire d'une superficie de 2 393 km² était peuplé de 32 446 personnes, réparties en 49 communautés. On l'estime aujourd'hui à près de 38 000 habitants.

Les îles proches des côtes sont en général surpeuplées, ce qui entraîne parfois des problèmes d'assainissement et de recyclage des déchets. Quant aux îles plus lointaines, elles ne sont habitées que par quelques familles dont la présence a pour but d'empêcher le vol de noix de coco, également appelées *ogob*.

Les noix de coco ont longtemps constitué l'une des principales sources de revenus de la communauté (70 % en 1967), et de nombreuses îles et zones côtières pratiquent toujours la monoculture. Aujourd'hui encore, la coco, dont le prix unitaire est d'environ 0,20 $, est utilisée comme monnaie d'échange avec les marins colombiens, au même titre que la mola, pour troquer contre des produits de première nécessité, hamacs, fil à coudre, etc. Nombreux à naviguer dans les eaux de la comarca, ces marins offrent une solution pratique aux problèmes de ravitaillement. Car les quelques épiceries flottantes qui existent n'acceptent malheureusement ni crédit ni troc, tout comme les bateaux panaméens venant de Colón vendre leurs marchandises.

Bien qu'une partie de la population ait choisi de s'exiler en ville pour trouver du travail, les Kuna restent traditionnellement proches et respectueux de la nature. Toute leur philosophie est centrée sur la relation avec la Terre-Mère (*Napguana*). L'arbre en est l'un des éléments principaux. Il ne doit pas être coupé sans raison car c'est à travers lui que se transmet la vie. Tout comme la nuit, le soleil, la pluie, les animaux, la flore, la lune et la rivière, la terre est l'œuvre de Baba (ou Bab Dummat : le Grand-Père, le Père Créateur).

L'agriculture dans la *comarca* est très différente de celle pratiquée dans le reste du pays. Sur cette terre protégée de l'extérieur par la forêt, l'élevage n'est pas pratiqué et les parcelles sont délimitées par les cours d'eau ou les arbres fruitiers (manguiers…). Nombreux sont ceux qui se rendent encore sur la terre ferme (*el monte*) pour y cultiver *yuca*, plantains, bananes, cannes à sucre, ananas ou autres fruits, et alimenter ainsi leurs foyers dans les îles. Si la propriété existe sous différentes formes (terre familiale, terre communautaire, terre prêtée…), il est impossible à quiconque n'est pas Kuna d'être propriétaire terrien dans l'enceinte de la *comarca*.

Tourisme « sous contrôle »

Contrairement à ce qui se passe dans les paradis touristiques classiques des îles Caraïbes, les Kuna se chargent eux-mêmes de gérer totalement leur patrimoine naturel et culturel selon leurs propres lois. Ainsi les étrangers n'ont aucun droit sur le contrôle des terres et des ressources naturelles de la comarca. Les décisions kunas prévalent sur les intérêts extérieurs, que ce soit ceux de l'Etat panaméen ou d'entreprises privées nationales et internationales. Une gestion difficile… Comment concilier développement touristique, accueil et amélioration de l'économie, tout en préservant l'environnement et les communautés locales ?

Que penser, entre novembre et février, des paquebots de croisière dont les milliers de passagers envahissent pour quelques heures certaines îles, sans que personne ne soit vraiment préparé au choc culturel de la rencontre ?

Hormis ce tourisme de masse, les différentes formules d'hébergement proposées vous permettront de profiter d'un grand choix d'activités : découverte de la culture locale et de l'artisanat, promenades en mer, visites des îles de l'archipel, farniente dans un hamac, plongée avec masque et tuba, pêche traditionnelle, etc.

▎ **Sachez que tous les hôtels proposent des prestations plus ou moins similaires.** Vous n'aurez pas à vous soucier des repas. Les petit déjeuners, déjeuner et dîner sont inclus dans le prix ; la qualité et la quantité variant souvent selon le taux de remplissage de l'hôtel. Si vous n'aimez pas le poisson et le riz, prévenez le chef ou votre assiette sera vide ! Les excursions ou le taxi depuis Panamá pour Cartí font également souvent partie du lot. En revanche, vous aurez en général à payer vos consommations et l'accès à la Comarca (6 $), et aux îles (en général 2 $) lors des tours proposés. Enfin, ne vous méprenez pas si l'on vous demande 1 $ pour une photo, c'est l'usage, conséquence d'abus répétés dans le passé de la part de touristes et autres reporters… Mais ne croyez pas que tous les hôtels et leurs sites se ressemblent ! Ilots artificiels, îles peuplées, îles désertes ou villages côtiers… Chaque hôtel a son charme, son environnement, son cuisinier et son accueil !

Comment y aller ?

2 heures 30 de voiture depuis la capitale par la nouvelle route reliant El Llano à Cartí, 2 heures de traversée maritime à partir de la province de Colón, ou 1 heure en avion au départ de l'aéroport d'Albrook (uniquement avec Air Panamá en 2011) : les moyens pour rejoindre cet univers sont variés et pittoresques. Embarquez et laissez-vous envoûter par ce qui semble être encore un pays merveilleusement protégé.

Les hôtels de la *comarca* ont presque tous leurs contacts dans la capitale, soit des Kuna travaillant dans des hôtels, soit des artisans… Il est facile de les contacter et ils prendront en charge l'organisation de votre séjour, tant au niveau de l'hébergement que du transport (ils ont très souvent leurs contacts auprès des compagnies aériennes et des taxis pour Cartí).

■ **VIAJES SAN BLAS**
℡ +507 6025 8580
℡ +507 314 1288
℡ +507 6780 6959
Fax : +507 314 0735
www.viajessanblas.com
panama@sanblassailing.com
À partir de 115 € par personne et par jour, avec une formule tout inclus à bord en cabine. Possibilité de réaliser des circuits combinés hôtel + voilier.

Quelques conseils pour un séjour inoubliable

▎ **Comptez au moins trois jours sur place.** N'oubliez pas que vous partez pour le paradis !

▎ **Réservez votre hôtel** afin d'être accueillis à l'aéroport ou à l'arrivée de la route de Cartí.

▎ **Venez avec suffisamment d'argent en liquide,** de préférence des petites coupures. Il n'existe aucun point de retrait ni banque à San Blas. Votre dernière chance sera le guichet automatique de l'aéroport d'Albrook de Panamá.

▎ **Apportez de l'eau minérale** (un ou plusieurs galons). Les bouteilles vendues sur place sont en général très chères.

▎ **Emportez, de préférence, votre équipement de plongée.** Cependant, pas de panique : il est possible dans presque tous les hôtels de louer masques et tubas d'occasion.

▎ **Attention ! Ça chauffe chez les Kunas,** n'oubliez pas lunettes, crème solaire et lotion après-soleil. Un vieux t-shirt pour les longues baignades.

▎ **Emportez également une lampe de poche.** A quelques exceptions près, l'électricité, s'il y en a, est coupée à 22h.

▎ **Enfin, repartez avec vos déchets.** Un geste simple mais qui permettra d'éviter que votre sac poubelle ne finisse dans les eaux de la comarca.

▎ **Un dernier conseil :** inutile d'apporter des stylos/bonbons/argent pour les distribuer aux enfants kunas. Ils sont pour le moment assez préservés de ce type d'attention et il serait inutile de leur mettre dans la tête que touriste = cadeau.

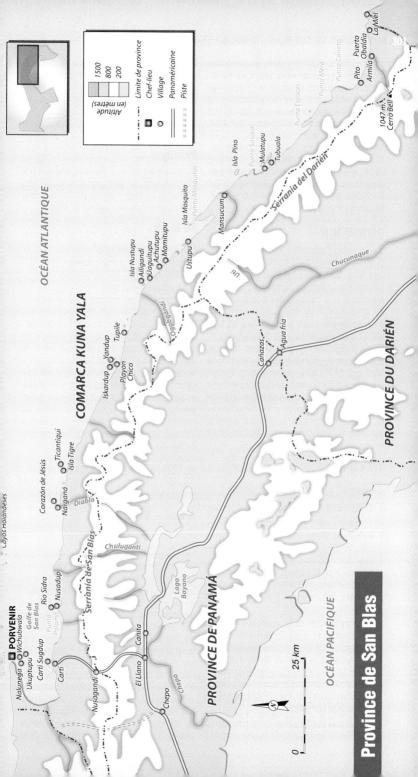

Province de San Blas

301

Altitude (en mètres)
- 1500
- 800
- 200

Limite de province
Chef-lieu
Village
Panaméricaine
Piste

OCÉAN ATLANTIQUE

Cayos Holandeses

COMARCA KUNA YALA

Isla Pino

Punta Sasardi

Punta Escocés

Punta Carreto

Punta Mero

La Miel
Puerto Obaldía
Pito
Armila

1047 m
Cerro Bell

Mulatupu
Tubuala

Serranía del Darién

Isla Mosquito
Punta Mosquitos

Mansucum

Isla Nustupu
Ailigandí
Uaguitupu
Achutupu
Mamitupu

Ustupu

Iñí

Chucunaque

Iskardup
Yandup
Tupile
Playón Chico

Ogobgandi

Agua fría

Cañazas

PROVINCE DU DARIÉN

Ticantiquí
Isla Tigre

Corazón de Jesús
Nargana

Diablo

Serranía de San Blas

Chuluganti

Lago Bayano

PROVINCE DE PANAMÁ

OCÉAN PACIFIQUE

0   25 km

PORVENIR
Nalunega
Wichubwala
Ukuptupu
Carti Sugdup
Carti

Río Sidra
Nusadup

Golfe de San Blas

Punta Polonia

Nusagandí

Canita

El Llano

Chepo

Chepo

San Blas

Province de San Blas

Grâce au voilier de San Blas Sailing accédez aux mouillages les plus paradisiaques et découvrez les villages indiens éloignés des principaux sites touristiques. Voguez au rythme du vent en séjour croisière à la découverte des 370 îles des San Blas : à bord de voiliers appartenant aux propriétaires, en location privée ou à la cabine, formule tout compris. Entre deux navigations, cerise sur le gâteau avec barbecue sur la plage, langoustes et bonne humeur assurés au programme ! Une équipe française très pro, sur place depuis 15 ans. Possibilité de réceptionner les clients depuis Panama City.

PORVENIR

Gaigirgordup (Porvenir en tulekaya) sera peut-être votre premier contact avec l'archipel de San Blas. Sa tranquillité n'est troublée que par les passages des bateaux de croisière, les avions et le transfert des touristes. C'est en effet le point de départ de nombreuses excursions dans l'un des secteurs les plus visités et les plus développés de la comarca en terme d'infrastructures touristiques. Porvenir s'apparente en quelque sorte à la capitale (ou chef-lieu) de la comarca puisqu'elle héberge sur son petit périmètre la Maison générale du congrès kuna, l'office des migrations, un poste de police, quelques épiceries, un aérodrome et un hôtel. L'intendance de la comarca se trouve également à proximité, mais le législateur est la plupart du temps à Panamá.

Transports

Comment y accéder et en partir

▌ **En avion :** depuis Albrook avec Air Panamá. Départ à 6h, minimum 140 $ aller-retour.

▌ **En bateau.** Si vous optez pour la voie maritime, il vous faudra du temps et de la patience ! Le bateau demande plus d'organisation. Sachez que Porvenir est le passage obligé de toutes les embarcations en raison des formalités administratives obligatoires à y accomplir. Deux possibilités s'offrent à vous :

▌ **Montez à bord de la navette régulière** circulant entre Miramar (province de Colón) et Porvenir, 15 $ environ pour les touristes. La traversée, dont la durée tourne autour de 2 heures 30, varie selon la puissance du moteur et l'état de la mer (plus agitée en été). Quant aux horaires, il est fortement recommandé de se renseigner sur place !

▌ **Embarquez sur un bateau de marchandises panaméen** (à partir de 12 $). Il est également

nécessaire de se renseigner sur place car la fréquence est variable, ainsi que la durée du voyage (entre 6 heures et 7 heures !). Environ deux bateaux par mois viennent faire le tour des îles pour vendre leurs marchandises, puis rentrent se ravitailler au port Coco Solo de Colón.

Pratique

On trouve à côté de l'aéroport des cabines téléphoniques, un poste de migrations (tout bateau de passage dans la comarca est tenu de s'y présenter) et un poste de police.

Se loger

■ **HÔTEL EL PORVENIR**
À côté de la piste d'atterrissage
℡ +507 6692 3542
www.hotelporvenir.com
45 $ par personne, 3 repas et excursion dans les îles compris. Construction de plain-pied non traditionnelle, en ciment. Accueil très chaleureux de la señora Oti, l'une des propriétaires qui sera à votre écoute. Chaque chambre a une salle de bains et des toilettes privées (ce qui représente plutôt un luxe dans ces contrées). L'électricité est coupée quand tous les clients se sont assoupis. Malgré le bruit matinal des avions, l'hôtel reste agréable. La cuisine est bonne et généreusement servie, et le service efficace. Une demi-langouste vous sera servie le dernier soir. Si vous la voulez entière, il y aura un supplément ! C'est une pratique courante dans les hôtels de l'archipel. Ambiance reposante (hamacs à disposition, billard) et, surtout, possibilité de se baigner devant l'hôtel.

À voir – À faire

Tout comme ses voisines Wichubwala, Nalunega et Ukuptupu, Porvenir est proche de nombreuses îles paradisiaques et désertes où il fera bon passer la journée, pique-niquer et observer les poissons ou coraux. Incontournables pour qui voyage dans les eaux de l'archipel, les paysages, les poissons volants et peut-être même des dauphins vous accompagneront tout au long des 30 à 45 minutes de barque qui séparent ces îles de Porvenir. Au programme des excursions proposées par les hôtels : Kagandup (Isla Hierba, l'île de l'herbe) ; Korkidup (Isla Pelicano, l'île du pélican) ; Wichudup (Isla Icaco, l'île de l'icaque, le fruit de l'icaquier). Des noms aux sonorités exotiques, des îles coralliennes aux eaux turquoise… Et peut-être la chance de voir éclater un gros orage. Alors, le ciel se charge de lourds nuages menaçants, l'eau noircit et vous, ravi mais trempé, ne faites plus qu'un avec les éléments déchaînés. Et encore : Icodup (Isla Aguja, l'île de l'aiguille) ; Aritupu (Isla Iguana, l'île de l'iguane) ; Achutupu (isla Perro, l'île du chien).

Plus éloignée, cette dernière est devenue « un classique » demandé par tous. Qui n'a pas rêvé de cette île, devant laquelle un bateau présumé colombien s'est échoué il y a une cinquantaine d'années, pour le plus grand bonheur d'une multitude de poissons qui y ont élu domicile…

▌ **Sachez qu'il est également possible de camper sur certaines îles.** S'il s'agit d'une île déserte, renseignez-vous auprès du personnel de l'hôtel qui vous héberge. Mais si l'île est habitée par une ou plusieurs familles, demandez-leur la permission. Le coût sera peut-être aussi élevé que celui d'un hôtel, les commodités en moins. Dans tous les cas, pensez au ravitaillement en nourriture et en eau, au transport aller et retour, au hamac pour dormir : les conditions minimales pour que votre séjour se déroule sans crainte.

▦ MUSEO DE LA NACION KUNA
✆ +507 314 1293 – +507 314 1298
www.congresogeneralkuna.com/
nacion_kuna.htm
koskunkalu@hotmail.com
Entrée 2 $. Ce musée communautaire, géré par le congrès général de la culture, a ouvert ses portes en 2005. Vous en apprendrez plus sur la vie quotidienne et les nombreuses traditions kunas (cérémonie de la chicha, représentation de la mort…).

WICHUBWALA

Plus vivante, puisqu'elle abrite une communauté entière, Wichubwala présente l'avantage de vous permettre la découverte et le partage de la vie des Kuna ; l'unique inconvénient étant qu'il est plutôt déconseillé de se baigner dans les eaux qui la bordent. C'est le cas dans la majorité des îles peuplées et parfois surpeuplées, où les abords, malgré une apparence saine, ne sont pas toujours très propres.

À Wichubwala, qui n'est qu'à 5 minutes de Porvenir, l'atmosphère est cependant agréable et détendue, et les grandes allées du village sont propices aux promenades. Vous serez surpris de constater que le règlement de la communauté est plutôt souple, autorisant la vente d'alcool à n'importe quelle heure de la journée, mais aux hommes uniquement. Une petite cantina est d'ailleurs installée près du ponton principal.

Pratique
Téléphones publics, centre de santé et quelques épiceries. Comme partout dans la *comarca*, attendez-vous à des produits basiques et à un choix limité.

Se loger
▦ HÔTEL KUNA NISKUA
Près du terrain de basket
✆ +507 259 3471
✆ +507 6709 4484
✆ +507 6662 2239
kuna-niskua@hotmail.com

Onmaked Nega

La Maison du congrès local (Casa de Congreso ou Onmaked Nega) constitue le cœur de la vie politique et administrative de chacune des 49 communautés. C'est dans ces grandes maisons communales en bois, bambou et palme, que sont prises démocratiquement toutes les décisions relatives à la culture, à la religion et au patrimoine du peuple tule. L'autorité la plus influente, le « Sahila », reconnaissable à son chapeau noir, prend place dans un hamac pour diriger le congrès en compagnie du Argargana (porte-parole) et du Sualibedi (gardien de l'ordre). Les hommes et femmes du village prennent place sur les nombreux bancs.

Ces séances quotidiennes comprennent discours, incantations, prières et chants, durent parfois la nuit entière et il n'est pas question de se défiler ! Un système d'amende, plus ou moins sévère selon les îles, permet de punir toute personne n'appliquant pas le règlement communautaire. Garants de la mémoire du peuple kuna, souvent transmise oralement à travers leurs discours, trois Sahilas sont ensuite élus *ad vitam aeternam* pour représenter le peuple kuna au sein de son Congrès général, dont le siège est à Porvenir. Le congrès général kuna ainsi que le congrès général de la culture sont les deux entités suprêmes qui régissent la vie de la comarca, selon leur propre loi (*Ley fundamental de la Comarca Kuna Yala* de 1995).

Les molas

Les premiers témoignages relatifs à la façon de s'habiller des Kunas remontent à la fin du XVIIe siècle. Selon les voyageurs de l'époque, les femmes kunas nouaient un tissu autour de leur taille et couvraient le reste de leur corps de dessins aux motifs divers qu'elles composaient et peignaient elles-mêmes. Les anciens aiment à dire que l'origine des molas remonte à la nuit des temps. Et pourtant, ce serait en fait à la faveur de l'introduction du fil à coudre, du coton et des aiguilles que les premières molas ont été confectionnées. Un legs attribué à un groupe d'huguenots, exilé un temps dans les îles suite à la révocation de l'édit de Nantes (1685). Au XIXe siècle, les écrits rapportent que les femmes arborent de larges tuniques brodées.

L'art des molas daterait donc de l'installation des Kuna dans les îles, encouragé par leurs rapports avec les Blancs. Pour ne pas rester torse nu, les femmes auraient remplacé leurs peintures corporelles par des dessins sur tissu, en l'occurrence des pièces de tissu savamment cousues et superposées selon la technique de l'appliqué. Si le sujet vous intéresse, nous vous conseillons vivement la lecture du livre *Tableaux Kuna. Les molas, un art d'Amérique* (Editions Arthaud, 2002). L'auteur, Michel Perrin, vous initie non seulement à cet art mais aussi à la culture du peuple tule. A lire également, le livre de Michel Lecumberry, intitulé *San Blas. Molas et traditions kunas* (Panama, Txango) distribué dans les bonnes librairies du pays ou chez lui à Portobelo, ainsi que les articles de son blog : www.sagapanama.fr.

Chambres avec salle de bains partagée à 75 $ par personne, les trois repas et excursion inclus. Niskua, ou « étoile » en langue kuna, combine construction traditionnelle (cloisons de bambou, toits de palmes, matériaux naturels) et confort (électricité fournie par des panneaux solaires, parquets en bois dans les chambres, terrasse et hamacs). Accueil chaleureux, terrasses et hamacs, les ingrédients sont réunis pour la réussite du séjour. Les plus : intimité préservée (on ne voit pas d'une chambre à l'autre comme dans certains établissements), courant électrique compatible avec les chargeurs d'appareil photo…

Les excursions proposées sont semblables à celles des autres hôtels du secteur. Pour une virée sur mesure, adressez-vous au propriétaire Juan Antonio Martinez « Toño ». Ce dernier a étendu son offre à l'île de Wailidup, à 25 minutes de Porvenir. 2 *cabañas* avec vue sur la mer et salle de bains privée : 125 $ par personne, repas et excursion inclus.

UKUPTUPU

Ukuptupu ou isla Arena (île de sable) est située à 3 minutes de sa voisine Wichubwala dont elle dépend. C'est en réalité une île artificielle privée, sans plage, construite par un père de famille kuna, Juan García. Convertie en hôtel, elle a la particularité d'avoir été entièrement louée, de 1974 à 1998, à une équipe de recherche en fonds marins du Smithsonian, organisme scientifique et biologique nord-américain.

■ **CABAÑAS UKUPTUPU**
✆ +507 6746 5088 – +507 6744 7511
www.ukuptupu.com
ukuptupu@ukuptupu.com

45 $ par personne, avec 3 repas et un tour. Salle de bains et toilettes communes. Générateur électrique (peut être bruyant). D'une capacité d'environ 30 personnes, cet endroit n'est pas vraiment idéal si vous souhaitez vous retrouver au calme ou isolé des autres touristes. Mais l'accueil est sympathique. N'hésitez pas à faire part à vos hôtes de vos désirs ou à leur demander de vous prêter un *cayuco* (pirogue en bois traditionnelle) pour aller vous promener à Wichubwala et Nalunega. En ce qui concerne les repas, jetez un œil au vivier (*vivero*) généralement bien approvisionné.

NALUNEGA

Abritant l'un des premiers hôtels de la comarca, l'île du Pagre (Isla Pargo) fait également partie du circuit touristique des bateaux de croisière. Les habitants sont donc habitués à voir des visiteurs. Du coup, les relations avec certains autochtones peuvent sembler un peu mercantiles : dès l'accostage du bateau, les femmes se précipitent sur l'étranger (le *waga*), et tentent de l'attirer vers leurs bras chargés de molas. Psst, psst…

Une autre approche de la communauté permet de dépasser cette première impression quelque peu désagréable. N'hésitez pas à déambuler dans les rues sinueuses à la recherche de la Maison du congrès, à regarder les jeunes jouer au basket ou répéter leurs airs de flûte, à vous asseoir un petit moment près des anciens du village…

■ HÔTEL SAN BLAS
✆ +507 257 3310
✆ +507 6538 1141
hotelsanblas@hotmail.com
50 $ par personne, repas et excursion inclus. 28 chambres et une dizaine de cabañas, avec salle de bains communes. Nous conseillons les petites cabañas traditionnelles pour 2 personnes, plus intimes. Au bord de l'eau, elles sont aussi plus proches des commodités. Jolis couchers de soleil à contempler depuis son hamac ou allongé sur le sable. Le propriétaire, Luís Burgos, saura vous raconter son parcours et la vie de son peuple.

CARTI SUGDUP

Carti Sugdup, ou île du Crabe (Isla Cangrejo), est une île animée et grouillante où vous rencontrerez, outre la population locale, des Panaméens et des Colombiens de passage. Leurs vieux rafiots amarrés au quai, ils viennent vendre leurs marchandises, se restaurer ou se reposer sur l'île.

Parmi ses voisines Carti Yantupu et Carti Tupile, Carti Sugdup est l'une des îles les mieux équipées, dotée d'une école, d'une église, d'un centre de santé, d'électricité… Une route goudronnée remplace désormais la piste El Llano-Carti qui représentait une véritable expédition, surtout en dehors de la période sèche. Seuls quelques pilotes téméraires osaient l'emprunter. La route a changé beaucoup de choses dans le secteur de Carti, désormais mieux approvisionné et facilement accessible. Les touristes arrivent en nombre, en particulier le week-end, en taxi ou avec leurs voitures particulières (il faut tout de même un bon véhicule, les pentes sont très raides!). Des *lanchas* les attendent pour les emmener aux hôtels ou aux plages.

Transports

L'aéroport de Carti n'est plus desservi, en raison du mauvais état de la piste d'atterrissage, pourtant semblable à toutes les pistes de la comarca. La nouvelle route a pris le relais. Si vous n'avez pas un bon véhicule, le mieux est de venir en taxi (des pick-up puissants). Lors de votre réservation, c'est l'hôtel qui se charge de vous envoyer un taxi pour vous récupérer à votre hôtel à Panamá, généralement vers 5h du matin, ou vous donner un rendez-vous quelque part. Le tarif était en 2011 de 25 $ par personne l'aller. Environ 2 heures 30 de

route. Vous devrez comme tout le monde payer la taxe d'entrée sur le territoire kuna (6$). A votre arrivée, une *lancha* vous attendra pour vous emmener à l'hôtel.

Se loger

■ DORMITORIO SUGDUP
À côté du ponton principal de l'île
✆ +507 6513 1915 – +507 6513 1995
7 chambres pour 2 à 6 personnes. Comptez 8 $ par personne, sans repas ni excursion. Comedor ouvert de 7h à 22h. Il ne s'agit pas d'une formule touristique, le confort y est plus que rudimentaire tout comme les commodités.

■ HOMESTAY SAN BLAS ADVENTURES
Dans la rue principale,
demandez la maison d'Eligio Pérez
✆ +507 6734 3454 – +507 6517 9850
sanblasadventures@yahoo.com
sanblasadventures@hotmail.com
35 $ par personne, repas et tour compris. Chez une famille kuna, au choix pour la nuit : hamac ou lit, avec salle de bains commune. Ne soyez pas trop exigeants… Et si vous êtes fauchés, il est possible de camper, négociez les tarifs avec Germain.

Se restaurer

Un *comedor* près du quai principal propose des plats à base de poulet, poisson ou riz, en fonction du ravitaillement. A partir de 3 $. Ouvert de 7h à 22h.

À voir – À faire

■ MUSÉE KUNA
À côté du ponton principal
✆ +507 299 9002 – +507 299 9074
✆ +507 6505 9812
Entrée 3 $. Ouvert tous les jours de 8h à 16h. Kuna Museum of Art and Culture comme aime le nommer son créateur José Delfino Davies Reyes, garant des traditions de son peuple. Passionné et très sympathique, il propose une visite commentée en espagnol ou en anglais (textes des légendes également bilingues). Les hôtels du secteur de Porvenir programment souvent la visite de ce très intéressant petit musée consacré à la culture kuna.

CARTI YANTUPU

Une île-village très agréable, fleurie et avec des gens souriants qui ne vous harcèlent pas trop pour vendre de l'artisanat. Plusieurs options d'hébergement sur l'« île aux sangliers ».

▨ AQUA NEGA
✆ +507 6537 0416 – +507 6064 7455
nixiastocel@hotmail.com
Contact Nixia ou Mathieu
50$ pension complete et tours. 5 cabanes traditionnelles rustiques mais confortables tenues par un couple québécois-kuna, avec une bonne expérience dans le tourisme. Une salle commune conviviale avec des hamacs et une jolie vue. Nourriture kuna avec parfois des saveurs occidentales. Parfois des excursions à Cayos Holandeses avec un supplément, minimum 2 nuits sur place, sous tente.

▨ CASA DE « YEYO »
✆ +507 6716 0658
35 $ par personne avec 3 repas et excursion proche. Le sympathique Aurelio Castillo, connu sous le nom de Yeyo, vous offre un lit ou un hamac. Rustique mais convivial.

▨ KUNA YALA CAMPING
Isla Carti Mulatupu ✆ +507 6513 8748
✆ +507 6106 4212 – +507 6530 4504
kunayalacamping@gmail.com
Les sympathiques Fernando Férnandez Hawkins et Mireya Galindo proposent sur 2 jours et 1 nuit 2 petits déjeuners, un déjeuner et un dîner, et 2 visites d'îles pour 45 $. Hébergement en *cabañas* ou tente. Fernando parle un peu français.

NUSADUP
Ne vous inquiétez pas, malgré son nom, « île de la Souris » (Isla del Ratón), vous pourrez y dormir tranquille. En arrivant, on est surpris par le nombre d'enfants qui courent dans les rues de ce village, tous souriants et accueillants… au point que leur vitalité et leurs fous rires sont forcément contagieux. On pourra visiter également l'île la plus proche qui abrite deux communautés, celles de Río Sidra (Urgandi) et de Mamardup, et qui dispose d'un centre de santé en cas de pépin.

▨ CABAÑAS ROBINSON
✆ +507 299 9058 – +507 299 9028
20 $ en dortoir. Les trois repas sont inclus mais nous vous conseillons d'apporter un complément. Une île déserte, de simples *cabañas* avec des hamacs pour lit, et le tour est joué. C'est l'une des formules les plus économiques de la *comarca*, qui plaît beaucoup aux *backpackers* qui y vont en groupe depuis les auberges de jeunesse de la capitale. Ne vous attendez pas aux mêmes services que dans les autres hôtels plus chers. Ambiance très jeune et festive.

KUANIDUP
L'un de ces îlots-hôtels qui vous enchantera, proclamé la plus belle île du monde par Antoine (le chanteur aux chemises à fleurs). Vous y reviendrez, conquis par son charme et son confort.

▨ CABAÑAS KUANIDUP
✆ +507 6656 4673 – +507 6635 6737
http://kuanidup.8k.com
kuani9@hotmail.com
95 $ par personne et par jour pour la formule habituelle. 11 petites *cabañas* privées au charme naturel. Vous ne résisterez pas à l'envie de

Le pêcheur de langoustes
La figure du pêcheur de langoustes (*dulup* en langue kuna) bénéficie d'une image véritablement héroïque. Aventurier, il passe des heures sous l'eau à traquer sa proie. Entreprenant, il ne travaille pas la terre comme tous les autres. Aisé, il est payé en liquide et instantanément… Dans la pratique, ces pêcheurs sont exposés à de fréquents problèmes de surdité ou de migraines, quand ce n'est pas la noyade. Ils sont, en outre, tributaires du prix fixé par les acheteurs, qui eux-mêmes vendent les langoustes à un autre intermédiaire, avant que celles-ci ne finissent dans l'assiette du consommateur. Or ce crustacé est une espèce menacée. Lors de la pêche, il n'est parfois tenu compte ni de la taille, ni du sexe, ni des périodes de reproduction (*vela*). Pourtant il est formellement interdit de pêcher, vendre ou consommer langoustes (ou crabes) entre le 1er mars et le 31 mai. Aux touristes de ne pas être trop capricieux et irresponsables en souhaitant absolument en consommer à ce moment de l'année ! L'affluence croissante des visiteurs incite parfois les populations à négliger la protection des ressources halieutiques. A nous d'en être conscients…
De l'éducation de ces plongeurs dépend l'économie et la survie de nombreuses familles, ce qu'a judicieusement compris le congrès général kuna qui tente également de responsabiliser la population sur les méthodes de pêche. Il arrive malheureusement que le poulpe soit, par exemple, pêché à la javel.

© IPAT PANAMA

Non développé en terme d'infrastructures touristiques, le secteur de Narganá présente moins d'intérêt pour le voyageur qui n'a que quelques jours pour visiter l'archipel. Mais pour celui qui dispose de cette grande richesse qu'est le temps, c'est l'occasion de découvrir une autre facette du peuple tule.

Transports

Air Panamá a des vols réguliers depuis Albrook, entre 35 minutes et 1 heure 10 selon les escales sur d'autres îles. On peut aussi venir en *lancha* depuis Porvenir, compter 2 heures 30.

Pratique

On trouve un poste de police ouvert 24h/24, un centre de santé et des cabines téléphoniques.

Se loger

■ **HÔTEL NORIS**
✆ +507 299 9009 – +507 299 9090
Entre 10 et 30$ selon le confort, air conditionné ou non, salle de bains privé ou non. Dans une maison en dur, des chambres au confort variable. Bon à savoir pour un dépannage.

Île de Kuna Yala.

vous assoupir dans l'un des nombreux hamacs accrochés entre les palmiers avec, comme toile de fond, la cordillère se dessinant à l'horizon. Protégé par une barrière de corail au nord, probablement l'un des plus jolis hôtels de la *comarca.*

NARGANÁ ET CORAZÓN DE JESÚS

Deux îles jumelles reliées par un pont : Narganá (ou Yandup) et Corazón de Jesús (ou Akuanusadup) sont deux villages où la culture occidentale a réellement pénétré. Une différence par rapport aux autres communautés qui saute aux yeux. La majorité des habitants sont bilingues (femmes, hommes et enfants) et ne portent plus de vêtements traditionnels. Car même si dans toutes les îles les hommes sont habituellement vêtus d'un pantalon large, d'un maillot de base-ball ou basket et d'une casquette à l'envers, les femmes, elles, perpétuent généralement la tradition en portant la mola et les cheveux courts. L'équilibre entre tradition et modernité est fragile. Ici, les postes de télévision ou de radio sont plus nombreux qu'ailleurs, les signes extérieurs de richesse également : le mobilier en plastique a remplacé celui en bois… Les habitudes et les comportements se sont également modifiés, assouplis par une réglementation interne moins sévère que dans d'autres communautés.

PLAYÓN CHICO

Playón Chico ou Ukupseni, densément peuplé, sera pour vous une simple escale avant votre transfert dans l'un des deux hôtels voisins. Ce sera aussi l'occasion de vous mêler à la population et peut-être d'acheter des *molas.*

ISKARDUP

Iskardup est une île privée qui héberge l'un des hôtels les plus luxueux de la comarca.

Les enfants de la lune

Ils sont nombreux parmi le peuple tule… ce sont les albinos (*sipu*). Entre 1 et 3 % des Kuna naîtraient avec un albinisme partiel ou total, cette maladie génétique qui se caractérise par une absence de pigmentation de la peau (la moyenne mondiale est d'un cas pour 20 000 naissances !). Vous rencontrerez certainement ces « enfants de la lune » au détour de vos pérégrinations dans l'archipel. On raconte que la lune les aurait envoyés comme missionnaires sur Terre, ce qui leur confère une autorité naturelle. Rares sont les civilisations qui ne les rejettent pas. A Kuna Yala, on les vénère…

PROVINCE DE SAN BLAS – COMARCA DE KUNA YALA

Jeune Emberá.
© IPAT PANAMA

■ **SAPIBENEGA THE KUNA LODGE**
✆ +507 215 1406 – Fax : +507 215 3724
www.sapibenega.com

6 cabañas pour 1, 2 ou 3 personnes. Respectivement 235, 340, 395 $ par cabine. Les trois repas et un tour sont compris, mais pas la taxe de 20 $ par personne à reverser aux autorités kunas. Salle de bains et toilettes privées, eau chaude, électricité 24h/24. Les *cabañas* sont bien évidemment en bambou avec toit de palme, leur petit plus étant le parquet en bois. Luxe, calme et volupté, comme a dit le poète en une tout autre occasion. Ici, bain de mer devant votre chambre et dîner aux chandelles. Le propriétaire, Sr Paliwitur Sapibe, a pensé à tout pour que votre séjour soit un délice. Quant à votre approche de la culture kuna, elle pourra se faire à travers votre visite de la communauté de Playón Chico.

YANDUP

Cette île, située à quelques minutes de Playón Chico, offre l'avantage d'être tout près de la côte, où de belles balades peuvent être organisées.

Se loger

🏨 **YANDUP ISLAND LODGE**
✆ +507 394 1408 – +507 6579 2911
www.yandupisland.com
reservas@yandupisland.com

2 types de cabañas (bungalows). Prix par personne en occupation double sur pilotis 115 $. Prix par personne en occupation double sur terre « ferme » : 100 $. Toutes les cabañas disposent de salle de bains privée. Yandup Island est un espace de 10 cabanes coquettes aux matériaux traditionnels (6 d'entres elles sur la mer), situé dans le cœur de la région (Comarca) indigène de Kuna Yala, sur l'île du même nom. Paradis de la biodiversité, culture et tradition Yandup offre un environnement unique pour le repos et vivre des activités tout en profitant du paysage, plongée dans les eaux cristallines pleines de coraux, observation d'oiseaux endémiques, un tour au cœur des mangroves ou visiter la communauté Kuna et découvrir toutes les essences de sa culture ancestrale. Equipe dynamique et attentive. N'hésitez pas à lui soumettre vos désirs et elle mettra tout en œuvre pour les satisfaire. Un site d'exception, caractéristique de cet archipel qui en regorge !

À voir – À faire

■ **ÎLES PARADISIAQUES**
Au départ de l'un des deux hôtels, vous pouvez gagner les îles Tupir, Diadup ou Arridup. Ces îles désertes sont idéales pour la plongée avec masque et tuba, le farniente et le rêve. Eau turquoise, poissons colorés et coraux… Bref, si vous nous avez bien suivis, vous savez à quoi vous attendre.

■ **KOLEBIR ET LA CASCADE SAIBAR MAID**
Deux autres possibilités d'excursion à arranger avec vos hôtes. Une aventure plus sauvage dans la végétation luxuriante de la côte, à la découverte d'un autre Kuna Yala, plus vert et plus sportif. Accompagné d'un guide, vous aurez le plaisir de vous baigner dans la rivière Diwar Dumad, et de bénéficier des massages fortifiants d'une cascade (plus ou moins impressionnante selon la saison).

AILIGANDI

Un hôpital, un terrain de basket, des restaurants, des églises, des petites boutiques, une poste, l'électricité, un aqueduc, des téléphones publics, la Maison du congrès locale. Cette communauté, qui s'autogère entièrement, appartient à ces îles qui ont très peu l'occasion d'accueillir des touristes. Aussi, ne manquez pas de demander aux autorités compétentes l'autorisation de vous y promener.

UAGUITUPU

■ **CABAÑAS UAGUITUPU OU DOLPHIN ISLAND LODGE**
✆ +507 832 5144
✆ +507 832 1350
www.uaguinega.com

À 5 minutes de l'aéroport d'Achutupu, une île privée où vous attendent plusieurs cabañas pour 1, 2 ou 3 personnes avec salle de bains et toilettes privées (luxe extrême!). Respectivement 155, 125 et 100 $, moins cher pour les enfants. Tarif dégressif dès la seconde nuit. Repas inclus. Electricité matin et soir. La taxe de 12 $ n'est pas incluse. Des tours sont organisés dans les îles voisines ou à Ailigandi pour les achats de *molas*. Plus connu sous son ancien nom de Dolphin Island Lodge, cet hôtel se veut l'une des premières offres de catégorie supérieure de l'archipel.

Une personnalité kuna

Né probablement en 1872 à Yandup, Carlos Inaediguinye Robinson participa activement au développement de ce phénomène d'acculturation qui poussa peu à peu certains Kunas à se tourner vers ce que l'on appelle communément la civilisation. Envoyé en Colombie dès l'âge de 12 ans, il en revint vers 30 ans pour raconter aux anciens le monde des étrangers. Fervent partisan de l'éducation occidentale, il milita aux côtés de missionnaires protestants, Miss Ana Coop et Miss Marta Purdy, contre le port de l'anneau nasal, des molas et de tout signe ostentatoire lié à la tradition du peuple tule. Encouragée ensuite par les idées du président de la République de l'époque, Belisario Porras, cette politique assimilationniste sera en partie à l'origine du déclenchement de la révolution tule de 1925.

ACHUTUPU

🏠 **AKWADUP LODGE**
✆ +507 832 5144
✆ +507 832 1350
www.sanblaslodge.com
www.uaguinega.com
info@uaguinega.com

50 minutes d'avion puis 20 minutes en barque à moteur. 7 cabañas indépendantes sur pilotis pour 1 à 4 personnes. Respectivement 185, 150, 130 $ par personne la première nuit en basse saison. Dégressif dès la 2e nuit. Pension complète et 2 excursions par jour. Probablement l'un des plus confortables de tout l'archipel : salle de bains privée, électricité 24h/24, ventilateur, terrasse privée sur la mer. Idéal pour les romances… Le lodge appartient à la même famille que le Dolphin Island, il est encore plus confortable.

■ **DAD IBE ISLAND LODGE**
✆ +507 293 8795 – +507 6670 0917
✆ +507 6784 5978
www.dadibelodge.com
info@dadibelodge.com

De 95 à 135$ par jour et par personne, en pension complète avec tours. Trois cabañas rustiques et confortables, avec salle de bains privée, balcon et hamacs. Vue sur la mer turquoise, au calme, dans une île très propre. Les repas sont délicieux. Encore un lieu magique!

MAMITUPU

Également joignable depuis Achutupu, cette île habitée aux rues étroites et à l'animation perpétuelle est peu visitée par les touristes si ce n'est par les marins de passage qui ont l'habitude de mouiller dans ses eaux. Cependant, certains membres de cette grande communauté se sont lancés dans l'aventure hôtelière. Et ça marche!

■ **CABAÑAS WAICA MAMITUPU**
✆ +507 299 9217 – +507 6011 2934
✆ +507 299 9270
mamitupu@hotmail.com

75$ par personne, repas et tour inclus. Un joli projet qui a du succès. 3 *cabañas* pour 2 personnes. Votre hôte, Pablo, parle aussi bien espagnol qu'anglais et il cuisine plutôt bien.

PUERTO OBALDÍA

Il s'agit de la dernière « grande » ville avant la Colombie, ce qui peut effrayer le voyageur. Mais vous n'aurez aucune crainte à avoir. Vous y serez accueillis par une population composée en majorité d'une communauté noire et kuna, qui cohabite joyeusement. N'hésitez pas à vous adresser au poste de police de la frontière, auprès duquel vous devrez signaler votre présence. C'est par ici qu'il faut passer pour rejoindre la communauté kuna d'Armila qui s'est lancée dans l'accueil des touristes pour votre plus grand bonheur… ou pour se rendre à Sapzurro en Colombie.

Transports

Centre de santé, douane, consulat colombien, bureau des migrations, Internet, épiceries, restaurant et bar. Tout y est.

Comment y accéder et en partir

▶ **Air Panamá** assure 3 liaisons par semaine, le mardi, jeudi et dimanche à 8h30 depuis Albrook, retour le même jour à 9h40.

▶ **Des liaisons en *lancha* rapide** avec Miramar ou Porvenir sont organisées à des dates précises par l'agence Darién Gapster.

© PAT PANAMA

Indienne Kuna.

ARMILA

Cette communauté se situe à 20 minutes de *lancha* de Puerto Obaldía, ou 1 heure 30 à pied (pour les bons marcheurs). Préparez-vous à solliciter vos gambettes aux mois de décembre, janvier, février, mars, juillet et août, périodes durant lesquelles la mer, violente, empêche souvent l'accès en bateau ! Pour les non-sportifs, privilégiez les mois d'avril, mai, juin ou encore septembre, octobre et novembre. Dans les deux cas, vous vous en souviendrez ! L'arrivée sur le village est inoubliable, la végétation foisonnante de la colline plongeant dans les vagues. L'impression d'être au bout du monde vous envahira. Un sentiment rare et enivrant !

🛏 CABAÑAS IBEDI

© +507 212 3418 – +507 6126 0475
www.cibedi.es.tl
ibedialnatural@hotmail.com
4 cabañas pour 1 à 7 personnes. En raison de la fréquence des vols vers Puerto Obaldia (mardi, jeudi et dimanche en 2011), ce sont des forfaits et non des prix par jour : 3 jours, 2 nuits à 150 $ par personne, ou 4 jours, 3 nuits à 200 $. Ces tarifs incluent logement, repas, représentation de danse et plusieurs excursions. La famille de Nacho tient une boutique de souvenirs à Mi Pueblito, dans la capitale. N'hésitez pas à vous y rendre pour organiser votre voyage à l'avance et découvrir un joli artisanat ! Le rêve touristique de Nacho s'est concrétisé fin

2007 et nous vous encourageons vivement à le partager. Quatre *cabañas*, en bois et bambou au toit de palme, au milieu d'un magnifique jardin tropical. Vous aurez le choix entre remonter la rivière voisine en pirogue au milieu des mangroves, partir en excursion vers la plage de La Miel, dernière crique au sable fin avant la Colombie, ou encore admirer de nuit l'arrivée des tortues laúd, les plus grandes du monde, de février à septembre. Nous vous recommandons particulièrement cette destination des plus authentiques, notre coup de cœur ! Une offre originale mêlant découverte de la culture kuna et respect de l'environnement, mais aussi un projet qui ne demande qu'à s'étoffer !

LA MIEL

La dernière localité avant la Colombie. Des plages superbes de sable blanc, une eau turquoise et une atmosphère tranquile. Un petit chemin mène au village de Sapzurro en Colombie. Vous y verrez deux postes-frontières se faisant face. Il n'y a pour l'instant pas grand chose en terme d'hébergement à La Miel mais un hostel devrait ouvrir prochainement. Le projet appartient au propriétaire de l'agence Darién Gapster, basé à Portobelo (détails dans cette localité). On s'y rend en *lancha* depuis Puerto Obaldia ou Capurgana en Colombie. Une excursion est également organisée depuis le village d'Armila, par Ibedi Al Natural.

Forêt du Darién.
© IPAT PANAMA

Province du Darién

Le Darién est une terre de trésors naturels et culturels bien méconnus. Une grande partie de cette province est recouverte par une épaisse forêt tropicale humide, de hautes et basses terres, abritant l'une des biodiversités les plus riches au monde. Le Darién est aussi constitué d'autres variétés d'habitats et écosystèmes, notamment côté Pacifique : forêt semi-sèche de basses terres, mangroves, plages de sable, côtes rocheuses et marais d'eau douce.

On y recense 4 % de la diversité totale des amphibiens du monde, 3,5 % de l'ensemble des reptiles, 10 % des espèces d'oiseaux, 5 % des mammifères et un peu plus de 8 000 plantes. La région abrite une vingtaine d'espèces animales endémiques et surtout, fierté nationale, la plus grande concentration d'aigles harpies au monde, l'oiseau de proie le plus puissant de la planète.

Située au sud-est, la province la plus vaste du pays (16 803 km²) est aussi la moins peuplée (environ 50 000 habitants). Depuis des siècles, la forêt ou *selva* constitue l'habitat des communautés emberás, wounaans et kunas, ainsi que des descendants des Cimarrones, les esclaves africains fugitifs qui ont trouvé refuge dans cette jungle inhospitalière à l'époque de la colonisation espagnole. Ces populations amérindiennes et noires ont conservé un mode de vie traditionnel écologiquement viable : agriculture de subsistance (plantains, manioc, avocats, maïs et riz), chasse et pêche. Plus récemment, des « métis » en provenance de la péninsule d'Azuero, de Coclé ou du Chiriquí, sont venus s'installer ici dans l'espoir d'y trouver des terres moins chères et moins épuisées que dans leurs provinces d'origine. Ces « colons », appelés localement latinos ou campesinos, travaillent dans l'agriculture (maïs, riz…), l'élevage extensif et l'exploitation forestière. Le teck a été introduit il y a une quinzaine d'années mais les coupes de bois précieux traditionnels continuent.

Le climat est de type tropical, humide à très humide, avec une saison sèche marquée entre janvier et avril. Il fait chaud toute l'année mais l'humidité de la forêt et la topographie influent sur les températures, qui peuvent descendre sous les 15 °C.

Ce magnifique territoire, reconnu depuis longtemps par les biologistes et ethnologues, reste le plus isolé du pays. La Panaméricaine, cette route qui veut relier l'Alaska à la Terre de Feu, s'interrompt à Yaviza pour ne reprendre que dans le Chocoe colombien. Entre ces deux points s'impose le fameux Tampon du Darién, qui accueille la faune et la flore disparues ailleurs sous la pression du développement. Pour protéger cette région de la déforestation qui a commencé dans les années 1970 avec l'arrivée de la route, et pour constituer un rempart naturel contre la fièvre aphteuse présente en Amérique du Sud, le gouvernement panaméen a créé en 1980 le parc national du Darién. Ce territoire de 579 000 hectares est inscrit au patrimoine mondial de l'humanité et a le statut de réserve de la biosphère. Dans le prolongement du parc, on trouve également plusieurs zones protégées : le couloir biologique de la Serranía del Bagré (30 000 hectares), ainsi qu'une réserve naturelle gérée par l'ONG Ancón : Punta Patiño (31 275 hectares). Plus au nord, dans le triangle Metetí – La Palma – Yavisa, se trouvent les réserves du Filo del Tallo et de Canglón.

Régulièrement se pose la question de continuer la route jusqu'à la frontière, à 96 km de Yaviza. Une telle pénétration à travers le Tampon du Darién, au mépris des protections environnementales susmentionnées, provoquerait certainement un énorme gâchis écologique. La route offrirait aux bûcherons un accès plus aisé aux derniers bois précieux et entraînerait également l'arrivée de nouveaux agriculteurs ou éleveurs de bétail qui brûlent la forêt pour gagner des surfaces exploitables. De son côté, le lobby pro-route avance l'argument populaire du désenclavement de la région, l'une des plus pauvres du pays, qui a bien du mal à expédier ses produits agricoles vers la capitale. Le gouvernement colombien fait également pression sur les autorités panaméennes pour accéder au marché d'Amérique centrale… En dehors des aspects environnementaux, les questions récurrentes d'insécurité (extension du conflit colombien), de narcotrafic, des migrations sud-américaines, ainsi que des problèmes sanitaires (la fièvre aphteuse présente en Amérique du Sud ne s'est pas propagée en Amérique centrale grâce à la barrière naturelle que forme le Tampon du Darién) vont sans doute alimenter les débats pendant encore de longues années.

Histoire

La région est peuplée depuis des siècles et peut-être des millénaires par des groupes nomades entre lesquels n'a pas toujours régné l'entente. En 1501, l'expédition de Rodrigo de Bastidas, à laquelle participait le bientôt célèbre Vasco Nuñez de Balboa, longea les côtes luxuriantes du Darién (un an avant Christophe Colomb) en quête d'un hypothétique détroit menant aux Indes. Les Espagnols ne reviendront qu'en 1510, pour fonder Santa María la Antigua del Darién, capitale de la Castille d'Or et premier établissement durable en « terre ferme ». De cette bourgade, qui n'existe plus, partira l'expédition de Balboa à la recherche d'une vaste mer où la conduiront les Indiens. Le 25 septembre 1513, du haut de la Loma del Guabillo, après trois semaines de marche éprouvante, les conquistadores aperçoivent enfin la mer du Sud : l'océan Pacifique à perte de vue. Quatre jours plus tard, à la Saint-Michel, en l'honneur de qui la baie est baptisée (Bahía de San Miguel), Balboa prend officiel-

lement possession, au nom du roi Fernando le Catholique et de la reine Isabella de Castille, « *des mers, des terres, des côtes et des îles du sud, des royaumes et des provinces qui y sont attachées* ».

La région tombe vite dans l'oubli à la suite du développement des échanges entre la ville de Panamá et Nombre de Dios puis Portobelo, via le Camino Real et le Camino de Cruces. Les esclaves africains en fuite, les redoutés Cimarrones en profitent pour s'y réfugier. La découverte de mines d'or, à la fin du XVIIIe siècle, suscite un regain d'intérêt pour la région mais les exploitations seront de courte durée en raison de la présence de pirates. Ces derniers n'hésitent pas à faire alliance avec les Indiens et les esclaves fugitifs pour attaquer les convois.

Au cours du XIXe siècle, la région ne sera perturbée que par les explorations d'audacieux topographes en quête d'un tracé pour un futur canal…

Au XXe siècle, la construction de la route panaméricaine marquera une transformation sensible de la région. La piste tracée à travers la jungle dans les années 1970 amène de nouvelles populations, venues là dans l'espoir de trouver de meilleures conditions de vie.

La population de la province triple en vingt ans et des villes comme Meteti poussent soudainement le long de la Panaméricaine, tandis que les fronts pionniers s'enfoncent toujours plus loin dans la forêt : le Darién détient depuis quelques années le plus fort taux de déforestation du pays. Concilier les aspects économiques, sociaux et environnementaux, est devenu l'enjeu principal pour cette région isolée. Les activités agricoles des colons engendrent fréquemment des conflits avec les populations amérindiennes. Ces derniers voient leurs terres brûlées par les métis pour y faire pousser du maïs ou y élever du bétail. Ce ne sont pas seulement des arbres qui disparaissent mais tout un ensemble de plantes médicinales et de connaissances ancestrales les concernant. En quelques années, ces terres deviennent stériles et les colons avancent dans la forêt pour s'en approprier de nouvelles… Les différends se règlent parfois à coups de machettes et de tronçonneuses ! Les groupes amérindiens ont obtenu la reconnaissance de *comarcas* (Cémaco, Sambú et Wargandí) qui recouvrent plus d'un quart du territoire, mais les conflits d'intérêts sont toujours d'actualité sachant que les limites foncières ne sont pas toujours clairement identifiées.

Parallèlement aux protections que constituent les parcs et *comarcas*, l'écotourisme raisonné pourrait être un moyen de favoriser le développement économique et culturel de la région, par une mise en valeur de ses ressources naturelles. Pour cela, l'image négative d'insécurité que porte en elle la région doit changer. Elle ne concerne en effet réellement que certaines zones frontalières difficilement accessibles, même les autorités panaméennes et étrangères ont du mal à l'admettre.

Enfin, il n'y a pas de bonne ou mauvaise saison pour visiter la région. La période la plus humide

S'équiper pour le Darién

Un bon équipement est indispensable en raison du climat et des insectes. Il comprend bottes en caoutchouc, imperméable, sac étanche de marin (ou un sac poubelle solide) pour y glisser le sac à dos. Hamac avec moustiquaire, insecticide, crème solaire, lunettes de soleil et chapeau (réverbération forte sur les fleuves), lampe électrique si possible frontale, trousse de premier secours, jumelles… Pantalons et tee-shirt longs. Evitez les jeans, ils sèchent lentement une fois humides, et les strings, qui sont aussi gênants pour la marche en forêt que les chaussures à talons !

de mai à décembre rendra plus difficile voire impossible la circulation en voiture sur certaines pistes, mais la végétation sera plus verte et les orages dans la forêt feront vibrer vos sens… En saison sèche, il sera plus agréable de marcher dans la jungle et vous aurez moins d'insectes pour ceux qui les craignent. Pour les amateurs en revanche, la période idéale d'observation s'étend de mi-avril à fin mai…

Avertissements

La province de Darién souffre d'une réputation de région dangereuse. La plupart des citadins n'y ont jamais mis les pieds, peu encouragés par les médias qui la décrivent le plus souvent comme une jungle au climat épouvantable, peuplée par quelques Indiens menacés par les incursions armées de la guérilla et des paramilitaires colombiens, sans compter les trafiquants en tout genre… Sans parler non plus du grave problème des réfugiés colombiens. Mais la réalité d'une grande part de la province, en particulier des endroits où vont les touristes, ne correspond pas vraiment à ces images véhiculées par les journaux à sensations. Les groupes armés colombiens, guérilla (FARC) et paramilitaires, se déplacent dans des zones proches de la frontière, que le touriste aura beaucoup de difficultés à atteindre. A ce propos, traverser le Darién pour se rendre en Colombie, rêve de beaucoup d'aventuriers, est une expédition périlleuse. Si elle a déjà été réalisée à pied et à vélo il y a quelques années, c'était dans un contexte politique différent. Ce périple est extrêmement dangereux, illégal et bien plus coûteux qu'un vol direct Panamá-Bogotá. Au-delà du contexte politique, les véritables dangers sont ceux qu'abritent naturellement la jungle : certains animaux, insectes et plantes.

Les immanquables du Darién

▸ **La remontée en pirogue d'un long fleuve boueux** environné d'une végétation exubérante.

▸ **La finesse de l'artisanat** des communautés amérindiennes.

▸ **L'observation de la faune et de la flore** des forêts primaires.

▸ **Les *cantinas* bondées** de La Palma ou Yaviza.

▸ **Le kayak** avec les dauphins.

PANAMÁ

Tortí

Cañazas

Aguas Frías

COMARCA DE SAN BLÁS

COMARCA KUNA DE WARGANDÍ

Serranía del Darién

Arimay

Santa Fé

Río Tuíra

Río Sabanas

Boca Lara

Metetí

Subcutí

Chucunaque

Napaganti

OCÉAN ATLANTIQUE

Altitude (en mètres)
1500
800
200

Limite de province
Ville principale
Village
Parc national ou réserve naturelle

0   30 km

Puerto Quimba

La Palma

Filo del Tallo

Canglon

COMARCA EMBERA N°1 (District Cemaco)

Altos de Puna

Punta Alegre

Chepigana

Moguéi

Patiño

Reserva Forestal Canglón

Mogué

Tuira

Chico

PARQUE NACIONAL DEL DARIÉN

Yaviza

Cerro Tacarcuna 1875 m.

Taimati

Reserva forestal Punta Pâtiño

El Real

Garachiné

Sambú

Piji Baisal

Boca de Cupe

Corredor biológico Bagré

Cerro Pirre 1200 m.

Puerto Indio

Sambú

Sabolo

Manatí

Poya

Tuira

Playa de Muerto

Serranía del Sapo

COMARCA EMBERA N°2 (District Sambú)

Cana

PARQUE NACIONAL DEL DARIÉN

Mamati

Serranía de Pirre

Caracoles

Pavarando

Sambú

Ungaantí

Alturas de Nique 1568 m.

1706 m.
Serranía de Jungurudo

Puerto Piña

Bahía Piña

PARQUE NACIONAL DEL DARIÉN

Jaqué

OCÉAN PACIFIQUE

Golfe de San Miguel

COLOMBIE

Cocalito

Province du Darién

Ces risques augmentent avec l'isolement et les difficultés d'évacuation en cas d'accident ou de morsure. Pour visiter le Darién profond, le plus sage est donc de recourir aux services d'un guide expérimenté disposant de préférence d'un GPS et d'un téléphone satellitaire.

À moins d'avoir du temps, de partir en bus et de se limiter aux villages proches de la Panaméricaine, se passer de guide pour des raisons économiques n'est pas vraiment une bonne affaire, surtout en cas de pépin. Le coût du transport en pirogues motorisées plombe de toute façon le budget en raison du prix élevé de l'essence dû aux difficultés d'approvisionnement. L'expérience du guide et ses contacts préalables avec des populations locales permettent d'approcher plus facilement les cultures et les modes de vie traditionnels et de ne pas passer à côté de merveilles naturelles qui ne se dévoilent pas facilement. Enfin, un guide reconnu peut vous éviter de mauvaises rencontres et les tracasseries avec les policiers zélés, jamais ravis de voir débarquer des touristes seuls…

Pour ceux qui décideront malgré tout de se rendre seuls dans la région, les renseignements donnés dans les pages suivantes (ne concernant que des endroits relativement « faciles » d'accès) devront être complétés par des informations plus précises fournies par la police locale, l'ANAM, Ancón et votre ambassade, plus au fait de l'actualité récente.

▶ **Il est désormais nécessaire** de contacter la police des frontières (SENAFRONT) à Panamá Ciudad, avant de se rendre dans la province. Il conviendra d'expliquer le but de votre séjour dans le Darién et les endroits où vous vous

En kilt dans le Darién !

Pourquoi donc l'Ecosse a-t-elle intégré le Royaume-Uni en 1707 ? De nombreux historiens avancent l'idée que l'unification à l'Angleterre serait la conséquence de l'échec d'un projet fou dans le Darién… A la fin du XVIIe siècle, l'Ecosse se lance dans une drôle d'aventure : le « Darién Scheme ». L'objectif est d'implanter une colonie afin de faciliter les échanges commerciaux avec la Chine, le Japon, les îles à épices… L'idée est de créer un chemin à travers la jungle pour transporter les marchandises d'un océan à l'autre, comme le font les Espagnols via le Camino Real plus à l'ouest, et éviter ainsi un long voyage par le cap Horn tout au sud du continent.

William Paterson, un riche Ecossais qui a bâti sa fortune sur le commerce des épices, fonde la *Company of Scotland Trading to Africa and the Indies*, dont le capital est pour moitié écossais et pour l'autre anglais et hollandais. Craignant de perdre son monopole dans le commerce des épices, la compagnie anglaise East India obtient que l'Angleterre se retire du projet, ce que font également les Hollandais. Les Ecossais, pleins d'orgueil, décident alors de poursuivre seuls l'aventure. La compagnie parvient à récolter 400 000 £, soit l'équivalent de la moitié du capital national écossais ! Le 12 juillet 1698, tout le pays souffle dans les voiles des cinq navires partis de Leith à destination de la terre promise : New Caledonia. Mais la région qui doit faire la fortune du pays est beaucoup moins hospitalière que prévu (William Paterson ne s'était jamais rendu dans le Darién auparavant). La chaleur et l'humidité sont étouffantes et les moustiques redoutables. Les pionniers, 1 200 au départ, défrichent la jungle pour bâtir Fort St Andrew et New Edimbourg. On commence à cultiver maïs et manioc et à explorer les alentours. Mais très vite les colons sont frappés par la fièvre jaune, le paludisme ou la diphtérie. On compte plusieurs centaines de victimes, et, en juillet 1699, les Ecossais quittent la région. Malheureusement, entre temps, deux nouvelles expéditions, 2 000 hommes sur onze navires, prennent la mer, ne sachant rien du cauchemar vécu dans la forêt tropicale.

En novembre 1699, les Highlanders découvrent la colonie abandonnée, envahie par la végétation. Ils subissent alors le même calvaire que leurs prédécesseurs, sans compter qu'ils doivent affronter en plus les soldats espagnols, soucieux de protéger le monopole de la Couronne dans le trafic interocéanique. La colonie est définitivement abandonnée en avril 1700. Seuls quelques dizaines de survivants rentrent au pays, un pays complètement ruiné. Sept ans plus tard, l'Angleterre propose de verser à l'Ecosse l'équivalent des sommes engagées dans la folle épopée en échange d'une intégration au Royaume-Uni. Le Parlement écossais accepte ce qu'il a toujours refusé de faire. L'acte d'Union est signé le 16 janvier 1707.

L'usine à mouches !

La lucilie bouchère (chrysomyie de Bezzi ou *gusano barrenador del ganado* en espagnol) est une grosse mouche qui pond ses œufs par centaines dans les plaies des animaux. Les œufs une fois éclos se transforment en larves qui pénètrent la chair. Les larves sont tellement nombreuses que l'animal finit par mourir des infections bactériennes. La maladie, qui s'attaque surtout au bétail mais aussi à l'homme, cause d'énormes dégâts à travers le monde.

Une seule méthode s'avère efficace pour lutter contre ce fléau : des usines un peu spéciales élèvent des millions de larves de la lucilie bouchère dans une mixture indescriptible, avant d'irradier les mâles pendant quelques minutes pour les rendre stériles. On les place ensuite en chambre froide avant de les charger dans des avions. Les mouches sont ensuite lâchées dans les airs au-dessus des forêts, là où les mouches sauvages vivent. Enfin libres, les mâles stériles entrent en concurrence avec les autres mâles pour s'accoupler avec les femelles. Les femelles qui copulent avec les mâles de laboratoire ne produisent pas d'œufs… La capacité de reproduction de l'espèce est ainsi graduellement réduite pour peut-être un jour être éradiquée complètement. La technique du « lâcher de mouches mâles stériles », qui existe depuis une trentaine d'années, a fait ses preuves, même s'il y aurait eu, de sources non officielles, quelques dérapages… comme un lâcher de mouches « fertiles » après qu'un irradiateur soit tombé en panne ! La COPEG (wwwcopeg.org), qui importait jusque-là les mouches du Mexique, a inauguré en 2006 une usine de production de mouches stériles près de Pacora. Sa capacité de production est de 100 millions de mouches par semaine !

rendez : à défaut d'autorisation écrite, on ne vous laissera pas passer aux poste de police. Il est important de mentionner chacun des lieux où vous souhaitez vous rendre. N'oubliez pas bien sûr votre passeport. Signalez votre présence à la police dès votre arrivée dans un village (avant qu'elle ne vienne à vous).

▶ **Ayez toujours un comportement correct,** en particulier vis-à-vis des femmes emberás et wounaans qui peuvent vivre poitrine nue dans leurs villages. Emportez de l'eau en bouteille en quantité suffisante. L'argent aussi est à prendre en liquide (une carte de crédit serait ici sans utilité), en évitant les grosses coupures.

ARIMAY

Au bord de la Panaméricaine, quelques kilomètres avant l'embranchement pour Santa Fé. Los Monos (« les singes ») a été rebaptisé Arimay par les habitants emberás et wounaans qui y vivent ensemble. Pour le visiteur, le village est facilement accessible de la route.

▶ **Sur la route,** et cela bien avant l'entrée dans la province, vous devrez vous arrêter aux barrages de police successifs où l'on vous demandera où vous allez et ce que vous allez y faire. Pour prendre des forces, faites une

halte repas au Restaurante Avicar, à Torti, où le sympathique Andrés vous accueillera avec quelques mots de français. Il dispose aussi de quelques chambres pour passer la nuit.

▶ **Aguas Frías 1 et Aguas Frías 2,** à 3 km l'une de l'autre, marquent l'entrée dans la province du Darién. Vous remarquerez le centre de contrôle sanitaire de la COPEG, organisme panaméo-américain en charge de l'éradication et de la prévention d'une maladie provoquée par la lucilie bouchère, une mouche qui pond ses œufs dans les plaies des animaux à sang chaud (y compris l'homme). Pour éviter la propagation dans le reste du pays de bêtes porteuses de la maladie, la COPEG examine tous les animaux sortant de la province. Elle s'assure également de la non propagation de la fièvre aphteuse à partir de l'Amérique du Sud. Vous croiserez sans doute sur la route les motards de la COPEG en tenue rouge, mais aussi de nombreux animaux de ferme, des animaux sauvages ou encore des caracaras, ces oiseaux de proie qui se contentent aujourd'hui de suivre la route pour y trouver des cadavres d'animaux renversés. Vous suivrez des pick-up surchargés, et peut-être aussi des areos, les camions militaires, ou des *grúas*, ces gros tracteurs responsables des ornières sur les routes non goudronnées.

PROVINCE DU DARIÉN

SANTA FÉ

À une vingtaine de kilomètres d'Aguas Frías 2, un peu à l'écart de la Panaméricaine (3 km), ce petit village permet de rejoindre la communauté wounaan de Boca Lara, réputée pour avoir l'un des artisanats les plus fins du pays. Le poste de police se trouve à l'entrée de Santa Fé. On y trouve également un petit hôpital.

Transports

Mêmes bus que pour Metetí et Yaviza.

Se loger

▪ HOSPEDAJE ROSMED

Dans la rue principale, au-dessus d'un petit supermarché. Chambre simple ou double avec AC autour de 20 $, avec ventilateur 12 $. Propre. En face, Cabañas Evelyn propose dix cabañas individuelles pour 3 personnes, avec salle de bains et TV, à 20 $.

▪ RESTAURANTE MARLEN

Dans la rue principale
Comida corriente et bière fraîche à prix léger. Vous remarquerez sûrement le joli toit de penca et plus particulièrement l'ingéniosité de son armature.

BOCA LARA

Avec une communauté wounaan d'un peu plus de 500 personnes, Boca Lara se trouve au bord des ríos Lara et Sabanas, à moins d'une heure de pirogue de Santa Fé. Elle est également accessible par une piste depuis la Panaméricaine, mais uniquement de fin janvier à avril. Le village est réputé pour son artisanat, la principale source de revenus des familles. Les femmes travaillent des mois pour réaliser des paniers (*canastas*) d'une rare finesse. Les hommes, de leur côté, se consacrent à la sculpture du cocobolo et de la tagua : les animaux de la forêt (félins, grenouilles, serpents...) qu'ils façonnent sont étonnants de vérité et de mouvement. Les prix sont justes, ne marchandez pas, par respect pour ce beau travail.

Recommandation

Apporter des stylos ou des bonbons ne va pas aider la communauté de Boca Lara (pas plus que les autres communautés d'ailleurs). Gardez votre argent pour acheter de l'artisanat sur place et ainsi valoriser le travail des gens du village.

Le cuipo (Cavanillesia platanifolia)

C'est l'arbre typique du Darién et l'un des plus majestueux du continent ! Aussi remarquable et grand que le ceiba, son tronc peut mesurer 2,5 m de diamètre. Il a un rôle régulateur. il absorbe l'eau en saison humide et la relache en saison sèche. Ses fleurs rouges s'épanouissent de mars à mai, c'est en été qu'il perd ses feuilles. La graine centrale du fruit est comestible et se mange toastée.

La plupart des hommes et femmes, enfants comme vieillards, vivent torse nu et arborent de superbes peintures corporelles noires réalisées à base de jagua. Les femmes portent de jolies jupes, les *parumas*, aux couleurs vives qui rappellent celles des oiseaux, grenouilles ou papillons de la forêt.

Une forêt qui leur apporte tout : ils y pêchent, chassent et cultivent pour se nourrir, cueillent des plantes médicinales, utilisent les troncs d'arbres pour y creuser des pirogues ou construire leurs maisons... Ces maisons sont bâties de façon traditionnelle : sur pilotis, pour résister aux crues du fleuve ; largement ouvertes, sans offrir d'obstacle aux regards des voisins, pour que l'air circule ; et protégées par de jolis et solides toits de palmes. On y accède en gravissant un escalier sculpté dans un rondin.

L'allée herbeuse ou boueuse qui monte du fleuve et traverse le village en ligne droite rappelle qu'avant d'être un village, Boca de Lara était une piste d'atterrissage de l'armée américaine et une base de radars. Installés en 1942 après l'hécatombe de Pearl Harbor, les radars étaient destinés à prévenir d'une éventuelle attaque japonaise contre le Canal. La base servit ensuite, pendant la guerre froide, de station d'écoute pour la CIA... Mais peu après son arrivée au pouvoir, le général Omar Torrijos imposa aux Américains de quitter les lieux, ces derniers n'ayant rien à faire en dehors de la Zone du canal.

En 1970, les Emberas, qui vivaient isolés en noyaux familiaux élargis et de façon nomade le long du fleuve, se regroupèrent pour que leurs enfants soient scolarisés (pour installer un établissement scolaire il fallait un minimum de cent enfants). L'école a été bâtie dès 1973, l'électricité et le téléphone sont apparus à la fin des années 1990, et une mission américaine y a même implanté un centre informatique qui n'a pas fait long feu… Le village vit aujourd'hui entre tradition et modernité mais toujours en harmonie avec la nature.

Sur les conseils du guide Michel Puech, qui s'est engagé à l'aider à commercialiser son artisanat, une magnifique maison a été construite par la communauté pour accueillir ses petits groupes de touristes. Demandez-lui de vous faire le récit de sa rencontre avec les habitants. Pour vous mettre dans l'ambiance, plongez-vous dans *La Fille de Panamá* et *Tempête sur Panamá*, romans de Jean-Michel Thibault qui s'est en partie inspiré de ce village pour ses descriptions de la jungle et des Indiens.

METETÍ

Metete aquí ! Metetí ! « Mets-toi ici, y'a de la place ! » Poussés par les difficultés économiques, les colons de l'Intérieur sont arrivés en même temps que la route à la recherche de nouveaux pâturages. Rapidement les forêts le long de la carretera ont été défrichées pour y faire paître le bétail. Le village s'est construit en quelques années, en forme de T, le long de la Panaméricaine et de la route qui mène à Puerto Quimba. Metetí est une ville étendue et détendue, où l'on trouve à peu près tout ce qui sera difficile de trouver plus loin : stations-service, banque, commerces…

Transports

Bus toutes les 45 minutes depuis Panamá de 4h à 16h45, entre 4 et 5 heures de route, 9 $. Egalement des bus fréquents pour Yaviza à 1 heure 15 de route.

Pratique

◾ ANAM

Sur la Panaméricaine, avant le carrefour lorsqu'on vient de Panamá
✆ +507 299 6530 – +507 299 4485

◾ BANCO NACIONAL DE PANAMÁ

En face du poste de police
✆ +507 299 6976 – +507 299 6052
L'une des deux banques du Darién (avec La Palma). Distributeur.

◾ FUNDACION PRO-NIÑOS DE DARIÉN

Calle 1ra. El Carmen, Chalet No. 56
✆ +507 264 4333 – +507 299 6825
www.darien.org.pa
padrinos@darien.org.pa
Cette organisation non gouvernementale a été créée en 1990, par l'évêque Rómulo Emiliani, pour combattre la malnutrition chez les enfants de la province. Son objectif est de fournir tous les jours un petit déjeuner et un déjeuner équilibrés aux écoliers. La fondation tente aussi d'apprendre, aux enfants comme aux parents, les notions de base en matière de nutrition et d'hygiène. Environ 10 000 enfants bénéficient de ce programme à l'échelle de la province. La fondation forme également les pères de famille à la gestion durable de leur production agricole. La ferme-école « agro-écologique » se trouve dans la communauté de Villa Darién, sur la route panaméricaine, à moins de 7 km de Metetí et à 500 m de l'université. La fondation fonctionne surtout grâce aux dons et parrainages. Contactez-les pour en savoir plus sur les possibilités de volontariat.

Titula su tierra

Le gouvernement panaméen semble avoir pris conscience de la dimension catastrophique de la déforestation dans le Darién. Les forêts sont brûlées pour être transformées en pâturages ou y faire pousser du maïs pendant quelques années avant d'être abandonnées quand elles sont épuisées ou plus assez rentables (on utilise la cendre comme engrais mais les sols deviennent très vite stériles).

On estime que plus de la moitié du pays n'est pas cadastré et cette situation n'arrange pas les choses : les propriétaires, souvent des communautés indigènes, n'ont pas de titre de propriété officiel et les colons ne se gênent pas pour se les accaparer. Pour éviter les conflits et responsabiliser les propriétaires, le gouvernement incite la population à demander des titres fonciers afin de mettre en place un cadastre.

Vous verrez peut-être tout au long des routes, dans la province du Darién et ailleurs, des panneaux « Titula su tierra ». La titularisation facilite l'obtention de prêts hypothécaires pour financer des projets divers. Cette mise en valeur foncière est un moyen efficace de réguler l'exploitation forestière irréfléchie et d'éviter la recherche du gain immédiat qui pousse à défricher.

PROVINCE DU DARIÉN

© IPAT PANAMA

Aigle Harpie.

■ HÔPITAL – CENTRO DE SALUD
✆ +507 299 6151
Au début de la rue parallèle à la Panaméricaine et perpendiculaire à la route de Puerto Quimba. Un nouvel hôpital devrait être construit quelques kilomètres avant Metetí.

■ POLICE – SENAFRONT
✆ +507 299 0605

Se loger

⚡ FILO DEL TALLO LODGE
✆ +507 6673 5381
www.panamaexoticadventures.com/filo.html
exoavent@cwpanama.net
Cabañas pour 2 ou 3 personnes, en bois, ouvertes sur la nature, avec lit queen ou king size, salle de bains privée et terrasses particulières. La wi-fi ne devrait pas tarder. 100 $ par personne avec dîner et petit déjeuner. Rester minimum 48 heures. Organisation de multiples excursions et mise à disposition d'un taxi 4X4 (non compris dans le tarif). Dans les environs de Metetí, cet éco-lodge, aménagé sur une colline en lisière de la réserve naturelle Filo del Tallo, est un astucieux mélange de confort et de simplicité. L'architecture des bâtisses semi-ouvertes, qui se fond dans le paysage, est inspirée des maisons emberá-wounaans. Elles ont été construites avec les Indiens, avec les matériaux des forêts environnantes : structure en palétuviers, murs en cana blanca, toit de penka. Du grand bohio où sont servis les repas, on ne se lasse pas de la vue panoramique, presque aérienne, sur la plaine verdoyante du Río Chucunaque, sur la *selva* d'où dépassent de magnifiques cuipos, ou sur les passages d'aigles ou de toucans à proximité. La construction prochaine d'un belvédère en lisière de forêt devrait faire le bonheur des ornithologues. Un lieu calme (à peine dérangé par les singes hurleurs) et convivial, idéal pour se reposer ou explorer les environs. Accueil par les sympathiques Yessica, Marlón, Elisabeth et Michel Puech.

■ HÔTEL FELICIDAD
Sur la Panaméricaine
peu avant la station-service Accel
✆ +507 264 9985 – +507 299 6544
hotel_felicidad@yahoo.com
21 chambres, la plupart avec AC. Chambres doubles à 15/20 $. Un hôtel confortable et propre. Pour bénéficier de l'air conditionné, ajoutez 5 $ au prix de la chambre. Réservation conseillée.

À voir – À faire

■ FILO DEL TALLO
Accès depuis la route vers Puerto Quimbá
La Serranía Filo del Tallo est une réserve de 24 722 ha constituée d'une forêt tropicale humide. On y rencontre une grande variété d'animaux et de plantes et des paysages enchanteurs. Pour s'aventurer ici, il est recommandé de prendre un guide notamment à cause des serpents.

LA PALMA
Située à l'embouchure du Río Tuira, la capitale du Darién, moins de 5 000 habitants, a l'allure d'un village avec ses maisons de bois colorées qui grimpent dans la colline. L'atmosphère est décontractée, un peu décalée même, lorsqu'on

voit ce bus faire toute la journée l'aller-retour dans la rue principale, alors qu'il faut moins de 10 minutes à pied pour se rendre d'un côté à l'autre de la ville. Le trajet coûte tout de même 0,25 $ pour quelques centaines de mètres… sans doute le bus le plus cher du pays ! Prenez le temps de flâner dans cette rue qui longe le fleuve, de monter sur les hauteurs admirer le panorama, ou pour les amateurs d'assister à un combat de coqs. La Palma est fréquentée par de nombreux marins, commerçants et pêcheurs de passage, ce qui explique le nombre impressionnant de cantinas, lieux de distraction très courus… Pour vous, La Palma sera sans doute le point de départ pour des expéditions en forêt ou la visite des ruines des forts espagnols du XVIIe siècle.

Transports

▪ AÉROPORT
℡ +507 299 6217
Un nouvel aéroport a été construit dans le quartier de Miraflores à 20 minutes du centre. Liaisons plus ou moins régulières depuis Panamá-Albrook avec Air Panamá. 45 minutes à 1 heure 30 de trajet.

▪ NAVETTES FLUVIALES
▹ **Pick-up puis navettes fluviales (taxis marítimos).** De Metetí, il est possible de se rendre jusqu'à Puerto Quimba (20 km de route goudronnée) en voiture, bus ou pick-up (au moins 5 allers par jour, 1,50 $). A Puerto Quimba, on prend une petite embarcation à moteur (*panga*) pour gagner La Palma. Une demi-heure à vive allure sur le Río Iglesias en longeant la mangrove avant de rejoindre, pour un dernier petit tronçon, l'énorme Río Tuira. Un départ par heure environ entre 7h30 et 18h30 vers La Palma ; entre 5h30 et 17h vers Puerto Quimba. Ces horaires ne sont pas toujours respectés, les bateaux partant quand ils sont pleins (une dizaine de personnes). Tarifs : 3,50 $ par personne.

▹ **Des bateaux de marchandises** relient de temps en temps Panamá Ciudad et La Palma pour environ 30 $ par passager, mais le voyage, dont la durée est variable, n'est pas des plus confortables et les règles basiques en terme de sécurité ne sont pas forcément respectées.

Pratique

Tous les services se trouvent dans la rue principale. On trouve des cabines téléphoniques un peu partout notamment dans les locaux de Cable & Wireless.

Les portables captent. Le cybercafé ne fonctionnait plus lors de notre passage.

▪ ANAM
Dans la rue principale ℡ +507 299 6373

▪ BANCO NACIONAL DE PANAMÁ
℡ +507 299 6976 – Distributeur

▪ HOSPITAL LA PALMA
℡ +507 299 6146

▪ POLICE
Au bout de la rue, vers la droite en tournant le dos au fleuve
℡ +507 299 6926 – +507 299 6145

Se loger

▪ HOSPEDAJE PABLO Y BENITA
℡ +507 299 6490
10 $ par personne avec salle de bains. De petites chambres sombres et humides avec pour seul confort un ventilateur. Sympathique terrasse au-dessus du fleuve, avec de vieux canapés et quelques tables.

▪ HÔTEL BIAQUIRÚ BAGARA
Au-dessus de Casa Ramady
℡ +507 299 6224
Chambre simple ou double avec salle de bains : 15 $, 20 $ *avec AC. Avec salle de bains commune :* 10 $. L'hôtel le plus recommandable. Des chambres bien décorées et propres au 1er étage de la maison. Agréable terrasse donnant sur le fleuve, avec tables et hamacs. Cloisons un peu minces entre les chambres. Evitez celles côté rue, plus bruyantes : musique et coqs !

La nuit, des phares…

À côté de l'ancienne piste de l'aéroport se trouvent un poste de police et une banque… Une route longe la piste dépourvue d'éclairage pour l'atterrissage de nuit. Elle a été construite au milieu des années 1980 sous Noriega. L'idée était d'y faire stationner les voitures de police la nuit pendant quelques minutes, phares allumés pour indiquer la piste. Les petits avions en provenance de Colombie (à 12 minutes de vol) pouvaient alors se poser sans difficulté. En un rien de temps, des valises pleines de billets étaient déposées à la banque, sous la protection de la police… Les coucous repartaient immédiatement sans être repérés par les radars américains !

Se restaurer

Plusieurs restaurants sans prétention dans la rue principale, qui proposent une cuisine panaméenne à des prix très raisonnables.

À voir – À faire

■ COMBATS DE COQS

Plusieurs lieux dans la rue principale pour assister aux combats qui ont lieu les samedis et jours fériés. Ces *peleas de gallos* sont très populaires. De nombreux habitants de La Palma élèvent leurs propres coqs de combat, que vous pourrez apercevoir sur les balcons et terrasses des vieilles bâtisses en bois.

■ FORTS DE BOCA GRANDE ET DE BOCA CHICA

Sur les îles situées au milieu de l'estuaire du río Tuira. On y accède en 20 minutes environ depuis La Palma (assurez-vous de l'état du bateau car les courants sont violents). Dominant le golfe de San Miguel, les ruines des deux forts du XVIIe siècle témoignent d'une histoire tumultueuse au cours de laquelle les pirates français ont causé bien des soucis aux Espagnols. Encore très peu connues, les ruines intéresseront les passionnés d'histoire. Une végétation exubérante a envahi le chemin d'accès (prévoyez une machette !). Egalement plusieurs plages dans les environs, demandez au capitaine du bateau de vous guider.

■ RÉSERVE NATURELLE DE PUNTA PATIÑO

Cette réserve naturelle de plus de 30 000 hectares, sous la protection de l'association Ancón, accueille les touristes via sa filiale commerciale Ancón Expeditions, qui opère depuis Panamá. Transport aérien jusqu'à La Palma, puis fluvial jusqu'au lodge dans l'enceinte de la réserve naturelle. Dominant le golfe San Miguel, les dix *cabañas*, qui disposent de l'air conditionné et de salles de bains privées, offrent le confort aux portes de la forêt vierge. Des guides naturalistes vous initient à la faune et à la flore de la côte marine et de la forêt primaire, avant de vous emmener dans la communauté emberá qui vit sur les rives du Río Mogué, dont l'embouchure se trouve à proximité.

▶ **À côté,** se trouve également Punta Alegre, un village afro-dariénite au nom évocateur, vivant essentiellement de la pêche.

Sports – Détente – Loisirs

Il est bon de sentir l'ambiance décontractée de ce village. Vous pouvez pour une jolie vue monter la rue vers le quartier de Loma Coposo

(prendre l'avenue centrale vers la gauche quand vous tournez le dos au fleuve). Asseyez-vous pour déguster un soda au petit kiosque dominant la ville.

Le sentier continue vers La Puentita, petit village de pêcheur aux maisons en bois colorées, où se trouve un atelier de réparation de bateaux. Compter 10 minutes de marche.

YAVIZA

Construite à l'endroit où se rencontrent les fleuves Chico et Chucunaque, cette petite bourgade jeune et vivante, peuplée majoritairement de Noirs et de quelques familles emberás, vit surtout de ses cultures de plantain. La Panaméricaine s'y éteint sans gloire mais les quelques cantinas de Yaviza y assurent jour et nuit une ambiance bruyante qui reste toutefois bon enfant, même quand les caisses de bière Atlas sont vides. Ne manquez pas d'aller voir les ruines du vieux fort, et empruntez le pont qui enjambe le Río Chucunaque pour avoir un bon aperçu de ce confluent du Río Chico.

Transports

La route goudronnée est finalement arrivée jusqu'à Yaviza, elle est en bon état. Auparavant il fallait circuler en *lancha* sur le río Chucunaque depuis La Peñita (un voyage magnifique !) ou en 4X4 sur une piste difficile en saison sèche.

▶ **Bus** toutes les 45 minutes de 4h à 16h30 dans les deux sens entre Yaviza et Panamá, via Metetí. 14 $. Entre 5 et 7 heures de route selon le bus, les contrôles de la police des frontières et la circulation dans l'agglomération de Panamá.

Pratique

■ POLICE – SENAFRONT

Dans la rue qui longe le fleuve
✆ +507 299 4090
✆ +507 299 4476
Vous n'aurez pas à chercher la police, elle viendra à vous...

Se loger

■ PENSIÓN 3 AMÉRICAS

Rue principale, pas très loin du fort
Une dizaine de chambres au confort sommaire et inégal, autour de 15-20 $. La pension se trouve juste au-dessus d'une cantina dont les décibels de salsa et merengue rivalisent avec ceux de ses voisines. Préférez donc les chambres de l'annexe, dans la rue située derrière, plus au calme.

Se restaurer

▨ CASA INDIRA
Avenue principale, à côté de l'hôtel 3 América
Plats locaux autour de 3 $. Goûtez les délicieuses
patacones de Yaviza. La seule intoxication
pourrait venir de Direct TV…

▨ KIOSCO EL REPOSO
A côté de l'embarcadère, au bord du fleuve
*Cadre agréable. Cuisine et prix similaires à
ceux de Casa Indira.*

EL REAL

Village reculé du Darién où l'on accède par
avionnette ou par bateau depuis Yaviza. Fondé
au XVIIᵉ siècle, comme en témoignent les ruines
du fort, El Real est la porte d'entrée du parc
national du Darién.

Transports

▷ **Avion.** Les vols d'Air Panamá sont devenus
rares depuis que la route arrive à Yaviza, consultez la compagnie.

▷ **Bateau.** Des embarcations pouvant accueillir
une dizaine de passagers relient fréquemment
El Real et Yaviza par le río Chico. Il faut compter
50 $ pour la traversée (à diviser par le nombre
de personnes à bord). Le trajet dure entre
30 minutes et 1 heure 30 selon la charge et la
puissance du moteur.

Le parc national du Darién

Créé en 1980, c'est le plus grand parc national du pays et le deuxième d'Amérique centrale.
C'est surtout le plus isolé, et le plus riche de l'Amérique tropicale dans la diversité des
écosystèmes. Ses 579 000 hectares (le tiers de la province) constituent une zone tampon
entre le nord et le sud du continent américain. Le parc longe 80 % de la frontière colombienne et recouvre une part importante du fameux Tampon du Darién (protégé également,
côté colombien, par le parc national de Los Katios de 72 000 hectares).
Il constitue un territoire de passage et de rencontre pour la faune et la flore de deux sous-
continents encore séparés il y a trois millions d'années. Presque exclusivement recouvert
d'une forêt tropicale primaire et secondaire, mais aussi d'autres habitats (mangroves, côte
rocheuse, plages de sable, forêts semi-sèches…), il n'est pas étonnant que le parc abrite
de nombreuses espèces endémiques (5 espèces d'oiseaux, 7 mammifères).
56 espèces en voie de disparition dans le reste du continent sont encore en sécurité ici,
notamment le fameux aigle harpie, qui niche souvent au sommet des grands cuipos.
Le parc figure sur la liste du patrimoine mondial de l'Unesco depuis 1981 et constitue
également depuis 1982 une réserve de la biosphère. Ces titres ou labels protègent ce
vaste territoire d'une exploitation forestière ou minière incontrôlée, même s'ils n'apportent
pas forcément les moyens financiers et humains nécessaires pour le contrôle efficace
d'une superficie aussi vaste.
L'ANAM est chargée de cette protection en collaboration avec l'association Ancón. Mais
la meilleure garantie pour cet espace sauvage est sans doute la présence des populations
amérindiennes. De par leur mode de vie et leur rapport spirituel avec la Tierra Madre, les
Emberás, Wounaans et Kunas savent que, sans le respect de cette nature, se nourrir, se
loger, se soigner comme ils le font depuis des siècles, sera de plus en plus difficile. Leurs
modes de vie et leurs croyances ont évolué (tenue vestimentaire, arrivée de l'électricité,
du moteur pour la pirogue, implantation d'églises…), mais leur respect de la nature est
resté intact. La responsabilité du maintien de cet équilibre fragile incombe en partie au
touriste, dont le comportement devra être respectueux de ces communautés et de leur
environnement.

▷ **Accès et hébergement dans le parc.** Le parc est d'accès difficile et les installations
d'accueil sont limitées, c'est la raison pour laquelle il est sans doute l'un des moins visités
du pays. Une chance pour celui qui décide d'y venir, en particulier pour les ornithologues. Le
visiteur doit obtenir une autorisation préalable de l'ANAM, à Panamá ou à El Real. L'ANAM
a plusieurs lieux d'hébergement pour le touriste. Ancón Expeditions réserve à ses clients
l'exclusivité de certains, notamment celui de Cana. L'agence offre différentes formules de
cinq à huit jours, qui incluent transport, pension complète et randonnées ornithologiques
avec guide spécialisé. Renseignez-vous directement auprès de l'agence à Panamá.

PROVINCE DU DARIÉN

▷ **À pied,** 2 heures depuis le pont piéton de Yaviza qui enjambe le fleuve. Le sentier peut être très boueux.

Pratique

Comme partout, pas vraiment de nom de rue lisible, lancez-vous !

▪ ANAM

℮ +507 299 6965
℮ +507 299 6299
Bureau du parc national, où l'on peut obtenir une autorisation d'entrée et des conseils pour se rendre à Pirre et Caná.

▪ INTERNET

Chez les bonnes sœurs (*las monjitas*).

Se loger

▪ EL NAZAREÑO

℮ +507 228 3673
8 chambres au confort sommaire à 10 $. Le seul hôtel de la ville.

Se restaurer

▪ DOÑA LOLA

À côté d'El Nazareño
Señora Dolores peut vous préparer une *comida corriente* pour environ 3 $.

PIRRE

Station des gardes de l'ANAM située à 14 km au sud d'El Real. C'est l'un des meilleurs endroits au monde pour observer les oiseaux, en pleine forêt primaire. Pour y arriver, il est vivement conseillé de prendre un guide. 4 à 6 heures de marche éprouvante en saison sèche ; le reste de l'année, environ 1 heure en pirogue jusqu'à Piji Baisal, puis 1 heure à pied. Hébergement rustique dans la station (10 $), mais le site est magique. Pas d'électricité. Prendre de l'eau ou des pastilles de purification, et se méfier des serpents. De magnifiques cascades ne sont qu'à un quart d'heure à pied de la station et les randonnées sont nombreuses.

SANTA CRUZ DE CANA

Située au pied du Cerro Pirre (1 615 m d'altitude), Cana est une station scientifique gérée par Ancón qui en réserve l'hébergement (très confortable comparé à la station de Cana) aux clients de sa filiale touristique. C'est l'un des meilleurs sites au monde pour l'ornithologie. Non loin de la station, la jungle s'est refermée sur une vieille locomotive qui reliait Cana à Boca de Cupe chargée de l'or de la mine del Espíritu Santo, abandonnée au début du XXᵉ siècle. Une piste d'atterrissage permet d'accéder à Cana en petit avion charter qui doit aborder la piste en rasant les arbres.

BAHIA PIÑA

La « Baie des Ananas » est connue dans le monde entier pour son club de pêche.

▪ THE TROPIC STAR LODGE

635 N. río Grande Avenue Orlando, FL 32805
℮ 1 800 682 3424
www.tropicstar.com
Pour séjourner dans ce paradis, il faut s'y prendre parfois plus d'un an à l'avance… Et y mettre le prix ! Ce dernier varie selon la saison (il grimpe de décembre à mars) et le nombre de personnes par embarcation. Pour six jours de pêche, comptez en haute saison entre 5 200 et 11 000 $ par personne, avec pension complète, équipement, le bateau dernier cri et un capitaine spécialiste, mais pas le transport en avion, ni les 10 % de taxe. Pour s'y rendre, des vols spéciaux sont organisés par le lodge au départ de Panamá Ciudad. Situé dans le cadre magnifique de Bahía Piña, le Tropic Star Lodge est un lieu mythique dans le monde de la pêche en eaux profondes : plus de 200 records du monde ont été établis dans les eaux chaudes proches du lodge. L'hébergement est l'un des plus exclusifs du pays. Il comprend 16 suites spacieuses, une piscine, un bar… Nombreuses sont les célébrités et millionnaires qui viennent y passer la semaine, pour se reposer ou tester leurs talents. Mais les vraies stars sont là toute l'année, dans l'océan : marlins noirs, bleus et rayés, espadons voiliers et coryphènes en quantité impressionnante. Mais aussi mérous, poissons coqs, pagres… Les dorades de 30 kg et les thons de 120 kg ne sont pas rares. L'abondance de gros poissons s'explique par le fait que la pêche commerciale est interdite dans la zone et que la plupart des poissons sont relâchés vivants après la photo souvenir. En dehors de la pêche, on peut faire du kayak, de la rando ou buller à la piscine ou sur la plage.

Maison traditionnelle du Panamá.

© IPAT PANAMA

Pense futé

ARGENT

Monnaie

La monnaie officielle du Panamá est le balboa en parité fixe avec le dollar américain depuis 1904. Par commodité, nous avons choisi le signe du dollar ($) et non celui du balboa (PAB) comme référence tout au long du guide. Le pays n'émet pas de billets de banque et le papier monnaie utilisé est le dollar américain en coupures de 1, 5, 10 et 20. Les billets de 50 et 100 $ sont très rarement acceptés, sauf dans les grands hôtels ou certains supermarchés (présentez une pièce d'identité). Il est possible de changer ses gros billets dans les banques de Panamá Ciudad. Le Panamá fabrique ses propres pièces de 1, 5, 10, 25, 50 *centavos*, de même dimension et alliage que les cents américains, à l'exception du medio balboa (50 *cents*), plus grande. Les cents de balboas ou de dollars sont utilisés sans distinction. Les Panaméens emploient souvent les termes *real*, *cuarra* et *peso* pour qualifier respectivement les pièces de 5, 25 et 50 cents. La pièce de 1 balboa a fait son apparition en 2011.

Taux de change

▶ **En juillet 2011,** l'euro valait autour de 1,44 dollar (1 $ = 0,69 €).

Coût de la vie

La vie au Panamá reste très abordable pour les Européens et Nord-Américains, même si les prix ont considérablement augmenté ces dernières années. Ce qui pèse le plus lourd dans le budget sur place sont les hôtels, les déplacements en avion, la location de voiture ou les excursions avec guide. Il est toujours plus économique de voyager à deux que seul, le prix de la chambre d'hôtel étant souvent similaire pour un ou deux occupants.

Budget

En mangeant du local, en voyageant en bus et en se passant d'air conditionné dans sa chambre d'hôtel, on peut vivre pour 25 à 40 $ par jour.

Avec un peu plus de confort ou d'activités, de 40 à 80 $. Pour le luxe, pas de limite...

Le change euro/dollar fera varier sensiblement le coût du séjour pour un Européen, tout comme la saison à laquelle vous partez.

▶ **Rappel :** les tarifs donnés dans ce guide ne sont qu'indicatifs, ils datent de notre enquête et sont susceptibles d'évoluer très vite notamment pour les déplacements en taxi ou bateau, les chambres d'hôtels et les excursions.

Banques et change

▌ **Les euros ne sont pas acceptés** mais échangeables dans quelques banques de la capitale. Il est presque impossible de changer ou de se procurer des *colones* (monnaie du Costa Rica) au Panamá.

▌ **Les banques** sont ouvertes du lundi au vendredi de 8h à 15h et le samedi de 9h à midi. On trouve des distributeurs presque partout dans le pays, sauf dans les régions un peu isolées (parfois même quand elles sont touristiques).

▪ **NATIONAL CHANGE**
✆ 0 820 888 154
www.nationalchange.com
N'hésitez pas à contacter notre partenaire en mentionnant le code PF06 ou en consultant le site Internet. Vos devises et chèques de voyage vous seront envoyés à domicile.

Moyens de paiement

Cash

▌ **Il est recommandé** d'avoir sur soi de l'argent liquide en petite monnaie et coupure (pièces de 25 cents et billets de 1 et 5 $) en particulier dans les zones rurales, mais aussi dans la capitale où les taxis et petits commerçants n'ont pas toujours de quoi rendre la monnaie sur un billet de 20 $ pour une petite somme.

▌ **Les points de retrait automatique** reconnaissables à la mention « Sistema Clave » sont nombreux dans les grandes villes (banques, supermarchés, aéroports), beaucoup moins dans les zones rurales. Ils acceptent les cartes Visa®, American Express®, MasterCard®, Cirrus®. A chaque retrait à l'étranger avec votre carte, une commission est retenue à la fois par la banque du distributeur et par votre banque. Les tarifs qui s'appliquent se composent d'une commission fixe et de frais proportionnels au montant retiré ou payé. Pour éviter donc de multiplier les frais, pensez à grouper vos retraits d'argent ou à prendre des Traveler's Cheques.

Transfert d'argent

Avec ce système, on peut envoyer et recevoir de l'argent de n'importe où dans le monde en quelques minutes. Le principe est simple : un de vos proches se rend dans un point MoneyGram® ou Western Union® (poste, banque, station-service, épicerie…), il donne votre nom et verse une somme à son interlocuteur. De votre côté de la planète, vous vous rendez dans un point de la même filiale. Sur simple présentation d'une pièce d'identité avec photo et de la référence du transfert, on vous remettra aussitôt l'argent.

Carte de crédit

▌ **Avant votre départ,** pensez à vérifier avec votre conseiller bancaire la limitation de votre plafond de paiement et de retrait. Demandez, si besoin est, une autorisation exceptionnelle pour la période de votre voyage. Forts utiles, les règlements par carte sont très majoritairement acceptés dans les hôtels, les restaurants et les agences de voyages, moyennant une commission de 2 à 3 %.

▌ **En cas de perte ou de vol** de votre carte de paiement, appelez le serveur vocal du groupement des cartes bancaires Visa® et MasterCard® au ✆ (+33) 892 705 705 ou (+33) 836 690 880. Il est accessible 7j/7 et 24h/24. Si vous connaissez le numéro de votre carte bancaire, l'opposition est immédiate et confirmée. Dans le cas contraire, l'opposition est enregistrée mais vous devez confirmer l'annulation à votre banque par fax ou lettre recommandée.

▌ **En cas de dysfonctionnement de votre carte** de paiement ou si vous avez atteint votre plafond de retrait, vous pouvez bénéficier d'un *cash advance*. Proposé dans la plupart des grandes banques, ce service permet de retirer du liquide sur simple présentation de votre carte au guichet d'un établissement bancaire, que ce soit le vôtre ou non. On vous demandera souvent une pièce d'identité. En général, le plafond du *cash advance* est identique à celui des retraits, et les deux se cumulent (si votre plafond est fixé à 500 €, vous pouvez retirer 1 000 € : 500 € au distributeur, 500 € en *cash advance*). Quant au coût de l'opération, c'est celui d'un retrait à l'étranger.

Traveler's Cheques

Ce sont des chèques prépayés émis par une banque, valables partout, et qui permettent d'obtenir des espèces dans un établissement bancaire ou de payer directement ses achats auprès de très nombreux lieux affiliés (boutiques, hôtels, restaurants…). Ils sont valables à vie. Leur avantage principal est l'inviolabilité : un système de double signature (la deuxième étant faite par vous devant le commerçant) empêche toute utilisation frauduleuse. A la fin de votre séjour, s'il vous reste des Traveler's Cheques, vous pourrez les changer contre des euros ou les restituer à votre banque qui les imputera à votre compte courant.

ORGANISER SON SÉJOUR

À noter que le paiement par chèque classique est rarement possible à l'étranger. Lorsque c'est le cas, l'utilisation est compliquée et très coûteuse.

Pourboires, marchandage et taxes

▷ **Pourboire.** Au restaurant, quand le pourboire n'est pas inclus dans la note, il est d'usage de laisser entre 5 et 10% du montant de l'addition pour le service. Aux caisses de certains supermarchés, des jeunes sont embauchés pour ranger les courses de la clientèle dans des sacs plastique. Une petite pièce sera appréciée : généralement ces jeunes sont scolarisés et travaillent quelques heures contre un maigre salaire.

▷ **Taxes.** Attention : il arrive que les prix affichés dans les magasins ne prennent pas en compte la taxe de 7% (ITBM) appliquée à tous les achats (sauf produits alimentaires de base et médicaments). Certains hôtels n'affichent pas les 10 % de l'impôt touristique.

Duty Free

Puisque votre destination finale est hors de l'Union européenne, vous pouvez bénéficier du Duty Free (achats exonérés de taxes). Attention, si vous faites escale au sein de l'Union européenne, vous en profiterez dans tous les aéroports à l'aller, mais pas au retour. Par exemple, pour un vol aller avec une escale, vous pourrez faire du shopping en Duty Free dans les trois aéroports, mais seulement dans celui de votre lieu de séjour au retour.

▧ ASSURANCES

Simples touristes, étudiants, expatriés ou professionnels, il est possible de s'assurer selon ses besoins et pour une durée correspondant à son séjour. De la simple couverture temporaire s'adressant aux baroudeurs occasionnels à la garantie annuelle, très avantageuse pour les grands voyageurs, chacun pourra trouver le bon compromis. À condition toutefois de savoir lire entre les lignes.

▩ ASSURANCE OFFERTE AUX TOURISTES
Panamá
℘ +507 204 9300 – +507 800 2312
www.axa-assistance.com.pa
www.visitpanama.com
Nouveau. L'Autorité touristique du Panamá (ATP) assure gratuitement les touristes arrivant par l'aéroport de Tocumen, pour des cas d'urgence médicale, durant une période de 30 jours ! A votre arrivée on devrait vous remettre une brochure détaillant les services et une carte d'assuré. Une belle initiative !

Choisir son assureur
Voyagistes, assureurs, secteur bancaire et même employeurs : les prestataires sont aujourd'hui très nombreux et la qualité des produits proposés varie considérablement d'une enseigne à une autre. Pour bénéficier de la meilleure protection au prix le plus attractif, demandez des devis et faites jouer la concurrence. Quelques sites Internet peuvent être utiles dans ces démarches comme celui de la Fédération française des sociétés d'assurances (www.ffsa.fr), qui saura

vous aiguiller selon vos besoins, ou le portail de l'Administration française (www.service-public.fr) pour toute question relative aux démarches à entreprendre.

▷ **Voyagistes.** Ils ont développé leurs propres gammes d'assurances et ne manqueront pas de vous les proposer. Le premier avantage est celui de la simplicité. Pas besoin de courir après une police d'assurance. L'offre est faite pour s'adapter à la destination choisie et prend normalement en compte toutes les spécificités de celle-ci. Mais ces formules sont habituellement plus onéreuses que les prestations équivalentes proposées par des assureurs privés. C'est pourquoi il est plus judicieux de faire appel à son apériteur habituel si l'on dispose de temps et que l'on recherche le meilleur prix.

▷ **Assureurs.** Les contrats souscrits à l'année comme l'assurance responsabilité civile couvrent parfois les risques liés au voyage. Il est important de connaître la portée de cette protection qui vous évitera peut-être d'avoir à souscrire un nouvel engagement. Dans le cas contraire, des produits spécifiques pourront vous être proposés à un coût généralement moindre. Les mutuelles couvrent également quelques risques liés au voyage. Il en est ainsi de certaines couvertures maladie qui incluent une protection concernant par exemple tout ce qui touche à des prestations médicales.

▷ **Employeurs.** C'est une piste largement méconnue mais qui peut s'avérer payante. Les plus généreux accordent en effet à leurs employés quelques garanties applicables à l'étranger. Pensez à vérifier votre contrat de travail ou la convention collective en vigueur dans votre entreprise. Certains avantages non négligeables peuvent s'y cacher.

▶ **Cartes bancaires.** Moyen de paiement privilégié par les Français, la carte bancaire permet également à ses détenteurs de bénéficier d'une assurance plus ou moins étendue. Visa®, MasterCard®, American Express®, toutes incluent une couverture spécifique qui varie selon le modèle de carte possédé. Responsabilité civile à l'étranger, aide juridique, avance des fonds, remboursement des frais médicaux : les prestations couvrent aussi bien les volets assurance (garanties contractuelles) qu'assistance (aide technique, juridique, etc.). Les cartes bancaires haut de gamme de type Gold® ou Visa Premier® permettent aisément de se passer d'assurance complémentaire. Ces services attachés à la carte peuvent donc se révéler d'un grand secours, l'étendue des prestations ne dépendant que de l'abonnement choisi. Il est néanmoins impératif de vérifier la liste des pays couverts, tous ne donnant pas droit aux mêmes prestations. De plus, certaines cartes bancaires assurent non seulement leurs titulaires mais aussi leurs proches parents lorsqu'ils voyagent ensemble, voire séparément. Pensez cependant à vérifier la date de validité de votre carte car l'expiration de celle-ci vous laisserait sans recours.

▶ **Précision utile :** beaucoup pensent qu'il est nécessaire de régler son billet d'avion à l'aide de sa carte bancaire pour bénéficier de l'ensemble de ces avantages. Cette règle ne s'applique en fait qu'à la garantie annulation du billet de transport – si elle est prévue au contrat – et ne concerne que l'assurance, en aucun cas l'assistance. Les autres services, indépendants les uns des autres, ne nécessitent pas de répondre à cette condition afin de pouvoir être actionnés.

Choisir ses prestations

▶ **Garantie annulation.** Elle reste l'une des prestations les plus utiles et offre la possibilité à un voyageur défaillant d'annuler tout ou partie de son voyage pour l'une des raisons mentionnées au contrat. Ce type de garantie peut couvrir toute sorte d'annulation : billet d'avion, séjour, location… Cela évite ainsi d'avoir à pâtir d'un événement imprévu en devant régler des pénalités bien souvent exorbitantes. Le remboursement est la plupart du temps conditionné à la survenance d'une maladie ou d'un accident grave, au décès du voyageur ayant contracté l'assurance ou à celui d'un membre de sa famille. L'attestation d'un médecin assermenté doit alors être fournie. Elle s'étend également à d'autres cas comme un licenciement économique, des dommages graves à son habitation ou son véhicule, ou encore à un refus de visa des autorités locales. Moyennant une surtaxe, il est également possible d'élargir sa couverture à d'autres motifs comme la modification de ses congés ou des examens de rattrapage. Les prix pouvant atteindre 5 % du montant global du séjour, il est donc important de bien vérifier les conditions de mise en œuvre qui peuvent réserver quelques surprises. Dernier conseil : s'assurer que l'indemnité prévue en cas d'annulation couvre bien l'intégralité du coût du voyage.

▶ **Assurance bagages.** Voir la partie « Bagages ».

▶ **Assurance maladie.** Voir la partie « Santé ».

▶ **Autres services.** Les prestataires proposent la plupart du temps des formules dites « complètes » et y intègrent des services tels que des assurances contre le vol ou une assistance juridique et technique. Mais il est parfois recommandé de souscrire à des offres plus spécifiques afin d'être paré contre toute éventualité. L'assurance contre le vol en est un bon exemple. Les plafonds pour ce type d'incident se révèlent généralement trop faibles pour couvrir les biens perdus et les franchises peuvent finir par vous décourager. Pour tout ce qui est matériel photo ou vidéo, il peut donc être intéressant de choisir une couverture spécifique garantissant un remboursement à hauteur des frais engagés.

ORGANISER SON SÉJOUR

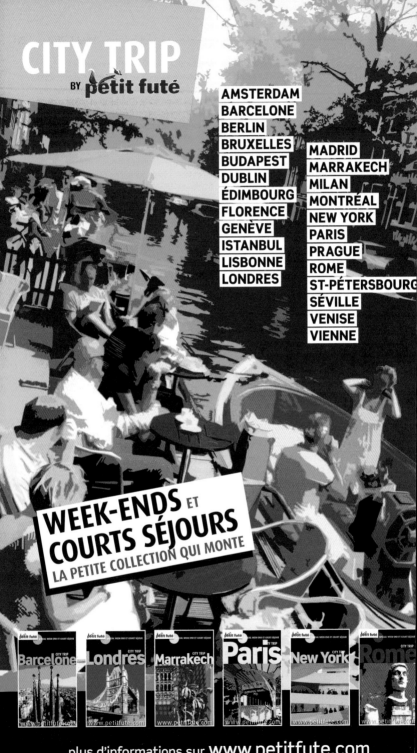

BAGAGES

Que mettre dans ses bagages ?

En raison de la chaleur et de l'humidité, prévoyez des vêtements légers et amples qui sèchent facilement. Si vous avez oublié votre maillot de bain ou vos tongs, pas de panique, vous aurez l'embarras du choix à des prix défiants toute concurrence dans les boutiques de l'avenida Central à Panamá Ciudad ! Mais n'oubliez pas votre petite laine, elle vous sera nécessaire dans les bus climatisés ou lors des soirées en altitude. Nous vous conseillons ensuite de prévoir les objets et accessoires suivants qui faciliteront votre séjour (on peut aussi les acheter sur place) :

❱ **Contre le soleil :** crème solaire à indice élevé, lunettes de soleil. Pour les chapeaux, de magnifiques sont en vente sur place !

❱ **Contre les insectes :** on trouve facilement des insecticides sur place (*repelente*). La moustiquaire n'est pas indispensable si vous ne prévoyez pas de nuit isolée en jungle.

❱ **Pour les régions très humides et la marche en forêt :** bottes en caoutchouc, imperméable, sac étanche pour appareil photo.

❱ **Pour vos appareils électriques :** adaptateur et transformateur (courant à 110 V et prises à fiche plate).

❱ **Et enfin pour voyager dans les meilleures conditions :** trousse de premier secours, lampe frontale, sac à viande, tente, couteau, cadenas, boules Quiès® (si vous ne supportez plus le tipico ou les films américains à plein volume dans les bus !), masque et tuba, jumelles.

Réglementation

❱ **Bagages en soute.** Généralement, 20 à 23 kg de bagages sont autorisés en soute pour la classe économique et 30 à 40 kg pour la première classe et la classe affaires. Si vous prenez une des compagnies *low cost*, sachez qu'elles font souvent payer un supplément pour chaque bagage enregistré.

❱ **Bagages à main.** En classe éco, un bagage à main et un accessoire (sac à main, ordinateur portable) sont autorisés, le tout ne devant pas dépasser les 12 kg ni les 115 cm de dimension. En première et en classe affaires, deux bagages sont autorisés en cabine. Les liquides et gels sont désormais interdits : seuls les tubes et flacons de 100 ml maximum sont tolérés, et ce dans un sac en plastique transparent fermé (20 cm x 20 cm). Seules exceptions à la règle : les aliments pour bébé et médicaments accompagnés de leur ordonnance. Enfin, si vous souhaitez ramener des denrées typiquement françaises sur votre lieu de villégiature, sachez que les fromages à pâte molle et les bouteilles achetées hors du Duty Free ne sont pas acceptés en cabine. Pour un complément d'informations, contactez directement la compagnie aérienne concernée.

Excédent

Quand on vient à parler d'excédent de bagages, les compagnies aériennes sont assez strictes. Elles vous laisseront souvent tranquille pour 1 ou 2 kg de trop, mais passé cette marge, le couperet tombe, et il tombe sévèrement : 30 € par kilo supplémentaire sur un vol long-courrier chez Air France, 120 € par bagage supplémentaire chez British Airways, 100 € chez American Airlines. A noter que les compagnies pratiquent parfois des remises de 20 à 30 % si vous réglez votre excédent de bagages sur leur site Web avant de vous rendre à l'aéroport. Si le coût demeure trop important, il vous reste la possibilité d'acheminer une partie de vos biens par voie postale.

Perte – Vol

En moyenne, 16 passagers sur 1 000 ne trouvent pas leurs bagages sur le tapis à l'arrivée. Si vous faites partie de ces malchanceux, rendez-vous au comptoir de votre compagnie pour déclarer l'absence de vos bagages. Pour que votre demande soit recevable, vous devez réagir dans les 21 jours suivant la perte. La compagnie vous remettra un formulaire qu'il faudra renvoyer en lettre recommandée avec accusé de réception à son service clientèle ou litiges bagages. Vous récupérerez le plus souvent vos valises au bout de quelques jours. Dans tous les cas, la compagnie est seule responsable et devra vous indemniser si vous ne revoyez pas la couleur de vos biens (ou si certains biens manquent à l'intérieur de votre bagage). Le plafond de remboursement est fixé à 20 € par kilo ou à une indemnisation forfaitaire de 1 200 €. Si vous considérez que la valeur de vos affaires dépasse ces plafonds, il est fortement conseillé de le préciser à votre compagnie au moment de l'enregistrement (le plafond sera augmenté moyennant finance) ou de souscrire à une assurance bagages. A noter que les bagages à main sont sous votre responsabilité et non sous celle de la compagnie.

Matériel de voyage

▦ AU VIEUX CAMPEUR
www.auvieuxcampeur.fr
Fondé en 1941, Au Vieux Campeur est la référence incontournable lorsqu'il s'agit d'articles de sport et loisirs.

▦ DELSEY
www.delsey.com
La deuxième marque mondiale dans le domaine du bagage, présente dans plus de 100 pays, avec 6 000 points de vente.

▦ INUKA
www.inuka.com
Ce site vous permet de commander en ligne les produits nécessaires à votre voyage, du matériel de survie à celui d'observation en passant par les gourdes ou la nourriture lyophilisée.

▦ SAMSONITE
www.samsonite.com
Samsonite est le leader mondial de l'univers des solutions de voyage. Les produits sont distribués sous les marques Samsonite, Samsonite Black Label, American Tourister, Lacoste et Timberland.

▦ TREKKING
www.trekking.fr
Trekking propose dans son catalogue tout ce dont le voyageur a besoin : trousses de voyage, ceintures multipoche, sacs à dos, sacoches, étuis… Une mine d'objets de qualité pour voyager futé et dans les meilleures conditions.

▧ DÉCALAGE HORAIRE

▌ **GMT : - 5 heures.** Pas de changement d'heure selon la saison au Panamá.

▌ **Par rapport à la France :** -7 heures de fin mars à fin octobre ; -6 heures de fin octobre à fin mars.

Par exemple, en décembre, quand il est 10h au Panamá, il est 16h en France).

▌ **Par rapport au reste de l'Amérique centrale :** +1 heure. Même heure qu'à Montréal en hiver (- 1 heure en été).

▧ ÉLECTRICITÉ, POIDS ET MESURES

▌ **Système de voltage.** Courant général de 110 volts, 60 Hz (parfois du 220 V dans les grands hôtels). Prévoir un transformateur si besoin. Attention, les prises sont à fiches plates, il faut donc également un adaptateur.

▌ **Système métrique.** Le système métrique est la mesure légale du pays mais suite à la présence américaine du siècle dernier, on utilise souvent les mesures américaines : 1 *mile* = 1,6 km ;

1 *yard* (yd) = 90 cm ; 1 *foot* (ft) = 30 cm ; 1 *inch* = 2,54 cm : 1 *acre* = 0,4 hectare.

▌ **Pour le poids,** on parle en livres et non en kilos : 1 *libra* (lb) = 0,45 kg ; 1 *ounce* (oz) = 28 g.

▌ **L'unité de volume est le gallon américain :** 1 *US gallon* = 3,785 litres. Pas d'affolement à la station-service !

▧ FORMALITÉS ET DOUANES

Pour un séjour de moins de 3 mois (qui pourrait bientôt passer à 6 mois), le touriste français, belge ou canadien n'a pas besoin de visa mais son passeport ne doit pas expirer dans un délai de six mois après la date d'entrée dans le pays. Les Canadiens devront acheter une carte de tourisme (à faire à l'arrivée à l'aéroport de Panamá, 5 $). Les ressortissants des pays européens n'en ont pas besoin. Au-delà de 90 jours, le touriste français peut demander une extension de 3 mois de son autorisation de séjour auprès de l'Office des migrations et naturalisation de la capitale, sur présentation de justificatifs (billet d'avion retour et/ou ressources suffisantes et/ou références d'un résident se portant garant). Pour éviter de s'engager dans ces démarches à l'approche de l'expiration du délai « touriste » de 3 mois, il peut être intéressant de faire un petit séjour d'un ou deux jours au Costa Rica, puis de revenir pour bénéficier d'un nouveau tampon d'entrée et donc d'un délai supplémentaire de 3 mois. Les justificatifs de fonds suffisants sont aussi requis lorsque vous arrivez par une frontière terrestre (Paso Canoas, Guabito/Sixaola, Río Sereno) ou maritime (Colón, Puerto Obaldiá), mais dans ce cas une carte de crédit suffit en général pour calmer la police des frontières.

▶ **En repartant de l'aéroport de Tocumen,** tout le monde est astreint à la taxe de sortie du territoire de 40 $ (ce n'est pas le cas par voie terrestre). Renseignez-vous auprès de votre agence car la taxe est souvent incluse dans le billet d'avion.

Attention aux conditions d'entrée pour vos chers animaux de compagnie. Renseignez-vous avant votre départ pour savoir comment ils pourront vous accompagner.

Tabac	Cigarettes (unités)	200*
	Tabac à fumer (g)	250
	Cigares (unités)	50
Alcool (litres)	Vin	4
	Produits intermédiaires (- 22°)	2
	Boissons spiritueuses (+ 22°)	1
	Bières	16

* Certains pays peuvent abaisser ce chiffre à 40 selon leur politique de santé.

Obtention du passeport

Tous les passeports délivrés en France sont désormais biométriques. Ils comportent votre photo, vos empreintes digitales et une puce sécurisée. Pour l'obtenir, rendez-vous en mairie muni d'un timbre fiscal, d'un justificatif de domicile, d'une pièce d'identité et de deux photos d'identité. Le passeport est délivré sous trois semaines environ. Il est valable dix ans. Les enfants doivent disposer d'un passeport personnel (valable cinq ans).

▶ **Conseil futé.** Avant de partir, pensez à photocopier tous les documents que vous emportez avec vous. Vous emporterez un exemplaire de chaque document et laisserez l'autre à quelqu'un en France. En cas de perte ou de vol, les démarches de renouvellement seront ainsi beaucoup plus simples auprès des autorités consulaires. Vous pouvez également conserver des copies sur le site internet officiel http://mon.service-public.fr – Il vous suffit de créer un compte et de scanner toutes vos pièces d'identité et autres documents importants dans l'espace confidentiel.

Douanes

Lorsque vous arrivez en France d'une destination hors de l'Union européenne, vous pouvez transporter avec vous des marchandises achetées ou qui vous ont été offertes dans un pays tiers, sans avoir de déclaration à effectuer, ni de droits et taxes à payer. La valeur de ces marchandises ne doit pas excéder, selon les cas de figure :

▶ **Voyageur de moins de 15 ans** (quel que soit le mode de transport) : 150 €.

▶ **Voyageur de 15 ans et plus,** utilisant un mode de transport autre que aérien et maritime : 300 €.

▶ **Voyageur de 15 ans et plus,** utilisant un mode de transport aérien et maritime : 430 €.

▶ **Attention :** aucune de ces sommes ne peut être cumulée par différentes personnes pour bénéficier d'une franchise plus importante pour un même objet.

ORGANISER SON SÉJOUR

© IPAT PANAMA

Grenouille bicolore dans la province de Panamá.

Par exemple, un couple ne peut pas demander à bénéficier de la franchise pour un appareil d'une valeur de 860 €.

▶ **Si vous voyagez avec 10 000 € de devises ou plus,** vous devez impérativement les déclarer en douane et si vous transportez des objets d'origine étrangère, munissez-vous des factures ou des quittances de paiement des droits de douane : on peut vous les demander pour prouver que vous êtes en règle.

▶ **Enfin, certains produits sont libres de droits** de douane jusqu'à une certaine quantité.

Au-delà de celle-ci, ils doivent être déclarés. Vous acquitterez alors les taxes normalement exigibles. Les franchises ne sont pas cumulatives. Cela signifie que si vous choisissez de ramener du tabac, vous pouvez acheter 200 cigarettes ou 50 cigares (soit 250 grammes de tabac), mais pas les deux. Contactez la douane pour en savoir plus.

■ **DOUANES**
✆ 0 811 20 44 44
www.douane.gouv.fr
dg-bic@douane.finances.gouv.fr

HORAIRES D'OUVERTURE

Les Panaméens utilisent souvent le système américain am/pm. 7am = 7h du matin, 11pm = 23h.La majorité des commerces ouvrent du lundi au samedi de 9h à 18/19h, avec parfois une pause d'une heure à midi. Quelques supermarchés et pharmacies sont ouverts 7j/7, 24h/24. Quant aux restaurants, ils peuvent servir toute la journée (parfois même 24h/24 !). Mais, en règle générale, le petit déjeuner est servi à partir de 7h, le déjeuner entre midi et 15h et le dîner à partir de 19h.

▶ **Administrations :** en semaine de 8h30/9h à 16/17h.

▶ **Musées nationaux :** du mardi au samedi de 9h à 16/17h (pas de règle pour les musées privés). Ces horaires peuvent varier selon la localité et ne sont donnés qu'à titre indicatif.

INTERNET

Aucune difficulté pour trouver une connexion Internet dans les grandes villes. Le Panamá est à la pointe dans ce domaine. Compter entre 0,75 et 2 $ l'heure de connexion. La wi-fi est présente dans presque tous les hôtels et de plus en plus de lieux publics offrent une connexion gratuite.

JOURS FÉRIÉS

▶ **Jours fériés fixes :** 1er janvier, 9 janvier, 1er mai, 3 et 4 novembre, 10 novembre, 28 novembre, 8 décembre, 25 décembre.

▶ **Jours fériés mobiles :** carnavals, jeudi et vendredi saints. Ces évènements-là ne tombent pas exactement le même jour chaque année.

LANGUES PARLÉES

La langue officielle est l'espagnol. Les autres langues parlées sont le guari-guari et des langues amérindiennes (kuna, wounaan, etc.).

▶ **Apprendre la langue.** Il existe différents moyens d'apprendre les bases de la langue et l'offre pour l'auto-apprentissage peut se faire sur des supports divers : CD, DVD, cahiers d'exercices ou même directement sur Internet.

■ **ASSIMIL**
11, rue des Pyramides (1er)
Paris

✆ 01 42 60 40 66
Fax : 01 40 20 02 17
www.assimil.com
contact@assimil.com
Métro : station Pyramides
Ligne 14
Assimil est le précurseur des méthodes d'auto-apprentissage des langues en France, la référence lorsqu'il s'agit de langues étrangères. C'est aussi une nouvelle façon d'apprendre : une méthodologie originale et efficace, le principe, unique au monde, de l'assimilation intuitive.

APPLICATIONS INTERACTIVES PETIT FUTÉ

✓ GÉOLOCALISATION

✓ RECHERCHE PAR MOTS CLÉS

✓ RECHERCHE PAR CATÉGORIES

✓ ITINÉRAIRES

✓ ACCÈS À VOTRE COMPTE PETIT FUTÉ

✓ AVIS DES UTILISATEURS

✓ INTÉGRATION DE «JUST TYPE»

POLYGLOT

www.polyglot-learn-language.com

Ce site propose à des personnes désireuses d'apprendre une langue d'entrer en contact avec d'autres dont c'est la langue maternelle. Une manière conviviale de s'initier à la langue et d'échanger.

TELL ME MORE ONLINE

www.tellmemore-online.com

On évalue d'abord votre niveau et des objectifs sont fixés. Ensuite, vous vous plongez parmi les 10 000 exercices et 2 000 heures de cours proposés. Enfin, votre niveau final est certifié selon les principaux tests de langues.

PHOTO

Allez à la rencontre des autochtones et demandez-leur si vous pouvez les photographier. Si vous ne parlez pas la langue, un signe de tête et un sourire fonctionneront. Au-delà de la politesse, cela vous permettra d'obtenir de meilleurs clichés. A San Blas, chez les Kuna, ne soyez pas surpris si on vous demande 1 $ par photo et par personne. C'est une règle à laquelle vous devrez vous plier.

Elle est apparue suite aux abus de certains photographes professionnels qui ont commercialisé les photos (cartes postales et autres objets de papeterie) sans l'accord des personnes concernées.

POSTE

Les bureaux de poste (*correos*) sont ouverts en semaine de 7h à 17h et parfois le samedi. Il n'y a pas de distribution individuelle du courrier, puisque pas de boîtes aux lettres privées. C'est le système de « poste restante » qui fait le relais, avec sa collection de petites boîtes numérotées. Les timbres s'achètent à la poste. Pour la France, 0,35 $ pour une carte postale ou 0,45 $ avec enveloppe. Compter au moins 15 jours pour l'acheminement vers l'Europe.

QUAND PARTIR ?

Climat

L'un des avantages de cette destination est que l'on peut s'y rendre toute l'année, en saison sèche ou humide. Tout dépend ensuite de la région que l'on souhaite visiter et des activités que l'on a envie de pratiquer : surf, pêche, plongée, farniente, randonnée, observation des oiseaux, carnaval…

MÉTÉO CONSULT

www.meteo-consult.com

Sur ce site vous trouverez les prévisions météorologiques pour le monde entier. Vous connaîtrez ainsi le temps qu'il fait sur place.

Haute et basse saisons touristiques

▶ **La haute saison touristique** commence en novembre avec les ponts des fêtes nationales (*fiestas patrias*), et se prolonge pendant toute la saison sèche jusqu'à fin mars et mi-avril, englobant les vacances scolaires d'été panaméennes. Les tarifs des hôtels augmentent en général de quelques dollars et il est fortement conseillé de réserver à l'avance, car le pays manque encore d'hébergements et l'affluence touristique est croissante. Les plages se remplissent aussi à grande vitesse. Mais rassurez-vous, les coins tranquilles ne manquent pas ! Pendant cet été panaméen, les journées rallongent légèrement. D'un côté, le soleil facilite les déplacements sur les pistes alors moins boueuses, de l'autre, le vent rend parfois difficile les déplacements maritimes en petites embarcations.

▶ **À partir du mois d'avril,** les endroits les plus touristiques sont moins fréquentés. Les pluies sont fortes mais elles ne durent que quelques heures. Elles créent une atmosphère particulière, avec des paysages encore plus verdoyants, de magnifiques ciels couleur d'encre et des coups de tonnerre impressionnants !

Retrouvez le sommaire en début de guide

SANTÉ

Les conditions sanitaires sont satisfaisantes au Panamá. Avant de partir, il n'est jamais superflu de faire une visite de contrôle chez le médecin et un bilan dentaire. Il serait trop bête de se trouver bloqué par une rage de dents ou d'être obligé de rentrer plus tôt que prévu pour une petite maladie.

▶ **Eau.** Si l'eau du robinet est potable à Panamá City, elle ne l'est pas partout dans le reste du pays. Il est recommandé de ne pas boire au robinet. Evitez de consommer des glaçons, ainsi que les glaces et sorbets achetés dans la rue. Il n'est pas toujours facile de savoir si l'eau a été purifiée ou non. Vous pouvez purifier votre eau avec des comprimés désinfectants (Aquatabs®, Drinkwell Chlore®, Micropur®) que vous aurez eu soin d'emporter. Mais attention, les différents désinfectants ne protègent pas contre tous les microbes transmis par l'eau à moins que celle-ci ait été filtrée au préalable. Mieux vaut donc être vacciné contre les maladies transmises de cette manière.

▶ **Hygiène alimentaire.** Les cas les plus courants sont les troubles intestinaux. Le fait de changer de régime alimentaire est déjà source de perturbations, mais lorsque s'ajoute à cela une nourriture préparée dans des conditions d'hygiène pas nécessairement en phase avec les normes auxquelles nous sommes habitués, cela se traduit la plupart du temps par de fortes diarrhées, également connues sous le nom de turista. Pour l'éviter, attention aux fruits déjà pelés (pas de problème pour ceux que vous pelez vous-même) et aux mets crus. Aussi, faites attention à ne pas manger des fruits ou légumes qui auraient été lavés avec de l'eau non bouillie. Et lavez-vous les mains régulièrement. La source de tous ces maux est également un remède à ceux-ci. En effet, si les diarrhées sont plus désagréables que dangereuses, il faut savoir qu'elles ont pour effet de déshydrater. C'est pourquoi il faut penser à boire beaucoup d'eau purifiée lorsqu'on est atteint de ce genre de troubles intestinaux.

▶ **Mer et plages.** Les plages ne sont pas toutes autorisées à la baignade. Renseignez-vous. Les courants sont parfois dangereux et il faut donc être prudent : ne vous baignez pas seul, trop loin de la côte, ou après un repas trop copieux (de surcroît bien arrosé). Evitez de plonger soudainement dans l'eau après une exposition prolongée au soleil : pénétrez dans l'eau progressivement. Méfiez-vous des oursins, coraux, raies et méduses.

▶ **Piqûres et morsures.** Le paludisme (malaria en anglais) est très rare au Panamá. Cela ne dispense tout de même pas de se protéger des piqûres de moustiques par le port de vêtements à manches longues (au mieux imprégnés par un insecticide), l'application de répulsifs sur la peau découverte (Biovectrol, etc.) et l'utilisation d'insecticides dans la chambre (tortillons chinois, diffuseurs électriques) et d'une moustiquaire (Moustiquaire Premium, etc.). Ces mesures permettent d'éviter d'autres maladies transmises par les piqûres d'insectes comme la dengue ou la leishmaniose. En cas de séjour en forêt, la moustiquaire, au mieux imprégnée d'insecticide, est indispensable.

▶ **Soleil.** Attention aux brûlures dues au soleil. Il faut se montrer prudent et éviter les expositions trop longues. Utilisez des écrans solaires efficaces et n'hésitez pas à vous couvrir avec des vêtements en toile légère et des chapeaux à larges bords. Les enfants à peau claire sont particulièrement vulnérables. A signaler : le vent est trompeur et les nuages ne filtrent pas forcément les UV : on ressent la chaleur du coup de soleil sur la peau alors qu'il est déjà trop tard. L'excès d'exposition solaire est dangereux pour la peau. A court terme, les coups de soleil et autres allergies solaires ne sont pas si graves, mais à long terme les rayonnements UV provoquent un vieillissement accéléré de la peau avec certaines conséquences : cancer de la peau, au pire, mais à coup sûr perte d'élasticité de la peau (vieillissement irréversible). L'idéal est de ne pas s'exposer trop longtemps, chaque jour. A défaut, utilisez des « écrans solaires » ayant un degré de protection suffisant, mais aussi des châles, écharpes, chemises flottantes et chapeaux à larges bords. Evitez les heures les plus chaudes, en milieu de journée. Tenez compte de votre « capital soleil » c'est-à-dire de votre capacité génétique à réparer les dégradations de l'épiderme. Cette vulnérabilité n'est pas la même si on compare une peau rousse (très sensible) à une peau mate ou noire (qui réagit au mieux en prenant une teinte plus foncée faisant office d'écran).

Conseils

Pour bien vous informer de l'état sanitaire du pays et recevoir des conseils, n'hésitez pas à consulter votre médecin. Vous pouvez aussi vous adresser à la Société de médecine des voyages du centre médical de l'Institut Pasteur

JE CROIS EN TOI

COLLECTE NATIONALE
BP455 PARIS 7

www.secours-catholique.org

✵ Secours Catholique
Réseau mondial **Caritas**

Être près de ceux qui sont loin de tout

au ✆ 01 40 61 38 46 (www.pasteur.fr/sante/cmed/voy/listpays.html) ou vous rendre sur le site du Cimed (www.cimed.org), du Ministère des Affaires étrangères à la rubrique « Conseils aux voyageurs » (www.diplomatie.gouv.fr/voyageurs) ou de l'Institut national de veille sanitaire (www.invs.sante.fr).

❭ **En cas de maladie,** il faut contacter le consulat français. Il se chargera de vous aider, de vous accompagner et vous fournira la liste des médecins francophones. En cas de problème grave, c'est aussi lui qui prévient la famille et qui décide du rapatriement.

❭ **Avant de partir,** vous pouvez contacter le service Santé Voyages : ✆ 05 56 79 58 17 (Bordeaux) • ✆ 04 91 69 11 07 (Marseille) • ✆ 01 40 25 88 86 (Paris).

Maladies et vaccins

Si aucun vaccin n'est requis pour entrer sur le territoire panaméen, il est vivement recommandé de se vacciner contre certaines maladies comme les hépatites A et B. Pour les enfants, tous les vaccins à réaliser en France doivent ainsi l'être avant le départ. A noter : les autorités exigent un certificat de vaccination antiamarile pour tous les voyageurs originaires ou en provenance de zones infectées. Tous les pays limitrophes sont astreints à cette formalité, notamment la Guyane française. Un justificatif original vous sera alors demandé.

Diarrhée du voyageur (tourista)

Statistiquement, un voyageur sur deux est touché par la turista au cours des 48 premières heures de son séjour. Ces diarrhées et douleurs intestinales sont dues à une mauvaise hygiène, à la cuisson insuffisante des aliments, à une nourriture trop épicée ou, le plus souvent, à l'eau. 80 % des maladies contractées en voyage sont en effet directement imputables à une eau contaminée. Ces troubles disparaissent en général en un à trois jours. Prenez un antidiarrhéique, un désinfectant intestinal et hydratez-vous bien (pas de jus de fruits). Si la diarrhée persiste ou s'accompagne de pertes de sang ou de glaires, consultez un médecin. Pour éviter ces désagréments, achetez des bouteilles d'eau scellées, faites bouillir l'eau (le café et le thé sont des boissons « sûres »), évitez les crudités ou les fruits non pelés, bannissez les glaçons, ne vous brossez pas les dents avec l'eau du robinet et ayez toujours sur vous des comprimés désinfectants. Avant de partir, vous pouvez acheter du Micropur® Forte DCCNa – seul produit sur le marché qui purifie l'eau rapidement (élimine bactéries, virus, giardia et amibes) et permet à l'eau de rester potable. Il existe aussi Aquatabs® ou Hydroclonazone®. Ce dernier est le moins cher mais le goût en chlore est très prononcé et seules les bactéries sont éliminées. Pour les aventuriers, un filtre est indispensable pour l'eau boueuse. Les filtres Katadyn® répondent aux attentes de ces baroudeurs avec plusieurs modèles, dont le filtre bouteille qui permet d'avoir de l'eau potable instantanément sans pomper (il élimine aussi les virus).

Dengue

Cette fièvre assez courante dans les pays tropicaux est transmise par les moustiques. La dengue se traduit par un syndrome grippal (fièvre, maux de tête, douleurs articulaires et musculaires). Il n'existe pas de traitement préventif ou de vaccin. Ne prenez jamais d'aspirine. Cette maladie pouvant être mortelle, il est fortement recommandé de consulter un médecin en cas de fièvre.

Fièvre jaune

La fièvre jaune est une maladie virale, transmise à l'homme par les moustiques. Elle est surtout présente dans les régions tropicales. Après une semaine d'incubation, la maladie provoque fièvres, frissons et maux de tête. Pour les cas les plus graves, après plusieurs jours apparaît un syndrome hémorragique caractérisé par des vomissements de sang noirâtre, un ictère et des troubles rénaux. Il n'existe aucun traitement spécifique pour soigner la fièvre jaune, si ce n'est le repos au lit accompagné de médicaments permettant de lutter contre les symptômes.

Hépatite A

Pour l'hépatite A, l'existence d'une immunité antérieure rend la vaccination inutile. Elle est fréquente lorsque vous avez des antécédents de jaunisse, de séjour prolongé à l'étranger ou êtes âgé de plus de 45 ans. L'hépatite A est le plus souvent bénigne mais elle peut se révéler grave, notamment au-delà de 45 ans et en cas de maladie hépatique préexistante. Elle s'attrape par l'eau ou les aliments mal lavés. Si vous êtes porteur d'une maladie du foie, la vaccination contre l'hépatite A est hautement recommandée avant tout type de voyage où l'hygiène est précaire. Elle doit être effectuée en deux fois mais la première injection, un mois avant le départ, suffit à assurer une protection pour un voyage de courte durée. La deuxième (six mois à un an plus tard) renforce la durée de l'immunité pour des dizaines d'années.

Hépatite B

L'hépatite B est plus grave que l'hépatite A. Elle se contracte lors de rapports sexuels ou par le sang. Le vaccin contre l'hépatite B est à faire en deux fois à un mois d'intervalle (mais il existe des vaccinations accélérées en un mois pour les voyageurs pressés), puis un rappel six mois plus tard pour renforcer la durée de la protection.

Leptospirose

La leptospirose est une maladie bactérienne transmissible de l'animal à l'homme. Ses principaux réservoirs sont les eaux douces stagnantes et les rongeurs. Après une à deux semaines d'incubation, des symptômes peu spécifiques apparaissent : fièvre, frissons, douleurs musculaires, articulaires et maux de tête. Bien que souvent bénigne chez l'homme, la maladie peut conduire à l'insuffisance rénale, voire à la mort dans 5 à 20 % des cas. Evitez la baignade en eau douce.

Maladie de Chagas

La phase aiguë de cette maladie parasitaire se traduit par des conjonctivites ou des œdèmes périorbitaires. Après plusieurs années, la phase chronique de la maladie intervient en attaquant le système nerveux, le tube digestif et le cœur. Il n'existe pas de vaccin contre la maladie de Chagas, mais un traitement efficace peut être pris pendant le phase aiguë.

Paludisme

Le pays est une zone de transmission de paludisme. Consultez votre médecin pour connaître le traitement préventif adapté : il diffère selon la région, la période du voyage et la personne concernée. Eviter le traitement est possible si votre séjour est inférieur à sept jours (et sous réserve de pouvoir consulter un médecin en cas de fièvre dans les mois qui suit le retour.) En plus des cachets, réduisez les risques de contraction du palu en évitant les piqûres de moustiques (répulsif et vêtements couvrants). Entre le coucher et le lever du soleil, près des points d'eau stagnante et des espaces ombragés, les risques de se faire piquer sont les plus élevés.

Rage

La rage est encore présente dans le pays. Il faut donc éviter tout contact avec les chiens, les chats et autres mammifères pouvant être porteurs du virus. L'apparition des premiers symptômes (phobie de l'air et de l'eau) varie entre 30 et 45 jours après la morsure. Une fois ces symptômes constatés, le décès intervient en quelques jours, dans 100 % des cas. En cas de doute, suite à une morsure, il faut donc absolument consulter un médecin, qui vous administrera un vaccin antirabique associé à un traitement adapté. Le vaccin préventif ne dispense pas du traitement curatif en cas de morsure.

Typhoïde

La fièvre typhoïde est une infection bactérienne qui se traduit par de fortes fièvres, une diarrhée fébrile et des troubles de la conscience. Les formes les plus graves peuvent engendrer des complications digestives, neurologiques ou cardiaques. La période d'incubation de la maladie varie entre dix et quinze jours. La contamination se fait par les selles ou la salive, de manière directe (contact avec une personne malade ou un porteur sain) ou indirecte (ingestion d'aliments contaminés : crudités, fruits de mer, eau et glaçons). Le vaccin, actif au bout de deux à trois semaines, vous protège pour trois ans. En cas de contamination et de non-vaccination préventive, un traitement par les fluoroquinolones sera préconisé.

Centres de vaccination

Pour plus d'informations, vous pouvez consulter le site Internet du ministère de la Santé (www.sante.gouv.fr) pour connaître les centres de vaccination proches de chez vous.

▪ CENTRE AIR FRANCE

148, rue de l'Université (7ᵉ) Paris
✆ 01 43 17 22 00 – 08 92 68 63 64
✆ 01 48 64 98 03
http://centredevaccination-airfrance-paris.com
vaccinations@airfrance.fr

▶ **Autre adresse :** 3, place Londres, bâtiment Uranus, 95703 Roissy Charles-de-Gaulle.

▪ INSTITUT PASTEUR

209, rue de Vaugirard (15ᵉ) Paris
✆ 0 890 710 811 – 03 20 87 78 00
www.pasteur.fr – www.pasteur-lille.fr

▶ **Autre adresse :** 1, rue du Professeur Calmette, 59019 Lille.

En cas de maladie

Un réflexe : contacter le Consulat de France. Il se chargera de vous aider, de vous accompagner et vous fournira la liste des médecins francophones. En cas de problème grave, c'est aussi lui qui prévient la famille et qui décide du rapatriement. Pour connaître les urgences et établissements aux standards internationaux : consulter les sites www.cimed.org – www.diplomatie.gouv.fr et www.pasteur.fr

Assurance rapatriement – Assistance médicale

Si vous possédez une carte bancaire Visa® et MasterCard®, vous bénéficiez automatiquement d'une assurance médicale et d'une assistance rapatriement sanitaire valables pour tout déplacement à l'étranger de moins de 90 jours (le paiement de votre voyage avec la carte n'est pas nécessaire pour être couvert, la simple détention d'une carte valide vous assure une couverture). Renseignez-vous auprès de votre banque et vérifiez attentivement le montant global de la couverture et des franchises ainsi que les conditions de prise en charge et les clauses d'exclusion. Si vous n'êtes pas couvert par l'une de ces cartes, n'oubliez surtout pas de souscrire une assistance médicale avant de partir.

▨ CARTE BLEUE VISA®
✆ 01 41 85 88 81 – www.europ-cartes.com

▨ MASTERCARD®
✆ 01 45 16 65 65
www.mastercard.com

▨ SÉCURITÉ SOCIALE
11, rue de la Tour des Dames Cedex 09
75436 Paris
✆ 01 45 26 33 41
Fax : 01 49 95 06 50
www.cleiss.fr – www.ameli.fr
Plus d'informations sur l'assistance médicale à l'étranger au Centre des Liaisons Européennes et Internationales de la Sécurité sociale (Cleiss).

Trousse à pharmacie

Bien que les médicaments communs soient accessibles dans les pharmacies locales, il est important de bien vérifier la provenance de ceux-ci. Des lots distribués par la Sécurité sociale panaméenne ont en effet été contaminés il y a quelques années. Privilégiez les médicaments certifiés par les grands groupes pharmaceutiques. Dans tous les cas, les médicaments vendus en dehors des officines sont à proscrire. Mieux vaut donc préparer sa pharmacie avant le départ. La trousse du parfait petit voyageur devra au minimum se composer de :

▢ **Paracétamol** type Doliprane® pour les maux de tête et fièvre. Dans ces régions du monde, évitez de consommer de l'aspirine qui, en cas d'infection par la dengue, risquerait de provoquer une fièvre hémorragique mortelle. Evitez aussi les comprimés effervescents, il peut être compliqué de trouver un verre d'eau.

▢ **Un antidiarrhéique** tel qu'Imodium® (les comprimés se prennent après chaque selle).

▢ **Un désinfectant intestinal** tel qu'Ercéfuryl® (comprimés à prendre matin, midi et soir, pendant cinq jours : n'arrêtez surtout pas le traitement dès que ça commence à aller un peu mieux, au risque que les troubles gastriques reprennent de plus belle !).

▢ **Un antiseptique cutané,** une pommade antimoustiques de type Insect'Ecran® (« pas de piqûres, pas de palu ! »).

▢ **Une protection solaire** pour lèvres et peau et des crèmes pour soigner brûlures et coups de soleil, telles que Madécassol® ou Biafine®.

Médecins parlant français

▨ DR CLAUDE VERGÈS-LOPEZ
Ambassade de France,
Paseo Las Bovedas
Panamá Ciudad
✆ +507 211 6200
Madame Claude Vergès-Lopez est l'illustre médecin attachée à l'Ambassade de France.

Hôpital – Clinique

▨ CENTRO MEDICO PAITILLA
Ave. Balboa y C/53
Panamá Ciudad
✆ +507 265 8800

▨ CLÍNICA HOSPITAL SAN FERNANDO
Las Sabanas
Vía España, vers le Parque Omar
Panamá Ciudad
✆ +507 305 6300
www.hospitalsanfernando.com

Urgences

Si vous avez un gros pépin, tournez-vous vers les hôpitaux et cliniques privés qui disposent d'un matériel moderne et de bons spécialistes. Les soins y sont souvent plus onéreux qu'en France mais vous y serez bien soignés (gardez vos ordonnances et factures pour d'éventuels remboursements une fois rentrés). En raison du manque de moyens, les hôpitaux publics sont en général moins sûrs.En province, on trouve dans presque toutes les villes au moins un centre de santé (*centro de salud*). Les pharmacies sont nombreuses et souvent ouvertes 24h/24.

▨ AMBULANCES
Panamá Ciudad
✆ 911
✆ +507 263 4522 – +507 264 4122

ORGANISER SON SÉJOUR

■ **CROIX ROUGE (CRUZ ROJA)**
℃ 228 2187

■ **POLICE**
Panamá Ciudad ℃ 104
Voir la rubrique « Province de Panamá » – « Panamá Ciudad » – « Pratique » – « Urgences ».

■ **POMPIERS (BOMBEROS)**
Panamá Ciudad
℃ 103

■ **URGENCES MÉDICALES**
15 Rue Jean Baptiste Berlier
℃ 229 1133
℃ 227 3237

■ SÉCURITÉ – ACCESSIBILITÉ

Dangers potentiels et conseils

Le Panamá est un pays relativement sûr, sans doute le plus sûr d'Amérique centrale. Mais comme partout, le touriste peut représenter une cible privilégiée et il convient de respecter quelques règles élémentaires : ne provoquez pas le voleur potentiel (appareil photo autour du cou, portefeuille dans la poche arrière du pantalon ou du sac à dos, collier de diamants, etc.) et méfiez-vous des pickpockets dans la foule (prudence dans les terminaux de bus, les marchés, ou pendant le carnaval !). Il est conseillé d'utiliser des ceintures portefeuille ou autres accessoires bien pratiques pour dissimuler ses devises, mais ayez toujours un peu d'argent liquide à sacrifier en cas d'agression. S'il y a un coffre dans votre hôtel, laissez-y votre passeport et n'emportez que la photocopie (avec le tampon d'entrée sur le territoire !). Petite astuce, avant de partir en voyage, scannez vos papiers officiels et enregistrez-les en pièce jointe dans un e-mail. En cas de perte ou de vol, vous pourrez les imprimer dans n'importe quel cybercafé, ce qui facilitera les démarches auprès de l'ambassade. Attention, même si la très grande majorité des chauffeurs de taxis sont honnêtes, quelques personnes nous ont rapporté la fuite de taxis avec les bagages au moment où les passagers étaient en train de monter ou descendre du véhicule (gardez toujours vos affaires de valeur avec vous et ne prenez que les taxis au numéro clairement identifiés). De même, certaines zones et quartiers sont à éviter car sensibles ou difficiles d'accès. Il est tout d'abord fortement déconseillé de se rendre seul dans la zone frontalière entre le Panamá et la Colombie. Dans la capitale, le quartier moderne jouit d'une bonne réputation. Dans les quartiers touristiques de San Felipe (Casco Viejo) et de Panamá La Vieja, la sécurité s'est fortement améliorée ces dernières années grâce à la mise en place d'une police du tourisme dissuasive, mais restez vigilant dans les endroits isolés. Dans les quartiers populaires, écoutez les conseils des locaux qui le plus souvent vous mettent spontanément en garde. En revanche, évitez, de jour comme de nuit, les quartiers du Chorillo, Currundú et San Miguelito. La ville de Colón dans son ensemble, exceptée la Zone libre, est très dangereuse. Vous pourrez vous y rendre à condition d'être particulièrement prudent. Rassurez-vous, le reste du pays est beaucoup plus tranquille et vous y flânerez en toute sécurité.

▶ **Autres recommandations.** Il convient d'être prudent en forêt (on peut s'y perdre, se fouler une cheville dans un endroit isolé, se faire

piquer ou mordre…) ou à la plage (courants forts, vagues puissantes, insolations, piqûres de raies…). Attention aussi à la circulation sur la route, surtout quand il pleut.

▐ **Consommation de drogue.** Les peines pour commerce, usage ou possession de drogues douces ou dures sont très sévères au Panamá. Vous risquez de lourdes amendes et/ou de 8 à 20 ans de prison. Pour connaître les dernières informations sur la sécurité sur place, consultez la rubrique « Conseils aux voyageurs » du site du ministère des Affaires étrangères : www.diplomatie.gouv.fr/voyageurs. Sachez cependant que le site dresse une liste exhaustive des dangers potentiels et que cela donne parfois une image un peu alarmiste de la situation réelle du pays.

Femme seule en voyage

Pas de problème particulier, si ce n'est qu'une touriste (même accompagnée) aura de grandes « chances » de se faire klaxonner, interpeller et draguer. Les Panaméens ont le sang chaud mais restent le plus souvent très corrects. Certains lieux uniquement fréquentés par les hommes, comme les cantinas (bars) par exemple, ne sont pas recommandés pour une femme, même accompagnée.

Voyager avec des enfants

Voyager avec des enfants ne pose aucun soucis au Panamá. Il convient d'être prudent cependant en particulier dans la forêt (serpents…) ou sur les plages (courants). Dans les communautés amérindiennes, le contact sera instantané avec les enfants, et ce sera une expérience inoubliable.

Voyageur handicapé

Si vous présentez un handicap physique ou mental ou que vous partez en vacances avec une personne dans cette situation, différents organismes et associations s'adressent à vous.

▐ ACTIS VOYAGES
http://actis-voyages.fr
Voyages adaptés pour le public sourd et malentendant.

▐ ADAPTOURS
www.adaptours.fr
info@adaptours.fr

▐ AILLEURS ET AUTREMENT
www.ailleursetautrement.fr
Pour des personnes souffrant de handicap physique et/ou mental.

▐ COMPTOIR DES VOYAGES
2-18, rue Saint-Victor (5e) Paris
✆ 0 892 239 339
www.comptoir.fr
Fauteuil roulant (manuel ou électrique), cannes ou béquilles, difficultés de déplacement… Quel que soit le handicap du voyageur, Comptoir des Voyages met à sa disposition des équipements adaptés et adaptables, dans un souci de confort et d'autonomie. Chacun pourra voyager en toute liberté.

▐ ÉVÉNEMENTS ET VOYAGES
www.evenements-et-voyages.com
Sports mécaniques, sports collectifs, festivals et concerts, Événements et Voyages propose à ses voyageurs d'assister à la manifestation de leur choix tout en visitant la ville et la région. Grâce à son département dédié aux personnes handicapées, Événements et Voyages permet à ces derniers de voyager dans des conditions confortables.

▐ HANDI VOYAGES
12, rue du Singe
Nevers
✆ 0 872 32 90 91
✆ 09 52 32 90 91
✆ 06 80 41 45 00
http://handi.voyages.free.fr
Cette association assure l'aide aux personnes à mobilité réduite dans l'organisation de leurs voyages individuels ou en petits groupes. Elle propose un service d'aide à la recherche d'informations sur l'accessibilité mais aussi la mise en relation dans le cadre de l'opération « Des fauteuils en Afrique », Handi Voyages récupère du matériel pour personnes à mobilité réduite et le distribue en Afrique.

▐ OLÉ VACANCES
www.olevacances.org
info@olevacances.org
Olé Vacances propose d'accompagner des personnes adultes handicapées mentales.

▐ PARALYSÉS DE FRANCE
www.apf.asso.fr
Divers informations, conseils et propositions de séjours.

Voyageur gay ou lesbien

Si l'homosexualité n'est pas illégale au Panamá, faire preuve de discrétion en public est néanmoins recommandé. L'homosexualité est encore loin d'être acceptée socialement dans tous les secteurs.

TÉLÉPHONE

Comment téléphoner

▶ **Pour appeler de France au Panamá :** 00 + 507 (code pays) + numéro local.

▶ **Pour appeler la France :** 00 + 33 (code pays) + numéro local sans le 0.

▶ **Prix d'un appel local :** communications intra-urbaines 0,10 $ pour trois minutes ; inter-urbaines 0,15/min ; portable 0,35/min.

Téléphone mobile

Nombreux sont les téléphones publics à pièces ou carte, mais l'utilisation du portable est très répandue. Les appareils européens ne fonctionnent pas au Panamá, à moins d'être équipés de 4 bandes avec une fréquence de 850 Mghz. Si vous souhaitez utiliser votre mobile à l'étranger, vous devez préalablement activer une option (généralement gratuite) en appelant votre Service Clients. Vous pouvez aussi acheter un portable d'occasion et une *ship* (puce avec numéro) d'un opérateur local. Vous trouverez des cartes recharges dans toutes les épiceries ou boutiques de téléphonie.

Qui paie quoi ? La règle est la même chez tous les opérateurs. Lorsque vous utilisez votre téléphone français à l'étranger, vous payez la communication, que vous émettiez l'appel ou que vous le receviez. Dans le cas d'un appel reçu, votre correspondant paie lui aussi, mais seulement le prix d'une communication locale. Tous les appels passés depuis ou vers l'étranger sont hors forfait, y compris ceux vers la boîte vocale.

Cabines et cartes prépayées

▶ **Cabines, taxiphone.** Pour appeler l'étranger ou le Panamá sans vous ruiner, utilisez les centres d'appels (*centro de llamadas*) des cafés Internet : autour de 15 cents/minute vers un fixe en France métropolitaine et 30 cents vers un portable. Dans les rues commerçantes, vous verrez des particuliers portant un écriteau ou criant *llamadas !*. Ils proposent d'appeler avec leurs portables personnels à un meilleur prix que les téléphones publics.

▶ **Cartes prépayées.** Des cartes prépayées comme « Teleship » sont en vente dans les agences Cable & Wireless, dans les épiceries-kiosques ou les supermarchés. Elles permettent d'appeler à un prix avantageux depuis n'importe quel téléphone fixe : 90 minutes avec une carte de 5 $ sur un fixe en France, 25 minutes sur un portable.

Skype et MSN

Pas besoin de combiné mais d'un ordinateur et d'une connexion Internet pour téléphoner avec Skype ou MSN. Il faut télécharger l'un de ces deux logiciels gratuits, l'utilisation est ensuite très simple. Un micro, un casque et une webcam si vous en avez une, et vous pouvez discuter pendant des heures sans payer un centime (connexion Internet exceptée). Attention, si vous voulez appeler sur un téléphone (fixe ou mobile) depuis Skype, il vous faudra créditer votre compte de 10 € minimum. Les tarifs sont néanmoins très avantageux.

TARIFS DES DIFFÉRENTS OPÉRATEURS				
	Bouygues	**Orange (HT)**	**SFR**	**SFR Vodafone (option gratuite)**
Appel émis	2,30 €/min.	2,35 €/min.	2,90 €/min.	2,20 € + 0,37 €/min.
Appel reçu	1 €/min.	1,10 €/min.	1,40 €/min.	2,20 € par appel (jusqu'à 20 min.).
SMS	0,30 € – réception gratuite	0,29 € – réception gratuite	0,50 € pour les forfaits souscrits depuis le 12/03/2008, 0,30 € pour les autres – réception gratuite	0,30 € – réception gratuite

S'informer

À VOIR – À LIRE

Librairies de voyage

LATITUDE VOYAGE
13, rue du Parlement-Saint-Pierre
Bordeaux ✆ 05 56 44 12 48
Latitude Voyage possède de nombreux guides culturels, touristiques, de randonnée mais également des cartes, beaux livres et de la littérature de voyage. Si vous hésitez devant les rayons, sachez que la librairie présente ses coups de cœur sur son site Internet. Vous pouvez aussi acheter vos livres en ligne (1 € de frais de port par exemplaire). Latitude Voyage accueille régulièrement des expositions et organise des soirées littéraires.

LIBRAIRIE DE VOYAGEURS DU MONDE
28, cours Mably, Bordeaux
✆ 05 57 14 01 45 – www.vdm.com
Ouvert du mardi au samedi de 11h à 19h. Tout comme ses homologues de Paris ou Marseille, la librairie propose un vaste choix de guides en français et anglais, de cartes géographiques et atlas, de récits de voyage et d'ouvrages thématiques. Egalement pour les voyageurs en herbe : des atlas, des albums et des romans d'aventures.

LA ROSE DES VENTS
40, rue Sainte-Colombe, Bordeaux
Fax : 05 56 79 73 27 – rdvents@hotmail.com
Ouvert du lundi au samedi de 10h à 12h30 et de 14h à 19h. Ouvrages littéraires et guides de nature garnissent les étagères de cette librairie aux côtés de cartes et guides touristiques. Le futur aventurier pourra consulter gratuitement des revues spécialisées. Lieu convivial, La Rose des Vents propose tous les jeudis soir des rencontres et conférences autour du voyage. Cette librairie fait maintenant partie du groupe Géothèque (également à Tours et Nantes).

Cartographie et bibliographie

Sur le pays en général

▶ **Trotet (François)**, *Le Panamá*, Khartala, 1991.

▶ **Alfredo Castillero**, *Panamá. Panamá La Vieja et le Casco Viejo*, Unesco, 2005. (DVD, livre et plan – français, espagnol et anglais).

▶ **Alain Rouquié**, *Amérique latine. Introduction à l'Extrême-Occident*, Seuil, et du même auteur, *Guerres et paix en Amérique centrale*, Seuil, coll. « Libre examen/Politique », 1992.

Sur le Canal
De nombreux ouvrages ont été écrits en français sur le canal de Panamá (sa construction mais surtout le scandale financier). En voici une liste non exhaustive.

▶ **Gérard Fauconnier**, *Panamá. Armand Reclus et le canal des deux océans*, Atlantica, coll. « Transhumances », 2004.

▶ **Marc de Banville**, *Canal français, L'aventure illustrée des Français au Panamá*, Canal Valley, 2004.

▶ **Benoît Heimermann**, *Suez et Panamá. La fabuleuse épopée de Ferdinand de Lesseps*, Arthaud, 1996.

▶ *Le Canal de Panamá,* Studio Canal, coll. « National Geographic », DVD, 2003.

Sur les Kunas

▶ **Michel Perrin**, *Tableaux kuna. Les molas, un art d'Amérique*, Arthaud, 1998.

▶ **Michel Lecumberry**, *San Blas. Molas et traditions kunas*, Panamá, Txango, 2010.

▶ **Jorge Ventocilla**. *Heraclio Herrera, Valerio Nuñez, El Espiritú de la tierra. Plantas y animales en la vida del pueblo kuna*, Barcelona, Icaria Editorial, 1997.

Romans ou biographies écrits ou traduits en français

▶ **Jean-Michel Thibaux**, *La Fille de Panamá*, Presses de la Cité, 2002 ; Tempête sur Panamá, Presses de la Cité, 2003.

▶ **John Le Carré**, *Le Tailleur de Panamá*, Seuil 1998.

▶ **René de Obaldia**, *Exobiographie*, Grasset, 1993.

▶ **Larry Collins**, *Les Aigles noirs*, Pocket, 1996.

▶ **Graham Greene**, *À la rencontre du Général. Histoire d'un engagement*, Robert Laffont, 1984.

▌ **Gérard de Villiers**, *Embrouilles à Panamá*, Plon, coll. « SAS », 1987.

▌ **Alvaro Mutis,** *Ilona vient avec la pluie*, traduit par Annie Morvan, Grasset, 2002.

▌ **Georges Simenon**, *Quartier nègre*, Gallimard, coll. « Folio Policiers », (1936), 2006.

▌ **Eduardo Arroyo**, *Panamá Al Brown, 1902-1951*, Grasset, 1998.

▌ **Stephano Jacomuzzi,** *Swing*, traduit par Alain Sarrabayrouse, Climats, 1990.

▌ **JMG Le Clézio**, *Hasard*, suivi de *Angoli Mala*, Gallimard, coll. « Folio », 2001.

Pour les enfants

▌ *Le Voyage à Panamá (Oh ! Wie schön ist Panamá)*. Lotus, 1978.

▌ **Raphaëlle Bergeret**, *Enfants des Caraïbes*.

De la Guyane à Panamá, Gallimard Jeunesse, 1999.

Musique

▌ *Panamá ! Latin, Calypso and Funk on the Isthmus. I, II et III.* Soundway.

Cartes

En France, vous pourrez trouver la carte ITP Panamá Travel Map dans certaines librairies. Au Panamá, une carte au format pratique vous est offerte dans le magazine gratuit *Focus Panamá* et on trouve des cartes plus précises et pratiques (format de poche) intitulées « Mapi » ou « Rutas de Aventura », en général bien faites.

Pour une carte topographique vraiment détaillée, renseignez-vous à l'*Instituto Geográfico Nacional* Tommy Guardia situé Vía Transísmica à Panamá, en face de l'université nationale.

▦ AVANT SON DÉPART

Le rôle principal de l'ambassade est de s'occuper des relations entre les Etats, tandis que la section consulaire est responsable de sa communauté de ressortissants. Ainsi, pour tout problème concernant les papiers d'identité, la santé, le vote, la justice ou l'emploi, il faut s'adresser à la section consulaire de son pays. En cas de perte ou de vol de papiers d'identité, le consulat délivre un laissez-passer pour permettre uniquement le retour dans le pays d'origine, par le chemin le plus court. Il faut, bien entendu, avoir préa-lablement déclaré la perte ou le vol auprès des autorités locales.

■ **AMBASSADE DU PANAMÁ**
145, avenue de Suffren (15ᵉ) Paris
✆ 01 45 66 42 44
Fax : 01 45 67 99 43

■ **CONSULAT DU PANAMÁ**
11, quai des Belges (1ᵉʳ) Marseille
✆ 04 91 90 05 84
www.consulats-marseille.org

▦ SUR PLACE

■ **ALLIANCE FRANÇAISE**
Edificio Casa Blanca
Ave. J. Arosemena y calle 44
Bellavista
Panamá Ciudad
✆ +507 223 7376
Voir la rubrique « Province de Panamá » – « Panamá Ciudad » – « Pratique » – « Repré-sentations – Présence française ».

■ **AMBASSADE DE FRANCE**
Las Bóvedas
Plaza de Francia,
Panamá Ciudad
✆ +507 211 6200
Voir la rubrique « Province de Panamá » – « Panamá Ciudad » – « Pratique » – « Repré-sentations – Présence française ».

■ **AUTORIDAD DE TURISMO DE PANAMÁ**
Ave. Samuel Lewis y calle Gerardo Ortega,
Edif. Central, piso 1, El Cangrejo
Panamá Ciudad
✆ +507 526 7000
Voir la rubrique « Province de Panamá » – « Panamá Ciudad » – « Pratique » – « Touris-me ».

■ **OFICINA DEL CASCO ANTIGUO**
En face de l'Arco Chato
Mansión Obarrio,
Panamá Ciudad
✆ +507 209 6300
Voir la rubrique « Province de Panamá » – « Panamá Ciudad » – « À voir – À faire » – « Visites guidées ».

MAGAZINES ET ÉMISSIONS

Presse

COURRIER INTERNATIONAL
www.courrierinternational.com
Hebdomadaire regroupant les meilleurs articles de la presse internationale en version française.

GÉO
www.geo.fr
Le mensuel accorde une large place aux reportages photographiques. Il propose aussi des articles et actualités, l'ensemble étant désormais imprimé sur du papier provenant de forêts gérées durablement.

GRANDS REPORTAGES
www.grands-reportages.com
Le magazine de l'aventure et du voyage propose des dossiers, reportages photo et articles divers sur les peuples, civilisations, paysages et monuments. Chaque sujet est complété par un important volet pratique pour préparer son voyage.

PETIT FUTÉ MAG
www.petitfute.com
Notre journal bimestriel vous offre une foule de conseils pratiques pour vos voyages, des interviews, un agenda, le courrier des lecteurs… Le complément parfait à votre guide !

RANDOS-BALADES
www.randosbalades.fr
Magazine mensuel sur les randonnées en France et à l'étranger. L'approche est thématique (sentiers du littoral, itinéraires sauvages, thèmes culturels…) et la publication est riche en actualités, trucs et astuces, tests matériels, fiches topographiques et, bien sûr, en guides de randonnée.

TERRE SAUVAGE
www.terre-sauvage.com
Ce mensuel est spécialisé dans la faune et la flore sauvages. Au sommaire : des aventures dans le sillage des expéditions scientifiques, la découverte des écosystèmes, des enquêtes sur la protection de l'environnement ou encore des rubriques plus pratiques avec, par exemple, des conseils photo.

ULYSSE
www.ulyssemag.com
Ce magazine culturel du voyage est édité par *Courrier International*. Huit numéros par an pour découvrir le monde, avec une large place accordée à la photographie.

Radio

RADIO FRANCE INTERNATIONALE
www.rfi.fr
89 FM à Paris. Pour vous tenir au courant de l'actualité du monde partout sur la planète.

Télévision

ESCALES
www.escalestv.fr
Cette chaîne est consacrée au voyage sous toutes ses formes, en France et à l'étranger. Différentes thématiques sont déclinées au fil de d'émissions comme « Cap sur » ou « Passeport », animées par des invités de marque.

FRANCE 24
www.france24.com
Chaîne d'information en continu, France 24 apporte 24h/24 et 7j/7, un regard nouveau à l'actualité internationale. Diffusée en 3 langues (français, anglais, arabe) dans plus de 160 pays, la chaîne est également disponible sur internet (www.france24.com) et les mobiles, pour vous accompagner tout au long de vos voyages.

LIBERTY TV
www.libertytv.com
Cette chaîne non cryptée propose des reportages sur le monde entier et un journal sur le tourisme toutes les heures. La « télé des vacances » met aussi en avant des offres de voyages et promotions touristiques toutes les 15 minutes.

PLANÈTE
www.planete.tm.fr
Depuis plus de 20 ans, Planète propose de découvrir le monde, ses origines, son fonctionnement et son probable devenir avec une grille de programmation documentaire éclectique : civilisation, histoire, société, investigation, reportages animaliers, faits divers, etc.

TV5 MONDE
www.tv5.org
La chaîne de télévision internationale francophone diffuse des émissions de ses partenaires nationaux (France Télévisions, RTBF, TSR et CTQC) et ses propres programmes.

USHUAÏA TV

www.ushuaiatv.fr

La chaîne découlant du magazine éponyme a un slogan clair : « Mieux comprendre la nature pour mieux la respecter ». Elle se veut télévision du développement durable et de la protection de la planète et propose nombre de documentaires, reportages et enquêtes.

VOYAGE

www.voyage.fr

Des terres méconnues ou inconnues, grands espaces et mégapoles, lieux incontournables ou insolites, cultures et nouvelles tendances : Voyage TV vous propose d'explorer le monde dans toute sa richesse à l'aide de documentaires ou en compagnie de guides éclairés.

Sites Internet

On trouve encore peu de sites en français consacrés exclusivement au Panamá. Les adresses citées ci-dessous sont pour la plupart bilingues espagnol/anglais.

ACP.GOB.PA

www.acp.gob.pa

Le site de l'autorité du canal, pour tout savoir sur l'actualité de la voie interocéanique.

ALMANAQUE AZUL

www.almanaqueazul.org

Une petite sandale bleue comme logo et un bon esprit. Ce site panaméen promeut le tourisme durable au Panamá. Beaucoup d'infos pratiques et de commentaires d'internautes pour se rendre sur les plages et rios un peu isolés du pays.

ANAM

www.anam.gob.pa

Le site de l'autorité nationale chargée des questions environnementales compile descriptions des zones protégées du pays, rapports officiels et informations relatives aux projets menés par le gouvernement.

ANCON

www.ancon.org
ancon@ancon.org

Le site de l'une des ONG les plus reconnues et actives en matière de protection de l'environnement.

BURICA.WORDPRESS

www.burica.wordpress.com

Une autre information est possible… Burica Press zoome sur tous les thèmes relatifs à l'environnement, dressant un panorama complet des enjeux au Panamá.

CONGRESO GENERAL KUNA

www.congresogeneralkuna.com

Le site officiel du Congrès général kuna, une source d'information précieuse pour mieux comprendre les rouages de cette communauté si organisée.

ENAZUERO

www.enazuero.com

Les hispanophones et amateurs de « chat » se régaleront sur ce site *100 % panameño* !

PANAMA TIPICO

www.panamatipico.com

Amusants reportages photos et forums sur les manifestations folkloriques du pays.

PRENSA

www.prensa.com

Pour suivre l'actualité à distance, le quotidien *La Prensa* en ligne.

RUBEN BLADES

www.rubenblades.com

Le site officiel d'un très grand salsero panaméen.

SAGA PANAMA

www.sagapanama.fr

L'un des rares blogs en français consacré au Panamá. Son auteur, Michel Lecumberry, est un grand marin, un artiste sculpteur et un guide réputé. Des articles thématiques sur les Indiens, le canal ou Portobelo, laissant toujours un peu de place à l'humour, avec de magnifiques photos.

STRI

www.stri.org

Le site de l'institut Smithsonian de recherche tropicale, implanté au Panamá depuis plus de 80 ans, fournit des éléments précis sur la biodiversité locale et les recherches scientifiques menées à Barro Colorado, Bocas del Toro, etc.

SUPER Q PANAMA

www.superqpanama.net

L'une des radios les plus populaires, pour écouter les derniers tubes de reggaetón et en télécharger certains gratuitement.

VISIT PANAMA

Le site officiel de l'Autorité du tourisme panaméen.

WWW.PA

http://www.pa

Un site très complet d'information axé sur les domaines culturels et touristiques.

plus de **450 000 adresses** et **bons plans,**

l'avis des internautes,

des **jeux concours...**

Egalement disponible sur **votre smartphone**

www.petitfute.com

Comment partir ?

PARTIR EN VOYAGE ORGANISÉ

Voyagistes

Spécialistes

Vous trouverez ici les tour-opérateurs spécialisés dans votre destination. Ils produisent eux-mêmes leurs voyages et sont généralement de très bon conseil car ils connaissent la région sur le bout des doigts. À noter que leurs tarifs se révèlent souvent un peu plus élevés que ceux des généralistes.

ALMA VOYAGES
573, Route de Toulouse
Villenave-d'Ornon
✆ 05 56 87 58 46 – 0820 20 20 77
www.alma-voyages.com
Ouvert de 9h à 21h. Voilà une agence de voyages bien différente des autres. Chez Alma Voyages, les conseillers sont formés et connaissent les destinations. Eh oui, ils ont la chance de partir cinq fois par an pour mettre à jour et bien conseiller. D'ailleurs, chaque client est personnellement suivi par un agent attitré qui n'est pas payé en fonction de ses ventes... mais pour son métier de conseiller. Vous pourrez choisir parmi une large offre de voyages : séjour, circuit, croisière ou circuit individuel. Faites une demande de devis pour votre voyage de noces ou un voyage sur mesure, comme vous en rêviez. Cerise sur le gateau, Alma voyage pratique les meilleurs prix du marché et travaille avec des partenaires prestigieux comme Fram, Kuoni, Club Med, Beachcombers, Jet Tour, Marmara, Look Voyages... Si vous vous trouvez moins cher ailleurs, Alma Voyages s'alignera sur ce tarif et vous bénéficierez en plus, d'un bon d'achat de 30 € sur le prochain voyage. Surfez sur leur site ou contactez-les au 0820 20 20 77 (coût d'un appel local) de 9h à 21h et préparez vos valises... Bon voyage !

ALTIPLANO
18, rue du prè d'avril
Annecy-le-Vieux ✆ 04 50 46 90 25
Fax : 04 50 46 00 88
www.altiplano.org – altiplano@altiplano.org
Pour un voyage sur mesure de la mer des Caraïbes jusqu'à l'océan Pacifique, contactez Hélène, la spécialiste du Panama chez Altiplano. Le tour-opérateur, expert sur l'Amérique centrale

depuis 12 ans, offre l'exclusivité (avec une spécialiste du pays qui traite votre demande de A à Z), la liberté (autotours, excursions en service en privé...) et surtout la personnalisation (départ garanti aux dates et aéroport de votre choix). Découvrez le Panama à votre rythme grâce aux circuits à la carte d'Altiplano. Les idées d'itinéraires sur le site Web (tels que « Sur les routes du Panama » en 14 jours) ainsi que les extensions au Costa Rica s'adaptent à vos envies !

AMESUD
9, rue Robert-Fleury (15ᵉ)
Paris ✆ 01 42 39 06 01
Fax : 01 42 39 05 88
www.amesud.com
lamedusud@hotmail.fr
Professionnel de l'Amérique latine et centrale, Amesud propose du sur-mesure comme des packs déjà prédéfinis pour le Panamá. En plus des circuits classiques, Amesud se distingue par son approche thématique du voyage. Les férus d'écotourisme pourront observer les dauphins à Bocas del Toro et découvrir les écosystèmes de la vallée d'Anton ou du parc de Chiriqui. Les fans d'aventures apprécieront les promenades à pied, en 4x4, en pirogue ou à cheval à la rencontre des peuples de la forêt ou des Indiens kunas et wounaan. Ceux qui s'intéressent à l'agrotourisme ou au tourisme équitable trouveront certainement leur bonheur, tout comme les sportifs qui se verront proposer un pack plongée, Jet-Ski, voilier et pêche au gros.

ARROYO – LES ATELIERS DU VOYAGE
54-56, avenue Bosquet (7ᵉ)
Paris ✆ 0 820 300 371
Fax : 01 45 51 34 70
www.ateliersduvoyage.com
cecile.thiercelin@atlv.fr
Arroyo, tour-opérateur spécialiste depuis 18 ans des voyages individuels et sur-mesure en Amérique latine, a enrichi sa production en insérant dans son catalogue le Panamá. Pour une nouveauté, l'offre est déjà très complète : plusieurs autotours, dont un de 13 jours intitulé « Le Panamá en toute liberté » reliant Panamá City, l'archipel de San Blas, Las Perlas et l'archipel de Bocas del Toro.

Arroyo propose des circuits originaux permettant de découvrir des régions encore peu connues. Egalement dans la brochure des séjours balnéaires en hôtels 4-étoiles à Las Perlas dans une somptueuse *posada* de 10 chambres et 4 suites, Hacienda del Mar et dans l'archipel de Bocas del Toro dans une *posada* de luxe, Punta Caracol.

■ COLLECTIONS DU MONDE – LVO

✆ 09 50 82 79 19 – Fax : 01 42 93 79 92
www.collectionsdumonde.com
info@voyastore.com
Un des grands spécialistes du voyage à la carte vous propose de vous faire découvrir le Panamá en autotour individuel, en écotourisme ou grand luxe. Possibilités d'extension farniente sur une île ou au Costa Rica.

▌ **Autre adresse :** Agence en province ✆ 04 73 93 94 17.

■ CROISITOUR

✆ 0 821 21 20 20 (0,15 €/min)
www.croisitour.com
Pour découvrir le Panamá, Croisitour propose une sélection de séjours en hôtels de luxe et hôtels clubs avec des activités sportives et de détente telles que la natation, le tennis et la plongée sous-marine… dans le golfe de Panamá. Un circuit de 10 jours « Chez les Indiens kunas » et des extensions en hôtels de luxe…

■ ECOTOURS

33, rue Etienne-Chevalier, Argenteuil
✆ 01 39 61 23 00 – www.ecotours.fr
contact@ecotours.fr
Bien avant que l'écotourisme ne devienne à la mode, Ecotours proposait déjà des voyages à tous ceux qui étaient à la recherche d'un tourisme plus authentique, solidaire, responsable et équitable. Dans les faits, cela donne des circuits qui vous permettront de découvrir les Panaméens et leurs modes de vie tout en soutenant l'économie locale. L'agence propose un circuit de 15 jours « Rencontre avec les communautés indiennes » entre Bocas de Toro et l'archipel San Blas. 3 % du prix de votre voyage financera directement un projet de développement au Panamá.

■ EMPREINTE VOYAGES

ZAC des Etangs – Avenue des Peupliers
Saint-Mitre-les-Remparts
✆ 0 826 106 107
Fax : 04 42 81 26 45
www.empreinte.net
ledefi@empreinte.net

Ce spécialiste de l'Amérique latine dispose d'un large choix de voyages. Du séjour au circuit en passant par le sur-mesure, vous devriez trouver aisément la formule adéquate. Fait inhabituel, Empreinte propose même des courts séjours sur les îles panaméennes. Après un circuit bien rempli, 3 jours de farniente dans un décor de rêve pourraient bien vous tenter.

■ IMAGES DU MONDE

14, rue de Siam (16e), Paris
✆ 01 44 24 87 88
Fax : 01 45 86 27 73
www.images-du-monde.com
info@images-du-monde.com
À deux pas de la tour Eiffel, l'équipe de spécialistes d'Images du Monde vous recevra sur rendez-vous dans son espace Voyage : arabica du Panama servi dans le salon de l'agence puis projection sur grand écran des sites incontournables du Panamá et des différentes possibilités d'hébergement. Votre conseiller construira votre voyage selon vos envies : rencontres avec les communautés indiennes, navigation sur le canal Panama ou à destination de l'archipel San Blas, sélection d'hôtels de charme, bungalows sur pilotis à Bocas del Toro, plongée bouteille à Coiba, séjour pêche à Pedasi, circuits insolites pour une découverte authentique de cette destination méconnue. Extension possible au Costa Rica.

■ LA ROUTE DES SENS

Mairie de Puechabon, Puéchabon
✆ 04 67 57 37 59
www.laroutedessens.org
contact@laroutedessens.org
Cette association fondée en 1997 s'inscrit parmi les trois structures historiques de l'activité dite de voyage solidaire et équitable en France. Tout a commencé au Panamá, sur les rives du Río Chagres avec les Indiens emberá, puis les voyages se sont diversifiés avec la rencontre d'autres communautés amérindiennes du pays. Sur un circuit de 15 jours, la Route des Sens vous invite à voyager « autrement, à la rencontre des Embera, Wounaan, Ngöbe Bugle et Kuna mais aussi des autres Panaméens, en privilégiant l'échange culturel, la convivialité et l'authenticité. Environ 25% du montant du voyage sont destinés aux populations qui vous accueillent. D'une part de manière directe et équitable pour les prestations fournies dans le cadre des séjours ; et d'autre part par une implication financière dans la réalisation des actions de développement (la « part solidaire » correspond à 6 % du montant du voyage, billet d'avion compris).

▥ MAKILA VOYAGES

4, place de Valois (1er), Paris
✆ 01 42 96 80 00 – www.makila.fr
Au Panama, Makila Voyages, spécialiste de l'Amérique latine, vous propose un voyage sur-mesure : croisière en bateau en passant les écluses du célèbre canal, séjours authentiques dans les îles de San Blas, très « nature » dans l'archipel de Bocas del Toro ou inédits à la cime des arbres, marches et aventure dans la jungle du Darien, parcours en véhicule privé dans la péninsule de Azuero. Makila Voyages vous organise des rencontres avec des chercheurs du Smithsonian Institute ou encore des échanges exceptionnels avec les Indiens emberas et kunas et aussi avec les Panaméens, peuple joyeux et attachant ; Makila Voyages propose, à bord de voiliers privatisés, la découverte de deux océans avec l'archipel des San Blas et celui de Las Perlas, et a mis en place des combinés inédits avec le Costa Rica et aussi le Nicaragua. Makila Voyages organise votre voyage au Panama sur-mesure, à la carte et avec passion. Une agence qui saura vous guider !

▥ MELTOUR

103, avenue du Bac
94210 La Varenne-Saint-Hilaire
✆ 01 48 89 85 85
Fax : 01 48 89 41 59
www.meltour.com
meltour@meltour.com
Meltour propose des circuits ou autotour d'une semaine ou de 15 jours avec une extension au Costa Rica. Le parcours Panamá – Canal – Portobelo – Oberania – Gamboa – indiens Embera vous tente ? Vous y prendrez un train historique pour traverser le pays des Caraïbes au Pacifique, entre le canal et la jungle. Réfractaire aux voyages clés en main ? Meltour propose aussi du sur-mesure.

▥ MER ET VOYAGES

75, rue Richelieu (2e), Paris
✆ 01 49 26 93 33
Fax : 01 42 96 29 39
www.mer-et-voyages.com
info@mer-et-voyages.com
Ce voyagiste se positionne dans la croisière hors du commun. Deux fois par mois, un cargo part de Douvre, Anvers et Le Havre pour rejoindre le Costa Rica. 15 jours de traversée avec des escales possibles en Guadeloupe, Martinique, Colombie… Le Panamá est aussi desservi lors d'une croisière entre l'Allemagne, la République dominicaine, la Colombie, le Pérou, le Chili et la Hollande. Vous pouvez enfin embarquer pour un tour du monde dans un cargo qui mouillera l'ancre au Panamá entre autres escales à New York, Papeete, Nouméa, Sydney ou Philadelphie. Une façon originale d'aborder le voyage.

▥ NOSTALATINA

19, rue Damesme (13e), Paris
✆ 01 43 13 29 29
Fax : 01 43 13 30 60
www.ann.fr – info@ann.fr
Ce petit artisan du voyage spécialiste de l'Amérique latine a peaufiné de manière intelligente et créative plusieurs suggestions de voyages pour vous permettre de dénicher les perles du Panamá. Ici, le maître-mot est sur-mesure. Chez Nostalina, il n'y a pas de dates de départs fixes ou de voyages en groupe (à moins que vous et vos amis ne le constituiez !).

ORGANISER SON SÉJOUR

On vous laisse libre de tout décider et, si vous ne savez pas par quel bout commencer, le voyagiste propose un parcours de base qu'il modifie selon vos envies (cours d'espagnol, sensations fortes, découverte culinaire, farniente…). Que vous soyez farouchement indépendant ou que vous ayez besoin d'être dorloté, Nostalatina répondra à vos attentes.

◼ **TIME TOURS**
38, rue Garibaldi, Montreuil
✆ 01 40 11 16 10 – Fax : 01 40 11 13 23
www.timetours-voyages.com
voyages@timetours.fr
Au Costa Rica, un circuit du nord au sud est proposé par Time Tours, avec en option une escale et/ou une extension au Panamá. Pour chaque voyage, le site offre une fiche de renseignements pratiques, une rubrique cartographie pour visualiser le parcours et un diaporama.

Généralistes

Vous trouverez ici les tour-opérateurs dits « généralistes ». Ils produisent des offres et revendent le plus souvent des produits packagés par d'autres sur un large panel de destinations. S'ils délivrent des conseils moins pointus que les spécialistes, ils proposent des tarifs généralement plus attractifs.

◼ **ABCVOYAGE**
www.abcvoyage.com
Regroupe les soldes de tous les voyagistes avec des descriptifs complets pour éviter les surprises. Les dernières offres saisies sont accessibles immédiatement à partir des listes de dernière minute. Le serveur est couplé au site www.airway.net qui propose des vols réguliers à prix réduits, ainsi que toutes les promotions et nouveautés des compagnies aériennes.

◼ **DEGRIFTOUR**
✆ 0 899 78 50 00
www.degriftour.fr
Vols secs, hôtels, location de voiture, séjours clé en main ou sur mesure… Degriftour s'occupe de vos vacances de A à Z, à des prix très compétitifs.

◼ **EXPEDIA FRANCE**
✆ 0 892 301300 – www.expedia.fr
Expedia est le site français du n° 1 mondial du voyage en ligne. Un large choix de 500 compagnies aériennes, 105 000 hôtels, plus de 5 000 stations de prise en charge pour la location de voitures et la possibilité de réserver parmi 5 000 activités sur votre lieu de vacances. Cette approche sur mesure du voyage est enrichie par une offre très complète comprenant prix réduits, séjours tout compris, départs à la dernière minute…

◼ **GO VOYAGES**
✆ 0 899 651 951 – www.govoyages.com
Go Voyages propose le plus grand choix de vols secs, charters et réguliers, au meilleur prix, au départ et à destination des plus grandes villes. Possibilité également d'acheter des packages sur mesure « vol + hôtel » et des coffrets cadeaux. Grand choix de promotions sur tous les produits sans oublier la location de voitures. La réservation est simple et rapide, le choix multiple et les prix très compétitifs.

◼ **LASTMINUTE**
✆ 04 66 92 30 29 – www.lastminute.fr
Des vols secs à prix négociés, dégriffés ou publics sont disponibles sur Lastminute. On y trouve également des week-ends, des séjours, de la location de voiture… Mais surtout, Lastminute est le spécialiste des offres de dernière minute permettant ainsi aux vacanciers de voyager à petits prix. Que ce soit pour un week-end ou une semaine, une croisière ou simplement un vol, des promos sont proposées et renouvelées très régulièrement.

◼ **OPODO**
✆ 0 899 653 656 – www.opodo.fr
Pour préparer votre voyage, Opodo vous permet de réserver au meilleur prix des vols de plus de 500 compagnies aériennes, des chambres d'hôtels parmi plus de 45 000 établissements et des locations de voitures partout dans le monde. Vous pouvez également y trouver des locations saisonnières ou des milliers de séjours tout prêts ou sur mesure ! Des conseillers voyages

à votre écoute 7 jours/7 de 8h à 23h du lundi au vendredi, de 9h à 19h le samedi et de 11h à 19h le dimanche.

▦ PROMOVACANCES
✆ 0 899 654 850
www.promovacances.com
Promovacances propose de nombreux séjours touristiques, des week-ends, ainsi qu'un très large choix de billets d'avion à tarifs négociés sur vols charters et réguliers, des locations, des hôtels à prix réduits. Egalement, des promotions de dernière minute, les bons plans du jour. Informations pratiques pour préparer son voyage : pays, santé, formalités, aéroports, voyagistes, compagnies aériennes.

▦ THOMAS COOK
✆ 0 826 826 777 – www.thomascook.fr
Tout un éventail de produits pour composer son voyage : billets d'avion, location de voitures, chambres d'hôtel... Thomas Cook propose aussi des séjours dans ses villages-vacances et les « 24 heures de folies » : une journée de promos exceptionnelles tous les vendredis. Leurs conseillers vous donneront des conseils utiles sur les diverses prestations des voyagistes.

▦ TRAVELPRICE
✆ 0 899 78 50 00 – www.travelprice.com
Un site Internet très complet de réservations en ligne pour préparer votre voyage : billets d'avion et de train, hôtels, locations de voitures, billetterie de spectacles. En ligne également : de précieux conseils, des informations pratiques sur les différents pays, les formalités à respecter pour entrer dans un pays.

Réceptifs

Il s'agit de tour-opérateurs présents dans le pays, de fait, ils connaissent extrêmement bien la zone.

▦ ECOCIRCUITOS PANAMA
P.H. Plaza Albrook, Avenida Canfield Comunidad Albrook, Corregimiento de Ancón, Ciudad de Panamá
Panamá Ciudad

✆ +507 314 0068 – + 507 6617 6566
Fax : +507 314 1586
www.ecocircuitos.com
info@ecocircuitos.com
À côté de l'aéroport
d'Albrook Marcos A. Gelabert
Tour-opérateur spécialisé en tourisme vert depuis 1999, approche écologique et proche de la nature, organisation de voyages sur-mesure, petits groupes.Ventes et réservations : lundi au vendredi de 8 à 17h. Samedi de 8h à midi. Twitter : @ecocircuitos1 EcoCircuitos Panamá est un tour-opérateur avec plus de 10 ans d'expérience spécialisé en produits éco-touristiques. Il développe son activité sur toute la géographie du pays, son catalogue propose une combinaison d'activités de plein air, d'échange culturel et tours éducatifs orientés sur la préservation de la nature et le développement local. Sa mission écotouristique et son implication dans les ONG locales renforce sa philosophie qui repose sur le concept que chaque client peut apporter directement des bénéfices aux communautés et leur environnement naturel. Formée par une dynamique et experte équipe de travailleurs, guides et collaborateurs, Ecocircuitos est une bonne option pour connaître le Panama dans toute son essence.

▸ **Autre adresse :** Contact skype : kunayala.

▦ GO PANAMA !
TRAVELS, TRIPS & TOURS
✆ +507 6235 4200 – +507 345 1179
www.gopanamaonline.com
natassha@gopanamaonline.com
Tour-opérateur local spécialiste de la découverte du pays et l'organisation de voyages sur-mesure. Tour 1 jour à partir de 50,00 $, 3 jours 240 $ et 12 jours 1 861 $ (prix par personne). Ventes et réservations : Natassha (Manager) ✆ *+507 6235 4200 et Nico ou Diana (assistantes)* ✆ *+507 345 1179. Skype : gopanama. Go Panama ! Travels, Trips & Tours est une jeune et dynamique agence réceptive qui propose un large catalogue de tours et voyages pour découvrir tous les recoins du Panamá.*

ORGANISER SON SÉJOUR

Au menu des tours de 1 à 15 jours, Go Panama ! offre des options pour toutes les bourses, comme par exemple faire une escapade en voilier jusqu'aux îles secrètes de Kuna Yala, explorer les forêts boisées de Boquete pour découvrir les zones de café et les exubérantes faune et flore, profiter de l'ambiance caribéenne à Bocas del Toro, ou visiter le canal du Panama et tous les charmes de Panama City, et bien plus encore… Grâce à l'enthousiasme et la passion de la famille Young-Echeverri et leur collaborateurs, Go Panama ! offre une proximité au client maximale et le sens du détail : logement, transports, activités… Offres intéressantes en haute saison, prix spéciaux pour les groupes.

◼ NATIVA TOURS

✆ +507 314 1800 – +507 314 1288
Fax : +507 314 0735
www.nativatours.com
panama@sanblassailing.com
L'agence propose des tarifs attractifs toute l'année, avec des circuits promotionnels. Exemple : circuit « Deux Océans », en voilier pendant 10 jours : 1 438 € par personne et circuit combiné 12 jours « Panama – Voile San Blas – Eco Lodge » : 1 541 € par personne. Tour-opérateur spécialisé dans la culture amérindienne mais aussi dans les aventures « hors des sentiers battus ». Au programme des activités : voile, rafting, plongée bouteille, canopée, découverte de la faune et de la flore tropicales. Devis « à la carte » sur demande. Les tours s'effectuent sur toute la République du Panama, et les circuits sont totalement flexibles, l'agence est spécialiste des tours

auprès des communautés indigènes comme à San Blas, Embera et Wounan. Nativa tours fait des « circuits à la carte », en fonction des besoins de ses clients.

◼ PANAMA AL NATURAL

Edificio AGLO, Local 12
Ave. Ecuador y Justo Arosemena
✆ +507 395 3515 – +507 6676 4583
✆ +507 395 3516
www.panamaalnatural.net
panamaalnatural@yahoo.es
panamaalnatural@hotmail.com
Tour opérateur et agence de voyage avec expérience internationale. Spécialiste en tours zones rurales. Hautement participatif avec le voyageur. Twitter : @PanamaAlNatural. Concentré sur la mise en valeur des richesses naturelles et culturelles du pays, Panama Al Natural est une entreprise de services touristiques qui offre un intéressant mélange d'aventure et d'investigation dans ses produits, en cherchant à chaque fois la participation et l'implication des voyageurs. Les spécialités maison sont les tours dans les zones les plus authentiques et rurales du Panama où l'on peut découvrir la véritable essence des communautés, les visites dans les zones urbaines, les parcs, les sites naturels et les plus belles plages du pays. Très intéressant aussi le nouveau tour d'observation des cétacés à Las Perlas sur le Pacifique (tour saisonnier). Panama Al Natural est un réceptif qui fait preuve de solvabilité au niveau international, l'agence opère au Panama sur des critères de qualité et un bon compromis entre le consommateur de voyage et le développement touristique du pays.

▣ PANAMÁ EXOTICS ADVENTURES

Panamá Ciudad
℗ +507 6673 5381
www.panamaexoticadventures.com

Une équipe dynamique et passionnée pour voyager en petits groupes dans des lieux magiques, à la rencontre d'une nature préservée et des peuples amérindiens. Une avec des guides francophones expérimentés, spécialisés dans le Darién et les San Blas. Des voyages sur-mesure selon vos passions et vos envies : séjour dans des villages kunas, emberás et wounaans, visite de vieux forts espagnols oubliés, trekking en jungle, descente de rivières en pirogue, kayac au milieu des dauphins, explorations ornithologiques…

▣ PANAMA REAL PARADISE

Urbanización Altos de Panamá
℗ +507 399 38 15
℗ +507 6550 5421
℗ +507 6550 5423
www.panamarealparadise.com
www.mypanamatravel.com
info@panamarealparadise.com
luis@panamarealparadise.com

Réceptif qui offre des éco-tours (pêche, parcs naturels, navigation fleuves et lacs), visite à Panama City et tours sur le canal (60 $ personne), découverte de plages et îles à Kuna Yala (190 $ personne, 2 jours), tours ethniques et immersion dans l'intérieur du pays. Panama Real Paradise est un jeune et familial fournisseur de services et de tours, concentré sur la découverte du Panama beau et authentique. Ils sont spécialistes en tours et excursions dans les différentes parties du pays. Leur spécialité est de *«traverser le pays en un seul jour*, déjeuner au bord de l'Atlantique et dîner le jour même sur le Pacifique. Depuis la navigation par la zone du canal de Panama (fleuves Chagres, lacs Gatún et Alajuela) ou l'on peut pratiquer la pêche jusqu'à découvrir les cultures indigènes du pays lors de tours ethniques à Kuna Yala, à l'île de Coiba ou l'île de las Perlas. Côté nature et histoire un éco-tour par l'ancien Camino Real comme au temps des conquêtes espagnoles est au programme, côté urbain l'agence se fera un plaisir de vous montrer les trésors de la capitale. Panama Real Paradise est une invitation à connaître et profiter de la culture et de ceux qui peuplent le Panama.

© PAT PANAMA

ORGANISER SON SÉJOUR

Baleine à bosse dans la province de Coclé.

■ TERRA CARIBEA PANAMA

Apdo Postal 0843-00641
Panamá Ciudad
✆ +33 9 70 44 59 82
www.terra-caribea.com
contact@terra-caribea.com

Français passionnés d'Amérique latine, Laurence et Jérome Sans sont installés au cœur de l'Amérique centrale (bureaux au Panamá et Costa Rica). Tête de pont du groupe Terra Explora au Panama, l'agence bénéficie également du réseau d'agences tissé pas à pas depuis des années sur le continent : Argentine, Bolivie, Brésil, Chili, Costa Rica, Pérou, Mexique... Spécialiste au champ d'action étendu, Terra Caribea propose donc mille et une formules de voyages dans les terres tropicales. « A la carte », c'est presque la devise de l'agence : une croisière dans l'archipel des San Blas ? Une traversée à pieds de l'isthme, d'océan à océan ? Une découverte des régions les plus authentiques à la rencontre de peuples autochtones ? Une partie de pêche sportive ou un combiné Panama-Costa Rica-Nicaragua-Guatemala ? Vos envies et votre budget seront les seules limites !

■ TUCAYA PANAMA

Edificio Malina, Local #3
Calle Ramón Arias,
El Carmen, Bella Vista
Panamá Ciudad
✆ +507 264 61 37 – +507 6673 7573
Fax : +507 264 3290
www.tucaya.com
panama@tucaya.com

Spécialiste en Amérique latine depuis bientôt 15 ans, l'agence Tucaya propose tout type de séjours et circuits à travers le Panama : San Blas, Las Perlas, Bocas del Toro, Azuero, Chiriqui, Isla Coiba, Colón, Darién, El Valle, Veraguas, city tour dans la capitale et tourisme communautaire sont au programme. L'équipe de francophones dirigée au Panama par Sandrine s'est fixé l'objectif de répondre rapidement à vos demandes et de vous proposer les circuits et séjours adaptés à vos souhaits. L'agence s'occupe également de vos billets d'avion, location de voitures, de villas ou encore de bateaux.

■ VIAJES SAN BLAS

✆ +507 6138 6312 – +507 6025 8580
www.viajessanblas.com
info@viajessanblas.com

Réceptif dans la zone de Kuna Yala, et Panama City aussi. Propositions sur-mesure d'hébergement et d'activités. Excursion 1 jour à partir 136 $ par personne. Excursion 2 jours à partir 165 $ en tente camping et 180 $ en bungalow (transferts, transport, repas et taxes inclus). Twitter : @viajes_San_Blas. Viajes San Blas est le réceptif de référence dans la zone la plus occidentale et touristique de San Blas (Golfo de Carti, Cayos Holandeses, Cayo Limón). L'agence offre des propositions intéressantes pour découvrir l'environnement naturel et les activités dans le paysage paradisiaque de la région de Kuna Yala. Les tours et excursions peuvent être personnalisés et offrent de multiples possibilités : dormir dans des cabanes jusqu'à passer la nuit à la belle étoile dans les Caraïbes authentiques, découvrir les spectaculaires fonds marins des plages, les récifs coralliens et la gastronomie traditionnelle de la culture kuna, naviguer en pirogue *cayuco* pour apprendre la pêche artisanale.

Sites comparateurs – Enchères

Plusieurs sites permettent de comparer les offres de voyages (packages, vols secs, etc.) et d'avoir ainsi un panel des possibilités et donc des prix. Ils renvoient ensuite l'internaute directement sur le site où est proposée l'offre sélectionnée.

Une équipe française de passionnés propose Mille et une formules de voyages dans les terres tropicales.

Dans la province de San Blas.

■ EASYVOYAGE

www.easyvoyage.com

Le concept d'Easyvoyage.com peut se résumer en trois mots : s'informer, comparer et réserver. Des infos pratiques sur quelque 255 destinations en ligne (saisonnalité, visa, agenda...) vous permettent de penser plus efficacement votre voyage. Après avoir choisi votre destination de départ selon votre profil (famille, budget...), Easyvoyage.com vous offre la possibilité d'interroger plusieurs sites à la fois concernant les vols, les séjours ou les circuits. Enfin grâce au méta-moteur performant, vous pouvez réserver directement sur plusieurs bases de réservation (Lastminute, Go Voyages, Directours, Anyway... et bien d'autres).

■ ILLICOTRAVEL

www.illicotravel.com

Illicotravel permet de trouver le meilleur prix pour organiser vos voyages autour du monde. Vous y comparerez les billets d'avion, hôtels, locations de voitures et séjours. Ce site très simple offre des fonctionnalités très utiles comme le baromètre des prix pour connaître les meilleurs prix sur les vols à plus ou moins 8 jours. Le site propose également des filtres permettant de trouver facilement le produit qui répond à tous vos souhaits (escales, aéroport de départ, circuit, voyagiste…).

■ KELKOO

www.kelkoo.com

Ce site vous offre la possibilité de comparer les tarifs de vos vacances. Vols secs, hôtels, séjours, campings, circuits, croisières, ferries, locations, thalassos : vous trouverez les prix des nombreux voyagistes et pourrez y accéder en ligne grâce à Kelkoo.

■ LILIGO

www.liligo.com

Liligo interroge agences de voyage, compagnies aériennes (régulières et low cost), trains (TGV, Eurostar…), loueurs de voiture mais aussi 250 000 hôtels à travers le monde pour vous proposer les offres les plus intéressantes du moment. Les prix sont donnés TTC et incluent donc les frais de dossier, d'agence… Le site comprend aussi deux thématiques : « week-end » et « ski ».

■ LOCATIONDEVOITURE.FR

✆ 0 800 73 33 33 – 01 73 79 33 32

www.locationdevoiture.fr

Le site compare toutes les offres de 8 courtiers en location de voitures, des citadines aux monospaces en passant par les cabriolets et 4x4. Vous avez le choix parmi 6 123 villes différentes réparties dans 130 pays. En plus du prix, l'évaluation de l'assurance et les avis clients sont affichés pour chacune des offres. Plus qu'un simple comparateur, vous pouvez réserver en ligne ou par téléphone. En outre, le site propose des circuits en voiture dans chaque pays, remplissant ainsi parfaitement son rôle d'agence de voyage. C'est la garantie du prix et du service !

■ MYZENCLUB

www.myzenclub.com

Le site recense les meilleures offres des voyagistes en ligne les plus importants. Myzenclub vous informe des bons plans et des promotions trouvées parmi toutes les agences pour vos vacances en France et à l'étranger, hôtels, croisières, thalasso, vols... L'inscription est gratuite.

■ PRIX DES VOYAGES

www.prixdesvoyages.com

Ce site est un comparateur de prix de voyages, permettant aux internautes d'avoir une vue d'ensemble sur les diverses offres de séjours proposées par des partenaires selon plusieurs critères (nombre de nuits, catégories d'hôtel, prix, etc.). Les internautes souhaitant avoir plus d'informations ou réserver un produit sont ensuite mis en relation avec le site du partenaire commercialisant la prestation. Sur Prix des Voyages, vous trouverez des billets d'avion, des hôtels et des séjours.

■ SPRICE

www.sprice.com

Un site qui gagne à être connu. Vous pourrez y comparer vols secs, séjours, hôtels, locations de voitures ou biens immobiliers, thalassos et croisières. Le site débusque aussi les meilleures promos du Web parmi une cinquantaine de sites de voyages. Un site très ergonomique qui vous évitera bien des heures de recherches fastidieuses.

■ VOYAGER MOINS CHER

www.voyagermoinscher.com

Ce site référence la plupart des offres de près de 100 agences de voyages et tour-opérateurs parmi les plus réputés du marché et donne ainsi accès à un large choix de voyages, de vols, de forfaits « vol + hôtel », de locations, etc. Il est également possible d'affiner sa recherche grâce au classement par thèmes : thalasso, randonnée, plongée, All Inclusive, voyages en famille, voyages de rêve, golf ou encore départs de province.

Agences de voyage

✶ ALMA VOYAGES
573, Route de Toulouse
Villenave-d'Ornon

✆ 05 56 87 58 46
Voir la rubrique « Organiser son séjour » –
« Comment partir ? » – « Partir en voyage
organisé » – « Voyagistes » – les « Spécia-
listes »

▬ PARTIR SEUL

En avion

Il n'existe pas de liaisons directes entre Paris et Panamá Ciudad, il vous faudra donc faire une escale selon le transporteur aérien de votre choix, à Madrid, New York, Atlanta... Attention si vous choisissez un vol avec escale aux Etats-Unis, il vous faudra impérativement un passeport biométrique.

Prix moyen d'un vol Paris-Panamá Ciudad

▶ **Haute saison** (novembre à mars + juillet, août et Noël) : de 750 à 1 400 €.

▶ **Basse saison** (avril à octobre) : de 700 à 900 €.

À noter que la variation de prix dépend de la compagnie empruntée mais, surtout, du délai de réservation. Pour obtenir les meilleurs tarifs en haute saison, achetez vos billets 6 mois à l'avance. Pour ce qui est des périodes moins courues, un délai beaucoup plus court ne devrait pas vous empêcher de décrocher un prix intéressant.

Principales compagnies desservant le Panamá

▶ **Pour connaître le degré de sécurité** de la compagnie aérienne que vous envisagez d'emprunter, rendez-vous sur le site Internet www.securvol.fr ou sur celui de la Direction générale de l'aviation civile : www.dgac.fr

▪ AIR FRANCE
✆ 36 54 (0,34 €/min d'un poste fixe)
www.airfrance.fr
Au départ de Roissy-Charles-de-Gaulle, Air France KLM assure plusieurs départs par semaine pour Panamá Ciudad. Le plan de vol prévoit une escale à Amsterdam. Les mercredi, vendredi et dimanche, 3 vols vers Panamá City sont programmés ainsi que 4 retours vers Paris. Comptez environ 16 heures de trajet.

▪ AMERICAN AIRLINES
✆ 0 826 460 950
www.americanairlines.fr

American Airlines assure un vol quotidien au départ de CDG pour Panamá Ciudad via Miami. Pour la première connexion, il faut compter 10 heures 20 de vol et, entre Miami et Panamá City, 2 heures 50.

▪ CONTINENTAL AIRLINES
4, rue du Faubourg Montmartre (9e)
Paris ✆ 01 71 23 03 35 – 01 71 23 03 22
www.continental.com
La compagnie américaine propose un vol quotidien au départ de Roissy-Charles-de-Gaulle pour la capitale panaméenne, avec une escale à New York.

▪ IBERIA
✆ 0 825 800 965
www.iberia.fr
Leader européen sur les lignes aériennes Europe-Amérique latine, la compagnie espagnole assure un départ tous les jours de la semaine sauf le vendredi pour Panamá Ciudad au départ d'Orly via Madrid. Le temps de trajet s'élève en moyenne à 18 heures 30.

Aéroports

▪ BEAUVAIS
✆ 08 92 68 20 66
www.aeroportbeauvais.com

▪ BORDEAUX
✆ 05 56 34 50 00
www.bordeaux.aeroport.fr

▪ BRUXELLES
Belgique ✆ +32 2 753 77 53
✆ +32 9 007 00 00 – www.brusselsairport.be

▪ GENÈVE
Suisse ✆ +41 22 717 71 11
www.gva.ch

▪ LILLE-LESQUIN
✆ 0 891 67 32 10
www.lille.aeroport.fr

▪ LYON SAINT-EXUPÉRY
✆ 08 26 80 08 26
www.lyon.aeroport.fr

▧ MARSEILLE-PROVENCE
✆ 04 42 14 14 14
www.marseille.aeroport.fr

▧ MONTPELLIER-MÉDITERRANÉE
✆ 04 67 20 85 00
www.montpellier.aeroport.fr

▧ MONTRÉAL-TRUDEAU
Canada
✆ +1 514 394 7377 – +1 800 465 1213
www.admtl.com

▧ NANTES-ATLANTIQUE
✆ 02 40 84 80 00
www.nantes.aeroport.fr

▧ NICE-CÔTE-D'AZUR
✆ 0 820 423 333
www.nice.aeroport.fr

▧ PARIS ORLY
✆ 01 49 75 52 52
www.aeroportsdeparis.fr

▧ PARIS ROISSY – CHARLES-DE-GAULLE
✆ 01 48 62 12 12
www.aeroportsdeparis.fr

▧ QUÉBEC – JEAN-LESAGE
Canada
✆ +1 418 640 3300 – +1 877 769 2700
www.aeroportdequebec.com

▧ STRASBOURG
✆ 03 88 64 67 67
www.strasbourg.aeroport.fr

▧ TOULOUSE-BLAGNAC
✆ 0 825 380 000
www.toulouse.aeroport.fr

Les sites comparateurs
Ces sites vous aideront à trouver des billets d'avion au meilleur prix. Certains d'entre eux comparent les prix des compagnies régulières et low-cost. Vous trouverez des vols secs (transport aérien vendu seul, sans autres prestations) au meilleur prix.

▧ EASY VOLS
www.easyvols.fr

▧ JET COST
www.jetcost.com

▧ TERMINAL A
www.terminalA.com

En bateau
Si vous avez le temps et souhaitez réduire votre empreinte écologique tout en vivant une

Mangrove panaméenne.

expérience originale, vous pouvez partir en cargo depuis l'Europe et ailleurs, le Panamá attirant de nombreux navires grâce à son canal. Des voiliers et caboteurs effectuent des traversées depuis la Colombie (Carthagène) jusque San Blas ou Colón. Il conviendra d'être prudent dans le choix du navire, n'oubliez pas que vous êtes dans une zone sensible (trafic de drogue). Mêmes recommandations pour rejoindre l'Equateur.

Location de voiture

▧ ALAMO – RENT A CAR – NATIONAL CITER
✆ 0 825 16 22 10 – 0 891 700 200
www.alamo.fr
Depuis près de 30 ans, Alamo Rent a Car est l'un des acteurs les plus importants de la location de véhicules. Actuellement, Alamo possède plus de 180 000 véhicules au service de 15 millions de voyageurs chaque année, répartis dans 1 248 agences implantées dans 43 pays. Des tarifs spécifiques sont proposés, comme Alamo Gold, le forfait de location de voiture tout compris incluant les assurances, les taxes, les frais d'aéroport, le plein d'essence et les conducteurs supplémentaires. Rent a Car et National Citer font partie du même groupe qu'Alamo.

ORGANISER SON SÉJOUR

Chaque année, Action contre la Faim vient en aide à près de 5 millions de personnes dans le monde.

SOUTENEZ-NOUS
www.actioncontrelafaim.org
Dons sécurisés en ligne

© Véronique Burger / Phanie - RDC

ACTION
CONTRE LA
FAIM
ACF INTERNATIONAL

◼ AUTO ESCAPE

✆ 0 892 46 46 10 – 04 90 09 51 87
www.autoescape.com
En ville, à la gare ou dès votre descente d'avion.
Cette compagnie qui réserve de gros volumes
auprès des grandes compagnies de location
de voitures vous fait bénéficier de ses tarifs
négociés. Grande flexibilité. Pas de frais de
dossier, pas de frais d'annulation, même à
la dernière minute. Des informations et des
conseils précieux, en particulier sur les assurances.

◼ AUTO EUROPE

✆ 0 800 940 557
www.autoeurope.fr
Réservez en toute simplicité sur un peu plus
de 4 000 stations dans le monde entier. Auto
Europe négocie toute l'année des tarifs privilégiés auprès des loueurs internationaux et locaux
afin de proposer à ses clients des prix compétitifs. Les conditions Auto Europe : le kilométrage
illimité, les assurances et taxes incluses dans de
tout petits prix et des surclassements gratuits
pour certaines destinations.

◼ AVIS

✆ 0 820 05 05 05
www.avis.fr
Avis a installé ses équipes dans un peu plus de
5 000 agences réparties dans 163 pays. De la
simple réservation d'une journée à plus d'une
semaine, Avis s'engage sur plusieurs critères,
sans doute les plus importants. Proposition
d'assurance, large choix de véhicules de l'économique au prestige avec un système de réservation rapide et efficace.

◼ BSP AUTO

✆ 01 43 46 20 74
Fax : 01 43 46 20 71
www.bsp-auto.com
La plus importante sélection de grands loueurs
dans les gares, aéroports et centres-villes.
Les prix proposés sont les plus compétitifs
du marché. Les tarifs comprennent toujours
le kilométrage illimité et les assurances. Les
bonus BSP : réservez dès maintenant et payez
seulement 5 jours avant la prise de votre
véhicule, pas de frais de dossier ni d'annulation,
la moins chère des options zéro franchise.

◼ BUDGET FRANCE

✆ 0 825 00 35 64
Fax : 01 70 99 35 95
www.budget.fr
Budget France est le troisième loueur mondial,
avec 3 200 points de vente dans 120 pays.

Le site www.budget.fr propose également
des promotions temporaires. Si vous êtes
jeune conducteur et que vous avez moins de
25 ans, vous devrez obligatoirement payer
une surcharge.

◼ ELOCATIONDEVOITURES

✆ 0 800 942 768
www.elocationdevoitures.fr
Vous avez la possibilité de louer votre voiture
moyennant une caution et de ne rien payer de
plus jusqu'à quatre semaines avant la prise
en charge. Il n'y a pas de frais d'annulation,
ni de frais de carte de crédit, ni de frais de
modification.

◼ EUROPCAR FRANCE

✆ 0 825 358 358
Fax : 01 30 44 12 79
www.europcar.fr
Chez Europcar, vous aurez un large choix de
tarifs et de véhicules : économiques, utilitaires,
camping-cars, prestige, et même rétro. Vous
pouvez réserver votre voiture via le site Internet
et voir les catégories disponibles à l'aéroport – il
faut se baser sur une catégorie B, les A étant
souvent indisponibles.

◼ HERTZ

✆ 0 810 347 347
www.hertz.com
Vous pouvez obtenir différentes réductions
si vous possédez la carte Hertz ou celle d'un
partenaire Hertz. Le prix de la location comprend
un kilométrage illimité, des assurances en
option, ainsi que des frais si vous êtes jeune
conducteur. Toutes les gammes de voitures
sont représentées.

◼ HOLIDAY AUTOS FRANCE

✆ 0 892 39 02 02
www.holidayautos.fr
Avec plus de 4 500 stations dans 87 pays,
Holiday Autos vous offre une large gamme
de véhicules allant de la petite voiture économique au grand break. Holiday Autos dispose
également de voitures plus ludiques telles que
les 4X4 et les décapotables.

◼ LOCATIONDEVOITURE.FR

✆ 0 800 73 33 33
✆ 01 73 79 33 32
www.locationdevoiture.fr
Notre coup de cœur ! Le site compare toutes
les offres de 8 courtiers en location de voitures,
des citadines aux monospaces en passant
par les cabriolets et 4x4. Vous avez le choix
parmi 6 123 villes différentes réparties dans
130 pays.

En plus du prix, l'évaluation de l'assurance et les avis clients sont affichés pour chacune des offres. Plus qu'un simple comparateur, vous pouvez réserver en ligne ou par téléphone. En outre, le site propose des circuits en voiture dans chaque pays, remplissant ainsi parfaitement son rôle d'agence de voyage. C'est la garantie du prix et du service !

■ **SIXT**

✆ 0 820 00 74 98 – www.sixt.fr

Fournisseur de mobilité n° 1 en Europe, Sixt est présent dans plus de 3 500 agences réparties dans 50 pays. Cette agence de location vous propose une gamme variée de véhicules (utilitaires, cabriolets, 4X4, limousines...) aux meilleurs prix.

▬ SÉJOURNER ▬

Se loger

Le pays est bien pourvu en ressources hôtelières de toutes catégories, mais il montre ses limites face au boom touristique actuel. En période de carnaval ou durant la semaine sainte, vous aurez peut-être des difficultés à trouver un lieu qui corresponde à la fois à vos goûts et à votre budget. Par ailleurs, ne soyez pas surpris si un hôtel a poussé sur une plage dont on vous vantait la tranquillité ! Quoique récent, c'est un phénomène fréquent, et il est fort probable que certains coins vous réservent d'étranges surprises. De nombreux projets touristiques étaient à l'étude lors de la rédaction du guide. Se seront-ils concrétisés au moment de votre voyage ? On peut le craindre quand on sait que pour certains ces opérations se basent uniquement sur le profit, au détriment de la conservation de l'environnement et du bien-être de la population locale.

Hôtels

▌ **L'implantation des chaînes hôtelières internationales,** conséquence directe du tourisme d'affaires, ne se limite plus à la capitale. La côte Pacifique a maintenant ses grands complexes avec piscines, golfs ou plages privées, proposant une formule tout inclus au succès grandissant. Pour séjourner dans cette catégorie d'hôtels, il faudra débourser au minimum 100 $ par personne et par jour.

▌ **Plus intimes, les hôtels de type *cabañas* ou lodges** abondent au Panamá. Le pays a attiré de nombreux investisseurs nationaux et étrangers, soucieux d'offrir à leurs clients confort et charme en pleine nature. Il regorge désormais de paradis isolés : des maisonnettes individuelles aux petits complexes construits dans des matériaux naturels et jouissant de vues incroyables. Les tarifs s'échelonnent de 50 à 200 $, comprennent souvent les repas, et s'adressent à une clientèle aisée ou venue célébrer un événement spécial (lune de miel, etc.).

▌ **On trouve également des *cabañas* aux formules plus économiques** visant une clientèle au budget plus limité mais tout aussi soucieuse du cadre. L'offre est très variable en fonction de l'isolement et de l'accès mais aussi des commodités. De nombreux hôtels dans les îles n'ont, par exemple, qu'un petit générateur électrique et ne sont pas alimentés en eau courante.

Chambres d'hôtes

Les chambres d'hôtes peuvent être appelées hostel, hostal, bed & breakfast... Elles offrent en général un accueil chaleureux et sont tenues le plus souvent par des étrangers. Ces établissements aux niveaux de confort et de prix variés donnent libre accès à la cuisine, Internet... Le petit déjeuner est souvent inclus. Parmi les moins chers, on trouve ce qu'on appelle dans le jargon du voyageur les hôtels « backpackers », de *back pack*, « sac à dos » en anglais. C'est l'équivalent des auberges de jeunesse. Le concept est d'offrir au meilleur prix (autour de 10-15 $ par personne) un lit en dortoir et des facilités (cuisine, Internet, laverie, infos pratiques...). La salle de bains est le plus souvent à l'extérieur de la chambre et sans eau chaude. La clientèle est très internationale et plutôt jeune. C'est l'idéal pour rencontrer d'autres voyageurs, mais il faut aimer la vie en communauté et ne pas être trop regardant sur le confort dans certains établissements. Il faut aussi accepter de parler anglais ! Ce type d'établissement se multiplie depuis quelques années avec l'intérêt croissant des backpackers (ou *mochilleros* en espagnol) pour le Panamá.

▌ **Les établissements dénommés *pensión*, *residencial* ou *hospedaje*** sont souvent plus économiques. Le confort, tout comme la tranquillité et le service sont variables. Le confort varie en fonction de la climatisation. Les prix augmentent alors généralement de 5 à 10 $ par rapport aux chambres ne disposant que de ventilateurs. Il est toujours possible de

© DIDIER RAFFIN / IMAGES DU MONDE

Jeune fille en costume traditionnel.

trouver une chambre à moins de 20 $, surtout en province. Comme dans beaucoup de pays, les tarifs sont souvent identiques pour une chambre simple ou double, que l'on soit seul ou en couple. En basse saison, suivant le remplissage, n'hésitez pas à négocier.

Camping

Les terrains de camping ne sont pas fréquents au Panamá, comparé au Costa Rica voisin. En revanche, le camping sauvage est toléré (renseignez-vous préalablement auprès des locaux). Méfiez-vous des marées sur les plages ! Egalement très pratique, le hamac, que vous pourrez accrocher entre deux cocotiers (en se méfiant de la chute des fruits) ou sous un *rancho* ou *bohío*, petite structure au toit de palme. Certains hostels proposent le camping quand ils ont un jardin, les tarifs tournent autour de 5 $ par personne.

Se déplacer

Avion

L'avion est parfois l'unique moyen d'atteindre une destination, et surtout le plus rapide. Les principales villes de province sont desservies par des lignes intérieures régulières, au départ de l'aéroport d'Albrook à Panamá Ciudad. C'est l'un des grands avantages du pays : pouvoir se retrouver sur la côte Caraïbes de Bocas del Toro en moins d'une heure ou se rendre dans l'une des îles de San Blas en une demi-heure.Ceux qui appréhendent les voyages en avion doivent toutefois être prévenus : les vols s'effectuent dans de petits appareils dont la capacité excède rarement les vingt personnes et cela peut secouer en cas de mauvais temps.

Deux compagnies, Air Panamá (www.flyairpanamá.com) et Aeroperlas (www.aeroperlas.com), se partagent les vols intérieurs à des tarifs équivalents. Les moins de 12 ans payent généralement moitié prix. Les tarifs obtenus lors de notre enquête devraient avoir sensiblement augmenté lors de votre séjour. Enfin, vérifiez qu'il n'y a pas d'erreurs sur le billet émis, cela peut arriver.

Bateau

Le bateau à moteur (*lancha* ou *panga*) plus ou moins puissant ou la pirogue (en bois) sont souvent l'unique moyen de transport dans les archipels et au milieu de la jungle. Les traversées offrent des moments forts en émotion ! Assurez-vous toutefois que suffisamment de gilets de sauvetage sont présents dans l'embarcation.

Bus

La gare routière de Panamá Ciudad (terminal de Albrook) bénéficie d'infrastructures modernes et accueille toutes les compagnies de bus desservant les villes de provinces et la capitale. Les liaisons sont fréquentes et les prix peu élevés. Il n'est pas nécessaire de réserver mais conseillé d'arriver à l'avance en fin de semaine et les jours fériés. On paye en général son ticket au guichet au terminal mais le plus souvent directement dans le bus en province. Autocars et minibus sont souvent climatisés. Malheureusement, la climatisation peut transformer votre voyage en calvaire et un vêtement chaud est donc indispensable, en particulier sur les liaisons Panamá-David. Ce n'est pas pour rien que les bus climatisés sont surnommés *nevera* (frigo) !

Train

L'unique train du pays relie les villes de Panamá et Colón du lundi au vendredi pour 22 $ l'aller. A vocation principalement touristique, il transporte également les personnes qui travaillent dans la Zone libre et résident dans la capitale. Détails de ce voyage magnifique dans la rubrique consacrée dans la ville de Colón.

Voiture

L'état des routes est fonction de l'état d'avancement des travaux publics, souvent lié aux périodes électorales ! La Panaméricaine (*Interamericana*) est l'axe principal du pays qu'elle traverse d'est en ouest, de la frontière du Costa Rica jusqu'à Yaviza, à une centaine de kilomètres de la frontière colombienne dans le Darién (il n'est donc pas possible de se rendre en Colombie en voiture). L'autre axe principal, la Transisthmique (*Transísmica*) relie Panamá City à Colón. Le trafic, souvent dense, a encouragé la construction d'une nouvelle autoroute qui devrait à terme améliorer la circulation de cet axe crucial pour l'économie du pays mais les travaux trainent dans la dernière partie jusqu'à Colón. Le réseau des routes secondaires s'est bien amélioré ces dernières années. Goudronnées ou non, ces routes nécessitent d'être prudent en raison des nids-de-poule… et des poules, sans parler des chiens et des vaches ! La ceinture n'est obligatoire qu'à l'avant mais cela ne coûte rien de la porter à l'arrière aussi.En règle générale, la vitesse est limitée à 80-90 km/h sur route (avec des sections à 100 km/h) et à 40-60 km/h en ville. Les routes ne sont pas éclairées la nuit, ce qui peut rendre la conduite difficile. Attention aux intersections, les feux tricolores sont placés de l'autre côté de la rue à traverser, comme aux Etats-Unis. La conduite est plutôt sportive : la priorité est rarement fonction des panneaux mais suit la loi du plus fort. En résumé, laissez passer les *diablos rojos* et les gros 4x4 et utilisez le Klaxon !

En cas de collision, les voitures impliquées doivent rester à leur place même si elles obstruent totalement la circulation ! Vous devez attendre l'arrivée de la police en présence de laquelle le constat sera établi. Cette règle explique les fréquents embouteillages dans la capitale. Les agents de la circulation, comme partout, font parfois preuve de zèle : restez calme et souriant, si possible. L'amende doit normalement être acquittée à l'autorité du transit et du transport terrestre (ATTT) de la ville du lieu de l'infraction. Si l'agent vous demande de régler l'amende de la main à la main, refusez ou demandez un reçu signé par le nom de l'agent avec son numéro de matricule. A la station-service (*bombas*), vous n'aurez pas à descendre de la voiture, un pompiste viendra vous servir. Certaines stations n'acceptent pas les cartes de crédit.Le permis étranger est valable 3 mois à compter de son entrée sur le territoire. L'âge minimum pour conduire est de 18 ans.

▶ **Location de voiture.** Les principales agences internationales sont présentes à Panamá et dans les plus grandes villes. Dans la capitale, elles sont concentrées dans la Vía Veneto et les rues adjacentes, mais aussi en périphérie et aux aéroports de Tocumen (24h/24) et d'Albrook. Il est possible de louer une voiture à Panamá et de la rendre dans une autre ville. Le 4x4 est rarement indispensable, surtout en saison sèche. Les voitures à boîte de vitesse automatique sont assez répandues. Le kilométrage est illimité ; on paie à la journée entre 40 et 150 $, sans l'essence. Renseignez-vous, certains loueurs proposent des combinaisons intéressantes : voiture/nuit d'hôtel ou voiture/billet d'avion (vols intérieurs).Pour louer un véhicule, il vous faudra

présenter votre permis et votre passeport, avoir plus de 23 ou 25 ans et posséder une carte de crédit (pour la caution).

Transports en ville

Le Panaméen qui vit dans la capitale ne marche pas ! Ce qui fait le bonheur des bus, mais surtout des taxis ! Vous n'aurez aucune difficulté à en trouver, sauf aux heures de pointe (vers 7/8h et 16/19h) où les temps de déplacement sont considérablement allongés. Une ligne de métro devrait on l'espère fluidifier le trafic. Les travaux ont débuté en 2011.

▌ **Bus.** Il y a depuis peu deux sortes de bus. Les « Metrobus » sont modernes (climatisés, bouton pour demander l'arrêt…) et ont des stations spécifiques sur les grandes artères. Les trajets coûtent entre 50 cents et 1,25 $. Ils doivent à terme remplacer tous les anciens bus, les fameux « *diablos rojos* » : Klaxons surpuissants, conducteurs impatients, déco « déjantée », un trajet avec ce type de bus est une expérience ! Leur destination est inscrite sur le pare-brise et criée par un rabatteur. Les arrêts ne sont pas toujours indiqués ; pour descendre, on lève la main et on se dirige vers la sortie sans oublier de payer (25 cents à Panamá Ciudad et de 15 à 20 cents dans les villes de provinces).

▌ **Taxis.** Ils sont très nombreux dans la capitale mais souvent difficiles à attraper aux heures de pointe, surtout s'il pleut ! La course coûte généralement moins de 2 à 2,50 $ mais les tarifs sont de plus en plus à la tête du client. En province, c'est environ 1,50 $. Il est conseillé de se mettre d'accord avec le chauffeur sur le prix au début de la course pour éviter les mauvaises surprises.

▌ **Circuler à vélo** à Panamá Ciudad n'est pas conseillé, sauf sur certaines voies sécurisées (comme au Causeway ou sur la Cinta Costera), en raison de la circulation anarchique.

Deux-roues

On croise très peu de cyclistes ou motards sur les routes du pays, mais de plus en plus en raison de l'augmentation constante des prix du carburant. Il convient d'être très prudent car la circulation est dangereuse sur les routes panaméennes.

Auto-stop

Pour les adeptes de l'autostop, comme dans la plupart des pays d'Amérique latine, la gratuité est rarement de mise et il est coutume de laisser un petit quelque chose au chauffeur.

ORGANISER SON SÉJOUR

ÊTRE SOLIDAIRE

Soyons réalistes, en partant quinze jours « faire de l'humanitaire » avec une association, on soulage sa conscience mais on ne fait rien pour les populations locales. Un véritable engagement demande temps et réflexion. Pourquoi voulez-vous aider ? Quelles sont vos compétences ? A quel type de projet croyez-vous ? La première étape est de bien comprendre les difficultés rencontrées sur place. Il vous faudra ensuite partir à la chasse à la mission. Renseignez-vous bien sur l'association avec laquelle vous envisagez de partir car, dans le secteur de l'aide internationale, on trouve beaucoup d'organisations qui, même avec les meilleures intentions du monde, n'apportent finalement que peu d'aide réelle au pays. Mais à côté de ces missions, existent aussi des chantiers solidaires intéressants pour aller à la rencontre de la population, pour nettoyer une forêt, aider à la préservation d'une espèce…

CONCORDIA
www.concordia-association.org
Concordia propose des chantiers solidaires.

C'est une solution intéressante pour ceux qui ont envie d'aider mais disposent de peu de temps.

COORDINATION SUD
www.coordinationsud.org
Vous pouvez consulter sur ce site la présentation de diverses organisations non gouvernementales et les offres d'emploi ou de bénévolat s'y rattachant.

UNAREC
Délégation internationale
3, rue des Petits-Gras
Clermont-Ferrand
✆ 04 73 31 98 04 – www.unarec.org
Le mouvement « Etudes et Chantiers » développe par l'intermédiaire de ses associations régionales des projets de volontariat, en France et à l'étranger, ainsi que des projets de lutte contre les exclusions. Trois grandes catégories : « Le travail volontaire des jeunes », « Economie solidaire et lutte contre les exclusions » et « Coopération internationale ».

ÉTUDIER

Pour étudier ou poursuivre vos études supérieures, il vous faut prendre contact avec le service des relations internationales de votre université. Préparez-vous alors à des démarches longues. Mais le résultat d'un semestre ou d'une année à l'étranger vous fera oublier ces désagréments tant c'est une expérience personnelle et universitaire enrichissante. C'est aussi un atout précieux à mentionner sur votre CV.

AGENCE POUR L'ENSEIGNEMENT FRANÇAIS À L'ÉTRANGER
19-21, rue du Colonel Pierre Avia (15e)
Paris
✆ 01 53 69 30 90
www.aefe.fr
Sous la tutelle du ministère des Affaires étrangères, l'AEFE est chargée de l'animation de plus de 250 établissements à travers le monde.

▶ **Autre adresse :** 1, allée Baco, BP 21509 – 44015 Nantes Cedex 1 ✆ 02 51 77 29 03.

CIDJ
www.cidj.asso.fr
La rubrique « Partir en Europe » sur le serveur du C.I.D.J. fournit des informations pratiques aux étudiants qui ont pour projet d'aller étudier à l'étranger.

CONSEIL DE L'EUROPE
www.egide.asso.fr
Rubrique sur le programme BFE (boursiers français à l'étranger). Obtenir une bourse d'études supérieures à l'étranger.

COOPÉRATION ÉDUCATIVE EUROPÉENNE
www.europa.eu.int

ÉDUCATION NATIONALE
www.education.gouv.fr
Sur le serveur du ministère de l'Education nationale, une rubrique « International » regroupe les informations essentielles sur la dimension européenne et internationale de l'éducation.

▪ **MINISTÈRE
DES AFFAIRES ÉTRANGÈRES**
www.diplomatie.gouv.fr

Les informations disponibles dans l'espace culturel du serveur du ministère des Affaires étrangères sont également précieuses.

INVESTIR

Avec une position géographique stratégique, un centre bancaire international de premier ordre, un système économique et politique stable et des conditions d'implantation très souples, les possibilités d'investissement sont réelles au Panamá, en particulier dans le secteur du tourisme et de l'immobilier. Elles sont vivement encouragées par l'Etat toujours en quête d'argent frais.
On n'a qu'à consulter les revues touristiques gratuites (*Focus Panamá*, *The Visitor*, etc.) pour s'en rendre compte !

TRAVAILLER – TROUVER UN STAGE

▪ **ASSOCIATION TELI**
2, chemin de Golemme
Seynod
℅ 04 50 52 26 58
www.teli.asso.fr
Le Club TELI est une association loi 1901 sans but lucratif d'aide à la mobilité internationale créée il y a 16 ans. Elle compte plus de 4 100 adhérents en France et dans 35 pays. Si vous souhaitez vous rendre à l'étranger, quel que soit votre projet, vous découvrirez avec le Club TELI des infos et des offres de stages, de jobs d'été et de travail pour francophones.

▪ **CAPCAMPUS**
www.capcampus.com
Capcampus est le premier portail étudiant sur le Net en France et possède une rubrique spécialement dédiée aux stages, dans laquelle vous trouverez aussi des offres pour l'étranger. Mais le site propose également toutes les informations pratiques pour bien préparer votre départ et votre séjour à l'étranger.

▪ **MAISON DES FRANÇAIS
DE L'ÉTRANGER**
48, rue de Javel (15ᵉ)
Paris
℅ 01 43 17 60 79
www.mfe.org
mfe@mfe.org
La Maison des Français de l'étranger (MFE) est un service du ministère des Affaires étrangères qui a pour mission d'informer tous les Français envisageant de partir vivre ou travailler à l'étranger et propose le *Livret du Français à l'étranger* et 80 dossiers qui présentent le pays dans sa généralité et abordent tous les thèmes importants de l'expatriation (protection sociale, emploi, fiscalité, enseignement, etc.).

Egalement consultables : des guides, revues et listes d'entreprises et, dans l'espace multimédia, tous les sites Internet ayant trait à la mobilité internationale.

▪ **RECRUTEMENT INTERNATIONAL**
www.recrutement-international.com
Site spécialisé dans les offres d'emploi à l'étranger, le recrutement international, les carrières internationales, les jobs et stages à l'international.

▪ **VOLONTARIAT INTERNATIONAL**
www.civiweb.com
Si vous avez entre 18 et 28 ans et êtes ressortissant de l'Espace économique européen, vous pouvez partir en volontariat international en entreprise (VIE) ou en administration (VIA). Il s'agit d'un contrat de 6 à 24 mois rémunéré et placé sous la tutelle de l'ambassade de France. Tous les métiers sont concernés et vous bénéficiez d'un statut public protecteur. Offres sur le site Internet.

▪ **WEP FRANCE**
81, rue de la République (2ᵉ) Lyon
℅ 04 72 40 40 04
www.wep-france.org
info@wep.fr
Wep propose plus de 50 projets éducatifs originaux dans plus de 30 pays, de 1 semaine à 18 mois. Année scolaire à l'étranger, programmes combinés (1 semestre scolaire avec 1 projet humanitaire ou 1 chantier nature ou 1 vacances travail), projets humanitaires mais également stages en entreprise en Europe, Australie, Nouvelle-Zélande, Canada et Etats-Unis, et Jobs & Travel (visa vacances travail) en Australie et Nouvelle-Zélande : voici un petit aperçu des nombreuses possibilités disponibles.

Index

ORGANISER SON SÉJOUR

▨ N / O / P ▨

ORGANISER SON SÉJOUR

Découvrez
Toute la collection Voyage

FRAIS DE PORT OFFERTS

BULLETIN À RETOURNER À :
PETIT FUTE VPC 18, rue des Volontaires 75015 PARIS Tél. 01 53 69 70 00

☐Mme ☐Mlle ☐M. Nom...Prénom...

Adresse...Code postal...............................

Ville...Email...

Je commande les guides suivants : ☐...X............ €
(titre)

☐...X............ €
(titre) *(prix)*

Je joins mon règlement par chèque bancaire ou postal à l'ordre du Petit Futé

Je préfère régler par carte bancaire la somme totale de ....€

date et signature
obligatoires :

B. n° ☐☐☐☐ ☐☐☐☐ ☐☐☐☐ ☐☐☐☐

Expire fin : ☐☐ / ☐☐ N° de contrôle (les 3 derniers chiffres au dos de votre carte) ☐☐☐

Liste des titres au verso. Offre réservée à la France métropolitaine dans la limite des stocks disponibles.

Vous pouvez également commander en ligne sur www.petitfute.com

et retrouvez toutes nos nouveautés au jour le jour sur Internet !

www.petitfute.com

Votre avis nous intéresse

Donnez-le directement en ligne sur
www.petitfute.com

Pour améliorer les guides du Petit Futé qui seront utilisés par de futurs voyageurs et touristes, nous serions heureux de vous compter parmi notre équipe afin d'augmenter le nombre et la qualité des enquêtes.

Dès lors que vous nous adressez des informations, bonnes adresses… vous nous autorisez par le fait même à les publier gracieusement en courrier des lecteurs.

En devenant membre de la communauté vous pouvez :

- Écrire des avis
- Suggérer de nouveaux établissements
- Bénéficier d'infos et de bons plans de la communauté
- Participer aux jeux concours et gagner de nombreux lots

Quelques secondes suffisent pour créer un compte en ligne !

Sur **www.petitfute.com**

- Des milliers d'adresses recommandées par le Petit Futé
- Plus de 20 000 lieux référencés en France et dans le monde
- Une boutique en ligne

Ou adressez vos témoignages sur papier libre

N'oubliez pas de renseigner :

- Nom et prénom
- Votre âge
- Adresse, code postal, ville et pays
- Votre adresse email

À envoyer à l'adresse suivante :
Petit Futé Voyage
18 rue des Volontaires, 75015 Paris
ou par mail :
infopays@petitfute.com

Un ryad à **M**arrakech, un ryokan à **K**yoto…
Les bonnes adresses du bout de la rue au bout du monde… **www.petitfute.com**

Découvrez toute notre collection de guides avec DVD !

FRAIS DE PORT OFFERT

BULLETIN À RETOURNER À :
PETIT FUTE VPC 18, rue des Volontaires 75015 PARIS Tél. 01 53 69 70 00

☐ Mme ☐ Mlle ☐ M. Nom...Prénom..............................

Adresse..Code Postal........................

Ville...Email..

☐ Je commande les guides suivants :

▸ Andalousie..............12,95 € x	▸ Grèce continentale ....12,95 € x	▸ Québec............................14,95 € x
▸ Australie.................16,95 € x	▸ Guadeloupe ....11,95 € x	▸ Rep Dominicaine..............11,95 € x
▸ Baléares - Ibiza ....12,95 € x	▸ Îles grecques...................12,95 € x	▸ Réunion ....11,95 € x
▸ Bali-Lombok ....13,95 € x	▸ Inde du Nord Rajasthan .....14,95 € x	▸ Sardaigne ....15,95 € x
▸ Brésil......................14,95 € x	▸ Israël..............................15,95 € x	▸ Sénégal............................11,95 € x
▸ Canaries..................14,95 € x	▸ Jordanie ....13,95 € x	▸ Seychelles........................17,95 € x
▸ Chili.......................13,95 € x	▸ Kenya ....13,95 € x	▸ Tahiti Polynésie ....17,95 € x
▸ Costa Rica ....15,95 € x	▸ Malte ....12,95 € x	▸ Thaïlande.........................14,95 € x
▸ Crète......................12,95 € x	▸ Maroc ....12,95 € x	▸ Tunisie ....12,95 € x
▸ Croatie....................12,95 € x	▸ Martinique ....11,95 € x	▸ Turquie ....12,95 € x
▸ Cuba.......................13,95 € x	▸ Maurice ....11,95 € x	▸ Vietnam ....14,95 € x
▸ Egypte ....12,95 € x	▸ Mexique ....13,95 € x	
▸ Floride....................13,95 € x	▸ Portugal ....12,95 € x	

date et signature obligatoires :

☐ Je joins mon règlement par chèque bancaire ou postal à l'ordre du Petit Futé

☐ Je préfère régler par carte bancaire la somme totale de ....€

C.B. n° ☐☐☐☐ ☐☐☐☐ ☐☐☐☐ ☐☐☐☐ ☐☐☐

Expire fin : ☐☐ / ☐☐   N° de contrôle (Les 3 derniers chiffres au dos de votre carte) ☐☐☐

Offre réservée France métropolitaine dans la limite des stocks disponibles.

Vous pouvez également commander en ligne sur www.petitfute.co